생각이 터지는

수학의 발견 중 2 해설서

수학 교과서

차 례

들어가며

"학생 참여 중심의 수업을 맛본 뒤부터 절대로 교사가 일방적으로 주도하는 주입식·설명식 수업으로 돌아갈 수 없었습니다. 이 대안 수학 교과서가 없었다면 나는 엉성한 학습지라도 다시 만들어 수업했을 것입니다. 지금 수학 교과서는 최악입니다."

실험학교 교사가 들려준 말이 아직도 귀에 쟁쟁합니다.

저는 교직을 떠난 지 7년이 지났습니다. 교직에 있는 27년 동안 무려 20년 넘게 교사가 주도하는 설명식 수업을 하다가 깨달은 바가 있어 마지막 7년 동안은 학생 배움 중심 수업을 했습니다. 제가 근무하던 학교는 혁신학교도 아니었고, 심지어 고등학교 3학년 교실에서조차 모둠 활동을 했던 기억이 납니다.

2004년부터 많은 수업을 컨설팅했습니다. 영어, 사회, 체육 등 다른 교과 수업을 컨설팅할 때는 즐거웠습니다. 그런데 정작 제 전공인 수학 수업을 컨설팅할 때는 항상 마음이 무거웠습니다. 수학 교사들이 하는 교수법이나 수업 전문성에 의심이 들었기 때문입니다. 그러다 늦게나마 깨달았습니다. 수학 교과서가 행동주의 교육철학에 기반을 두고 쓰인 탓에 구성주의에 따른 수업은 진행할 수가 없겠다는 것이었습니다.

수학 교과서는 70년 동안 멈춰 있었습니다. 안타까운 현실을 타개하기 위해 지난 2년간 집필진과 실험학교 교사들이 밤낮으로 머리를 맞대고 씨름했습니다. 수업을 바꾸고 싶은 교사들을 위해 대안 수학 교과서를 만들었습니다. 수업에 사용할 과제를 만들고 수업 디자인을 하는 것이 쉬운 일은 아닐 것이라 짐작했지만 정말 어려운 일이었습니다. 이제 첫발을 디뎠기 때문에 100% 만족스러운 수준은 아니지만 자신감을 가질 수준은 된다는 확신이 듭니다.

물론 개념 설명을 교사에게 맡기지 않는 《수학의 발견》이 가진 교육철학에 동의하지 않는 교사도 있을 것입니다. 그런 분들은 이 책을 사용하기 쉽지 않을 것입니다. 왜냐하면 가르칠 내용과 지식이 한 눈에 보이지 않을 뿐만 아니라 어떻게 수업을 진행해야 할지 선뜻 떠오르지 않기 때문입니다.

《수학의 발견》과 《수학의 발견 해설서》는 학생 참여 중심의 수업을 하려는, 즉 구성주의 교육철학을 가진 분들에게 알맞습니다. 수학 개념을 만들어 가는 학습에서부터 스스로 발견하고 찾아가도록 과제를 구성했습니다. 《수학의 발견》은 아이들이 왁자지껄 떠들며 수업을 이끌어가는 교실, 터져 나오는 아이들의 생각을 뒤에서 살피고 수정해 줄 수 있는 선생님이 있는 수학 수업을 꿈꿉니다. 이 책으로 진정한 과정 중심 평가가 이루어지기를 기대합니다.

사교육걱정없는세상 수학사교육포럼 대표 최수일

《수학의 발견 해설서》, 이렇게 활용하세요!

학생이 스스로 수학 개념을 찾아가도록 하기 위해서 《수학의 발견》은 개념을 탐구할 수 있는 질문들을 유기적으로 제공하고 학생 스스로 채울 수 있는 공간을 최대한 늘렸습니다. 대신 해설서는 자료들을 자세하게 제공하여 꼭 필요한 책으로 자리매김하고자 하였습니다. 《수학의 발견 해설서》는 기존 해설서가 제공하는 기본적인 정보 이외에 세 가지 특징을 가지고 있습니다.

탐구 활동의 과제 구성 의도를 자세하게 제공

개념과 원리 탐구하기 5 _ 순환마디의 원리

교과서(상) 20쪽

탐구 활동 의도

- 1 은 순환마디가 1개, 2개, 6개인 순환소수를 경험함으로써 순환마디가 나오는 원리를 예상해 볼 수 있도록 의도하였다.
- 2 (1)은 순환마디가 16개인 순환소수이다. 나누는 활동을 통해 순환소수인지 아닌지를 판단할 때, 순환소수가 아니라 순환하지 않는 무한소수라고 생각할 수 있는 수치를 주었다. 주어진 분수의 분자를 분모로 나누었을 때 끈기 있는 관찰을 통해 한번 나온 나머지가 다시 나오는 것을 발견하도록 하는 의도다. 순환마디가 짧을 경우 이런 생각을 해 내기가 어렵다.

탐구 활동의 의도를 알면 수업 구상이 쉬워집니다.

실험학교의 학생 반응 자료 제공

학 생
답 안

■ 그렇게 생각하 이유는?

계산을 해보면 0.0588235294... 으로 나누어 떨어지지 않으며 일정한 숫자 배열이 되풀이 되는 부분인 순환마디가 없어 끝도 없이 계속되기 때문이다

1년 동안 실험에 참여한 학생들의 과제에 대한 반응 자료를 제공하여 학생들의 반응을 예측하며 모둠 활동을 구상할 수 있습니다.

학생 중심 수업 진행 노하우 제공

수업 노하우

- 1학년에서 유리수를 $\frac{a}{b}$(a, b는 자연수, $b\neq0$)에 부호($\pm$)를 붙인 수라고 배웠다. 이후 정수의 나눗셈을 배우면 유리수를 $\frac{a}{b}$(a, b는 정수, $b\neq0$)의 꼴로 나타낼 수 있는 수라고 할 수 있다. 그러나 교육과정에서는 유리수의 뜻을 정수의 나눗셈을 배우기 이전에 정의하므로 이 정의는 암묵적으로 사용될 뿐 따로 다루어지지는 않는다.
- 유한소수로 나타낼 수 없는 기약분수 $\frac{a}{b}$($b\neq0$, a와 b는 정수)를 소수로 나타내기 위해 a를 b로 나눌 때, 각 계산 단계의 나머지는 b보다 작아야 하므로 $1, 2, 3, \cdots, b-1$ 중 하나라는 개념이 학생들에게 있는지 확인이 필요하다.
- 학생들은 $\frac{1}{17}$과 같은 분수를 다룬 경험이 없어서 흥미를 보였고, 순환하는지의 여부를 따지기 위해 수업에 쉽게 몰입했다. 계산이 길어질 것에 대해서 두려움을 갖지 않고 즐길 수 있는 분위기를 만들어 주는 것이 필요하다.
- 어떤 학생은 $\frac{1}{17}$이 순환하지 않는 무한소수라고 답했고 그 이유는 소수점 아래 10번째 숫자까지 나누어 보고 나누어 떨어지지 않으니 순환마디가 보이지 않기 때문이라고 했다.

학생 중심 수업을 진행하는 것은 쉽지 않습니다.
그래서 각 탐구 활동마다 수업 진행 노하우를 실었습니다.

《수학의 발견》 철학, 수학 학습원리

'수학'이라는 과목이 다섯 가지 영역으로 나눠져 있지만, 그 속에서 사용되는 수학 원리는 일관성을 유지하고 있습니다. 그래서 각 영역을 관통하는 연결성이 대단히 중요합니다. 생각이 터지는 수학 교과서 《수학의 발견》에는 기존 교과서에서는 볼 수 없었던 다섯 가지 〈수학 학습원리〉를 첫머리에 제시하고 있습니다.

수학 학습원리

끈기 있는 태도와 자신감 기르기	• 과제에 포함된 주어진 자료, 사실, 조건에 대해 주의를 기울인다. • 문제를 적극적으로 해결했던 경험을 떠올리며, 또 다른 효율적인 방법이 없는지 계속 궁리한다. • 스스로 과제를 해결해 가는 과정에서 자신감을 기른다.
관찰하는 습관을 통해 규칙성 찾아 표현하기	• 과제에 포함된 몇 가지 사실을 조사하여 규칙을 발견한다. • 규칙을 발견한 뒤 이를 이용하여 결과를 예측해 본다. • 비슷한 문제 상황에 적용할 수 있는지 판단해 보고 일반적인 규칙으로 표현한다.
수학적 추론을 통해 자신의 생각 설명하기	• 자신이 추론한 여러 가지 가설과 사례가 왜 맞는지 설명해 본다. • 새로 탐구한 결과가 이미 알려진 사실에 어떻게 연결되는지 논리적으로 설명한다. • 다른 사람의 주장이 맞는지 판단해 보고 만약 맞지 않는다면 하나 이상의 반례를 찾는다.
수학적 의사소통 능력 기르기	• 표, 수식, 그림, 그래프 등을 이용하여 주어진 조건을 분석하고 설명한다. • 다른 사람에게 자신의 생각을 수학적 언어로 명확하게 설명한다. • 다른 사람의 수학적 사고를 분석하고 평가해 본다.
여러 가지 수학 개념 연결하기	• 수학적 아이디어 혹은 개념 사이의 연결성을 인식하고 활용한다. • 이미 알고 있는 개념에 새로운 개념을 연결하여 개념의 일관성을 키운다. • 일상생활이나 다른 교과의 사례에서 수학을 인식하고 활용해 본다.

〈수학 학습원리〉가 왜 필요할까요?

아이들의 수학 공부 방법을 보면 많은 문제를 풀면서도 그 문제 해결에 필요한 개념 사이의 관계나 연결성을 되돌아보고 정리하는 면에서는 부족한 것을 느낍니다.

예를 들면, 분수의 사칙 계산을 공부하면서 덧셈은 덧셈대로 곱셈은 곱셈대로 서로 다른 공식을 적용하여 계산을 하지만 두 계산 사이에 어떤 관계가 있는지는 생각하지 않고 답을 구하는 방법에만 몰두하는 경향을 말합니다. 그렇게 되면 두 계산은 아무런 관계가 없이 별도의 공식과 개념으로만 남게 됩니다.

《수학의 발견》에서는 선생님이 아이들에게 〈수학 학습원리〉를 제시하고, 아이들이 그 원리들을 학습 중에 지속적으로 떠올릴 수 있도록 지도하기를 권장합니다. 그리고 '수학 학습원리 완성하기'를 통해 매 단원이 끝날 때마다 충분한 시간을 가지고 〈수학 학습원리〉를 되돌아볼 것을 추천합니다. 이 과정에서 아이들은 수학 개념의 연결성과 일관성을 느낄 수 있고, 이것이 수학 공부에 대한 내적인 동기 유발로 이어짐을 현장 실험 수업을 통해 경험했기 때문입니다.

연간 지도 계획

일반적으로 중학교 수학 교과는 34주를 기준으로 1학년과 2학년에서 각각 136시간, 3학년에서 102시간을 배정합니다. 하지만《수학의 발견》의 연간 지도 계획은 자유학기제 또는 자유학년제 도입에 맞춰 수업을 융통성 있게 운영할 수 있도록 120시간으로 배정하였습니다. 이를 참고하여 수학 교과의 이수 시기와 학교가 정한 수업 시수에 맞도록 적절히 증감하여 지도하시기 바랍니다.

중 2 | 상

중단원	소단원	소주제	교과서 쪽수	시간 배당	학기별 누계
STAGE 1 유리수를 새롭게 보자	1 체육대회 준비	/1/ 우리반 대표 선수는 누구일까	13~18	3	3
		/2/ 응원가를 만들자	19~23	3	6
		탐구 되돌아보기	24~27	1	7
	개념과 원리 연결하기		28~29	1	8
	수학 학습원리 완성하기		30~31	1	9
STAGE 2 식을 간단하게 나타내자	1 보다 간단한 표현	/1/ 복잡해 보이지만 간단해	35~41	3	12
		/2/ 문자식을 간단히	42~47	3	15
		탐구 되돌아보기	48~53	1	16
	개념과 원리 연결하기		54~55	1	17
	수학 학습원리 완성하기		56~57	1	18
STAGE 3 일직선으로 변하는 현상을 발견해 보자	1 서울 여행 1일차	/1/ 서울로 7017 거리에서	61~65	2	20
		/2/ 국립고궁박물관에 가 보자	66~73	3	23
		탐구 되돌아보기	74~78	1	24
	2 서울 여행 2일차	/1/ 수로 표현하는 계단	80~87	4	28
		/2/ 직선 코스로 가 보자	88~94	4	32
		탐구 되돌아보기	95~101	1	33
	개념과 원리 연결하기		102~103	1	34
	수학 학습원리 완성하기		104~105	1	35
STAGE 4 동시에 만족하는 값을 구해 보자	1 모르는 수가 두 개	/1/ 몇 개를 사야할까	109~111	2	37
		/2/ 다르면서 같은 것을 찾아라	112~116	3	40
		탐구 되돌아보기	117~120	1	41
	2 축제 준비	/1/ 판매 행사 계획하기	122~126	2	43
		/2/ 몇 개나 팔았을까	127~132	4	47
		탐구 되돌아보기	133~139	1	48
	개념과 원리 연결하기		140~141	1	49
	수학 학습원리 완성하기		142~143	1	50
STAGE 5 놀이동산에 가자	1 크거나 작거나	/1/ 놀이동산 가는 길	147~154	4	54
		/2/ 어, 방향이 바뀌네	155~164	4	58
		탐구 되돌아보기	165~169	1	59
	개념과 원리 연결하기		170~171	1	60
	수학 학습원리 완성하기		172~173	1	61

중 2 하

중단원	소단원	소주제	교과서 쪽수	시간 배당	학기별 누계
STAGE 6 삼각형을 새롭게 보자	1 무엇이 무엇이 똑같을까	/1/ 삼각형으로 논리 만들기	13~17	3	3
		탐구 되돌아보기	18~23	1	4
	2 삼각형과 딱 맞는 원	/1/ 삼각형을 품는 가장 작은 원	25~33	3	7
		/2/ 삼각형 안의 가장 큰 원	34~38	3	10
		탐구 되돌아보기	39~43	1	11
	개념과 원리 연결하기		44~45	1	12
	수학 학습원리 완성하기		46~47	1	13
STAGE 7 사각형을 새롭게 보자	1 평행선으로 만든 사각형	/1/ 사각형으로 논리 만들기	51~58	3	16
		탐구 되돌아보기	59~62	1	17
	2 네 정체를 밝혀라	/1/ 다른 것들과는 달라요	64~71	4	21
		탐구 되돌아보기	72~79	1	22
	개념과 원리 연결하기		80~81	1	23
	수학 학습원리 완성하기		82~83	1	24
STAGE 8 모양을 축소하고 확대하자	1 모양은 같고, 크기는 다르고	/1/ 줄여 보고 키워 보자	87~95	3	27
		/2/ 팽이 돌리기	96~102	4	31
		탐구 되돌아보기	103~107	1	32
	2 피타고라스와 숨바꼭질	/1/ 나는 어떤 삼각형일까	109~114	3	35
		탐구 되돌아보기	115~119	1	36
	개념과 원리 연결하기		120~121	1	37
	수학 학습원리 완성하기		122~123	1	38
STAGE 9 세상을 예측해 보자	1 국제 아동 돕기	/1/ 국제 아동을 돕기로 한 친구들	127~133	3	41
		탐구 되돌아보기	134~137	1	42
	2 모금을 어떻게 할까	/1/ 미리 예측할 수 있을까	139~150	5	47
		탐구 되돌아보기	151~155	1	48
	개념과 원리 연결하기		156~157	1	49
	수학 학습원리 완성하기		158~159	1	50

학생 참여 중심의 수학 수업

학생이 자기 주도적으로 개념을 구성해 나가며 진정한 배움이 일어나는 수학 수업에서는 나름의 수업 문화를 만들어야 합니다. 바로 경청, 공유, 실수를 통한 배움을 중요하게 생각하는 것입니다.

첫째로 아이디어를 바탕으로 문제 해결 방법에 대해 자유롭게 토론하기 위해서는 당연히 경청할 수 있는 태도를 지녀야 합니다. 다른 사람의 아이디어와 해결 방법을 존중하는 과정에서 모두가 배울 수 있을 뿐 아니라 바람직한 사회적 상호작용의 기초도 마련할 수 있기 때문입니다.

둘째로 스스로 찾은 해결 방법을 다른 학생들과 공유해 나가는 문화를 조성해야 합니다. 서로 아이디어를 공유하고 자신에게 좋은 정보를 받아들이는 것에 자율성과 책임이 함께 있기 때문에 이를 강조해야 합니다.

마지막으로 학습 과정에서 일어나는 실수를 부정적으로 생각하지 않도록 해야 합니다. 실수를 통해 배운 내용을 다시 확인하고 그것을 수정하기 위해 서로 돕는 과정에서 학습이 진전됨을 아이들이 경험으로 알 수 있을 것입니다.

《수학의 발견》과 《수학의 발견 해설서》는 학생이 참여할 수밖에 없는 과제, 그리고 그 과제로 수업을 할 때 나타나는 다양한 양상, 그리고 그러한 학생들의 반응을 조율하며 수학 개념을 탐구할 수 있도록 하는 안내를 하고 있습니다. 과제를 처음부터 모둠별로 하라고 제시하는 것은 아닙니다. 학생의 개별 활동과 모둠 활동, 전체 공유 활동을 교사가 다음과 같이 조율해 갈 필요가 있습니다. 이것에 대한 구체적인 안내는 〈수업 노하우〉에 실었습니다.

교과서 과제

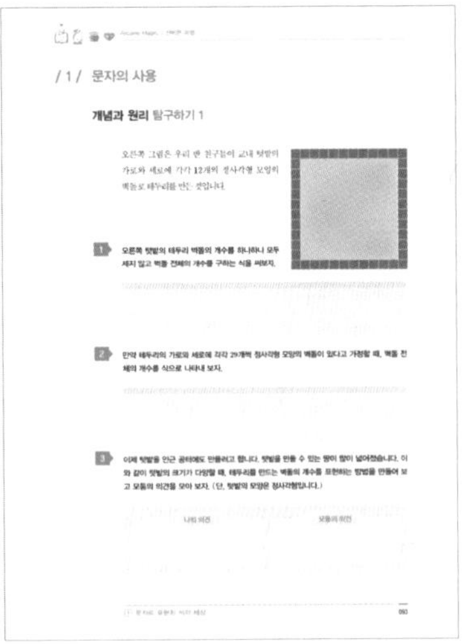

학생 참여 수업의 진행

수업 진행	학생 활동	교사의 역할
수업 전		예상하기
1번 과제	개별 활동	점검하기
2번 과제	개별 활동	점검하기
3번 과제	모둠 활동	선정하기 계열짓기
마무리	전체 공유 활동	연결하기

STAGE 1

유리수를 새롭게 보자

– 유리수와 순환소수

이 단원의 핵심 지도 방향

1학년 때 분자와 분모가 모두 자연수인 분수에 양의 부호와 음의 부호를 붙인 것과 0을 통틀어서 유리수라고 정의했습니다. 여기서는 이와 같은 표현 방법으로 유리수인지 아닌지를 묻는 것이 아니라 소수 표현과 관련된 유리수의 성질을 탐구하도록 합니다. 3학년에서 무리수를 순환하지 않는 무한소수로 도입하는 데 그 중간 다리 역할을 한다고도 볼 수 있습니다.

초등학교에서 배웠던 분수와 소수의 표현에 이어 소수를 유한소수, 무한소수, 순환소수로 소개합니다. 이를 이용하여 분수를 소수로 나타낼 때 유한소수나 순환소수의 형태로 표현될 수밖에 없음을 이해하고 이를 유리수와 관련지어 설명할 수 있도록 하는 것이 필요합니다.

1 체육대회 준비 (유리수와 순환소수)

단원 지도 계획

/1/ 우리반 대표 선수는 누구일까

- 1차시: 개념과 원리 탐구하기 1 — 분수와 소수 표현
- 2차시: 개념과 원리 탐구하기 2 — 유한소수로 나타낼 수 있는 분수
- 3차시: 게임하며 탐구하기 3 — 유한소수로 나타낼 수 있는 분수

/2/ 응원가를 만들자

- 4차시: 개념과 원리 탐구하기 4 — 순환소수, 순환마디의 뜻
- 5차시: 개념과 원리 탐구하기 5 — 순환마디의 원리
- 6차시: 개념과 원리 탐구하기 6 — 순환소수를 분수로 나타내기

- 7차시: 탐구 되돌아보기
- 8차시: 개념과 원리 연결하기
- 9차시: 수학 학습원리 완성하기

• 교과서 각 소단원마다 제시된 **탐구 되돌아보기**는 **개념과 원리 탐구하기**와 연계하여 수업 시간 내 또는 수업 시간 이후 복습으로 활용할 수 있습니다.

/1/ 우리반 대표 선수는 누구일까 (유리수와 유한소수)

학습목표

1 실생활에 쓰이는 분수와 소수 표현의 장점과 단점을 비교해 봄으로써 그 특징을 이해할 수 있다.
2 분수를 소수로 나타내는 과정에서 소수에는 유한소수와 무한소수가 있음을 발견할 수 있다.
3 유한소수로 나타낼 수 있는 분수의 특징을 관찰하여 발견할 수 있다.
4 유한소수로 나타낼 수 있는 분수를 소수로 고치는 과정을 설명할 수 있다.

2015 개정 교육과정 성취기준

순환소수의 뜻을 알고, 유리수와 순환소수의 관계를 이해한다.

교수 · 학습 방법 및 유의 사항

1 유한소수를 순환소수로 나타내는 것은 다루지 않는다.
2 순환소수를 분수로 고치는 것은 순환소수가 유리수임을 이해할 수 있는 정도로 다룬다.

평가 방법 및 유의 사항

1 최대공약수와 최소공배수를 활용하는 복잡한 문제는 다루지 않는다.
2 정수, 유리수와 관련하여 지나치게 복잡한 계산을 포함하는 문제는 다루지 않는다.
3 사칙계산 이외의 이항연산 문제는 다루지 않는다.

핵심발문

유한소수로 나타낼 수 있는 분수는 어떤 특징을 갖고 있을까?

개념과 원리 탐구하기 1 _ 분수와 소수 표현

교과서(상) 13쪽

탐구 활동 의도

- 분수를 소수로 표현하는 방법을 복습하고, 주어진 상황에 분수와 소수 표현 중 어떤 표현이 편리한지 생각하게 하는 활동이다.
- 분수를 소수로 나타낼 때 몫을 자연수에서 멈추지 않고 계속 나누도록 하여 소수점 아래 0이 아닌 숫자가 계속 되는 경우가 있음을 경험하게 한다. 여기서 직접적으로 소수를 무한소수와 유한소수로 분류하게 하는 과제는 없지만 분수를 소수로 바꿀 때 유한소수와는 다른 특징을 가지는 소수가 있음을 직관적으로 느끼게 한다.
- 무한히 나눌 수 있는 분수가 있음을 경험하게 하는 것이 목적이므로 이 탐구활동에서는 계산기를 사용하지 않도록 하였다. 그래서 직접 계산할만한 수치로 주었다.

예상 답안

1 (1)

번호	후보 선수	타수	안타수	비율
1	기현	11	7	$\frac{7}{11}$
2	주영	8	5	$\frac{5}{8}$
3	은세	6	4	$\frac{4}{6}$
4	정식	5	4	$\frac{4}{5}$
5	준영	4	3	$\frac{3}{4}$
6	다혜	25	16	$\frac{16}{25}$

(2) • 분모가 다 다르기 때문에 한눈에 비교하기가 어렵다.

• 6개 분수의 분모는 모두 다른 수고 분모들의 최소공배수도 매우 커지기 때문에 통분해서 비교하려하면 계산이 복잡하다.

(3) 표를 보고 안타를 친 비율을 분수와 소수로 나타내면 다음과 같다.

후보 선수	기현	주영	은세	정식	준영	다혜
비율 (분수)	$\frac{7}{11}$	$\frac{5}{8}$	$\frac{4}{6}$	$\frac{4}{5}$	$\frac{3}{4}$	$\frac{16}{25}$
비율 (소수)	0.6363··· 약 64%	0.625 62.5%	0.6666··· 약 67%	0.8 80%	0.75 75%	0.64 64%

• 안타를 친 비율이 높은 순서대로 고르면 정식, 준영, 은세다.

2 (1) 소수가 편리하다. 소수로 나타내면 각 자릿값을 기준으로 크기를 비교하기가 쉽다. 타율을 분수로만 나타내면 분모가 다 다르기 때문에 통분을 하지 않으면 크기 비교가 어렵다.

(2) • 분수가 편리한 경우 : 요리 레시피에서 재료의 양과 같이 정해진 양을 일정하게 나눌 때, 전체의 양을 여럿으로 나눌 때

• 소수가 편리한 경우 : 게임의 승률, 야구 타율 등과 같이 기준 값에 대한 비율을 파악할 때, 물건의 길이를 재거나 양을 정확히 구할 때

참고 복권당첨 확률이나 벼락을 맞을 가능성 또는 대학 입학 경쟁률과 같이 기준값에 대한 비율을 파악할 때는 분수가 이해하기 더 편리하고 야구에서의 타율이나 날씨에서 비가 올 확률은 소수로 표현하는 것이 크기를 쉽게 비교할 수 있어서 더 편리하다.

학생 답안

소수. 타율, 수 비교, 쓸 데 XX, 달러, 자세한 수
분수 남은 조각, 평소에 사용, 음료수, 대략적인 수
전체에서

분수	소수
피자 음료수 등] 남을 때 대략적인 수를 나타낼 때	정확한 수 나타낼 때 타율 정할 때 비교할 때 쓸 때 없을 때

- 서로 비교할 때 소수가 좋다.
- 남은 조각 같은 것을 나타낼 때 분수가 좋다

분수가 편함. 음식을 나눠 먹을 때, 물건을 나누어 가질 때.
소수가 편함. 비율을 비교하거나 정확히 알아야 할 때
기준이 절대적일 때 (km, ml 등) 수들
기준이 상대적인 때 1.2.5
소수 / 무한소수 / 유한소수

수업 노하우

- [1] (2)는 크기를 비교하는 상황에서는 분수가 편리하지 않음을 실제로 경험하게 하는 탐구다. 소수 표현의 필요성을 느낄 수 있도록 하기 위한 도입 과제이므로 오랜 시간을 할애하지 않아도 된다.
- [1] (3)에서 분수와 소수로 나타낸 결과를 보고 가장 합리적인 의사 결정을 할 수 있도록 도울 수 있다. 일부 학생들은 안타수만 보고 결정하거나, 둘씩 비교하여 토너먼트 식으로 3명을 결정할 수도 있다. 이렇게 결정하면 어떤 문제점이 발생할 수 있는지 전체적으로 논의하게 할 수 있다. 처음부터 소수로 나타내어 안타를 친 비율이 높은 3명을 결정한 모둠에게도 생각해 볼 수 있도록 한다.
- 수학사적인 이야기를 함께 할 수 있다. 예를 들어 소수의 자릿값 표현은 네덜란드의 수학자 스테빈(1548~1620)이 처음 사용하였고, 길이 또는 양을 측정하는 데 사용이 되며 분수로 표현된 값을 비교하는 데 편리하다. 분수는 일정한 양의 물건을 몇 사람에게 골고루 나누어 주기 위해 사용되기 시작하였으며 기준 값에 대한 비율을 파악하는 데 도움이 된다.
- 인터넷을 이용하여 일상 생활에서 분수로 표현하는 경우와 소수로 표현하는 경우를 실제 찾아 비교하게 할 수도 있다. 다음 소수가 사용되는 예와 분수가 사용되는 예는 학생들이 찾은 것이다. 요리를 할 경우에는 계산이 아니고 나누는 것이라 분수가 일반적이고, 일상적으로 비교를 위해서는 소수가 많이 쓰인다는 경향성을 이야기해 볼 수도 있다.

아래는 해물 스파게티 만드는 법입니다.
요리 재료
- 주재료 : 스파게티 220 g, 새우(중하) 5마리(100 g), 모시조개 250 g, 홍합 100 g, 오징어 $\frac{2}{3}$마리(150 g)
- 부재료 : 마늘(다진 마늘) 1큰술(10 g), 양파 $\frac{1}{6}$개(30 g), 마늘 2쪽(10 g), 화이트 와인 $\frac{1}{4}$컵(50 mL), 고추(건고추) 1개(2 g), 토마토 홀 550 g, 파슬리(이탈리안 파슬리)약간, 바질(5 g), 올리브유 2큰술(30 mL), 소금 1작은술(3 g), 후추(후춧가루 약간)

참고 학생 친화적인 탐구활동 소재를 사용
탐구활동 소재로 티볼을 선택한 것은 최근 각 중학교 체육 시간에 티볼을 많이 하고 있기 때문이다. 이처럼 타 교과의 교육과정이나 교과서의 소재를 사용하게 되면 전국적으로 소외감 없이 과제에 몰입하는 것이 쉬울 수 있다.

개념과 원리 탐구하기 2 _ 유한소수로 나타낼 수 있는 분수

교과서(상) 16쪽

탐구 활동 의도

- **탐구하기 1**에서 무한소수가 존재함을 경험하고 여기서는 유한소수와 무한소수라는 용어의 뜻을 이해하도록 하였다.
- 초등 과정에서는 (유한)소수를 분수로 나타낼 때, 분모를 10의 거듭제곱의 형태로 바꾸도록 한다. [1]은 이것과 연결지어 분모를 10의 거듭제곱의 형태로 바꿀 수 있을 때 유한소수로 표현이 가능함을 발견하도록 하는 활동이다. 분자를 1로 고정하고 소수로 바꾼 값까지도 다 제시하여 분수를 소수로 바꾸는 과정에 신경쓰지 않고, 분모에 집중할 수 있도록 하였다.
- [2]는 분모를 10의 거듭제곱의 형태로 나타내려면 기약분수의 형태로 바꾸었을 때, 분모의 소인수가 2나 5뿐임을 추론해 낼 수 있도록 하는 것이 목적이다. 32를 10의 거듭제곱의 형태로 만들기 위한 효율적인 방법으로 분모를 소인수분해하는 것임을 발견하게 한다.

예상 답안

[1] 나의 생각
- 유한소수를 분수로 표현하면 분모가 10의 거듭제곱임을 알 수 있다. 따라서 분수의 분모를 10의 거듭제곱으로 표현할 수 있다면 유한소수로 나타낼 수 있다.

> 위의 분수들은 분모가 10의 제곱인 수로 나타내어지기 때문에 유한소수가 된다.

모둠의 의견
- 분모를 10의 거듭제곱으로 표현하려면 분모의 소인수가 2 또는 5이어야 한다.

유한소수들은 전부 분모가 곱해서 10의 제곱수가 나오는 것들이어야 한다. 또한 10은 2와5의 배수이기 때문에 분모의 소인수가 2나 5인 것들도 유한소수이다. 1번에 있는 배수들은 모두 분모의 소인수가 2, 5 또는 10의 제곱수들이다. 그래서 모두 유한소수

2

(1) 소수점 아래의 숫자가 몇 개인지 직접 나누지 않고 구하려면 분모를 10의 거듭제곱 꼴로 바꾸어야 한다. 이때, 2와 5가 곱해진 개수를 알면 소수점 아래 숫자가 몇 개인지 알 수 있다.

$32=2\times2\times2\times2\times2=2^5$이므로 분모와 분자에 5^5을 곱하면 분모는 10^5이므로 소수점 아래 숫자가 5개임을 알 수 있다.

(2) $1024=2^{10}$이고 분모를 10의 거듭제곱으로 만들려면 5^{10}을 곱해주어야 한다.

즉, $\frac{1}{1024}=\frac{1}{2^{10}}=\frac{5^{10}}{2^{10}\times5^{10}}=\frac{5^{10}}{10^{10}}$으로 바꾸어 소수로 표현할 수 있기 때문에 소수점 아래 숫자는 10개다.

(3) 분수를 소수로 나타낼 때는 기약분수의 분모를 소인수분해하여 2 또는 5의 개수를 확인한 후 10의 거듭제곱이 되도록 분모, 분자에 2 또는 5를 곱한다. 곱할 때는 분모의 2와 5의 개수가 같아지도록 곱하여 분모를 10^n(n은 자연수)으로 표현하면 소수점 아래의 수가 몇 개인지 구할 수 있다.

학생 답안

① 기약분수

② 분모 → 소인수분해

③. 분모의 소인수에 2또는 5가 있다면 유한소수.

10의 거듭제곱으로 표현하고 10이면 1번째 100이면 2번째 같이 구할 수 있다. 0의 개수에 따라!

ex) $\frac{\triangle}{10}$ → 첫번째 $\frac{\square}{100}$ → 두번째 $\frac{\bigcirc}{1000}$ → 세번째

3

현수의 주장은 틀렸다. 48의 소인수에 3이 있지만 약분을 하면 3은 사라지기 때문이다. $\frac{36}{48}$을 약분하면 $\frac{3}{4}$이 되고 이 분수로 유한소수가 되는지 안 되는지를 판단해야 한다. 분수는 약분을 한 기약분수의 분모에 2와 5 이외의 숫자가 있는지를 확인하여야 유한소수인지 아닌지를 정확히 판단할 수 있다.

4

유한소수가 되려면 분모의 숫자를 소인수분해 했을 때 2 또는 5의 곱으로만 표현되어야 한다.

$30=2\times3\times5$이므로 a를 곱해서 분모의 소인수 3이 약분되도록 해야 한다. 즉 3의 배수를 곱해야 하고 a는 한 자리의 자연수이므로 3, 6, 9가 될 수 있다.

$\frac{7}{30}\times3=\frac{7}{10}=0.7$, $\frac{7}{30}\times6=\frac{14}{10}=1.4$, $\frac{7}{30}\times9=\frac{21}{10}=2.1$

학생 답안

$\frac{7}{2\times3\times5}\times a$

a=3.6.9이다

분모에 2나 5만 남아야 하므로 .3 .의 배수가 가능하다

(소인수)

∴ 3,6,9이다

수업 노하우

• [1]에서 학생들이 한번에 분모의 소인수가 2 또는 5뿐임을 발견해 내는 것은 어려워했다. $0.2=\frac{2}{10}$와 같이 소수를 분수로 바꿀 때 분모를 10의 거듭제곱 형태로 나타내었던 것과 연결하여 다음과 같이 분모가 10의 거듭제곱의 형태로 변환되면 유한소수가 된다는 특징은 찾아냈다.

분수의 분모가 모두 2, 5의 배수 이기때문에 유한소수이다.

0.x ⇒ $\frac{x}{10}$가 되는다
이때 분모로 소인수 분해 할 경우 2×5의 식이 나오는데
소수에서 분수가 나올때 2×5의 식이 온것임으로
분수에서 소수가 되는 과정 또한 같다.

• [2]에서 32를 준 것은 직접 나누었을 때 쉽게 소수로 바꿀 수 없게 하기 위함이다. 직접 나누지 않고 소수점 아래 숫자를 찾는 방법을 고민하게 한 문제기 때문에 '1 나누기 32'를 직접해서 소수점 아래의 숫자를 모두 구하거나, $\frac{1}{32}=0.03125$로 정확한 계산을 해서 소수점 아래 숫자를 구한 학생에게는 직접 나누거나 정확한 계산을 하지 않고도 소수점 아래 숫자의 개수를 찾는 방법은 없는지 발문하여 10의 거듭제곱의 형태로 분모를 고치는 과정으로 연결할 수 있도록 한다.

• [2]에서 소인수분해와 연결하기 위해 다음과 같이 발문할 수 있다. 이와 같은 발문을 할 경우 학생들은 10의 거듭제곱과 소인수를 연결지을 수 있다.

분모에 어떤 수를 곱해야 10의 거듭제곱의 꼴로 쉽게 바꿀 수 있을까요?

학생 답안

소인수 분해를 전부하면 5와2의 제곱으로 이루어져 있는데
5와 2만 있을 경우 지수법칙의 따라서 10의 제곱이 될 수있고
10의 제곱은 소수로 표현이 가능하기 때문에

• 이 과제에서 '분모의 소인수가 2나 5뿐'이 아닌 경우는 분모를 10의 거듭제곱의 형태로 변형하는 것이 어려움을 추측해 볼 수는 있다. 다만 이럴 경우 무한소수가 된다는 것은 **/ 2 / 응원가를 만들자**에서 다룰 것이므로 가볍게 넘어갈 수 있다.

게임하며 탐구하기 3 _ 유한소수로 나타낼 수 있는 분수

교과서(상) 18쪽

탐구 활동 의도

- 유한소수로 나타낼 수 있는 분수의 특징을 알고 게임을 이용하여 유한소수로 나타낼 수 있는 분수를 찾는 것을 연습하는 활동이다.

예상 답안

$\frac{3\times5}{22}$	**$\frac{25}{40}$**	$\frac{4}{21}$	$\frac{23}{70}$	$\frac{10}{28}$	**$\frac{36}{2\times3\times8}$**
$\frac{13}{11}$	**$\frac{9}{150}$**	$\frac{3\times5}{21}$	$\frac{2}{9}$	**$\frac{7}{2^2\times5}$**	**$\frac{45}{2^2\times3^2\times5^2}$**
$\frac{7}{20}$	$\frac{3}{2^2\times7}$	$\frac{5}{14}$	**$\frac{63}{105}$**	$\frac{6}{18}$	**$\frac{18}{30}$**
$\frac{39}{7\times13}$	$\frac{2}{45}$	**$\frac{4}{25}$**	$\frac{3\times7}{2\times5\times7^2}$	$\frac{14}{48}$	**$\frac{1}{2}$**
$\frac{7}{16}$	**$\frac{12}{2^2\times3\times5}$**	**$\frac{14}{2^2\times7}$**	**$\frac{11}{55}$**	**$\frac{11}{2\times5^2\times11}$**	**$\frac{5}{32}$**
$\frac{21}{3\times5^2\times7}$	$\frac{1}{15}$	$\frac{21}{36}$	**$\frac{12}{64}$**	$\frac{2}{7}$	**$\frac{27}{3\times5}$**

수업 노하우

- 다음과 같은 빙고 게임으로 진행할 수도 있다.
  ① 위의 수를 25~30개 정도 준다. ② 빈칸을 주고 골라서 적게 한다. ③ 모둠에서 돌아가면서 수를 불러서 가로, 세로, 대각선 먼저 한 줄이 완성되면 빙고를 외친다.
- 학생들은 먼저 기약분수로 나타내야 함을 잊는 경우가 많다. 유한소수로 나타낼 수 있는 분수는 기약분수로 나타낸 후 분모의 소인수가 2나 5뿐이어야 함을 상기하게 한다.
- 게임을 하기 전 모둠 친구들이 빙고를 빨리 찾을 수 있는 전략을 찾아보게 할 수 있다.

/2/ 응원가를 만들자 (유리수와 순환소수)

학습목표

1 순환소수의 뜻을 이해하고, 순환소수를 표현하는 방법을 알 수 있다.
2 직접 나누는 과정에서 규칙을 파악하여 순환마디가 생기는 이유를 추론할 수 있다.
3 순환소수로 나타낼 수 있는 분수의 특징을 관찰하여 발견할 수 있다.
4 순환소수의 특징을 이용하여 순환소수를 분수로 나타내는 알고리즘을 발명할 수 있다.
5 유리수와 분수 표현, 소수 표현의 관계를 이해하고, 논리적으로 설명할 수 있다.

2015 개정 교육과정 성취기준

순환소수의 뜻을 알고, 유리수와 순환소수의 관계를 이해한다.

교수 · 학습 방법 및 유의 사항

1 유한소수를 순환소수로 나타내는 것은 다루지 않는다.
2 순환소수를 분수로 고치는 것은 순환소수가 유리수임을 이해할 수 있는 정도로 다룬다.

평가 방법 및 유의 사항

1 최대공약수와 최소공배수를 활용하는 복잡한 문제는 다루지 않는다.
2 정수, 유리수와 관련하여 지나치게 복잡한 계산을 포함하는 문제는 다루지 않는다.
3 사칙계산 이외의 이항연산 문제는 다루지 않는다.

핵심발문

유리수와 소수 표현 사이에는 무슨 관계가 있을까?

개념과 원리 탐구하기 4 _ 순환소수, 순환마디의 뜻

교과서(상) 19쪽

탐구 활동 의도

- 순환소수의 뜻을 이해하고, 도돌이표를 이용하여 순환소수를 표현하는 방법을 이해하는 활동이다.
- 나눗셈을 계속해도 나누어 떨어지지 않는다는 경험이 순환소수의 개념 이해를 도울 수 있으므로 계산기의 사용은 권장하지 않는다.

예상 답안

1 (1)

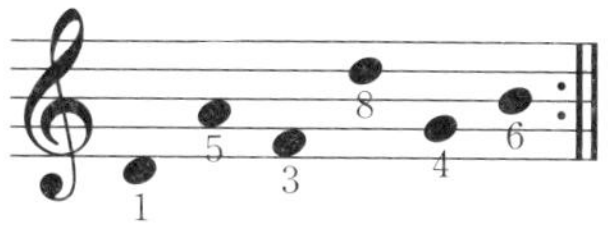

(2)

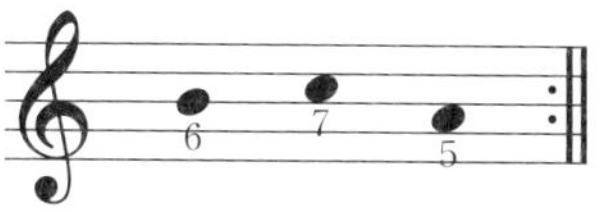

학생 답안

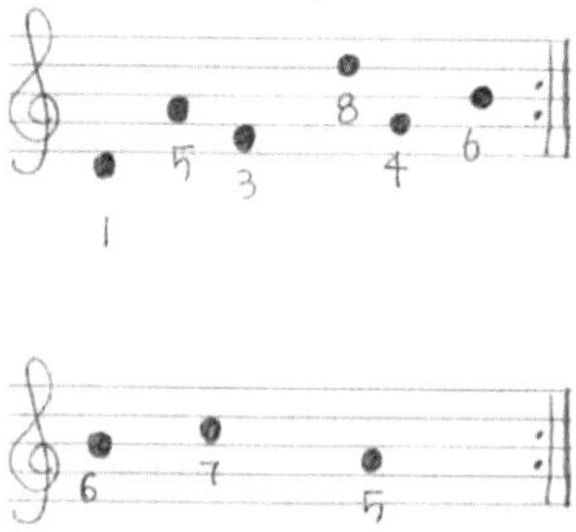

2 (1) $0.\dot{1}5384\dot{6}$ (2) $0.\dot{6}7\dot{5}$

수업 노하우

- $\frac{2}{13}$는 순환마디가 6개 있는 분수이므로 계속 나누는 것이 쉽지 않을 수 있다. 그러나 **탐구하기 5**에서 나누는 활동이 있으므로 여기서도 끈기 있게 나눗셈을 하도록 하는 것이 도움이 될 수 있다.

주의

- 어느 구간을 순환하는 것으로 보는가에 대한 순환소수의 표현 방법은 여러 가지가 있을 수 있다. 논란의 여지가 있는 부분이므로 특별하게 강조해서 가르치지 않는 것이 보편적이다.
  예 $0.6\dot{7}5\dot{6}$, $0.67\dot{5}6\dot{7}$, $0.\dot{6}75675\dot{}$…
- 악보를 나타내는 활동 때문에 순환소수의 의미에 집중하지 못할 우려가 있을 경우에는 악보를 빼고 나눗셈에 집중할 수도 있다.

개념과 원리 탐구하기 5 _ 순환마디의 원리

교과서(상) 20쪽

탐구 활동 의도

- 1 은 순환마디가 1개, 2개, 6개인 순환소수를 경험함으로써 순환마디가 나오는 원리를 예상해 볼 수 있도록 의도하였다.
- 2 (1)은 순환마디가 16개인 순환소수다. 나누는 활동을 통해 순환소수인지 아닌지를 판단할 때, 순환소수가 아니라 순환하지 않는 무한소수라고 생각할 수 있는 수치를 주었다. 주어진 분수의 분자를 분모로 나누었을 때 끈기 있는 관찰을 통해 한번 나온 나머지가 다시 나오는 것을 발견하도록 하는 의도다. 순환마디가 짧을 경우 이런 생각을 해 내기가 어렵다.
- 2 (2)는 각 계산 단계의 나머지가 b보다 작은 $1, 2, 3, \cdots, b-1$ 중 하나일 때, 나눗셈을 많아야 b번 하면 같은 나머지가 반드시 나타나고, 그 다음은 앞의 계산 과정이 되풀이 될 수 밖에 없는 순환마디가

만들어지는 원리를 이해하는 활동이다. 따라서 유한소수로 나타낼 수 없는 유리수는 반드시 순환소수가 될 수밖에 없음을 정리할 수 있도록 의도하였다.

- [3]은 분모에 2와 5 이외의 소인수가 있는 기약분수를 소수로 나타내면 무한소수가 되고, 유한소수로 나타낼 수 없는 유리수는 반드시 순환소수로 나타낼 수 있음을 논리적으로 추론하는 과제다.

예상 답안

[1] (1) $0.\dot{1}\dot{8}$, 순환소수다.
(2) $0.1\dot{6}$, 순환소수다.
(3) $0.\dot{1}4285\dot{7}$, 순환소수다.

[2] (1) 순환소수다. 소수점 아래 17번째 자리까지 나누니까 다시 0이 나와서 반복되는 것을 알 수 있었다.

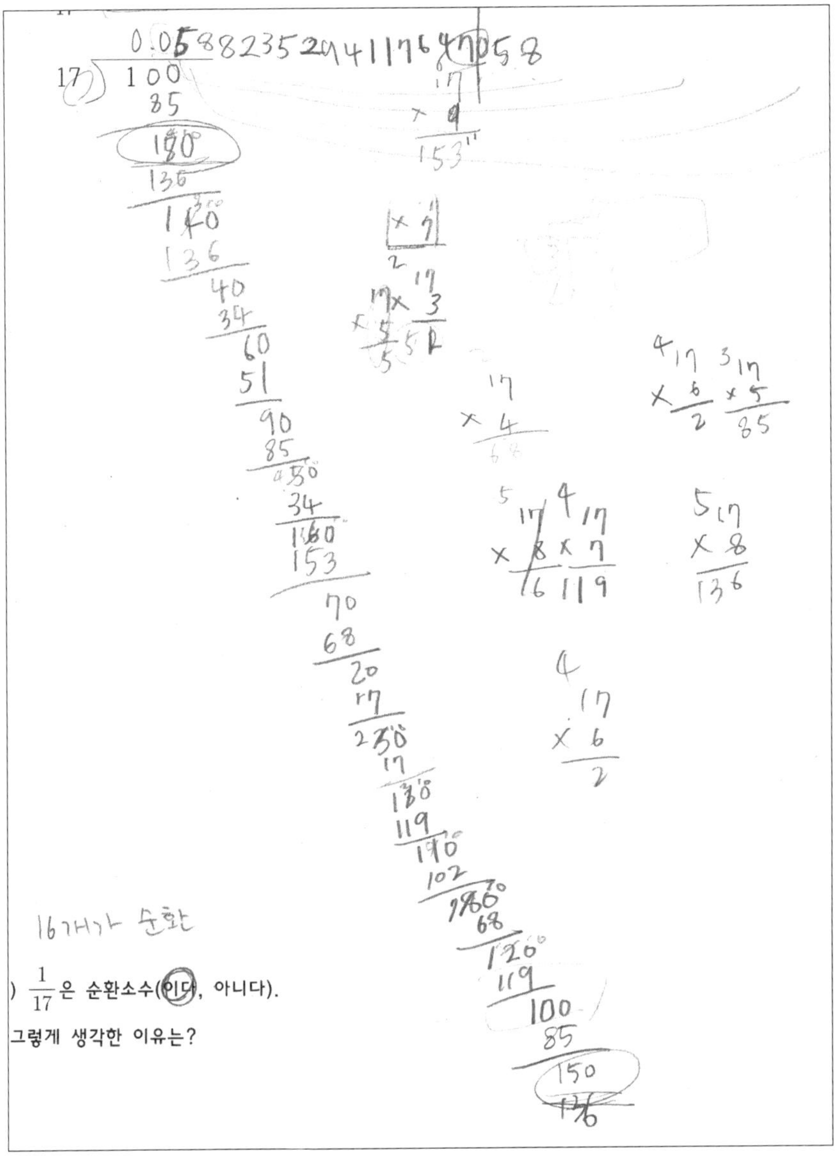

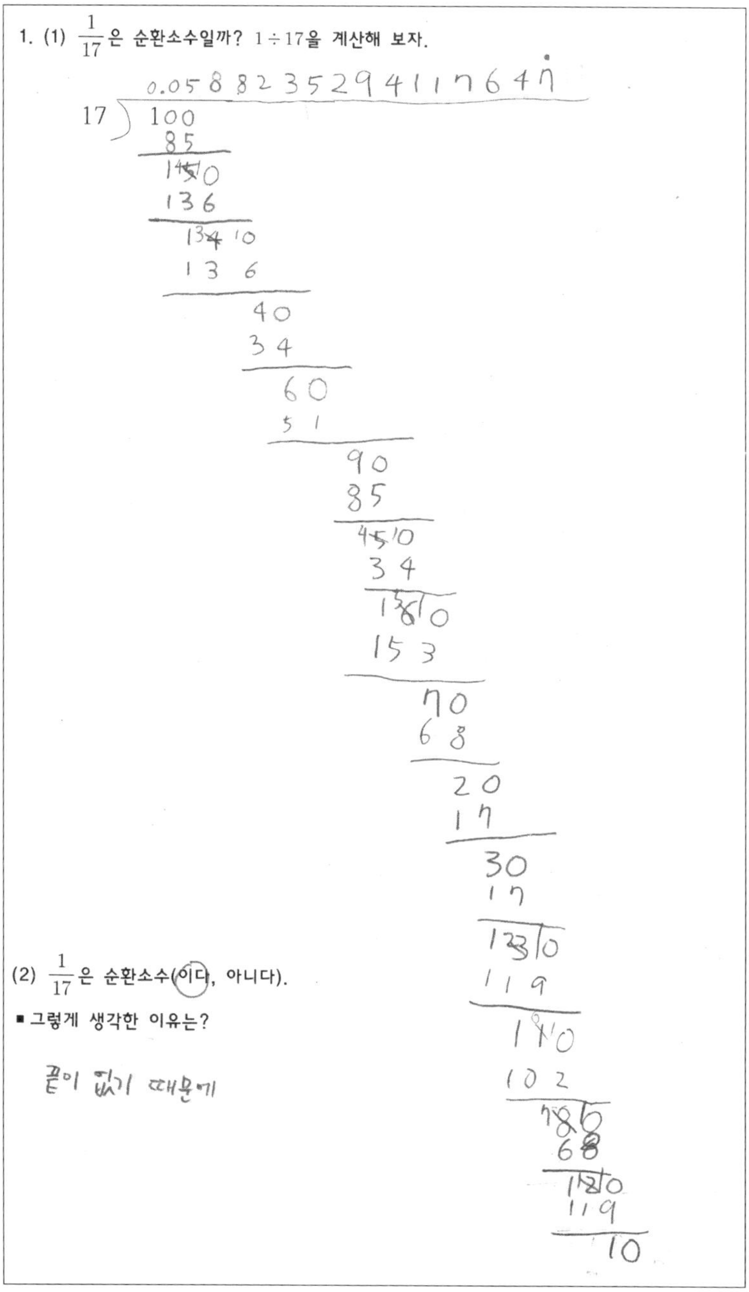
1. (1) $\frac{1}{17}$은 순환소수일까? $1 \div 17$을 계산해 보자.

0.0588235294117647̇

17) 100

85

(2) $\frac{1}{17}$은 순환소수(이다, 아니다).

■ 그렇게 생각한 이유는?

끝이 없기 때문에

(2) 나의 생각

- $\frac{1}{17} = 0.\dot{0}58823529411764\dot{7}$과 같이 나타낼 수 있으므로 순환소수다.
- 어느 순간 나머지가 앞에서 나온 숫자와 같아진다. 그러면 그 순간부터는 앞의 과정이 반복되므로 순환마디가 생긴다.

학생 답안

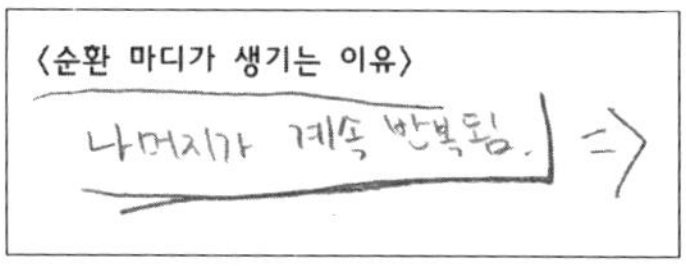
〈순환 마디가 생기는 이유〉

나머지가 계속 반복됨. =>

모둠의 의견

- $\frac{1}{17}=0.\dot{0}58823529411764\dot{7}$

  어떤 자연수를 17로 나눈 나머지는 17보다 작아야 하므로 0에서 16까지 17개가 가능하다. 그런데 나머지가 0이 되면 나누어 떨어지게 되는데 $\frac{1}{17}$은 유한소수가 될 수 없으므로 나머지는 0을 제외한 16개가 가능하다. 따라서 1을 17로 나누면 최대 16개의 나머지가 나올 수 있고 이후에는 나머지가 반복되므로 몫이 순환하게 된다. 따라서 적어도 16개 이하의 순환마디를 갖게 된다. 따라서 분수를 소수로 나타낼 때, 순환소수가 아닌 무한소수로 표현되는 분수는 존재하지 않는다.

학생 답안

> <순환 마디가 생기는 이유>
> 나누었을때 나머지가 앞에서와 같아지면 그 나머지를 나누는 수가 몫과 같아져서 순환마디가 반복된다.

3 순환하지 않는 무한소수는 나올 수 없다. 정수가 아닌 유리수 $\frac{a}{b}$를 기약분수로 나타내었을 때, 나머지 r는 항상 $0\leq r<b$이므로 반드시 나머지가 같아지는 순간이 존재하고 이때 순환마디가 생기게 된다.

수업 노하우

- 1학년에서 유리수를 $\frac{a}{b}$(a, b는 자연수, $b\neq0$)에 부호($\pm$)를 붙인 수라고 배웠다. 이후 정수의 나눗셈을 배우면 유리수를 $\frac{a}{b}$(a, b는 정수, $b\neq0$)의 꼴로 나타낼 수 있는 수라고 할 수 있다. 그러나 교육과정에서는 유리수의 뜻을 정수의 나눗셈을 배우기 이전에 정의하므로 이 정의는 암묵적으로 사용될 뿐 따로 다루어지지는 않는다.
- 유한소수로 나타낼 수 없는 기약분수 $\frac{a}{b}$($b\neq0$, a와 b는 정수)를 소수로 나타내기 위해 a를 b로 나눌 때, 각 계산 단계의 나머지는 b보다 작아야 하므로 $1, 2, 3, \cdots, b-1$ 중 하나라는 개념이 학생들에게 있는지 확인이 필요하다.
- 학생들은 $\frac{1}{17}$과 같은 분수를 다룬 경험이 없어서 흥미를 보였고, 순환하는지의 여부를 따지기 위해 수업에 쉽게 몰입했다. 계산이 길어질 것에 대해서 두려움을 갖지 않고 즐길 수 있는 분위기를 만들어 주는 것이 필요하다.
- 어떤 학생은 $\frac{1}{17}$이 순환하지 않는 무한소수라고 답했고 그 이유는 소수점 아래 10번째 숫자까지 나누어 보고 나누어 떨어지지 않으니 순환마디가 보이지 않기 때문이라고 했다.

학생 답안

> ■ 그렇게 생각하 이유는?
> 계산을 해보면 0.0588235294... 으로 나누어 떨어지지 않으며 일정한 숫자 배열이 되풀이 되는 부분인 순환마디가 없이 끝도 없이 계속되기 때문이다

- $\frac{1}{17}$의 나눗셈이 길어서 순환소수가 아니라고 판단한 학생들에게는 [1]에서 순환소수로 바꾼 분수들을 예로 들어서 비교해 보는 과정을 가지도록 한다. $\frac{1}{7}$을 소수로 바꾼 과정을 예로 든다면 나누었을 때 소수점 아래 숫자가 반복된다는 것을 언제 확신했는지 물어 보면서 나머지정리의 개념과 연결하여 $\frac{1}{17}$을 끝까지 나누어 보지 않아도 나머지가 반복된다는 개념을 발견하도록 지도한다.

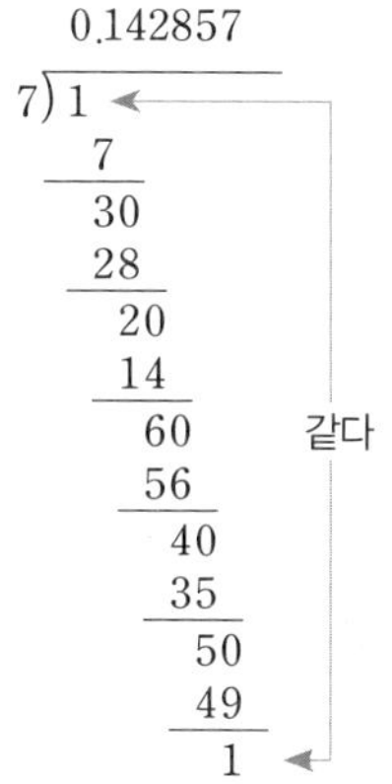

나눗셈을 하면 나머지가 다시 1이 될 때
순환마디가 반복됨을 알 수 있다.

- 나머지는 나누는 수 17보다 작아야 하므로 1, 2, ⋯, 16 중 하나다. 따라서 많아야 16번 나눗셈을 하면 같은 나머지가 반드시 나타난다는 것을 추론할 수 있도록 한다. 한번에 이러한 논리를 만들어 나가기는 어렵다. 하나의 과제지만 학생들과 다음과 같은 흐름으로 결론에 접근할 수 있도록 진행할 수 있다.

① $\frac{1}{17}$은 순환소수일까? (힌트를 주지 않고 직접 나누어 판단할 수 있게 안내한다.)
② 순환소수라고 생각하는 학생, 아니라고 하는 학생들의 간략한 설명을 듣는다.
③ 순환소수라는 것은 직접 나누어 보면 알 수 있으므로 순환소수임을 확인한다.
④ '왜 순환마디가 생길까?' 에 초점을 맞추어 나머지의 성질로 설명할 수 있도록 집중할 시간을 준다.

- 학생들은 나눗셈을 할 때 몫에 주목하여 순환소수가 얼마라고 결론을 내린다. 여기서는 몫이 아니라 나눗셈을 하는 과정에서 나머지에 주목하도록 하는 것이 필요하다. 나누는 과정이 짧을수록 나머지보다 몫에 주목하는 경향이 짙어서 여기서는 17번 나누어야 하는 수치를 주었다.
  1÷17에서 나머지는 1, 10, 15, 14, 4, 6, 9, 5, 16, 7, 2, 3, 13, 11, 8, 12, 1, ⋯ 로 반복된다. 나머지가 1이 되므로 다시 같은 과정이 반복됨을 학생들이 발견할 수 있도록 하는 것이 중요하다. 나머지에 주목할 수 있도록 일부러 순환하지 않는 무한소수처럼 보이기 쉬운 $\frac{1}{17}$을 선택했다.

참고

분수와 소수는 수의 표현 방법일 뿐이지 수의 분류가 아니다. 소수 중에 유한소수와 순환소수는 유리수지만 순환하지 않는 무한소수는 무리수다.

또한, 분수가 유리수와 동치라고 착각하기 쉽다. 분수 중 $\frac{\sqrt{2}}{2}$, $\frac{\pi}{3}$ 등은 무리수며, $\frac{1-i}{3}$ 등은 실수가 아닌 복소수다. 따라서 분수와 소수를 억지로 유리수와 비교하는 것은 가급적 피하는 것이 좋겠다.

개념과 원리 탐구하기 6 _ 순환소수를 분수로 나타내기

교과서(상) 22쪽

탐구 활동 의도

- [1] (1)에서는 순환소수에서 규칙성을 찾아 순환소수를 분수로 바꾸는 아이디어를 발견한다.
- [1] (2)에서는 (1)에서 발견한 아이디어를 문자를 이용한 식으로 나타내고, (3)에서는 (1)의 아이디어를 (2)의 식을 이용하여 정교화 하도록 하는 것이 목적이다.
- [2] 는 [1] 의 활동을 공식으로 외우지 않도록 하기 위한 과제다. 순환소수를 여러 가지 방법으로 분수로 나타낼 수 있다는 것을 이해하는 것이 중요하며, 여러 가지 방법 중 효율적인 방법이 무엇인지 스스로 선택해 보게 하여 순환소수의 성질을 깊이 있게 탐구하게 한다.

예상 답안

[1] (1) 소수점 아래의 두 배열이 같은 순환소수를 빼면 그 결과는 정수며, 다른 경우는 그 결과가 무한소수가 된다.

- ㉠, ㉥ 선택
  132.132132⋯ − 0.132132⋯ = 132 (또는 0.132132⋯ − 132.132132⋯ = −132)
- ㉡, ㉣ 선택
  13213.213213⋯ − 13.213213⋯ = 13200
  (또는 13.213213⋯ − 13213.213213⋯ = −13200)
- ㉢, ㉤ 선택
  1321.321321⋯ − 1.321321⋯ = 1320 (또는 1.321321⋯ − 1321.321321⋯ = −1320)

학생 답안

- 결과가 정수로 나온다고 한 경우

> 소수점 밑의 (순환) 소수 패턴(?)이 같기 때문에 둘 중 하나에서 남는 하나를 빼면 소수점 아래 수가 "0"이 된다.

> 소수점 뒤의 숫자가 같아 빼면 0이 나온다.
> 그래서 소수점 앞에 있는 것들로만 계산하면 132이다.

> 소수점 아래 반복되는 숫자가 같다.
> 13.131313
> − 0.131313
> 13.
> 유한소수가 된다.
> 순환소수가 나온다.

- 결과가 순환소수로 나온다고 한 경우

> 순환소수에서 순환마디가 같지 않은 순환소수를 빼면 또 하나의 순환소수가 나온다
> 13.131313⋯
> − 0.313131⋯
> (12.828282⋯)

• 위의 두 가지를 모두 언급 한 경우

> 13.131313 − 0.131313 = 13
> 313.131313 − 13.131313 = 300
> $131.\dot{3}\dot{1} - 10.\dot{3}\dot{1} = 121$
> → 순환소수가 되기도 하고 무한소수가 되기도 한다

(2) ㉢ $10x=1.3213213\cdots$

㉣ $100000x=13213.213213\cdots$

㉤ $10000x=1321.321321\cdots$

㉥ $1000x=132.132132\cdots$

(3) • ㉠, ㉥ 선택

$1000x-x=132.132132\cdots-0.132132\cdots=132$

(또는 $x-1000x=0.132132\cdots-132.132132\cdots=-132$)

• ㉡, ㉣ 선택

$100000x-100x=13213.213213\cdots-13.213213\cdots=13200$

(또는 $100x-100000x=13.213213\cdots-13213.213213\cdots=-13200$)

• ㉢, ㉤ 선택

$10000x-10x=1321.321321\cdots-1.321321\cdots=1320$

(또는 $10x-10000x=1.321321\cdots-1321.321321\cdots=-1320$)

2 (1)

문홍이의 풀이	민지의 풀이
1000을 곱해 순환마디보다 더 많은 숫자가 정수에 오도록 하였다.	순환마디가 소수점 아래 둘째 자리까지이므로 100을 곱해 정수에 순환마디의 숫자가 오도록 하였다.

(2) 민지의 풀이를 선택한다. 문홍이의 풀이는 마지막에 10으로 양변을 나눠줘야 하지만 민지의 풀이는 그럴 필요가 없어서 더 간단하다.

학생 답안

> ↳ 비효율적이다. 1000b−10b보다 100b−b로 식을 세우는 것이 좀 더 간단하게 시간을 절약해 풀수있다. (단, 값은 같음)

> 이유는 문홍이의 계산은 그냥 민지의 풀이에 10을 각각 곱한 것이므로 쓸데없는 계산을 줄인 민지가 더 나은것이다

> 문홍이와 민지 풀이 과정과 결과에서 잘 못 된 부분은 없지만 개인적으로 문홍이의 풀이는 약분을 한번 (더) 해야하기 때문에 나는 (두 풀이를 비교해) 민지의 풀이를 더 선호한다.

학생들은 시간을 절약할 수 있다는 맥락을 설명하기도 했고, 약분을 한번 더해야 한다는 계산의 번거로움을 구체적으로 설명하기도 했다.

3 $x=0.8555\cdots$라 하자.

$$\begin{array}{rl} 100x= & 85.5555\cdots \\ -\big)\ 10x= & 8.5555\cdots \\ \hline 90x= & 77 \end{array}$$

$90x=77$이므로 $x=\dfrac{77}{90}$이다.

수업 노하우

• 아래 제시한 학생의 답에서는 등호의 양변을 '앞'과 '뒤'로 표현하고 '사라진다', '없어진다' 라는 표현을 쓰기도 했다. 이와 같이 수학적으로 정확한 용어를 사용하지 못했더라도 맥락을 잘 설명할 수 있다면 그 아이디어의 가치를 인정해 주고 앞으로도 이런 사고를 지속할 수 있도록 안내한다.

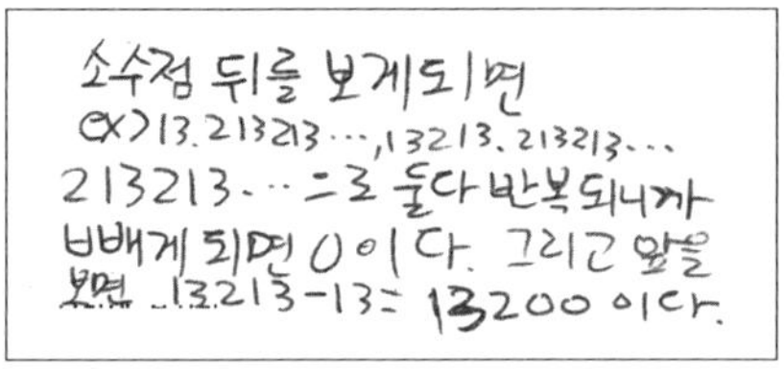

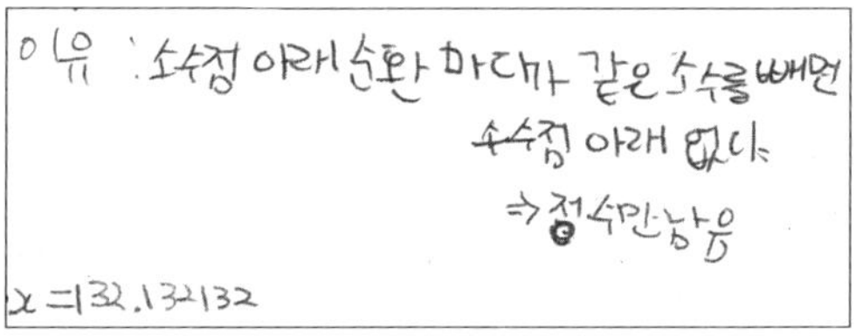

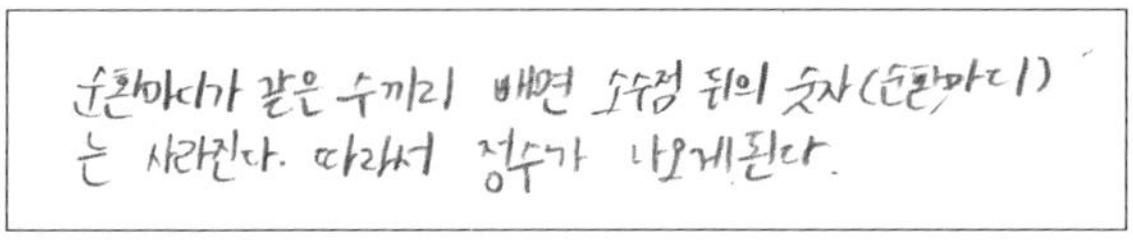

• 다음과 같이 계산은 틀릴 수 있지만, 아이디어는 옳았다고 격려할 수 있다.

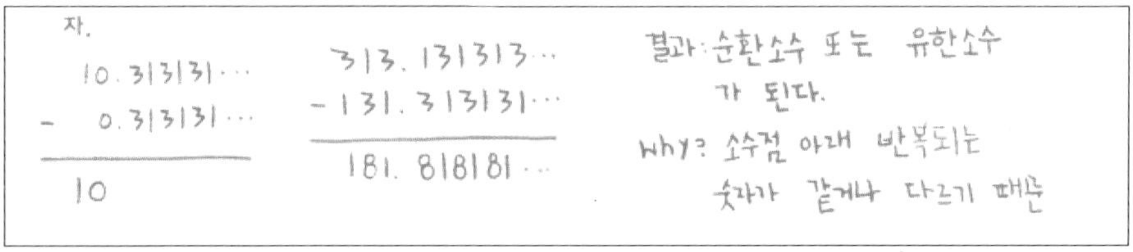

• 3 에서 $10x-x=8.5555\cdots-0.8555\cdots$와 같은 풀이가 나왔을 경우 이를 수업 소재로 하여 논의할 기회를 준다. 이 풀이와 $100x-10x$의 차이를 비교하게 하고 그 과정을 스스로 정리할 수 있는 수업 기회를 제공한다.

주의

• 순환소수를 분수로 고치는 것은 순환소수로 나타난 수가 유리수임을 이해할 수 있는 정도로 다룬다.
• 순환소수의 사칙연산은 다루지 않는다.
• 유한소수를 순환소수로 나타내는 것은 다루지 않는다.

탐구 되돌아보기 예상 답안

교과서(상) 24~27쪽

1 개념과 원리 탐구하기 2

모두 분모가 2의 거듭제곱인 분수들로 소수로 표현하면 유한소수가 된다.

$\frac{1}{2}=\frac{5}{10}=0.5$, $\frac{1}{4}=\frac{5^2}{10^2}=0.25$,

$\frac{1}{8}=\frac{5^3}{10^3}=0.125\cdots$

2 개념과 원리 탐구하기 2

$\frac{175}{505}=\frac{35}{101}$이고 분모 101은 소수다. 즉, 분모에 2와 5 이외의 소인수가 존재하므로 무한소수다.

3 개념과 원리 탐구하기 2

소현이의 의견은 항상 옳은 것은 아니므로 틀렸다. $1000=2^3\times5^3$이므로 1000의 약수는 모두 2 또는 5로 이루어져 있지만 $16=2^4$와 같이 분모가 1000의 약수가 아닌 분수 중에도 유한소수가 있다.

학생 답안

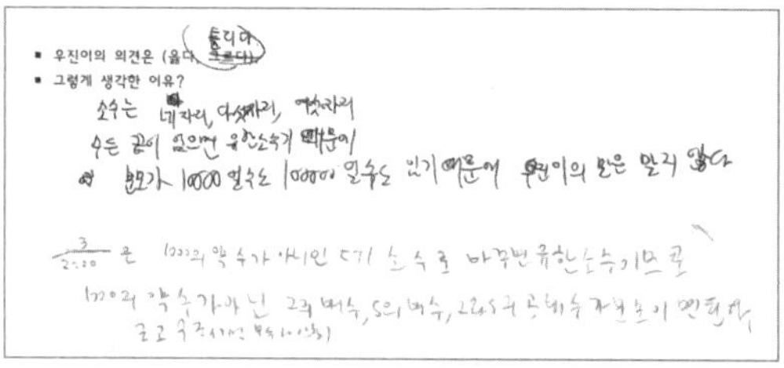

4 개념과 원리 탐구하기 4, 5

(1)

분수	소수	분수	소수
$\frac{1}{9}$	$0.\dot{1}$	$\frac{1}{11}$	$0.\dot{0}\dot{9}$
$\frac{2}{9}$	$0.\dot{2}$	$\frac{2}{11}$	$0.\dot{1}\dot{8}$
$\frac{3}{9}$	$0.\dot{3}$	$\frac{3}{11}$	$0.\dot{2}\dot{7}$
$\frac{4}{9}$	$0.\dot{4}$	$\frac{4}{11}$	$0.\dot{3}\dot{6}$
$\frac{5}{9}$	$0.\dot{5}$	$\frac{5}{11}$	$0.\dot{4}\dot{5}$

분모가 9인 진분수의 경우 소수로 표현했을 때 분자의 숫자가 순환마디가 된다.

분모가 11인 진분수의 경우 소수로 표현했을 때 분자의 숫자에 9를 곱한 수가 순환마디가 된다.

(2) $\frac{6}{9}=0.\dot{6}$ (6이 순환마디),

$\frac{6}{11}=0.\dot{5}\dot{4}$ (6×9가 순환마디)

5 개념과 원리 탐구하기 6

(1) 영아: 모든 무한소수는 분자, 분모가 모두 정수인 분수로 표현이 가능하다. (거짓)

왜냐하면 무한소수 중에는 소수점 아래의 숫자가 순환하지 않는 무한소수는 분자, 분모가 모두 정수인 분수로 표현이 불가능하기 때문이다.

학생 답안

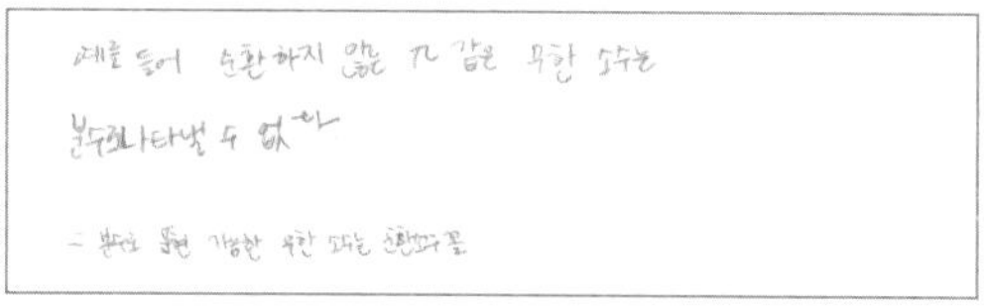

(2) 수영: 모든 순환소수는 분자, 분모가 모두 정수인 분수로 표현이 가능하다. (참)

왜냐하면 모든 순환소수는 순환마디가 반복되는 성질을 이용하여 순환소수에 10의 거듭제곱을 곱하여 원래 순환소수와 빼는 과정을 통해 순환마디를 없애서 분수로 바꾸어 표현할 수 있기 때문이다.

학생 답안

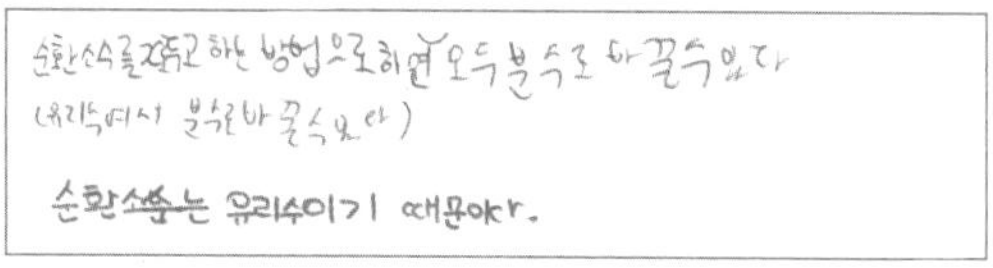

(3) 영기: 순환하지 않는 무한소수로 표현이 가능한 유리수가 있다. (거짓)

왜냐하면 유리수는 분모와 분자가 모두 정수인 분수로 표현이 가능하고, 분자를 분모로 나눌 때 나오는 나머지가 분모보다 작기 때문에 나머지가 반복된다. 그러므로 몫이 순환한다. 즉, 순환하지 않는 무한소수로 표현이 가능한 유리수는 없다.

학생 답안

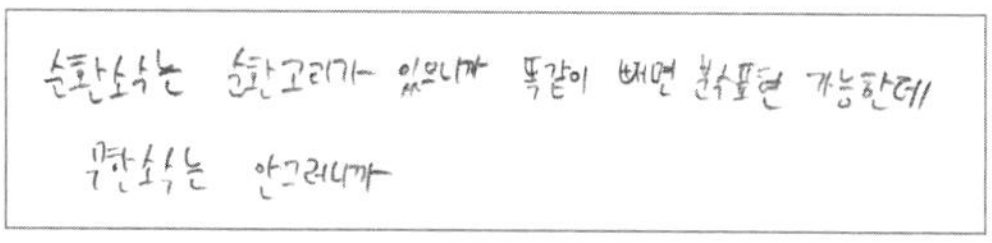

학생 답안 1

제목 : 소수 공장

〈유한 공장〉

저희 유한 공장은 환경을 생각하여 최소한의 물품을 생산 합니다. 언제나 물품은 정해진 최소한의 양으로 딱 떨어지죠. 저희 물품은 분수 회사와 계약하고 있습니다.

〈무한공장〉

저희 무한 공장에서는 24시간 연중무휴로 물품을 생산하며 재고가 바닥나지 않습니다.

〈순환 공장〉

순환 공장에서는 똑같은 물품을 반복 생산 합니다. 주로 저희 매니아 고객들이 많이 찾는 물품만을 생산하기 때문입니다 저희의 근무날과 휴업일의 끝을 순환마디라고 부르니 고객님들 께서는 참고 해주시기 바랍니다

저희 공장을 찾아주세요!

학생 답안 2

제목 : 2018년, 3월 어느날의 카카오톡

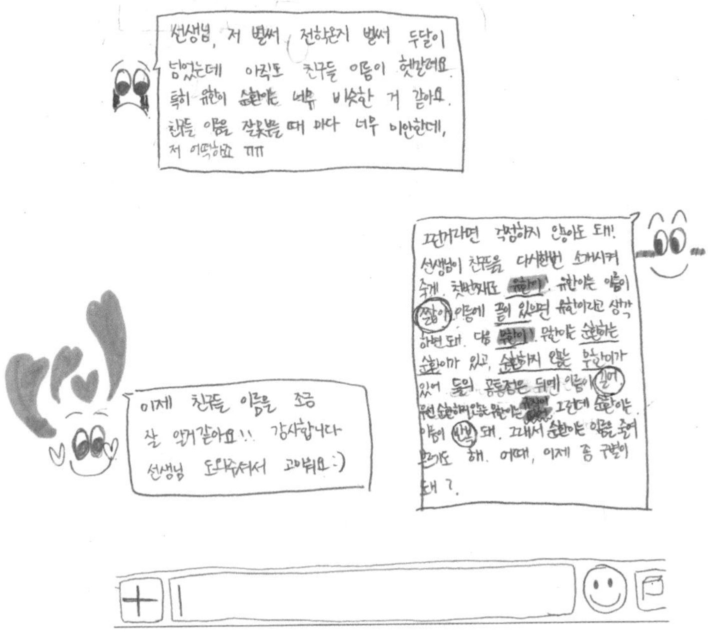

학생 답안 3

제목 : 출생의 비밀

우리집에는 쌍둥이 형이 있다. 첫째형의 이름은 순환소수이고, 둘째형의 이름은 순환하지 않는 무한소수. 나의 이름은 유한소수이다 첫째형과 둘째형은 비슷하면서도 다르다. 형들의 공통점은 끝도 없이 일을 한다는 것이다. 첫째형은 말을 많이하지만, 이야기가 재미없다. 왜냐하면 늘 똑같은 이야기만 똑같은 순서대로 들려주기 때문이다 그래서 우리는 첫째형의 이야기에 이름을 붙여주었다 형이 시작하는 이야기부터 끝나는 이야기까지 우리는 그 이야기를 순환마디라고 불렀다. 반면 둘째형의 말은 재미있다 끝도 없이 처음 듣는 이야기를 줄줄하는 둘째형이 나는 부럽다 나는 말이 거의없다. 나는 할말이 하고 다시 조용해진다. 어느날 우리는 충격적인 사실을 엄마로부터 듣게 되었다. 나와 쌍둥이 형들은 다른 엄마에서 태어난 숫자였고, 나는 입양되었다는 것이다 나는 너무나 큰 충격을 받아 다른 삶을 살기로 마음먹었다 나는 분수로 변신했고 분수의 나라로 갔다. 쌍둥이 형들도 나를 따라갔지만 첫째형만 분수의 나라로 오게되고, 둘째형은 영원히 소수의 나라에서 살게되었다

학생 답안 4

제목 : 친구들의 여행

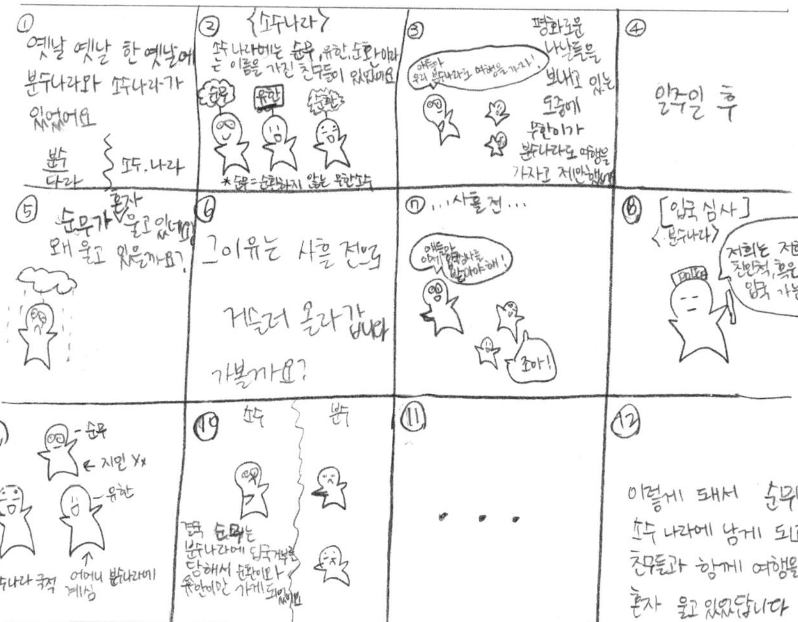

개념과 원리 연결하기 예상 답안

교과서(상) 28~29쪽

1

나의 첫 생각

유리수는 분수로 바꿀 수 있는 수다. $\frac{(\text{정수})}{(\text{정수})}$로 나타낼 수 있는 수다.

분수는 소수로 바꾸면 유한소수 또는 순환소수로 나타난다.

따라서 어떤 유리수가 유한소수가 아니라면 그것은 아마도 순환소수라고 할 수 있을 것이다.

다른 친구들의 생각

(1) 분수의 (분자)÷(분모)를 하면 유한소수로 나오는 경우는 많이 봤다. 그런데 유한소수가 아니면 어떤 경우가 나올까? 그것은 나눗셈의 원리에 의해 나누는 과정에서 꼭 순환마디가 생길 수밖에 없다는 것을 배웠다.

(2) 순환하지 않는 무한소수는 분수의 분자, 분모를 나누어서 만드는 것이 아니었다. 그냥 내 마음대로 만들 뿐이다. 0.123456789101112… 이런 무한소수는 분수에서 유도된 것이 아니다.

정리된 나의 생각

– 유리수를 '분자와 분모가 정수인 수로 나타낼 수 있다.'는 것을 아는 것이 중요하다.
  유리수를 이렇게 분수로 표현할 수 있다는 것을 모르면 유한소수, 순환소수로 표현이 되는지 안되는지 생각을 발전시킬 수가 없다.

– 분수를 소수로 나타내면 유한소수 또는 순환소수로만 나타난다는 것을 확실히 알게 되었다. 왜냐하면 나머지는 나누는 수보다 작아야 하므로, 언젠가는 나머지가 '반복'되기 때문이다.

– 순환하는 무한소수의 순환마디는 분수로 표현할 수 있게 만드는 강력한 특징이 된다는 것을 알았다. 순환마디가 있어서 분수로 나타낼 수 있음을 알게 되었다.

2 (1)

유리수의 뜻

분자와 분모가 모두 정수인 분수 꼴로 나타낼 수 있는 수, 즉 $\frac{a}{b}$(a, b는 정수, $b\neq0$)의 꼴로 나타낼 수 있는 수를 유리수라고 한다.

유리수의 성질

1. 유리수를 기약분수로 고쳤을 때, 분모가 2와 5 이외의 소인수를 갖지 않으면 유한소수가 된다.
2. 유리수를 기약분수로 고쳤을 때, 분모가 2와 5 이외의 소인수를 가지면 순환하는 무한소수가 된다. 순환하는 이유는 분자를 분모로 나눌 때 나오는 나머지가 분모보다 작아야 하기 때문에 나머지가 반복되면서 몫이 순환하기 때문이다.
3. 순환소수를 분수로 고치려면 소수점 이하가 똑같은 수가 되도록 적당히 곱한 것끼리 빼는 방법을 사용한다.

(2)

유리수와 관련 개념 사이의 연결성

- 나눗셈에서 나머지는 나누는 수보다 작다. 그러므로 분자를 분모로 나눌 때 나머지가 0이 되면 유한소수가 되고, 나머지가 0이 아니더라도 그 개수는 유한하므로 반복되기 때문에 몫이 순환할 수밖에 없다. 이것을 순환하는 무한소수라고 한다.
- 중1에서 유리수의 뜻은 $+\frac{3}{5}$, $-\frac{7}{2}$ 등과 같이 분자와 분모가 모두 자연수인 분수에 +, −와 같은 부호를 붙인 수였다. 이것이 중2에서 위와 같이 바뀐 것이다.
- 분수를 소수로, 소수를 분수로 고칠 수 있다. 일상에서는 분수가 편리할 때가 있고, 소수가 편리할 때가 있다.
- 소인수분해는 어떤 자연수를 소수들만의 곱으로 나타내는 것을 말하며, 기약분수의 분모를 소인수분해하면 유한소수가 될 것인지 순환하는 무한소수가 될 것인지를 판단할 수 있다.

학생 답안 1

나의 첫 생각

참. (맞다)

→ 소수점 뒷 자리를 빼서 유리수(분수)로 만들어야하는데, 무한소수는 뒷자리가 무한이기에 알수가 없다. 유리수는 유한소수 또는 순환소수이다.

다른 친구들의 생각

참 (맞다)

→ 가현: 유리수 ($\frac{a}{b}$, $b \neq 0$, a와 b는 정수) 이기에 유리수는 유한소수가 아니라면 순환소수이다.

정리된 나의 생각

참. (맞다)

→ 유리수가 유한 소수가 아니라면 반드시 순환소수이다.

성준, 예는, 민영, 하진: 순환하지 않는 무한 소수는 유리수가 아니기 때문에, 유리수는 소수중 유한소수와 순환소수 밖에 없다.

최종정리: 맞다. 소수를 분수로 만드는 방법에서 소수점 뒷자리를 빼서 유리수(분수)로 만들어야 하는데, 무한소수는 뒷자리가 무한이기에 알 수가 없다. 그러므로 유리수는 유한소수 또는 순환소수이다.

학생 답안 2

나의 첫 생각

참 (올바른 주장)

왜냐하면 나누어지지 않는 유리수의 유한소수가 아니라면, 계속 연속으로 나오는 순환소수이기 때문에, 유리수가 유한소수가 아니라면 순환소수인것이다.

다른 친구들의 생각

· 민정: 유리수가 유한소수가 아니라면 반드시 순환소수이다. 분수를 순환소수로 만들수 있지만, 순환하지 않는 무한소수로 만들수 없다.

· 시은: 무한소수는 분수로 만들수 없기 때문이다

정리된 나의 생각

참이다.

어떤 유리수가 끝임없이 나누어지지 않으면, 순환소수가 나오기 때문에, 더 이상 나누어 떨어지지 않는 분수는 유한소수가 아니라, 순환소수라고, 말할수있다.

2 (1) 개념과 원리 연결하기 예상 답안

학생 답안 1

*유리수와 순환소수의 관계

①정수가 아닌 모든 유리수는 유한소수 또는 순환소수로 나타낼수 있다.

②유한소수와 순환소수는 모두 유리수 이다.

유리수 ($\frac{a}{b}$, $b \neq 0$, a와 b는 정수이다)

<문제>

다음 순환소수를 분수(유리수)로 나타내어라

$0.4\dot{2} = x$

$100x = 42.222\cdots$

$-\ \ 10x = 4.222\cdots$

$90x = 38$

$x = \frac{38}{90} = \frac{19}{45}$

학생 답안 2

유리수: $\frac{a}{b}$, $b \neq 0$ 으로 나타낼 수 있는 분수

$\frac{a}{b}$는 $a \div b$의 형태로 나타낼수 있다.

학생 답안 3

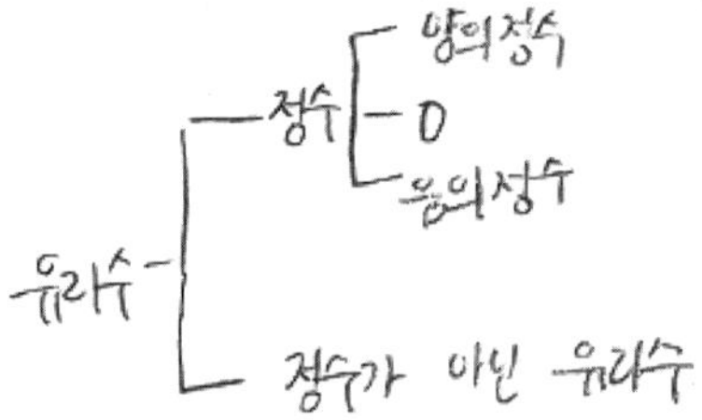

유리수: 분수 $\frac{a}{b}$ (a, b는 정수, $b \neq 0$) 꼴로 나타낼 수 있는 수

학생 답안 1

Before) 모든 소수는 유리수이다.
소수는 한 종류이다.
After) 소수 중 순환·유한 소수만 유리수이다.
소수는 유한·무한·순환 소수로 나뉜다.

연관성) 소수 중 유리수가 있다.
소수에는 종류가 있다.

Before) 모든 소수는 유리수이다.
소수는 한 종류이다.
모든 무한소수는 유리수가 아니다.
나누기를 하면 나머지가 나온다.

After) 소수 中 순환·유한소수만 유리수이다.
소수는 유한·무한·순환 소수로 나뉜다.
순환소수는 무한소수이지만 유리수이다.
나누기를 하면 나머지가 아닌 그 나머지가 순환된다.

학생 답안 2

~~[crossed out]~~ →
정수는 유리수로
나타낼 수 있다
$(5 = \frac{5}{1})$

채은 : 0과 유한소수나
순환소수는 다 유리수이다.
은환 : 순환되지 않은 무한
소수는 유리수가 아니다.
사은 : 0과 유한소수나
순환소수는 다 유리수이다.

학생 답안 3

유리수가 유한소수가 아니면
순환소수이다.

무한소수
- 순환하지 않는 무한소수
- 순환하는 무한소수

수학 학습원리 완성하기 예상 답안

학생 답안 1

내가 선택한 문제

$\frac{7}{30}$ 에 어떤 자연수 a를 곱하면 유한소수가 된다.
a가 한자리의 자연수라고 할 때, a의 값을 구하고 이유를 설명해보자.

나의 깨달음

이 문제를 풀 때 30을 소인수분해한 후에 나온 소인수
2, 3, 5이 나오면 2, 5 제외의 소인수들을 다 곱한다고
개념에서 설명해주었는데 나는 이해를 못했는데
문제를 풀다보니 왜 2, 5 제외의 소인수를 곱해야 하는지
이해됐었고, 문제도 잘 풀게 되어서 뿌듯했다.

수학 학습원리

탐구되돌아보기
12. 끝없이 반복되는 것들 □ 개념과 원리 탐구하기 5

학생 답안 2

내가 선택한 문제

p.12 4번

나의 깨달음

문제집도 풀고 학습지도 풀면서 분모가 9 또는 11인 분수에
그런 재밌는 성질이 있다는 것을 처음 알게 되었다.
분모가 9일 때, 분자가 1씩 커지면 소수로 나타냈을 때
순환마디가 1씩 커진다.
분모가 11일 때, 분자가 1씩 커지면 분자는 9씩 커진다.

수학 학습원리

2. 관찰하는 습관을 통해 규칙성 표현하기.

STAGE 2

식을 간단하게 나타내자

– 식의 계산

이 단원의 핵심 지도 방향

중학교에서의 지수법칙은 지수가 자연수인 경우만 다루기 때문에 지수법칙을 굳이 이용하지 않아도 단항식의 계산으로 해결할 수 있습니다.
이를 보완하기 위해 여기서는 큰 수 또는 작은 수를 표현하는 수단으로서 지수를 도입하고, 직관적으로 지수 계산을 편리하게 하는 방법을 발명하도록 합니다. 다만 이 법칙을 문자를 이용하여 무리하게 표현하기 보다는 아주 큰 수 또는 아주 작은 수를 계산하는 하나의 도구로서 소개합니다.
2학년에서 다항식의 계산은 새로운 계산을 배운다는 관점보다는 1학년에서 문자를 도입하여 식의 계산을 한 것의 연장선에서 다룹니다. 실제로 이 단원에서 새로운 계산 법칙을 배우는 것은 없습니다. '분배법칙'을 복습하고, 이를 이용하여 식을 계산할 수 있도록 안내합니다.

1 보다 간단한 표현 (식의 계산)

단원 지도 계획

/ 1 / 복잡해 보이지만 간단해

차시	활동	내용
1차시	개념과 원리 탐구하기 1	단항식의 계산 복습
	개념과 원리 탐구하기 2	지수법칙 (1)
2차시	개념과 원리 탐구하기 3	지수법칙 (2)
3차시	개념과 원리 탐구하기 4	지수법칙 (3)

/ 2 / 문자식을 간단히

차시	활동	내용
4차시	개념과 원리 탐구하기 5	일차식 관련 용어 복습
	개념과 원리 탐구하기 6	전개의 뜻
5차시	개념과 원리 탐구하기 7	다항식의 계산
6차시	게임하며 탐구하기 8	다항식의 계산 복습

차시	활동
7차시	탐구 되돌아보기
8차시	개념과 원리 연결하기
9차시	수학 학습원리 완성하기

- 교과서 각 소단원마다 제시된 **탐구 되돌아보기는 개념과 원리 탐구하기**와 연계하여 수업시간 내 또는 수업시간 이후 복습으로 활용할 수 있습니다.

/1/ 복잡해 보이지만 간단해 (지수법칙과 단항식)

학습목표

1 큰 수를 계산하는 과정에서 규칙성을 찾아 거듭제곱으로 표현된 수의 계산 법칙을 발명할 수 있다.

2 거듭제곱으로 표현된 수를 계산하면서 발견한 규칙을 문자를 사용한 식으로 표현할 수 있다.

3 단항식의 곱셈과 나눗셈을 할 때, 지수법칙을 적용하여 이를 계산할 수 있다.

2015 개정 교육과정 성취기준

지수법칙을 이해한다.

교수 · 학습방법 및 유의 사항

1 지수법칙은 지수가 자연수인 범위에서 단항식의 곱셈과 나눗셈을 하는 데 필요한 정도로 다룬다.

2 다항식의 나눗셈에서는 다항식을 단항식으로 나누어 그 몫이 다항식이 되는 경우만 다룬다.

핵심발문

거듭제곱으로 표현된 수를 계산할 때 찾을 수 있는 규칙은 무엇일까?

단항식의 곱셈과 나눗셈의 과정에서 교환법칙과 결합법칙, 지수법칙을 어떻게 적용할까?

개념과 원리 탐구하기 1 _ 단항식의 계산 복습

교과서(상) 35쪽

탐구 활동 의도

- 중학교 1학년에서 소인수분해의 결과를 표현하기 위해 거듭제곱을 배웠고, 유리수의 계산에서 거듭제곱이 들어간 사칙계산을 다루었다. 여기서는 지수법칙과 문자식의 계산을 다룰 것이다. 수의 계산보다는 문자식의 계산으로 다룰 것이므로 수의 거듭제곱에 대한 내용부터 복습이 필요할 수 있다.
- 지수법칙은 문자식의 곱셈, 나눗셈과 관련이 있으므로 일차식의 곱셈, 나눗셈을 복습하는 것이 필요할 수 있다.
- 여기서는 학생들이 혼동하기 쉬운 계산 몇 가지를 검토하게 하여 거듭제곱에 대한 이해를 다지도록 하였다.

예상 답안

1 (1) 경은, $3+3+3+3+3+3+3=3\times7$

- 덧셈과 곱셈의 차이를 설명할 수 있다.

3^7은 $3\times3\times3\times3\times3\times3\times3$ 꼴이고 $3+3+3+3+3+3+3$은 3×7이다.

제곱은 +가 아니라 ×이다.

(2) 상현, -4^2은 $-(4\times4)=-16$이다.

- 음수의 거듭제곱에서 괄호가 있는 경우와 없는 경우를 비교하여 설명할 수 있다.

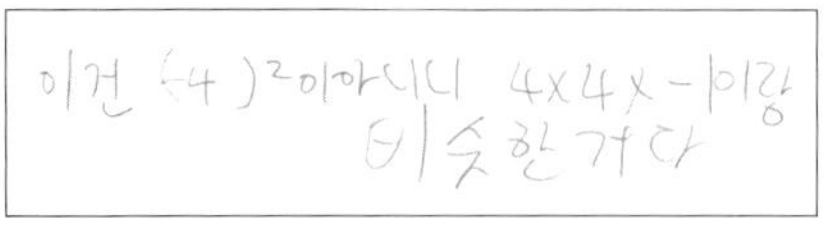

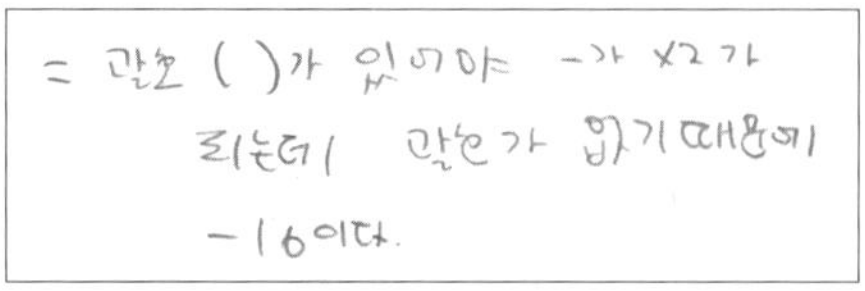

(3) 도윤, $-8\times x+y=-8x+y$, 덧셈은 더 이상 간단히 할 수 없기 때문이다.

수업 노하우

- (1) 3×7은 3을 7번 곱한 것이 아니라 3을 7번 더한 것이다. 곱셈의 개념은 같은 수를 거듭 더하는 것이다. 반면 3^7은 3을 7번 곱한 것이다. 즉, $3^7=3\times3\times3\times3\times3\times3\times3$으로 곱셈과 거듭제곱의 차이를 복습할 수 있다.
- (3) 학생 중에 좌변과 우변이 다른 이유에 대해 우변을 기준으로 $-8xy=-8\times x\times y$이므로 좌변과 다르다고 설명하기도 했다.

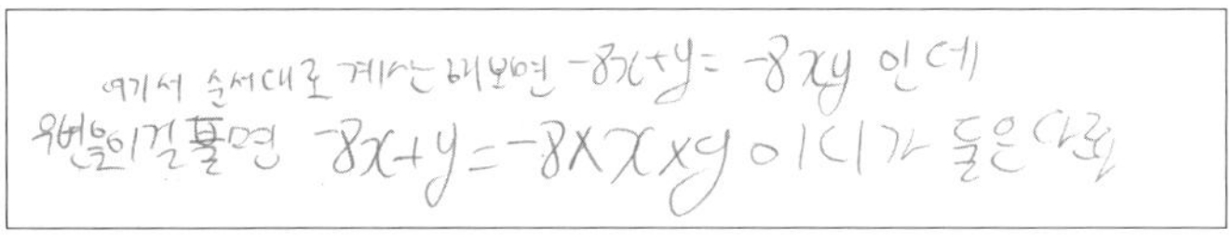

- $20x\div(-5y)$를 어떻게 계산했는지 구체적으로 설명하도록 하는 것이 필요하다. 이후 **탐구하기 3**에서도 나눗셈이 나오므로 이 과제에서 논의가 잘 이루어지면 다음 내용을 쉽게 이해할 수 있음을 관찰하였다. 학생들은 나눗셈을 분수의 꼴로 바로 바꾸어 계산할 수도 있고 역수를 곱하여 계산할 수도 있다.
- 역수의 곱셈으로 간단히 한 경우이다.

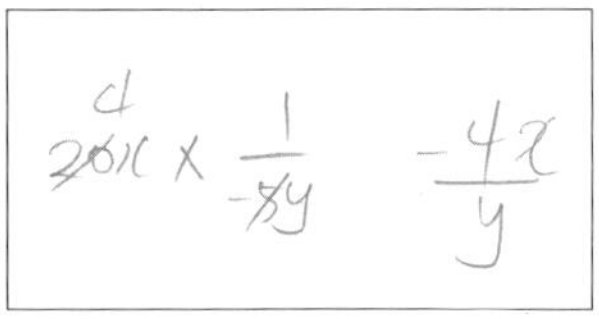

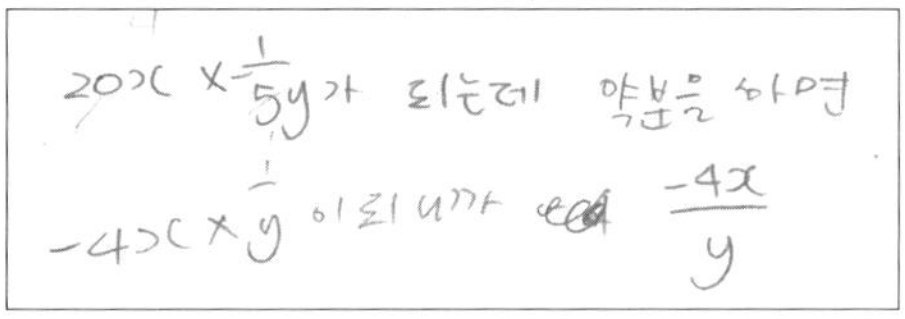

- 그런데 이 과정에서 음수를 어떻게 다루어야 할지 혼동하는 경향을 보였다.

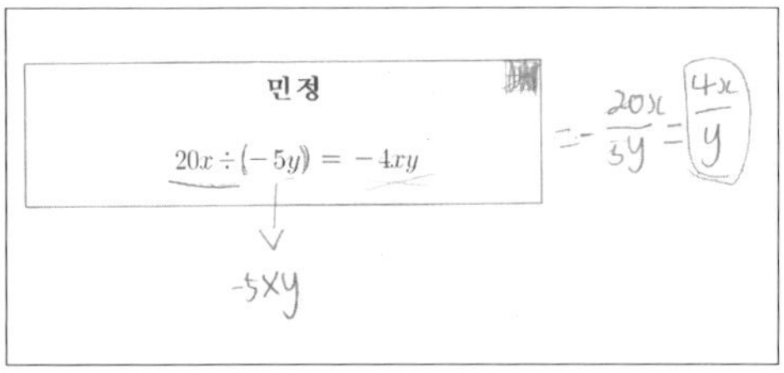

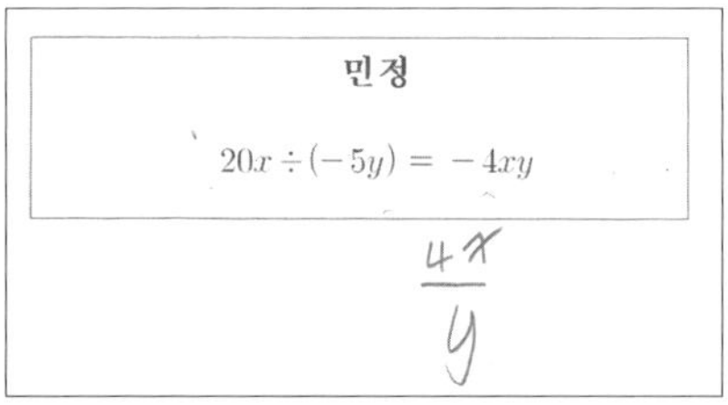

⇨ 부호를 먼저 판단한다는 요령보다 제대로 문자식의 계수를 계산할 수 있도록 안내한다.

⇨ 1학년 유리수의 계산과 일차식의 계산과 연결하여 계산 과정을 검토하도록 해 보자.

- $\left(-\frac{1}{2}\right)^3$과 같은 분수의 경우에도 $\left(-\frac{1}{2}\right)^3=\left(-\frac{1}{2}\right)\times\left(-\frac{1}{2}\right)\times\left(-\frac{1}{2}\right)=-\frac{1}{8}$과 같이 정의만 이용해서 거듭제곱할 수 있음을 복습할 수 있다.
- $(-5)^4$은 -5^4과 같은지를 추가로 질문하여 이 활동을 통해 이후 문자로 일반화할 때, 학생들이 $(-a)^n=-a^n(\,a>0)$이라고 표현하지 않도록 할 수 있다.

개념과 원리 탐구하기 2 _ 지수법칙 (1)

교과서(상) 36쪽

탐구 활동 의도

- 거듭제곱의 곱셈과 나눗셈 계산의 규칙성을 파악하여 지수법칙을 발견하는 활동이다.
- 지수법칙은 곱셈과 나눗셈의 원리를 알면 어렵지 않게 이해할 수 있다. 곱셈과 나눗셈을 큰 수 또는 매우 작은 수의 계산의 편리를 위해 지수의 덧셈과 뺄셈으로 계산할 수 있도록 만든 것으로 이를 직접 경험하도록 큰 수를 사용하였다.
- [1]은 구체적인 수를 이용하여 거듭제곱의 계산 원리로부터 자연스럽게 지수법칙을 발견할 수 있도록 하는 활동이다.
- [2]는 '무량'과 '항하사'를 곱셈과 나눗셈을 이용하여 다양한 방법으로 만들어 봄으로써 [1]에서 직관적으로 발견한 법칙을 지수법칙으로 일반화할 수 있도록 하는 활동이다.
- [3]은 [1]과 [2]에서 발견한 규칙을 $a^m \times a^n = a^{m+n}$, $(a^m)^n = a^{mn}$, $a^m \div a^n = a^{m-n}$ (단, $m>n$, m, n은 자연수) 등으로 표현해 보는 활동이다. 그런데 나눗셈의 경우 $a^m \div a^n = a^{m-n}$의 표현을 $m>n$, $m=n$, $m<n$으로 경우를 나누어 표현하는 것보다 약분을 이용하여 원리를 이해하도록 하는 것이 목표이다.

예상 답안

[1] (1) 10^{12}(조)

'억'은 10을 8번, '만'은 10을 4번 곱한 것이므로 결국 10을 총 12번 곱한 것이다. 두 식의 지수 사이에는 $8+4=12$의 관계가 있다.

$$10^8\times10^4=\underbrace{\underbrace{10\times10\times\cdots\times10}_{8\text{번}}\times\underbrace{10\times\cdots\times10}_{4\text{번}}}_{12\text{번}}=10^{12}(\text{조})$$

(2) 10^{12}(조)

'구'는 10을 32번 곱한 것이고, '해'는 10을 20번 곱한 것이다. '구'를 '해'로 나누는 과정을 분수로 표현하면 아래와 같고 분자와 분모를 약분하면 분모는 1이 되고, 분자는 10을 12번 곱한 것만 남는다. 두 식의 지수 사이에는 $32-20=12$의 관계가 있다.

$$10^{32}\div10^{20}=\frac{\overbrace{\cancel{10}\times\cancel{10}\times\cdots\times\cancel{10}}^{20\text{번}}\times\overbrace{10\times10\times\cdots\times10}^{12\text{번}}}{\underbrace{\cancel{10}\times\cancel{10}\times\cdots\times\cancel{10}}_{20\text{번}}}=\frac{10^{12}}{1}=10^{12}(\text{조})$$

(3) 10^{32}(구)

'경'은 10을 16번 곱한 것이므로 이를 제곱하면 16번을 두 번 더한 셈이 되어 10을 32번 곱한 것과 같다. 두 식의 지수 사이에는 $16+16=16\times2=32$의 관계가 있다.

$$(10^{16})^2=10^{16}\times10^{16}=\underbrace{\underbrace{10\times\cdots\times10}_{16\text{번}}\times\underbrace{10\times\cdots\times10}_{16\text{번}}}_{32\text{번}}=10^{32}(\text{구})$$

(4) 학생들의 답은 다양할 수 있다.

나의 생각	모둠의 의견
• 거듭제곱끼리의 곱은 지수끼리의 합 • 거듭제곱끼리의 나눗셈은 지수끼리의 차 • 거듭제곱의 제곱은 지수끼리의 곱	• 거듭제곱끼리 곱할 때 밑이 같으면 지수끼리 더할 수 있다. • 거듭제곱끼리 나눌 때 밑이 같으면 약분하여 지수끼리의 뺄셈으로 계산할 수 있다. (분자의 지수가 클 경우 분모가 약분되어 분모는 1이 되고, 분모의 지수가 클 경우 분자가 약분되어 분자는 1이 된다.) • 거듭제곱의 제곱은 지수끼리 곱할 수 있다.

거듭제곱의 수는 곱했을때 더해짐
나누었을때 빼진다.

2 (1) 학생들의 답은 다양할 수 있다. 위에서 학생들이 만든 지수법칙을 이용하여 설명할 수 있다.

$10^4 \times 10^{64}$, 지수끼리 더하면 68이 된다.

$10^8 \times 10^{12} \times 10^{12} \times 10^{16} \times 10^{20}$, 지수끼리 더하면 $8+12+12+16+20=68$이 된다.

$(10^{16})^4 \times 10^4$, 지수를 계산하면 $16 \times 4+4=68$이 된다.

$(10^{20})^4 \div 10^{12}$, 지수를 계산하면 $20 \times 4-12=68$이 된다.

(2) 학생들의 답은 다양할 수 있다.

$10^{20} \times 10^{32}$, 지수끼리 더하면 $20+32=52$가 된다.

$10^{64} \div 10^{12}$, 지수끼리 빼면 $64-12=52$가 된다.

$(10^8)^6 \times 10^4$, 지수를 계산하면 $8 \times 6+4=48+4=52$가 된다.

(3) 학생들의 답은 다양할 수 있다.

나의 생각	모둠의 의견
$10^x \times 10^y = 10^{x+y}$ $10^x \div 10^y = 10^{x-y}$ $(10^x)^2 = 10^{2x}$	$a^m \times a^n = a^{m+n}$ $(a^m)^n = a^{mn}$ $a^m \div a^n = a^{m-n}$ (단, $m>n$, m, n은 자연수)

수업 노하우

• 1 (1)~(3)은 곱셈과 나눗셈의 계산 원리를 이용하여 계산할 수 있도록 안내한다. 선행 학습한 학생들이 답만 구하고 그 과정을 반성하지 않고 당연하게 지수끼리 더했다, 뺐다고 답하는 경우가 많았다. 아직 지수법칙을 쓰는 단계가 아니라 지수법칙을 발견하기 위한 단계이므로 결론을 내리게 된 과정을 명료하게 표현하고 규칙을 만들 수 있도록 시작 전에 분명하게 안내할 필요가 있다.

• 1 (1)에서 다음과 같이 직접 0의 개수를 세는 경우, 초등학교에서 배운 0의 개수를 이용해서 계산하기도 했다. 거듭제곱의 곱셈을 지수의 덧셈으로 쉽게 구할 수 있는 아이디어 차원에서 이를 연결할 수 있도록 논의를 진행한다.

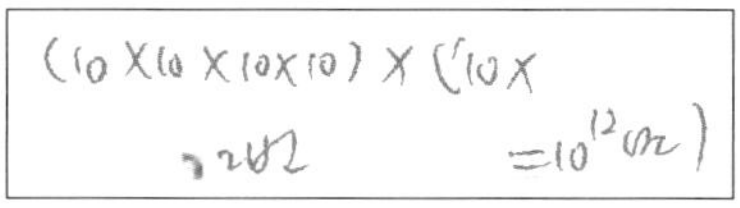

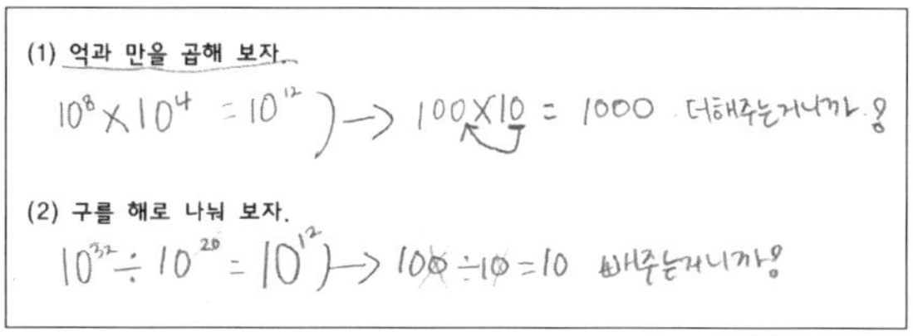

- 1 (2)의 경우는 나눗셈을 분수로 표현한 후, 약분의 과정에서 뺄셈이 됨을 설명할 수 있도록 논의를 진행한다.

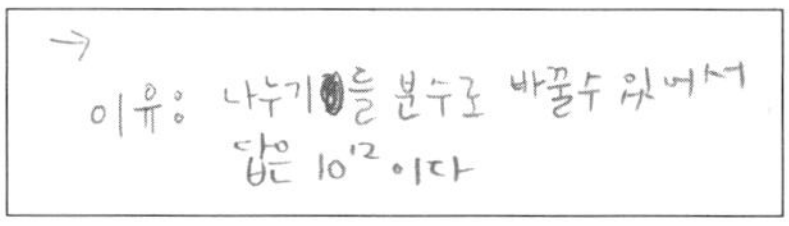

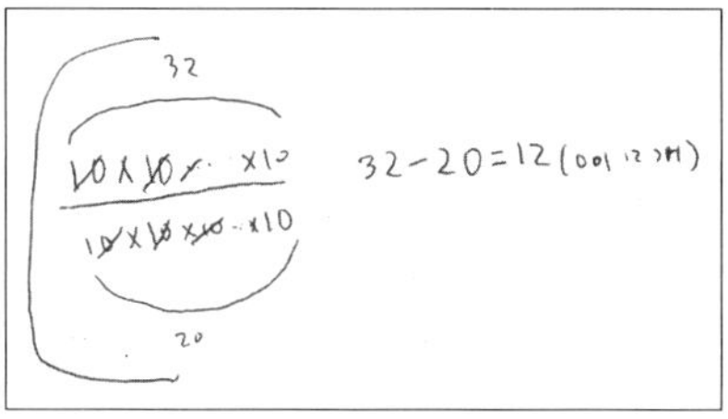

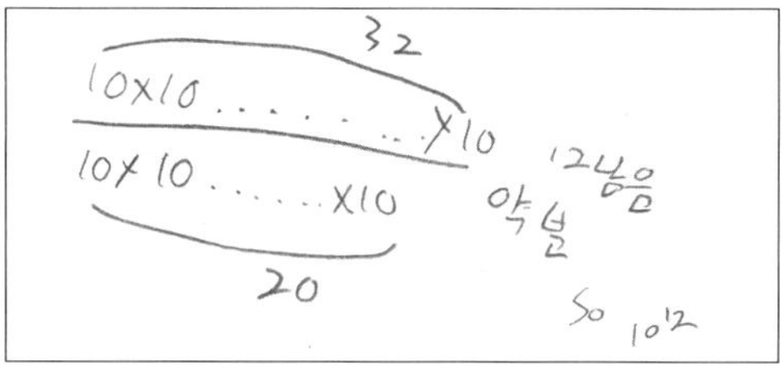

- 1 (3)의 경우는 (1)의 아이디어를 이용하면 보다 쉽게 구할 수 있다. 아래 [그림 1]과 [그림 2]를 구한 과정을 설명하게 해 보고 어떤 것이 간편한지를 발견할 수 있도록 한다.

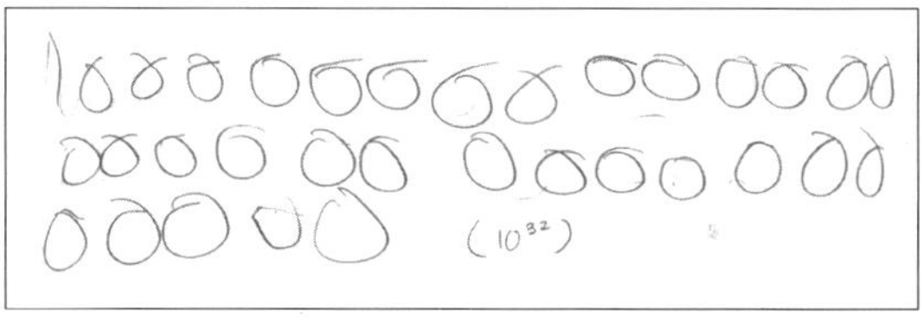

[그림 1]

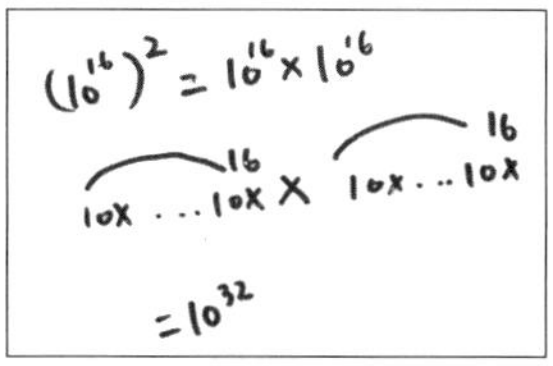

[그림 2]

- 1 (4)는 지수법칙을 일반화하기 전에 1 (1)~(3)의 관찰 결과를 토대로 지수법칙을 학생이 추정하는 과정이다. 자신이 만든 법칙이 성립하는 이유를 설명하도록 하고 그 설명이 타당한지 논의하도록 할 수 있다.
- 2 는 여러 가지 식을 만들어보게 하여 지수법칙을 일반화할 수 있도록 하는 과정이다. 한 가지 방법이 아니라 가능한 한 다양한 식을 만들어 보게 한다. 모둠 활동을 통해 각자의 식과 그렇게 계산한 이유를 설명하게 함으로써 앞서 발명한 지수법칙을 이용할 수도 있고, 확인해 볼 수도 있다. 또 이것은 보다 편리한 계산 방법이 무엇인지를 체험하는 과정이다.
- 주어진 수로만 만들지 않고 다음과 같이 여러 가지 다양한 수를 이용하여 만든 경우도 있었다.

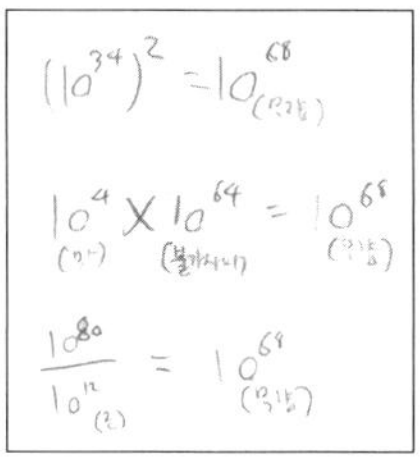

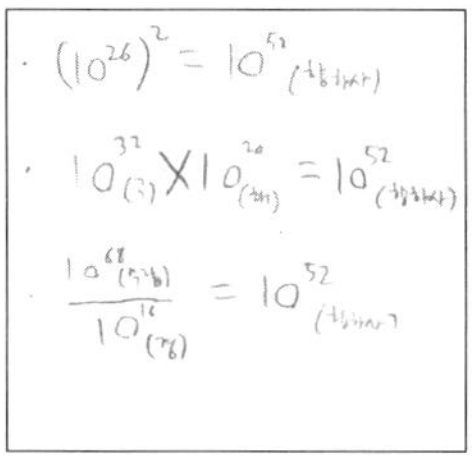

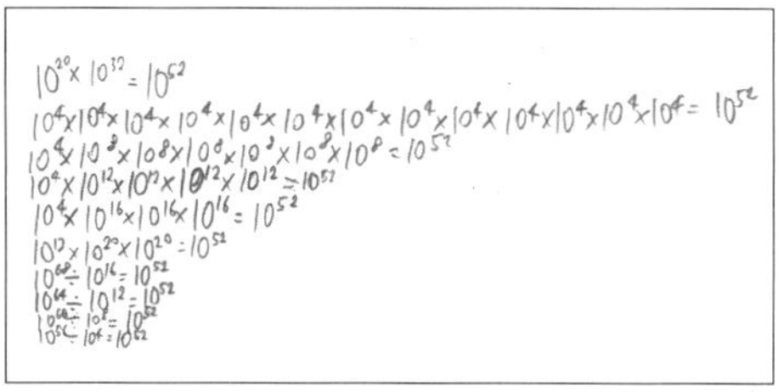

• [3]에서 지수법칙의 모든 경우를 다 문자로 일반화하지 못할 수도 있다. 예시를 들어서 설명한 경우 학생들이 표현한 예시를 몇 개로 분류하여 보고, 각각의 분류된 결과를 문자로 일반화할 수 있도록 구체적으로 안내할 수 있다.

$$x^8 \div x^4 = \frac{x^8}{x^4} = \boxed{x^4}$$

$$\cdot\ (x^4)^2 = x^{42}$$

• 학생들이 문자를 사용하여 표현한 양상이 다양하다. 학생들은 무엇을 문자로 놓아야 법칙을 표현할 수 있는지 의견이 분분했다. 다양한 표현 중에서 이 규칙을 가장 잘 드러낸 것이 어떤 것인지를 골라보고 논의를 시킨다면 문자에 대한 이해를 높일 수도 있을 것이다.

[곱의 경우를 일반화 한 예]

$$\square^{☆} \times \square^{○} = \square^{☆+○} \qquad ○^{x} \times ○^{y} = ○^{x+y}$$

$$10^x \times 10^x = 10^{2x}$$

$$10^x \times 10^y = 10^{x+y}$$

$$x^a \times x^b = x^{a+b}$$

• 거듭제곱의 나눗셈의 경우는 몫이 1이나 분수로 나타내는 경우까지 표현하기 어렵다. 여기서는 아래 예시와 같이 가능한 정도로만 다루고, 나눗셈에 대해서는 탐구하기 3에서 구체적으로 다루는 것이 적절하다.

$$○^{x} \div ○^{y} = ○^{x-y}$$

$$x^a \div x^b = x^{a-b}$$

• 다음과 같은 오류를 범하기도 했다. 이 경우 학생들과 함께 오류를 수정해 갈 수 있도록 할 수 있다.

$$10^x \div 10^y = 10^{\frac{x}{y}}$$

개념과 원리 탐구하기 3 _ 지수법칙 (2)

교과서(상) 38쪽

탐구 활동 의도

- 나눗셈의 원리를 이용하여 다음의 지수법칙을 발견하는 활동이다. 그러나 지수의 계산을 다음과 같이 분류하여 기능적으로 계산하지 않도록 유의한다. 고등학교에서 정수 지수로 확장되면 아래와 같은 분류를 하지 않아도 표현이 가능하지만 자연수 지수만 다루는 중학교에서는 아래와 같이 표현할 수밖에 없다는 맥락에서 지도한다.

$$a^m \div a^n = \begin{cases} a^{m-n} & (m>n) \\ 1 & (m=n) \\ \dfrac{1}{a^{n-m}} & (m<n) \end{cases}$$

- [1]에서는 문자식을 처음 배울 때 나눗셈 기호를 생략하는 과정을 복습한다. 지수법칙이 정말 큰 수 또는 작은 수를 다루는 것이기는 하지만 실제 교육과정 내에서는 수보다는 문자로 표현된 식을 다룬다. 분수 꼴로의 표현, 역수의 곱으로 변환하여 계산하는 과정을 복습하고 이 원리를 이용하여 지수법칙을 발견할 수 있도록 한다.
- [3]은 앞의 **탐구하기 2**에서 지수끼리의 차를 구하는 것에서 발견했을 수도 있다. 여기서는 그 발견을 구체화할 수 있도록 나눗셈에 집중하여 살펴보는 과정이다.

예상 답안

[1]
- 나눗셈은 분수의 꼴로 나타낼 수 있다.
- 아래와 같이 역수의 곱셈으로 나타낼 수도 있다.

$$a\div 3=a\times\frac{1}{3}=\frac{a\times 1}{3}=\frac{a}{3},\ a\div b=a\times\frac{1}{b}=\frac{a\times 1}{b}=\frac{a}{b}$$

[2] (1)~(3)은 나눗셈을 바로 분수의 꼴로 나타내거나 또는 역수의 곱셈으로 바꾼 후, 분자와 분모를 약분한다.

(1) $a^{12}\div a^8=\dfrac{a^{12}}{a^8}$

$$=\frac{\overbrace{\cancel{a}\times\cancel{a}\times\cdots\times\cancel{a}\times a\times a\times a\times a}^{12\text{개}}}{\underbrace{\cancel{a}\times\cancel{a}\times\cdots\times\cancel{a}}_{8\text{개}}}$$

$=a\times a\times a\times a$

$=a^4$

분자와 분모를 약분하면 분모에는 1, 분자에는 a^4이 남는다.

(2) $x^9 \div x^{14} = \dfrac{x^9}{x^{14}}$

$$= \frac{\cancel{x} \times \cancel{x} \times \cdots \times \cancel{x}}{\cancel{x} \times \cancel{x} \times \cdots \times \cancel{x} \times \underbrace{x \times x \times x \times x \times x}_{5\text{개}}}$$

$$= \frac{1}{x \times x \times x \times x \times x}$$

$$= \frac{1}{x^5}$$

분자와 분모를 약분하면 분모에는 x^5, 분자에는 1이 남는다.

(3) $x^4 \div x^4 = \dfrac{x^4}{x^4}$

$$= \frac{\cancel{x} \times \cancel{x} \times \cancel{x} \times \cancel{x}}{\cancel{x} \times \cancel{x} \times \cancel{x} \times \cancel{x}}$$

$$= 1$$

분자와 분모를 약분하면 분모도 1, 분자도 1이 되어 계산 결과가 1이다.

3 학생들의 답은 다양할 수 있다.

- 거듭제곱의 나눗셈은 지수끼리 뺄셈을 한다.
- 분수로 바꾸고 분자와 분모를 약분한다. 약분이 모두 되는 쪽은 1이 된다.
- 분자의 지수가 분모의 지수보다 큰 경우: (분자의 지수) − (분모의 지수), 분모는 1
- 분자의 지수와 분모의 지수가 같은 경우: 1
- 분자의 지수가 분모의 지수보다 작은 경우: (분모의 지수) − (분자의 지수), 분자는 1

학생 예시

아래 학생은 지수끼리의 계산을 합, 곱, 차, 분배로 표현한 것이 특징이다. 2 (1)~(3)의 경우를 각각 분류를 하지 않았다고 해서 틀렸다고 하기보다는 다른 친구들의 예를 이용하여 보완하면 된다.

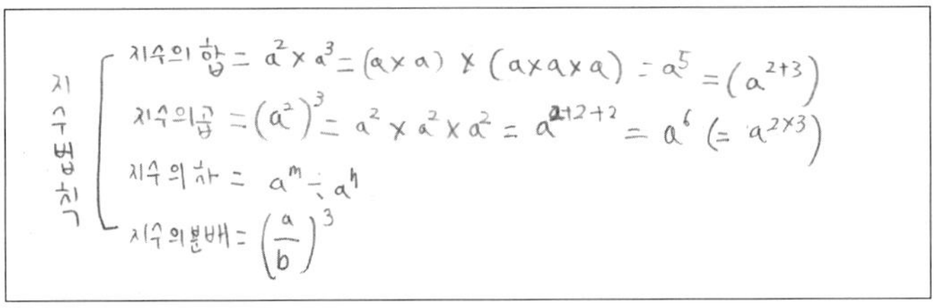

아래 학생 역시 지수가 같은 경우를 제시하지 않았다고 틀렸다고 하기보다는 보완하면 된다.

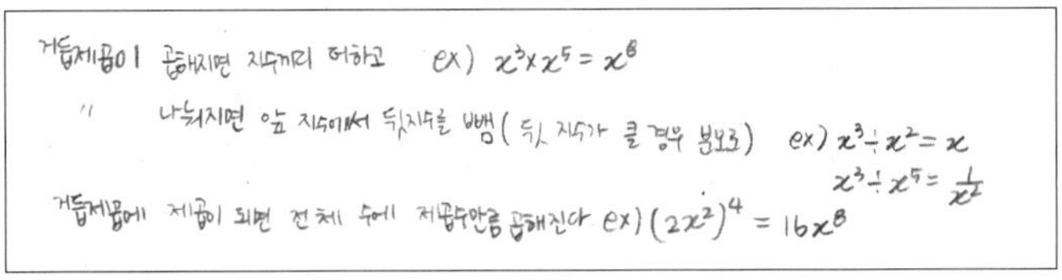

이를 다음과 같이 문자를 사용하여 일반화할 수 있다.

$$a^m \div a^n = \begin{cases} a^{m-n} & (m>n) \\ 1 & (m=n) \\ \dfrac{1}{a^{n-m}} & (m<n) \end{cases}$$

4 영의의 풀이가 옳다. $\frac{2}{2}$, $\frac{3}{3}$ 등과 같이 분모와 분자가 같으면 약분되어 1과 같다.

— 성수의 풀이: 분자와 분모가 모두 약분되면 $\frac{1}{1}=1$이 되므로 0이 아니다.

— 세령의 풀이: $x^{4-4}=x^0$의 경우는 중학교에서 다루지 않는다. 지수는 자연수의 범위에서만 다룬다. 그리고 $x^0\neq0$이다.

5 (1) $(x^2)^3\div x^5=x^6\div x^5=x^{6-5}=x$

(2) $x^9\div x^3\div x^4=(x^9\div x^3)\div x^4=x^{9-3}\div x^4=x^6\div x^4=x^{6-4}=x^2$

(3) $3x^2y\times4xy^3\div2x^4y^2=(3x^2y\times4xy^3)\div2x^4y^2$

$=12x^3y^4\div2x^4y^2$

$=12x^3y^4\times\frac{1}{2x^4y^2}=\frac{6y^2}{x}$

수업 노하우

• 2 에서는 아직 학생들이 지수법칙을 적용하여 계산하지 않도록 주의한다. 또한 계산 과정에서 어떤 원리를 이용했는지 설명하도록 안내한다. 아직 지수법칙을 이용하는 단계가 아니라 지수법칙을 발견하기 위한 단계이다. 다음과 같이 나눗셈에서 같은 수를 약분하는 과정을 적용하여 문자식을 간단히 할 수 있도록 안내할 필요가 있다.

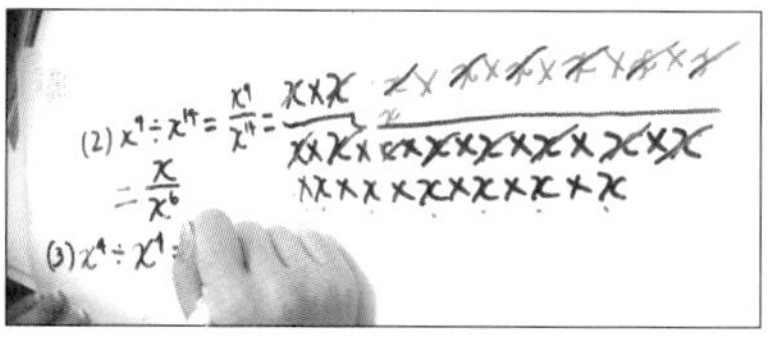

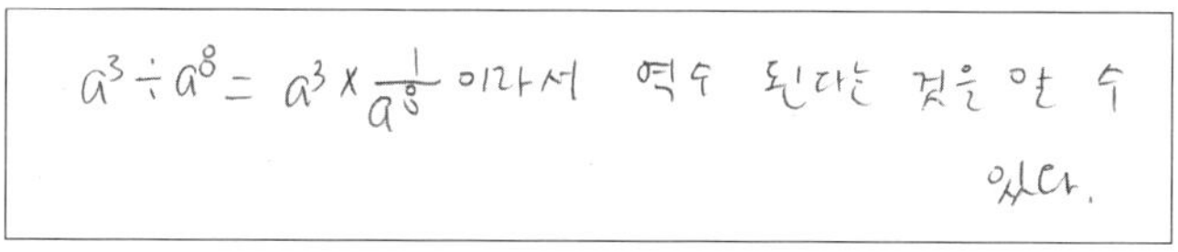

• 3 에서 다음과 같이 예를 통해서 설명할 수도 있다.

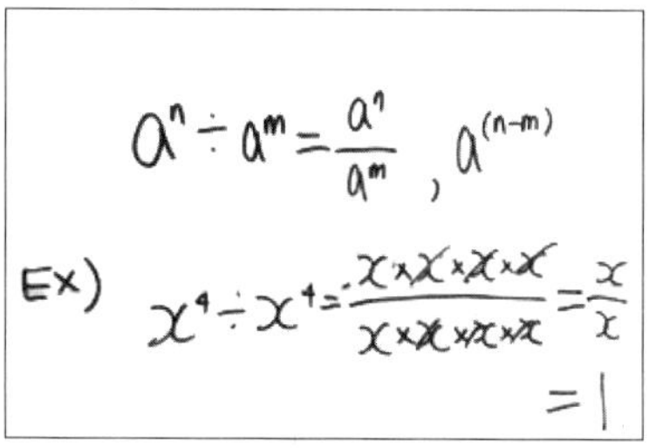

• 4 에서 세 학생의 풀이 과정 예시는 수업에서 실제 학생들이 범한 오류들이었다. 학생들은 지수가 같은 경우에 왜 1이 나오는지에 대해 고민하는 모습을 보였다. 수가 아니라 문자라서 문자를 약분할 때, 몫이 무엇이 되는지에 대한 혼란을 보였다. 모두 약분되면 분자가 0이 된다고 보는 접근, 지수가 0인 경우에 얼마가 되는가에 대한 논의가 활발했는데 이를 여러 가지로 설명해 볼 수 있도록 기회를 제공하는 것이 중요하다.

• 한 모둠에서는 문자식에서 약분했을 때 모두가 사라진다고 하였다. 분자가 0이 된다고 보고, 분자가 0이므로 그 값도 0이 아닌가 고민했다.

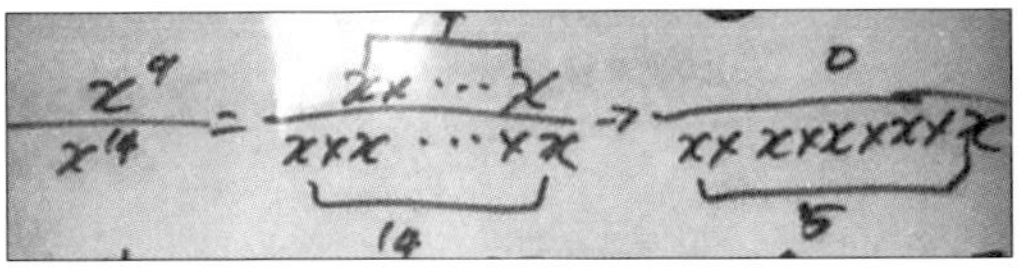

다른 모둠에서는 모두 다 약분하면 분자와 분모를 비교할 수 없으니 아래와 같이 3개만 약분하면 한 개씩 남는 식 $\frac{x}{x}$에 다음 숫자 2를 넣어 $\frac{2}{2}$를 예시로 들어 분자와 분모가 같을 경우 약분하면 1이 된다고 설명했다.

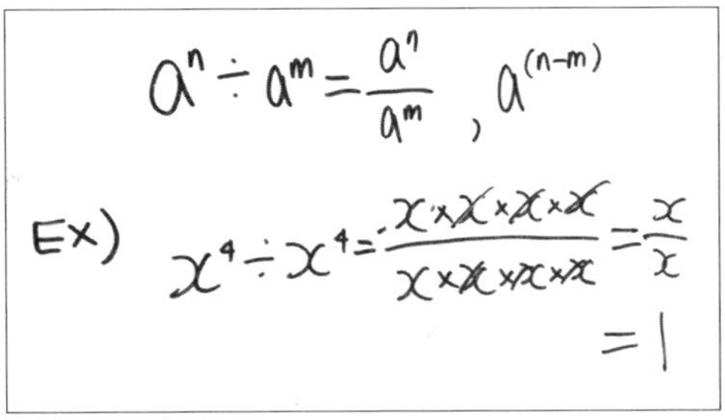

이와 같이 문자식의 나눗셈에서 약분에 대해 학생들이 보이는 혼란은 중간에 겪을 수 있는 당연한 시간이며, 왜 1이 되는지를 중학교 2학년의 수준에서 설명할 수 있도록 기회를 줄 필요가 있다.

• [5]에서는 지금까지 발견한 지수법칙을 적용하여 설명하도록 안내한다. 수치가 간단하여 굳이 지수법칙을 사용하지 않아도 되지만 법칙을 적용해 보도록 할 수 있고, 단항식의 곱셈과 나눗셈에서 지수법칙이 어떻게 사용되는지 발문할 수도 있다.

개념과 원리 탐구하기 4 _ 지수법칙 (3)

교과서(상) 40쪽

탐구 활동 의도

• 거듭제곱을 정의대로 곱한 계산한 결과와 식의 특징을 관찰하여 지수법칙을 발견하는 활동이다. [1]에서 규칙을 발견할 때는 학생들의 편의를 위해 다소 익숙한 수치를 주었지만, [2]에서는 지수법칙을 적용해야 간단하게 나오는 것을 경험하도록 의도적으로 직접 계산하기 어려운 수치인 6의 거듭제곱 등을 주었다.

• [3]은 몫의 거듭제곱에 대한 법칙이 정말 성립하는지 계산기를 이용하여 실제로 확인해 보는 경험을 해 보게 한다. 그런 후 왜 성립하는지를 탐구하게 하는 활동이다.

• 이 탐구하기는 다음의 지수법칙을 발견하는 것이 목적이다.

$$(ab)^n = a^n b^n \text{ (단, } n\text{은 자연수)}$$

$$\left(\frac{a}{b}\right)^n = \frac{a^n}{b^n} \text{ (단, } n\text{은 자연수이고 } b \neq 0\text{이다.)}$$

예상 답안

1 학생들의 답은 다양할 수 있다.

값이 같은 수를 모두 등식으로 나타내면 다음과 같다.

$2^2\times3^2=6^2=36,\ 100=10^2=2^2\times5^2$

여기서 좌변과 우변의 특징을 살펴보면

$2^2\times3^2=6^2=(2\times3)^2,\ 2^2\times5^2=10^2=(2\times5)^2$이 됨을 알 수 있다.

즉, 지수가 같은 두 수의 곱은 밑만 곱하여 간단히 할 수 있다.

거꾸로 밑이 6이면 밑이 2와 3인 거듭제곱의 곱으로 분해할 수도 있다.

이를 문자를 이용하여 나타내면 다음과 같다.

$a^2\times b^2=(a\times b)^2,\ a^n\times b^n=(a\times b)^n$

2 학생들의 답은 다양할 수 있다.

[나의 풀이]

직접 계산하면 수치가 너무 커진다. 5^{10}, 6^8 모두 계산하기 어렵다.

그래서 1에서 발견한 내용을 이용하여 $5^{10}=5^8\times5^2$으로 생각하고 곱셈의 교환법칙과 결합법칙을 이용하여 정리해 보았다.

$$\begin{aligned}5^{10}\times6^8\times2^2&=5^8\times5^2\times6^8\times2^2\\&=5^8\times6^8\times5^2\times2^2\\&=(5\times6)^8\times(5\times2)^2=30^8\times10^2\end{aligned}$$

그런데 30^8을 어떻게 계산해야 할지 막막하다.

[모둠의 풀이]

$6^8=(2\times3)^8=2^8\times3^8$ 이므로

$$\begin{aligned}5^{10}\times6^8\times2^2&=5^{10}\times2^8\times3^8\times2^2=5^{10}\times2^8\times2^2\times3^8=5^{10}\times2^{10}\times3^8\\&=3^8\times10^{10}=6561\times10^{10}\end{aligned}$$

3 (1) $\frac{3}{2}=1.5$이므로 $1.5^5=7.59375$이다. 다음과 같이 계산기로 바로 계산할 수 있다.

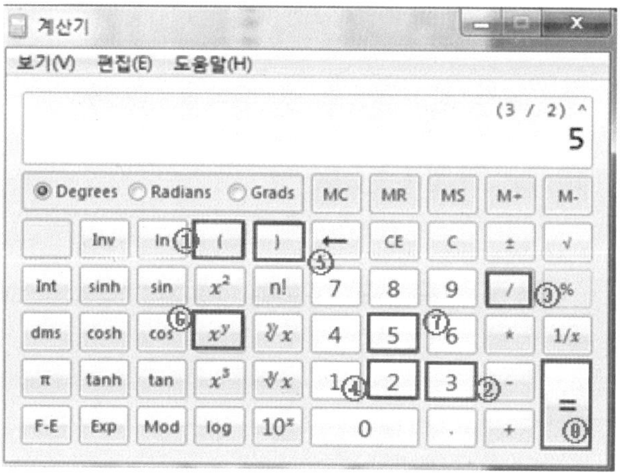

$3^5=243$, $2^5=32$이므로 243을 32로 나누면 $\frac{3^5}{2^5}=7.59375$이다. 다음과 같이 계산기로 바로 계산할 수도 있다.

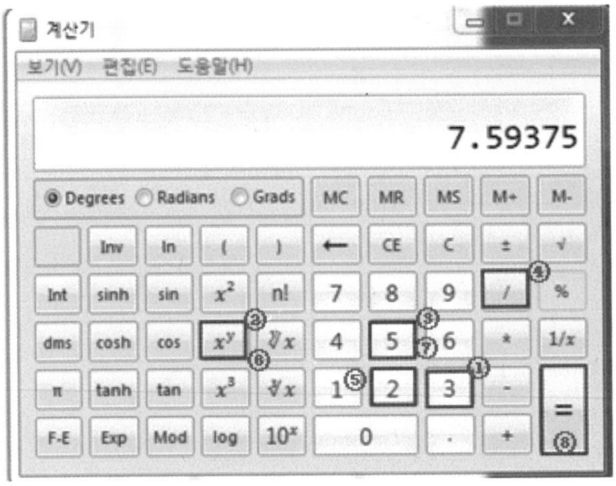

즉, $\left(\frac{3}{2}\right)^5=\frac{3^5}{2^5}=7.59375$이다.

(2) 곱셈의 결합법칙을 이용하면 각각은 다음과 같이 나타낼 수 있다.

$$\left(\frac{3}{2}\right)^5=\frac{3}{2}\times\frac{3}{2}\times\frac{3}{2}\times\frac{3}{2}\times\frac{3}{2}=\frac{3\times3\times3\times3\times3}{2\times2\times2\times2\times2}=\frac{3^5}{2^5}$$

$$\frac{3^5}{2^5}=\frac{3\times3\times3\times3\times3}{2\times2\times2\times2\times2}=\frac{3}{2}\times\frac{3}{2}\times\frac{3}{2}\times\frac{3}{2}\times\frac{3}{2}=\left(\frac{3}{2}\right)^5$$

즉, $\left(\frac{3}{2}\right)^5=\frac{3^5}{2^5}$이다. 마찬가지로 $\left(\frac{5}{2}\right)^7=\frac{5^7}{2^7}$ 등이 성립하게 된다.

분수의 거듭제곱은 분자와 분모에 각각 그 지수만큼 따로따로 분배해 준다.

(3) b는 0이 아니고 n은 자연수라 하자. 이때 $\left(\frac{a}{b}\right)^n=\frac{a^n}{b^n}$이 성립한다.

수업 노하우

- [1]은 아직 지수법칙 $(ab)^n=a^nb^n$을 사용하는 단계가 아니라 이 지수법칙을 발견하기 위한 단계이다. 거듭제곱의 뜻과 곱셈의 교환법칙, 결합법칙을 이용하여 설명하도록 한다.
- [1](2)는 학생들이 다양한 답을 할 수 있다. 숫자를 이용한 구체적인 사실들만 제시된 경우 숫자를 변화시켰을 때(예: $3^3\times5^3$, $2^2\times7^2$ 등) 보이는 공통적인 규칙이 무엇인지 발문하고, 문자를 사용하여 표현해 보도록 할 수 있다.
- [2]는 정확한 답을 계산하는 것보다 지수법칙을 사용하여 10의 거듭제곱을 만들어 보다 편리하게 계산을 할 수 있음을 알게 한다.
- [3](2)는 (1)에서 계산기를 사용하여 두 결과가 같음을 확인한 것을 설명하기 위하여 앞에서 배운 지수법칙들을 이용하도록 한다. 이 단계에서 학생들이 만든 규칙은 일반화되지 않을 수 있다. 숫자로 만들어진 다양한 학생들의 규칙들을 보여주고 (3)에서 문자로 표현해 보도록 한다.
- **탐구하기 2, 3, 4**를 이용하여 지수법칙을 발견할 때 별도 종이를 이용하여 나만의 지수법칙 카드 만들기를 해 볼 수도 있다. **탐구하기**마다 계산 과정의 패턴을 분석하여 지수법칙을 만들 때, 자신의 용어로 설명해 보게 할 수도 있지만, 문자식으로 표현하는 것이 낯설다면 예를 들어서 설명하고 기억하게 할 수 있다.

사진의 왼쪽은 학생들이 지수법칙에 해당하는 예시 문제를 만든 것이고, 오른쪽은 자신이 만든 문제의 답을 적은 것이다. **탐구하기 4**까지 마친 후에 이를 오려서 카드로 만들고 만든 예시를 이용하여 서로 묻고, 답하게 할 수 있다.

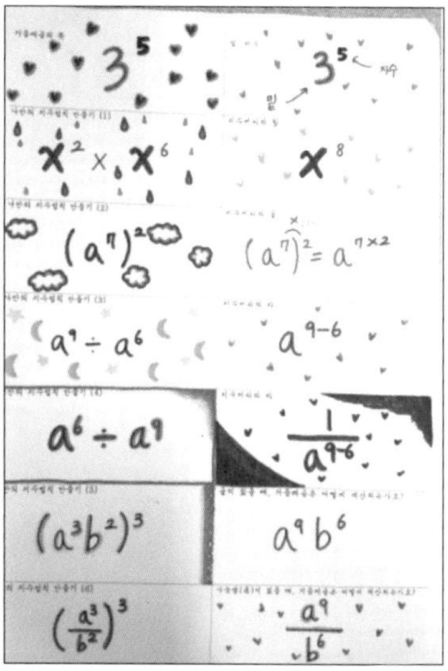

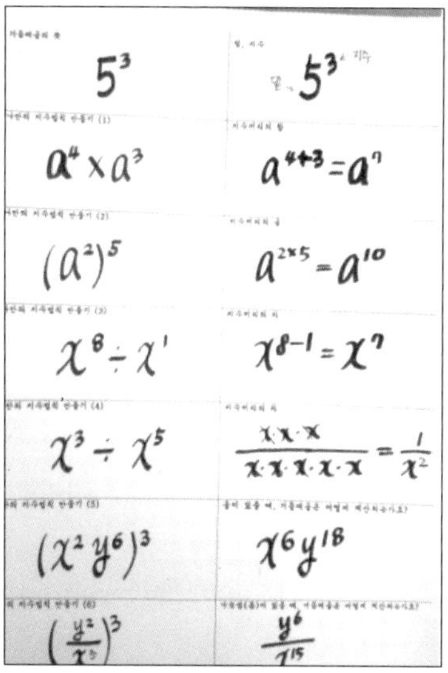

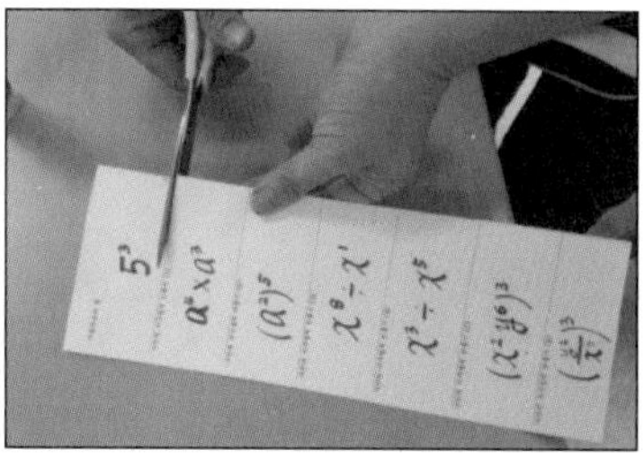

참 고

지수법칙 $(ab)^n = a^n b^n$, $\left(\frac{a}{b}\right)^n = \frac{a^n}{b^n}$ 임을 거듭제곱의 정의와 곱셈만으로도 간단히 설명할 수 있다. 하지만 지수법칙이 학습된 이후에는 왜 그런지 원리를 생각하는 것이 어렵기 때문에 거듭제곱의 계산 경험을 보다 풍부하게 하는 과정이 필요하다.

지수법칙을 단순 암기하게 하는 것보다 그 법칙이 유도되는 과정을 설명할 수 있는 능력을 심어주기 위해서는 보다 많은 경험이 필요하다.

/ 2 / 문자식을 간단히 (다항식의 계산)

학습목표

1 덧셈에 대한 곱셈의 분배법칙을 복습하고, 이를 이용하여 식을 전개한다는 의미를 이해한다.

2 분배법칙을 이용하여 (단항식)×(다항식), (다항식)÷(단항식)의 계산 원리를 발견하고 계산할 수 있다.

3 1학년에서 배운 분배법칙과 일차식의 계산 원리를 적용하여 다항식의 덧셈과 뺄셈을 계산할 수 있다.

2015 개정 교육과정 성취기준

다항식의 덧셈과 뺄셈의 원리를 이해하고, 그 계산을 할 수 있다.

'(단항식)×(다항식)', '(다항식)÷(단항식)'과 같은 곱셈과 나눗셈의 원리를 이해하고, 그 계산을 할 수 있다.

핵심발문

문자를 사용한 식을 최대한 간단히 나타내기 위한 방법은 무엇일까?

개념과 원리 탐구하기 5 _ 일차식 관련 용어 복습

교과서(상) 42쪽

탐구 활동 의도

- 1학년에서 배운 용어를 복습하고 이 단원에서 새롭게 배우는 수학 용어인 이차식을 일차식과 연결하여 추론해 볼 수 있는 활동이다.
- 분배법칙과 동류항의 계산을 복습하고, 이를 이용하여 이차식의 덧셈과 뺄셈에 대한 규칙을 추측해 보도록 한다.

예상 답안

1 학생들의 답은 다양할 수 있다.

(1) • 두 문자를 사용한 일차식이다.
• x의 계수는 $\frac{1}{3}$, y의 계수는 -1, 상수항은 4이다.
• 항이 3개인 다항식이다.
• 이 다항식은 이차식이 아니다.

(2) • 하나의 문자를 사용한 항이 3개인 다항식이다.
• x^2의 계수는 3, x의 계수는 -5, 상수항은 7이다.
• x^2의 차수가 2이므로 이차식이다.

(3) • $2x$와 $3x$는 동류항이므로 두 항의 계수를 뺄 수 있다. 따라서 그 결과는 $-x$이다.
• 분배법칙을 이용하여 $(2-3)x=-1\times x=-x$와 같이 간단히 할 수 있다.

(4) • 분배법칙을 사용하면 일차식 $-2(x-1)=-2x+2$가 성립한다.

학생 답안

학생들이 문장으로 표현하지 않을 수도 있다.

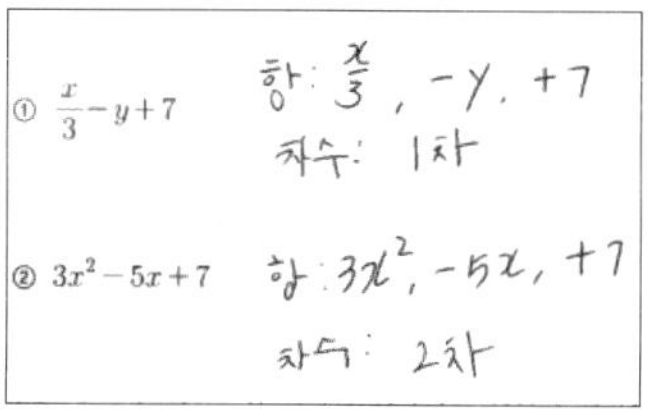
① $\frac{x}{3}-y+7$ 항: $\frac{x}{3}$, $-y$, $+7$ 차수: 1차

② $3x^2-5x+7$ 항: $3x^2$, $-5x$, $+7$ 차수: 2차

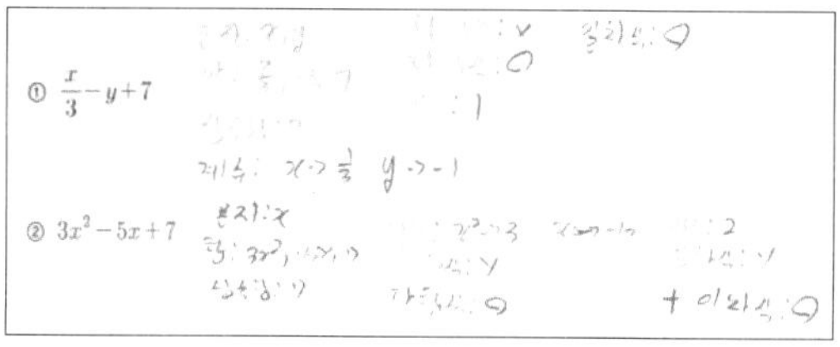
① $\frac{x}{3}-y+7$

② $3x^2-5x+7$

2

친구들의 생각	판단	이유
(1) $5a+6b$는 더 간단히 할 수 있어.	(×)	동류항이 아니면 덧셈을 할 수 없고, 덧셈 기호는 생략할 수 없다.
(2) $5a\times 6b$는 더 간단히 할 수 있어.	(○)	$5a\times 6b=(5\times 6)ab=30ab$이다.
(3) x^2+x는 더 간단히 할 수 있어.	(×)	동류항이 아니면 덧셈을 할 수 없고, 덧셈 기호는 생략할 수 없다.
(4) $4x^2+5x^2-11x^2$은 더 간단히 할 수 있어.	(○)	$(4+5-11)x^2=-2x^2$

학생 답안

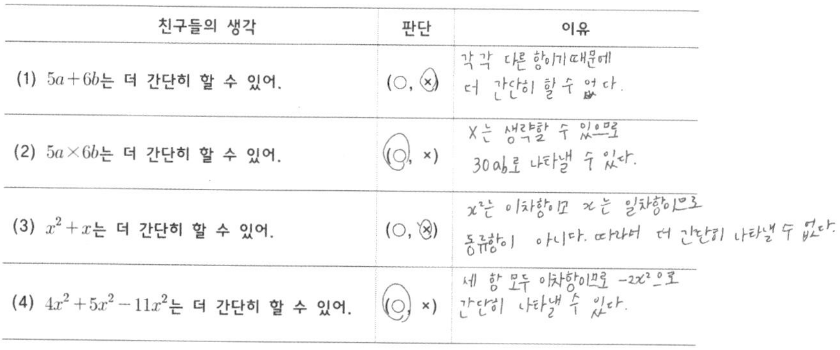

친구들의 생각	판단	이유
(1) $5a+6b$는 더 간단히 할 수 있어.	(○, ×)	각각 다른 항이기때문에 더 간단히 할수 없다.
(2) $5a\times 6b$는 더 간단히 할 수 있어.	(○, ×)	×는 생략할 수 있으므로 30ab로 나타낼 수 있다.
(3) x^2+x는 더 간단히 할 수 있어.	(○, ×)	x^2은 이차항이고 x는 일차항이므로 동류항이 아니다. 따라서 더 간단히 나타낼 수 없다.
(4) $4x^2+5x^2-11x^2$는 더 간단히 할 수 있어.	(○, ×)	세 항 모두 이차항이므로 $-2x^2$으로 간단히 나타낼 수 있다.

수업 노하우

- 1은 모둠 활동이다. 용어를 단어 카드로 만들어 모둠마다 제공한다. 학생들이 각자 2장의 카드를 고를 수 있게 한다. 그리고 자신의 고른 카드로 설명하는 글을 만들어 낼 수 있도록 한다. 혹시 뽑은 단어카드로 만들지 못할 경우 다시 뽑게 하거나, 모둠에서 함께 만들 수 있도록 하는 과정을 통해 용어를 복습하게 할 수 있다.

  여러 학생의 발표를 통해 의견을 모으면 거의 모든 단어를 문항마다 사용할 수 있다.
- 2는 1학년에서 배운 동류항에 대한 이해에 관한 문항으로 학생들이 계산 자체보다는 동류항에 대해 이야기를 나눌 수 있도록 충분한 시간을 제공하는 것이 필요하다. 계산은 할 수 없는데 이유를 설명하지 못할 수도 있으며, 단순히 지수가 다르다고 표현하는 것에 그칠 수도 있는데, 논의를 발전시켜 동류항의 계산 원리로 연결시킬 수 있도록 한다.

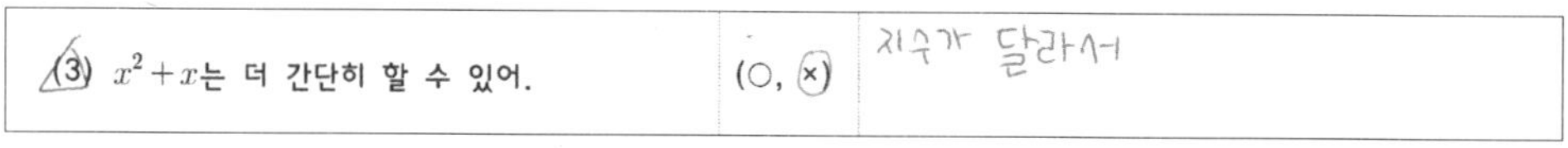

(3) x^2+x는 더 간단히 할 수 있어.	(○, ×)	지수가 달라서

(3) x^2+x는 더 간단히 할 수 있어.	(○, ⊗)	밑이 같더라도 지수가 다를 경우 식으로 더 간단히 할 수 없다

(3) x^2+x는 더 간단히 할 수 있어.	(○, ⊗)	지수가 달라서, +에서 (곱하기 X) 동류항 X
(4) $4x^2+5x^2-11x^2$는 더 간단히 할 수 있어.	(◎, ×)	지수가 같아서 $-2x^2$로 더 간단히 할 수 있음.

• [2](4)의 경우는 1학년에서 직접적으로 배운 내용은 아니다. 같은 원리이므로 직관적으로 해 보게 한 것이다. 아래와 같이 계산한 결과만 적는 경우가 다수였다. 이 경우 어떻게 계산할 수 있었는지 발문하여 이차식도 일차식과 계산 원리가 같음을 발견하게 한다.

(4) $4x^2+5x^2-11x^2$는 더 간단히 할 수 있어.	(◎, ×)	$-2x^2$
$4x^2+5x^2$ $9x^4$		$9x^4-11x^2$

• 분배법칙은 이 단원에서 가장 주요하게 사용되는 법칙이라고 볼 수 있다. 문자식의 계산에서 분배법칙이 어떻게 적용되는지 1학년 내용의 복습을 통해 살펴보고, 이후 다항식과 단항식의 곱셈과 나눗셈도 이 원리의 연장선에서 계산할 수 있도록 한다.

개념과 원리 탐구하기 6 _ 전개의 뜻

교과서(상) 43쪽

탐구 활동 의도

• [1]과 [2]는 1학년에서 배운 분배법칙을 이용하여 일차식을 계산하는 내용을 복습하는 활동이다.

• [3]은 다항식의 전개와 관련된 과제이다. 다항식의 전개는 분배법칙을 이용하여 설명할 수 있으므로 앞에서 이를 복습하였다. (단항식)×(다항식), (다항식)÷(단항식)을 계산하는 원리는 새로운 개념이라기보다는 분배법칙을 이용하여 자연스럽게 발견하고 적용할 수 있게 하였다.

예상 답안

[1] (1) 괄호 앞의 $-$는 (-1)이 곱해져 있는 것이라고 볼 수 있다.

따라서 $-(3x-2)=(-1)\times(3x-2)$로 보고 -1을 괄호 속의 각 항에 곱해 준다.

$-(3x-2)=(-1\times3)x+\{(-1)\times(-2)\}=-3x+2$

(2) 분수는 나눗셈으로 볼 수 있다.

$\frac{2a-4}{3}=(2a-4)\div3$이고 $(2a-4)\div3=(2a-4)\times\frac{1}{3}$이라고 볼 수 있다.

$(2a-4)\div3=(2a-4)\times\frac{1}{3}=\frac{1}{3}\times(2a-4)$이므로 $\frac{1}{3}$을 괄호 속의 각 항에 곱해 주면 다음과 같다.

$\frac{2a-4}{3}=\frac{1}{3}\times(2a-4)=\left(\frac{1}{3}\times2\right)a+\frac{1}{3}\times(-4)=\frac{2}{3}a-\frac{4}{3}$

2

(1) $(5x-3)\times(-2)$

$=5x\times(-2)+(-3)\times(-2)$ ← 분배법칙

$=-10x+6$

(2) $(5x+3y)+(2x-y)$

$=5x+2x+3y-y$

$=(5+2)x+(3-1)y$ ← 분배법칙

$=7x+2y$

(3) $3(x-1)-2(4-x)$

$=3x-3-8+2x$ ← 분배법칙

$=3x+2x-3-8$

$=(3+2)x-11$ ← 분배법칙

$=5x-11$

(4) $\dfrac{2a-4}{3}-\dfrac{3a+1}{4}$

$=\dfrac{2}{3}a-\dfrac{4}{3}-\dfrac{3}{4}a-\dfrac{1}{4}$ ← 분배법칙

$=\dfrac{2}{3}a-\dfrac{3}{4}a-\dfrac{4}{3}-\dfrac{1}{4}$

$=\left(\dfrac{2}{3}-\dfrac{3}{4}\right)a-\dfrac{19}{12}$ ← 분배법칙

$=-\dfrac{1}{12}a-\dfrac{19}{12}$

3

(1) $(x^2+5x-7)+(4x^2-2x+5)$

$=(1+4)x^2+(5-2)x+(-7+5)$ ← 분배법칙

$=5x^2+3x-2$

(2) $(3x^2+5x-6)-(4x^2-7x+1)$

$=3x^2+5x-6+(-1)\times4x^2+(-1)\times(-7x)+(-1)\times1$ ← 분배법칙

$=(3-4)x^2+(5+7)x+(-6-1)$ ← 분배법칙

$=-x^2+12x-7$

(3) $-3x(2x-5y)$

$=(-3x)\times2x+(-3x)\times(-5y)$ ← 분배법칙

$=-6x^2+15xy$

(4) $(6a^2-12a)\div(-3a)$

$=\dfrac{6a^2}{(-3a)}+\dfrac{(-12a)}{(-3a)}$ ← 분배법칙

$=-2a+4$

(5) $a(4a-3)+5a(a+3)$

$=a\times4a+a\times(-3)+5a\times a+5a\times3$ ← 분배법칙

$=4a^2-3a+5a^2+15a$

$=(4+5)a^2+(-3+15)a$ ← 분배법칙

$=9a^2+12a$

$$(6)\ \frac{8a^3-6a}{2a}-\frac{15a^2-12a}{3a}$$
$$=\left(\frac{8a^3}{2a}-\frac{6a}{2a}\right)-\left(\frac{15a^2}{3a}-\frac{12a}{3a}\right)$$
$$=(4a^2-3)-(5a-4)$$
$$=4a^2-3-5a+4$$
$$=4a^2-5a+(-3+4)$$
$$=4a^2-5a+1$$

분배법칙

분배법칙

수업 노하우

- [1]은 분배법칙의 사용에서 학생들이 가장 많은 오류를 범하고 있는 두 가지 유형이다. 2학년은 1학년때의 시행착오를 겪으며 개념에 보다 익숙해졌을 것이므로 이 두 가지 계산을 명확히 이해하도록 지도한다.
- [2](3), (4)의 경우 학생들이 분배법칙을 사용하면서 부호를 잘못 결정하는 오류를 보이기 쉬운데 다음과 같은 오류를 많이 범했다. 오류가 일어난 풀이를 교사가 수정해 주는 것보다 학생들에게 공유하여 직접 오류를 찾아 수정하는 활동을 하는 것이 좋다.

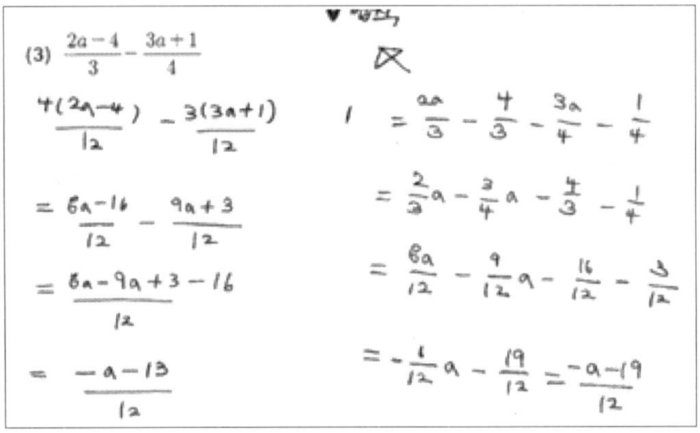

수업 연구

오류 정정의 버뮤다 삼각형 (Bermuda triangle of error correction)

수학교사들의 가장 보편적인 오류 대처 행동은 한 학생이 틀리면 교사가 곧바로 다른 학생에게 질문하고 나중 학생이 정답을 말해 오답을 정정하는, 소위 '오류 정정의 버뮤다 삼각형 (Bermuda triangle of error correction)'이라고 불리는 것이다. 이와 같은 '오류 정정의 버뮤다 삼각형'과 같은 교사의 오류 대처는 오답을 말한 학생에게 다시 생각할 기회를 주지 않으며, 학생의 수학에 대한 정서에도 부정적인 영향을 미친다. 학생이 실수를 하게 되면 교사는 가급적 그 학생 스스로 자기 실수를 발견하고 수정할 기회를 제공해야 실수를 학습과정으로 허용하는 교실의 문화를 만들 수 있다.

참고

2015 교육과정에서 다항식의 곱셈이 3학년으로 이동 되었으나 전개만 애매하게 2학년에 남아있는 상태다. 전개는 이후에 별로 쓰이지는 않으므로 간단히 넘어갈 수 있지만 1년 후 3학년 때 다시 복습하는 것이 쉽지 않으므로 그 계산 원리는 명확히 할 필요가 있다.

개념과 원리 탐구하기 7 _ 다항식의 계산

교과서(상) 45쪽

탐구 활동 의도

- 다항식을 계산하는 과정에서 실수하기 쉬운 부분을 학생들이 스스로 확인하고, 이것에 대해 수정하도록 하는 기회를 주는 활동이다.
- 이를 통해 식의 계산 과정에 보다 익숙해지도록 하는 것이 목적이다.

예상 답안

1

(1) $x(-5x+3)=-5x^2+3$ (×)

설명 : $x(-5x+3)$

$=x\times(-5x)+x\times 3$

$=-5x^2+3x$

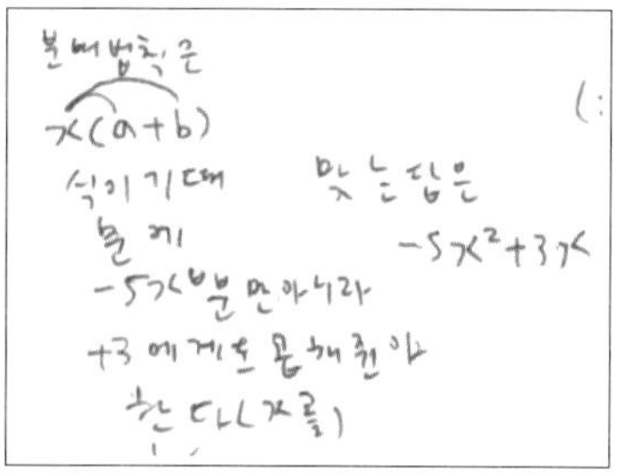

(2) $(2x+y)-(x-3y)=2x+y-x-3y$

$=x-2y$ (×)

설명 : $(2x+y)-(x-3y)$

$=2x+y-x+3y$

$=(2-1)x+(1+3)y$

$=x+4y$

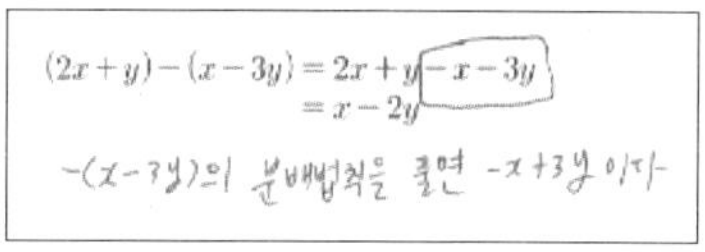

(3) $(9x^2-15xy)\div\frac{3}{2}x=(9x^2-15xy)\times\frac{2}{3}x$

$=9x^2\times\frac{2}{3}x-15xy\times\frac{2}{3}x$

$=6x^3-10x^2y$ (×)

설명 : $(9x^2-15xy)\div\frac{3}{2}x$

$=(9x^2-15xy)\times\frac{2}{3x}$

$=9x^2\times\frac{2}{3x}-15xy\times\frac{2}{3x}$

$=6x-10y$

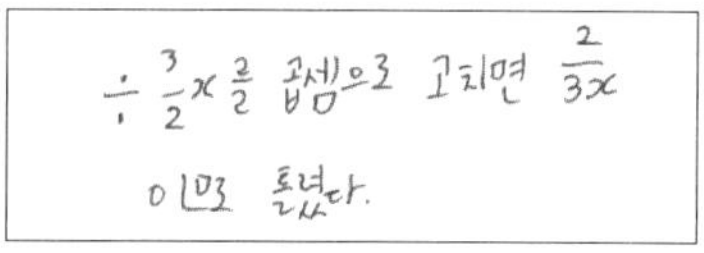

(4) $\frac{6x^2-5x}{3x}=\frac{6x^2}{3x}-5x$

$=2x-5x$

$=-3x$ (×)

설명 : $\frac{6x^2-5x}{3x}=\frac{6x^2}{3x}-\frac{5x}{3x}$

$=2x-\frac{5}{3}$

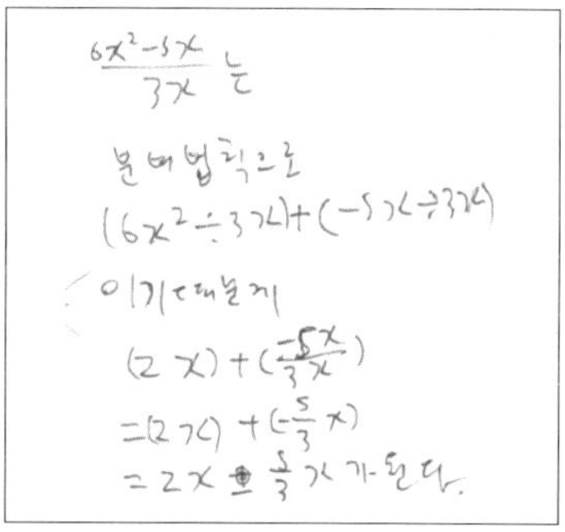

수업 노하우

- 학생들이 스스로 풀이 과정의 오류를 찾아 수정할 수 있는 기회를 제공한다. 분배법칙을 이용하여 다항식을 간단히 하는 것이 처음에는 낯설 수 있다. 자기만의 표현과 원리를 발견할 수 있도록 충분히 시간을 주는 것이 필요하다.
- 전통적으로는 오류가 많은 것을 교사가 잘 정리하여 제시해 왔지만 일방적으로 제시하는 것은 단순한 암기를 유발할 뿐이다. 학생들에게는 자기 주도적인 경험이 필요하다.
- 다항식의 계산을 학습하는 과정에서 학생들은 이와 같은 오류를 범하게 된다. 오류가 발생하면 전체 학생에게 배움을 유발할 수 있다. 이때 교실은 실수를 허용하며 실수를 통해서 더 많은 것을 배울 수 있다는 사회문화가 형성되어 있어야 한다.

게임하며 탐구하기 8 _ 다항식의 계산 복습

교과서(상) 46쪽

탐구 활동 의도

- 다항식의 계산을 게임을 통해 재미있게 연습하는 활동이다.
- 모둠 활동으로 진행하여 많은 문제를 개인이 다 풀기보다는 협력하여 풀 수 있도록 한다.

예상 답안

정답 1. 업사이클링 2. 열섬 3. 람사르 4. 폐기물

ⓐ $(x^2+2x+3)+(3x^2+5x+4)=4x^2+7x+7$이므로

$(x^2$의 계수$)\div($상수항$)=4\div 7=\frac{4}{7}$

ⓑ $(4x^2-x+3)-(x^2-3x-1)=3x^2+2x+4$이므로

(이차항의 계수)+(일차항의 계수)$=3+2=5$

ⓒ $(5x^2+2x-1)-(-x^2-3x+2)=6x^2+5x-3$이므로

(이차항의 계수)$\times$(상수항)$=6\times(-3)=-18$

ⓓ $(-4x^2+6x-2)+\{(9x^2-7x)-(3x-5)\}$

$=(-4x^2+6x-2)+(9x^2-10x+5)=5x^2-4x+3$

이므로 $(x^2$의 계수$)+($상수항$)=5+3=8$

ⓔ $(3a-4b-5)+(-a+2b+2)=2a-2b-3$이므로 상수항은 -3

ⓕ $(4a^3b+3a^2b)\div ab=\frac{4a^3b+3a^2b}{ab}=\frac{4a^3b}{ab}+\frac{3a^2b}{ab}=4a^2+3a$이므로 a^2의 계수는 4이다.

ⓖ $(10xy^2-2xy)\div(-2xy)=\frac{10xy^2-2xy}{-2xy}=-\frac{10xy^2}{2xy}+\frac{2xy}{2xy}=-5y+1$이므로 상수항은 1이다.

ⓗ $(-14a^2b^3+21ab^2)\div(-7b^2)=\frac{14a^2b^3}{7b^2}-\frac{21ab^2}{7b^2}=2a^2b-3a$이므로 a^2b의 계수는 2이다.

ⓘ $\left(\frac{9}{4}x^2-\frac{3}{2}xy\right)\div\left(-\frac{3}{4}x\right)=\left(\frac{9}{4}x^2-\frac{3}{2}xy\right)\times\left(-\frac{4}{3x}\right)$

$=-\left(\frac{9x^2}{4}\times\frac{4}{3x}\right)+\left(\frac{3xy}{2}\times\frac{4}{3x}\right)$

$=-3x+2y$

이므로 (x의 계수)$-$(y의 계수)$=-3-2=-5$이다.

ⓙ 다항식 P에 $\frac{1}{4}xy$를 곱하였더니 $x^2y+\frac{5}{2}xy^2-3xy$이므로

$P=\left(x^2y+\frac{5}{2}xy^2-3xy\right)\div\frac{1}{4}xy$

$=\left(x^2y+\frac{5}{2}xy^2-3xy\right)\times\frac{4}{xy}$

$=x^2y\times\frac{4}{xy}+\frac{5xy^2}{2}\times\frac{4}{xy}-3xy\times\frac{4}{xy}$

$=4x+10y-12$

이므로 상수항은 -12이다.

ⓚ (부피)$=$(밑면의 넓이)$\times$(높이)이다. 높이를 h라 하면

(부피)$=18a^2b-12ab^3=3a\times2b\times h=6abh$이므로

$h=\frac{18a^2b-12ab^3}{6ab}=\frac{18a^2b}{6ab}-\frac{12ab^3}{6ab}=3a-2b^2$

따라서 b^2의 계수는 -2이다.

ⓛ $(2x^2+4x-6)\times\left(-\frac{1}{4}x\right)=-\frac{1}{2}x^3-x^2+\frac{3}{2}x$이므로

일차항의 계수는 $\frac{3}{2}$이다.

ⓜ 평행한 두 면에 있는 두 다항식의 합이 모두 같으므로

$(2a+7b)+(3a+7)=A+(a+2b)$

⇨ $5a+7b+7=A+(a+2b)$

⇨ $A=(5a+7b+7)-(a+2b)$

$=4a+5b+7$

따라서 A에 들어갈 식의 상수항은 7이다.

탐구 되돌아보기 예상 답안

교과서(상) 48~53쪽

1 개념과 원리 탐구하기 2

1바이트$=2^3$비트이므로

1킬로바이트$=2^{10}$(바이트)

$=2^{10}\times2^3$(비트)

$=2^{13}$(비트)

따라서 1킬로바이트는 2^{13}비트이다.

2 개념과 원리 탐구하기 2

(1) ①

거듭제곱 표현	1	10^2	10^3	10^6	10^9	10^{12}
이름	미터	헥토미터	킬로미터	메가미터	기가미터	테라미터
기호	m	hm	km	Mm	Gm	Tm

②

거듭제곱 표현	$\frac{1}{10}$	$\frac{1}{10^2}$	$\frac{1}{10^3}$	$\frac{1}{10^6}$	$\frac{1}{10^9}$
이름	데시미터	센티미터	밀리미터	마이크로미터	나노미터
기호	dm	cm	mm	μm	nm

(2) 답은 다양할 수 있다.

킬로미터와 메가미터를 곱하면 기가미터가 된다.

즉, $10^3\times10^6=10^9$(미터) ⇨ 1기가미터

킬로미터를 세제곱하면 기가미터가 된다. 즉, $(10^3)^3$

헥토미터와 센티미터를 곱하면 미터가 된다.

즉, $\frac{1}{10^2}\times10^2=1$(미터)

헥토미터와 밀리미터를 곱하면 데시미터가 된다.

즉, $10^2\times\frac{1}{10^3}=\frac{1}{10}$(미터) ⇨ 1데시미터

3 개념과 원리 탐구하기 2

$600=6\times10^2$(광년)

초속 30만 km $=3\times10^5$ km

1년$=3000$만 초 $=3\times10^7$초

따라서

600광년$=6\times10^2\times3\times10^5\times3\times10^7$

$=54\times10^{14}$(km)

4 개념과 원리 탐구하기 4

(1) $6=2\times3$ 이므로

$2^6=(2^2)^3=4^3=64$

$2^6=(2^3)^2=8^2=64$

로 표현할 수 있다. 따라서 민수의 주장이 옳다.

(2) $a^nb^n=(ab)^n$(n은 자연수)이다.

밑이 다르지만 지수가 같은 수들의 곱셈이기 때문이다.

5 개념과 원리 탐구하기 3

(1) × : $a^6\div a^2=a^{6-2}=a^4$

(2) × : $a^3\div a^8=\frac{1}{a^{8-3}}=\frac{1}{a^5}$

(3) × : $(3a^5)^2=3^2\times a^{5\times2}=9a^{10}$

(4) × : $\left(\frac{x^3}{2}\right)^4=\frac{(x^3)^4}{2^4}=\frac{x^{12}}{16}$

6 개념과 원리 탐구하기 5~7

지수법칙, 다항식의 덧셈과 뺄셈, (단항식)×(다항식), (다항식)÷(단항식)과 관련된 문제를 학생들이 만들어 서로 제시하고, 이를 해결하는 협력적 문제해결활동이다.

내가 만든 문제	친구의 풀이
$3xy\times x^2$	$3xy\times x^2=3x^3y$
$(2ab)^2\times a^3b^2$	$(2ab)^2\times a^3b^2=4a^2b^2\times a^3b^2=4a^5b^4$
$(6x^2y-x^3y^2)\div(2xy)$	$(6x^2y-x^3y^2)\div(2xy)=\dfrac{6x^2y-x^3y^2}{2xy}=3x-\dfrac{x^2y}{2}$
$\dfrac{3}{2}a^2b^3\div\dfrac{3}{4}b^2$	$\dfrac{3}{2}a^2b^3\div\dfrac{3}{4}b^2=\dfrac{3a^2b^3}{2}\times\dfrac{4}{3b^2}=a^2b\times2=2a^2b$
$(5x^2+4y-4)\times\left(-\dfrac{1}{2}x\right)$	$(5x^2+4y-4)\times\left(-\dfrac{1}{2}x\right)=-\dfrac{5x^2\times x}{2}-\dfrac{4y\times x}{2}+\dfrac{4x}{2}=-\dfrac{5x^3}{2}-2xy+2x$

7 내가 만드는 수학 이야기

학생 답안 1

제목: 다항식 나라의 우리 모임

안녕? 난 단항식이라고 해. 우리 마을에는
우리같은 애들이 많아.
그래서 우리는 서로서로 더하
거나 빼서 모임을 만들었지!
어때 멋지지?
이 모임에는 규칙이 있어.
동류항끼리는 계수끼리
먼저 계산을 해. 무엇보다
가장 가장 훌륭한 규칙은

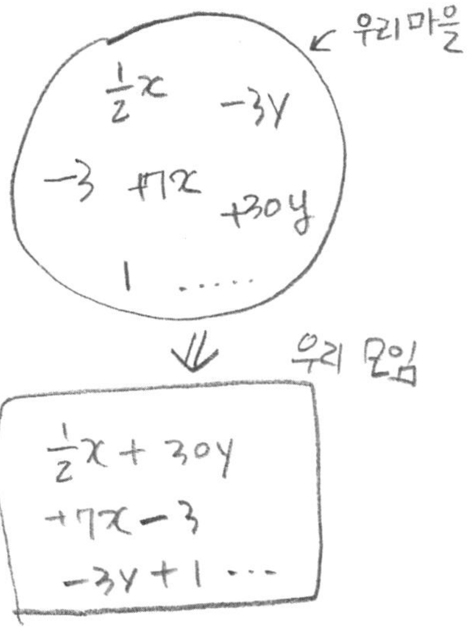

'분배법칙' !! 먹을 것은, 먹을 걸 가지고 있으면
골고루 나누어 주어야 한단 규칙이야. 키득키득 ~

$2\times(7x-3)=2\times7x-2\times3=14x-6$

어때 우리 모임에 들어오고 싶지 않아?

학생 답안 2

제목: 단항식, 미선이의 history…☆
단항식은 항이 많은 다항식을 부러워했어요.
-10a²b÷5ab³
7x
단항식은 다항식이 되기로 결심! 해어요
7x
(-8a+4x) (68x-4x)
7x(5x²+12y)
이식은 차수가 2고 계수는 5와 12입니다
(5x²+12y)
단항
7x(5x²+12y)
잠깐? 괄호는 왜있지?
이건 어떻게 없애는거지?
7x(5x²+12y)
태경아! 괄호 어떻게 없애!
멍청아 분배법칙을 이용해서 전개해!!
7x(5x²+12y)
= 7x×5x²+12y×7x
= 35x³+84xy
고마워!!
35x³+84xy

학생
답안
3

제목: 다항식 패션쇼

옛날 옛적 저 수학책 안에는 '지수나라'가 있었어요.

'지수나라'에는 x와 y가 살고있었지요.

x와 y는 다항식 지망생이었죠.

x: "우린 언제 다항식에 들어갈 수 있을까?"
y: "그러게... 그 유명한 스타인 전개와 분배법칙님도 보고싶은데... TT"
-몇.일.후-
다항식 에이전시: x양과 y양을 이번 다항식 패션쇼에 초대하고 싶습니다.
x양은 지수법칙씨와 함께 하고,
y양은 분배법칙씨와 함께 할겁니다.
마지막 엔딩에는 전개씨도 도와줄겁니다. 와 계수 와 계수
아! 그리고 이번 패션쇼의 주제는 차수이니까, 차수를 데리고 와야 합니다!

<당일>

이번 순서는 x양입니다.
↳

$$2x^3 \times 3x^3$$

→ x양은 2(와 3이)라는 계수와
3이라는 차수를 가지고 와주셨군요!
오늘의 특급 게스트! 최고의 인기 법칙
'지수법칙' 양이 들어오면 이 다항식은
'$6x^6$'이 됩니다!

이번 순서는 y양입니다!
↳

$$(y^2)^4 \times y^6$$

→ y양은 2와 4, 6이라
는 차수와 끝까지 함께
해 주셨군요! 분배법칙양은
아쉽게도 함께하지 못했습니
다. 이 다항식은 바로
'$y^8 \times y^6 = y^{14}$'가 됩니다!

학생 답안 4

제목: 아버지의 마지막 유언

어느날, 병 때문에 위태로우셨던 아버지가 나를 부르더니 말씀하셨다.

"아들아, 내가 살날이 얼마 남지 않았으니 너에게 우리 가문의 비밀을 알려주마. 우리 가문은 사실 $10^4 \times 10^2$ 년 동안 보물을 모아 왔단다.

한마디로 10^6년 동안 모아왔었던 것이라는 뜻이지.

이제 너에게 이 재산을 물려주려 한단다.

저기 있는 초상화를 들춰내고 $2(2x+y)+7+3x-y-2$ 를 풀면 된단다...

분배법칙은 네 특기이니 잘 풀수 있을게야.

물론 쉽기... 콜럭! 콜럭!"

"아부지!"

그렇게 나는 아버지를 떠나 보내고

눈물 속에서 초상화 문제에 도전했다 ....

개념과 원리 연결하기 예상 답안

교과서(상) 54~55쪽

1 (1)

나의 첫 생각

직접 곱하기에 2^{30}, 3^{20}은 지수가 너무 크다. 즉 이 문제는 직접 곱해서 비교하라는 문제는 아님을 알 수 있다. 막연하게 생각할 때는 2보다 3이 크니까 지수는 좀 작아도 세 배씩 커지는 것이 더 커지지 않을까 싶다. $2\times2\times2=8$이고, $3\times3=9$이니까 말이다.

다른 친구들의 생각

지수가 각각 30, 20이므로 $30=3\times10$으로,
$20=2\times10$으로 보았다.
$2^{30}=(2^3)^{10}=8^{10}$
$3^{20}=(3^2)^{10}=9^{10}$
이제 8^{10}과 9^{10}을 비교해 보자. 8을 10번 곱한 것보다 9를 10번 곱한 것이 크다.
따라서 $2^{30}<3^{20}$이다.

정리된 나의 생각

- 두 수를 비교하는 것은 여러 가지 방법이 있을 수 있다. 친구들은 지수를 똑같이 만들고 밑을 비교했다. 그러나 나는 나의 방법이 틀렸다고 생각하지는 않는다. 실제로 30번을 곱해볼 필요가 없이 어느 순간 이미 3을 여러 번 곱한 값이 훨씬 커지기 때문이다.
- 친구들의 방법은 보다 정확한 설명이라고 생각한다. 비교를 위해서는 여러 조건 중 한 조건을 같게 식을 만들어 본다는 것이 신선했다.

2 (1)

지수법칙

m, n이 자연수일 때

① $a^m\times a^n=(\overbrace{a\times a\times a\times\cdots\times a}^{m개})\times(\overbrace{a\times a\times\cdots\times a}^{n개})=\overbrace{a\times a\times a\times\cdots\times a}^{(m+n)개}=a^{m+n}$

② $(a^m)^n=\overbrace{a^m\times a^m\times\cdots\times a^m}^{n개}=a^{\overbrace{m+m+\cdots+m}^{n개}}=a^{m\times n}=a^{mn}$

③ $a^m\div a^n=\dfrac{\overbrace{a\times a\times\cdots\times a}^{m개}}{\underbrace{a\times a\times\cdots\times a}_{n개}}=\begin{cases}a^{m-n} & (m>n일 때)\\ 1 & (m=n일 때)\\ \dfrac{1}{a^{n-m}} & (m<n일 때)\end{cases}$

④ $(ab)^m=\overbrace{ab\times ab\times\cdots\times ab}^{m개}=(\overbrace{a\times a\times\cdots\times a}^{m개})\times(\overbrace{b\times b\times\cdots\times b}^{m개})=a^mb^m$

⑤ $\left(\dfrac{a}{b}\right)^m=\overbrace{\dfrac{a}{b}\times\dfrac{a}{b}\times\cdots\times\dfrac{a}{b}}^{m개}=\dfrac{\overbrace{a\times a\times\cdots\times a}^{m개}}{\underbrace{b\times b\times\cdots\times b}_{m개}}=\dfrac{a^m}{b^m}$ (단 $b\neq0$)

(2)

지수법칙과 관련 개념 사이의 연결성

- 2×2, $2\times2\times2$, $2\times2\times2\times2$, …와 같이 같은 수를 여러 번 곱한 결과를 각각 2^2, 2^3, 2^4, …과 같이 간단하게 나타낸 것을 거듭제곱이라 한다.
- 한편 같은 수를 여러 번 더한 결과는 간단히 곱셈으로 나타낼 수 있다. 예를 들면 $5+5$, $5+5+5$, $5+5+5+5$, …는 각각 5×2, 5×3, 5×4, …와 같이 나타낸다.
- 분수의 분모와 분자를 그 공약수(公約數)로 나누어 분수의 값을 변화시키지 않고 분수를 간단히 하는 것을 약분이라고 한다. 약분은 지수법칙 ③을 설명할 때 필요한 개념이다.
- 두 수 a, b의 곱은 곱하는 두 수의 순서를 바꾸어 곱하여도 그 곱은 같다. $ab=ba$, 즉 곱셈의 교환법칙이 성립한다. 이것은 지수법칙 ④를 설명할 때 필요한 개념이다.

개념과 원리 연결하기 예상 답안

학생 답안 1

나의 첫 생각

*가능하다

→ 1. 제곱을 열심히 풀어서 쓰면 가능하다.

2. 2^{30}와 3^{20}의 공배수인 6으로 바꾸고 각각의 지수에 3과 2를 곱하면 → 의도는 Good! 단, 방법이 틀렸다.

$2^{30}=6^{90}$ $3^{20}=6^{40}$으로 나타낼 수 있기에 가능하다.

3. $2^{30}=A$, $3^{20}=B$ $A\div B=A\times\frac{1}{B}$로 해서 $A-B$를 하면 가능하다.

다른 친구들의 생각

$2^{30}=(2^3)^{10}$ $3^{20}=(3^2)^{10}$

$=8^{10}$ $=9^{10}$

$8^{10}<9^{10}$

↳ 지수는 같지만 밑은 다르기에 밑이 더 큰 9^{10}이 더 크다.

*$A\div B$의 몫으로 크기 비교 가능 (몫이 1보다 ↑ = $A>B$ | 몫이 1보다 ↓ = $B>A$)

$\frac{2^{30}}{3^{20}}=\left(\frac{2^3}{3^2}\right)^{10}=\left(\frac{8}{9}\right)^{10}$ → 1보다 작음 ∴ $B>A$

정리된 나의 생각

• 지수를 같게 만들었을 때 밑이 더 큰 것이 더 큰 수이다.
(지수 같게 만들기 → 밑의 대소를 비교한다)

• $A\div B$의 몫으로 크기 비교가 가능하다 ($A>B$ = 1보다 ↑ | $A<B$ = 1보다 ↓)

학생 답안 2

나의 첫 생각

$2^{30} < 3^{20}$ …

$2^{10} = 2^2 \times 2^2 \times 2^3 \times 2^3 = 16 \times 64 = 1024$

$3^{10} = 3^2 \times 3^2 \times 3^3 \times 3^3 = 243 \times 243$

$=$

$64 \times 16 = 384 + 640 = 1024$

243×243: 729, 972, 486 → 59049 (written as 69049)

다른 친구들의 생각

〈밑을 비교하기〉

2^{30}과 3^{20}은 2^3, 3^2이다.

$2^3 = 8$ $3^2 = 9$.

따라서! $2^{30} < 3^{20}$

정리된 나의 생각

$2^{30} = (2^3)^{10} = 8^{10}$ $3^{20} = (3^2)^{10} = 9^{10}$

$8^{10} < 9^{10}$

깨달음 : 지수가 같을 때에는 밑이 큰것이 더 큰수가 된다!!

2 (1) 개념과 원리 연결하기 예상 답안

학생 답안 1

지수법칙

지수법칙이란 a^m (상수 $a \neq 0$, m은 자연수) 를 두고 이런 거듭제곱의 지수를 계산해서 간단히 나타내는 것

$a^m \times a^n = a^{m+n}$ (m, n은 자연수)

$(a^m)^n = a^{mn}$ (m, n은 자연수)

$a^m \div a^n = a^{m-n}$ (m, n은 자연수, $m \geq n$일 때)

$a^m \div a^n = \frac{1}{a^{n-m}}$ (m, n은 자연수, $m < n$일 때)

$(ab)^m = a^m b^m$ (a와 b는 상수, $a \neq 0$, $b \neq 0$, m은 자연수)

학생 답안 2

지수법칙이란, 같은 문자 또는 수의 거듭제곱의 곱셈·나눗셈을 지수의 덧셈뺄셈으로 계산할 수 있는 법칙이다.

※ m, n이 자연수일 때,

$a^m \times a^n = a^{m+n}$ → 지수끼리의 합

$a^m \div a^n = a^{m-n}$ → 〃 차

$(a^m)^n = (a^n)^m$ → 지수끼리의 곱

$\left(\frac{a}{b}\right)^m = \frac{a^m}{b^m}$

$a^{-m} = \frac{1}{a^m} (a \neq 0)$

$a^0 = 1$

예) $2^3 \times 2^5 = 2^{3+5} = 2^8$

$2^5 \div 2^3 = 2^{5-3} = 2^2$, $2^3 \div 2^5 = 2^{3-5} = 2^{-2}$

$= \frac{2^3}{2^5} = \frac{1}{2^2} = \frac{1}{4}$

$(2^3)^5 = (2^5)^3 = 2^{15}$

$\left(\frac{2}{7}\right)^3 = \frac{2^3}{7^3}$

$2^3 \div 2^3 = 2^{3-3} = 2^0 = 1$

$= \frac{2^3}{2^3} = 1$

학생 답안 3

거듭제곱 된 같은 문자 또는 수의 곱셈이나 나눗셈을 지수의 덧셈과 뺄셈으로 계산할 수 있다는 법칙.

① $a^m \times a^n = a^{m+n}$

② $(a^m)^n = a^{mn}$

③ $(ab)^m = a^m b^m$

④ $\left(\frac{a}{b}\right)^m = \frac{a^m}{b^m} (b \neq 0)$

⑤ $a^m \div a^n = \frac{a^m}{a^n} = \begin{cases} a^{m-n} & (m-n>0) \\ 1 & (m-n=0) \\ \frac{1}{a^{n-m}} & (m-n<0)(a \neq 0) \end{cases}$

학생 답안 4

1. 지수법칙

m, n이 자연수일 때

(1) $a^m \times a^n = a^{m+n}$

(2) $(a^m)^n = a^{mn}$

(3) $a \neq 0$일때

① $m > n$ 이면 $a^m \div a^n = a^{m-n}$

② $m = n$ 이면 $a^m \div a^n = 1$

③ $m < n$ 이면 $a^m \div a^n = \frac{1}{a^{n-m}}$

(4) $(ab)^m = a^m b^m$, $\left(\frac{a}{b}\right)^m = \frac{a^m}{b^m}$ $(b \neq 0)$

2 (2) 개념과 원리 연결하기 예상 답안

학생 답안 1

지수 법칙과 연결된 개념

- 거듭제곱
- 동류항과 동류항 계산
- 일차식의 계산
- 식의 값

지수 법칙과 관련 개념 사이의 연관성

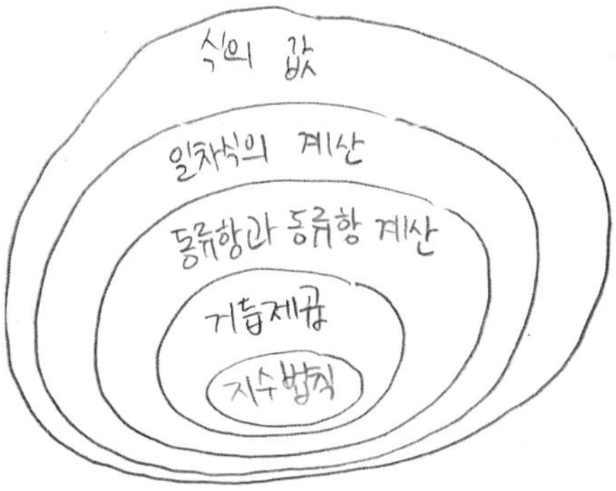

수학 학습원리 완성하기 예상 답안

학생 답안 1

내가 선택한 문제

1. 컴퓨터는 정보를 저장하는 단위로 비트(bit)를 사용한다. 1바이트는 2^3 비트이고, 1킬로바이트는 2^{10} (=1024) 바이트일 때, 1킬로바이트는 몇 비트인지 구하여라.

나의 깨달음

1바이트 = 2^3 비트
1킬로바이트 = 2^{10} 바이트

바이트를 m, 비트를 cm, 킬로바이트는 km로 생각하고 문제를 풀어보면

1m = 100cm
1km = 1000m
1km = 1000 × 100 = (1000m × 100cm) = 100000cm.
로 1km를 m로 고친후 m앞의 숫자와 1m를 cm로 고친후 cm 앞의 숫자를 곱해야 한다. 비트도 마찬가지로
1킬로바이트 = $2^{10} \times 2^3 = 2^{13}$ 비트 로 2^{13} 비트가 답으로 나온다.
킬로바이트를 비트로 고칠 때 많이 헷갈렸는데 km, m, cm 와 비교하며 하니 훨씬 더 이해가 잘됐다. 다른 값들과 비교하며 계산하는게 도움이 될지 몰랐다.

수학 학습원리

5. 여러 가지 수학 개념 연결하기
1. 끈기있는 태도와 자신감 기르기.
~~3. 수학적 추론을 통해 자신의 생각 정리하기.~~

학생 답안 2

내가 선택한 문제

$$(3a^5)^2 = 3^2 \times a^{5\times2} = 9a^{10}$$

나의 깨달음

$(3a^5)^2$ 에서 문자의 제곱만 계산하는것이 아니라 자연수도 제곱해야한다.

맨처음 풀었을 때 나는 너무나도 당연하게 자연수 3을 철저히 무시해버리고 문자에만 집중하여 계산했다. 그리고 그 답이 틀렸다고해서 곰곰히 생각하다가 겨우 자연수의 제곱을 발견하게 되었다.

ex) $(4x^3)^2 = 4^2 \times x^{3\times2} = 16x^6$, $(5a^4)^2 = 5^2 \times a^{4\times2} = 25a^8$

위처럼 문자에만 집중하지 않고 자연수도 계산해야한다는 생각을 콕! 박아놓았다. 장하다 내자신

수학 학습원리

- 힘들었는 5분동안 곰곰히 생각해낸 끈기 있는 태도와 자신감!
- 보고 또 보며 문제를 발견한 관찰하는 습관으로 규칙성 표현!

학생 답안 3

내가 선택한 문제

2^{30} 과 3^{20} 의 크기 비교

나의 깨달음

2^{30} 과 3^{20} 은 밑과 지수가 모두 다른수이다. 그래서 이 상태에서는 어떤수가 더 큰지 알 지 못한다. 분수도 분자와 분모가 다르면 크기를 비교하지 못한다. 그래서 통분이라는것을 하여 크기를 비교 한다.
그래서 2^{30} 과 3^{20} 도 밑이나 지수를 같게 만들어 주면 된다는 것을 알게 되었다. 밑을 같게 만드는것을 시도해 보았지만 안되었다. 지수를 같게 만드는것은 $2^{30}=(2^3)^{10}$, 으로 $3^{20}=(3^2)^{10}$ 으로 하여 지수를 같게 만들어 크기를 비교하였다 그래서 $(2^3)^{10}$, $(3^2)^{10}$ 은 $8^{10}<9^{10}$ 이라는 결론을 내렸다.

수학 학습원리

5. 여러가지 수학 개념 연결하기 (분수, 통분, 지수법칙)

STAGE 3

일직선으로 변하는 현상을 발견해 보자

– 일차함수

[이 단원의 핵심 지도 방향]

1. 함수와 방정식 단원의 순서를 바꾸기

중학교 교육과정과 기존 교과서는 '수와 연산 → 문자와 식 → 방정식 → 함수'의 순으로 구성되어 있습니다. 왜냐 하면 함수를 공부하려면 방정식과 문자와 식, 수와 연산이 필요하기 때문입니다. 마찬가지로 방정식을 공부하려면 문자와 식, 수와 연산이 필요합니다. 이런 이유로 교과서는 처음부터 기초적인 학습을 통해 함수까지 나갑니다. 이런 정도가 보통 매학년 1학기에 걸쳐서 이루어집니다. 함수라는 목표에 도달하기 위해서는 몇 개의 난관을 소리 없이 견뎌내야만 합니다. 이중 어느 한 순간에라도 집중력을 잃으면 함수에 도달하더라도 배울 힘이 없습니다.

이러한 문제를 해결하기 위한 방안을 2009 개정 수학과 고등학교 교육과정에서 찾았습니다. 2007 개정 때보다 진일보한 것은 고등학교에서 연산 영역에 해당하는 내용을 연산이 필요한 영역의 하위 요소로 통합했다는 것입니다. 예를 들어 이차식, 이차방정식, 이차부등식, 이차함수, 이차곡선을 대수, 해석, 기하 영역에서 각각 따로 다루었는데, 여러 영역 및 과목에 흩어져 있던 동일한 주제이므로 이들 내용을 통합하여 다룸으로써 불필요하게 많은 계산의 양을 대폭 줄였습니다. 중학교에서도 이와 같이 방정식과 함수의 순서를 조정하고, 핵심 개념을 구체적으로 재구성하여 실험했습니다.

2. 식이 아닌 패턴으로 일차함수를 이해하기

기존 교과서는 일차함수를 식으로 정의합니다. $y=ax+b$ 꼴의 여러 가지 식을 주고, 그래프를 그려 일차함수의 모양이 직선이 됨을 제시하거나 $y=ax$의 그래프를 y축의 방향으로 b만큼 평행이동 시켜서 직선이 된다고 설명하고 있습니다. 이 설명의 흐름에서는 '$y=ax+b$'라는 일차식이 핵심이라고 보입니다.

그러나 우리는 중요한 개념을 식보다는 '관계'라고 보았습니다. 서로 관계 있는 두 변수의 패턴을 수학적으로 표현할 수 있도록 하는 것을 이 단원의 목표로 재구성하였습니다. 먼저 두 변수 사이의 관계를 볼 수 있는 맥락에서 표, 그래프로 규칙성을 찾아봅니다. 이중 직선이 되는 특별한 경우를 인지하여 이것을 일차함수로 정의했습니다.

이 과정에서 발견되는 규칙성을 이용하여 기울기, y절편을 탐구하도록 하였고, 이런 내용을 종합하여 학생들이 일차함수의 식을 만들어 내도록 안내하고 있습니다. 일차함수의 식을 만드는 과정 역시 주어진 조건대로 또는 유형대로 구하지 않고, 표와 그래프, 식의 관계를 입체적으로 보고 만들어 낼 수 있도록 순차적으로 안내했습니다.

1 서울 여행 1일차 (일차함수와 그 그래프)

단원 지도 계획

/ 1 / 서울로 7017 거리에서

차시	내용
1차시	**개념과 원리 탐구하기 1** 변수, 함수의 뜻
2차시	**개념과 원리 탐구하기 2** 함수의 뜻과 기호 표현

/ 2 / 국립고궁박물관에 가 보자

차시	내용
3차시	**개념과 원리 탐구하기 3** 그래프가 직선이 되는 관계의 특징 (1)
4차시	**개념과 원리 탐구하기 4** 그래프가 직선이 되는 관계의 특징 (2)
5차시	**개념과 원리 탐구하기 5** 일차함수의 관계

차시	내용
6차시	**탐구 되돌아보기**

- 교과서 각 소단원마다 제시된 탐구 되돌아보기는 개념과 원리 탐구하기와 연계하여 수업 시간 내 또는 수업 시간 이후 복습으로 활용할 수 있습니다.

/1/ 서울로 7017 거리에서 (일차함수의 뜻)

학습목표

1 일상 생활에서 규칙을 갖는 두 개의 양을 찾고 그 관계를 추측할 수 있다. 또한 그 관계를 표와 그래프를 이용하여 설명할 수 있다.

2 함수의 뜻을 알고 함수의 표현 방법을 이해한다.

3 변화가 일정한 상황과 변화가 일정하지 않은 상황을 표와 식으로 표현할 수 있고, 그 특징을 발견할 수 있다.

4 다양한 상황을 표, 그래프, 식으로 표현할 수 있고 여기서 나타나는 규칙을 찾아 일차함수의 특징을 추론할 수 있다.

2015 개정 교육과정 성취기준

1 함수의 개념을 이해한다.

2 일차함수의 의미를 이해하고 그 그래프를 그릴 수 있다.

3 일차함수의 그래프의 성질을 이해하고 이를 활용하여 문제를 해결할 수 있다.

교수 · 학습 방법 및 유의 사항

함수의 개념은 다양한 상황에서 한 양이 변함에 따라 다른 양이 하나씩 정해지는 두 양 사이의 대응 관계를 이용하여 도입한다.

평가 방법 및 유의 사항

함수와 관련하여 지나치게 복잡한 활용 문제는 다루지 않는다.

핵심발문

두 변수의 관계가 일차함수가 되는지 표, 그래프, 식을 이용하여 어떻게 설명할 수 있을까?

개념과 원리 탐구하기 1 _ 변수, 함수의 뜻

교과서(상) 61쪽

탐구 활동 의도

- 변수의 뜻을 복습하고 일상 생활에서 변화하는 두 양을 찾아 변수로 나타내고 관계를 파악할 수 있다. 이 활동은 학생들이 변화의 패턴을 찾아 관계로 추상화하는 경험을 갖도록 하는 것이 목적이다.
- [1]은 표에서 규칙성을 찾아 두 변수 간의 관계를 찾아보는 활동이다. 이를 토대로 [2]는 변화하는 두 양 사이의 규칙성을 표로 표현하는 활동이다.
- [3]은 함수의 뜻에 따라 주어진 관계가 함수인지 아닌지를 판단하는 활동이다. 이때 두 변수를 스스

로 정하여 관계를 표로 나타내 봄으로써 함수의 뜻을 이용하여 함수인지 아닌지에 대한 이유를 논리적으로 표현하도록 한다.

예상 답안

1 표의 내용이 어떤 관계인가에 대한 학생들의 답은 다양할 수 있다.

(1)

1	600
2	1200
3	1800
4	2400
5	3000

관계 : 꽃 묶음당 판매 가격(원)

(2)

500	껌
600	쥬스
800	캔커피, 우유
1000	콜라, 사이다, 코코팜
1500	아이스티, 포카리스웨트

관계: 편의점에서 파는 가격(원)과 그에 따른 상품

학생 답안

다음은 입장료, 인구수, 편의점 가격 등이라고 쓴 학생들의 풀이이다.

1	600
2	1200
3	1800
4	2400
5	3000

무슨 상황일까요?
입장료 , km² 마다 인구수

500	껌
600	쥬스
800	캔커피, 우유
1000	콜라, 사이다, 코코팜
1500	불닭볶음면, 초코우유

무슨 상황일까요?
편의점가격

2 학생들의 답은 다양할 수 있다. 표에서 규칙과 관계가 적절한가를 판단한다.

1월	20000
2월	40000
3월	60000
4월	80000
5월	100000

관계: 월이 지남에 따라 누적되는 나의 핸드폰 요금(원)

3월	25
4월	26
5월	27
6월	28
7월	29

관계: 월에 따른 새희의 머리카락의 길이(cm)

13세	300
14세	720
19세	720
20세	1440
65세	0

관계: 나이에 따라 달라지는 지하철 요금(원)

학생 답안

다음은 반 티셔츠 가격, 서울역 기차표 가격, 노래 1곡의 시간 등이라고 쓴 학생들의 풀이이다.

x	y
1	15000
2	30000
3	45000
4	6000
5	75000

관계:
반티가격

1	13000
2	26000
3	39000
4	52000
5	65000

관계: y=ax. 서울역 기차표 가격

1	4:12초
2	8:24초
3	12:36
4	16:48
8	33:36

관계: 노래 1곡: 4:12초.

1	80km
2	160km
3	240km
4	320km
5	400km

관계:
1시간 동안 자동차가 달리는 거리

3 (1) 학생들의 예시에서 x의 값이 변함에 따라 y의 값이 하나씩만 정해지면 모두 함수가 될 수 있다. 학생들이 찾은 다양한 예시를 참고하여 판단한다.

학생 답안

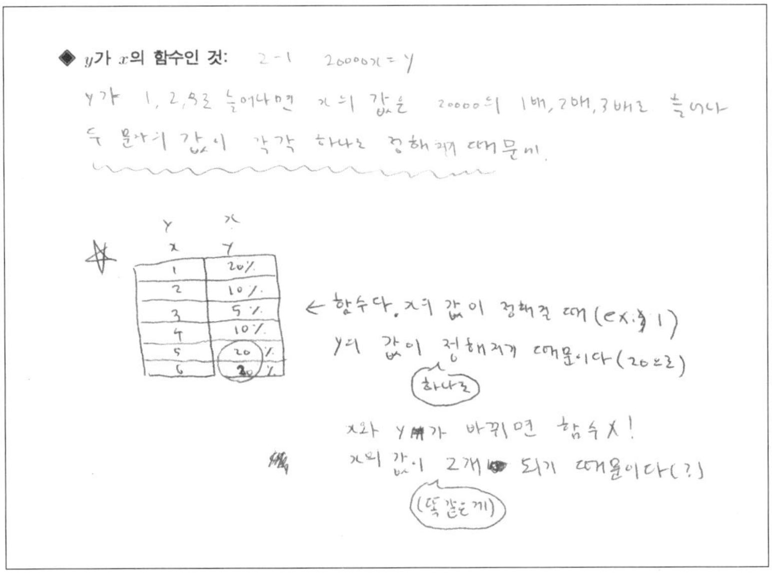

(2)

나의 생각	모둠의 의견
• x의 값이 변함에 따라 y의 값이 하나씩 정해져야 예측이 가능하기 때문이다. • x의 값이 변함에 따라 y의 값이 하나씩 정해져야 그래프를 그릴 수 있기 때문이다.	• 결과값이 하나로 정해지면 패턴을 찾을 수 있어서 모르는 값을 추측할 수 있는데 만약 결과가 여러 가지가 가능하다면 패턴이 없기 때문에 함수라고 할 수 없다.

수업 노하우

- 1은 쉽게 넘어갈 수 있다. 2를 통해 주변에서 두 변수를 찾아 관계를 규명할 수 있도록 한다. 처음에는 예시를 들지 못한 학생도 다른 학생의 발표를 들은 후에 자신만의 예시를 만들어 보는 시간을 줄 수 있다.
- 학생들이 만든 예는 정비례가 되는 경우가 많았다. 이를 이용하여 1학년에서 배운 정비례를 복습할 수도 있다.
- 다만 함수인지를 판단할 때, 정비례의 뜻으로만 설명하는 경우는 정비례가 아닌 예를 이용하여 함수의 정의로 설명할 수 있도록 수정해 볼 수 있도록 안내한다.

<정비례로 설명한 오류>

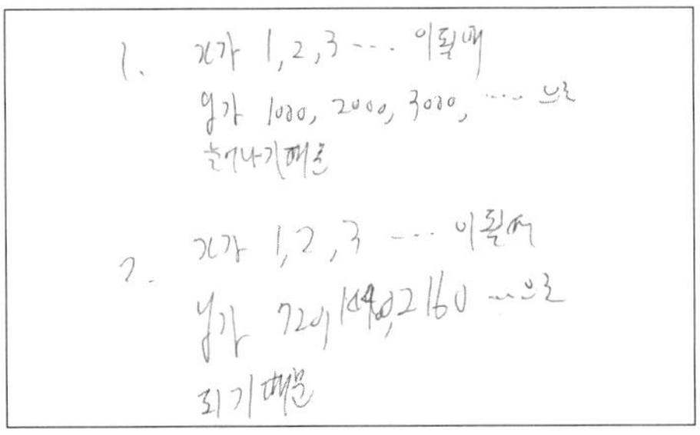

<정비례가 아닌 예로 함수를 설명한 예>

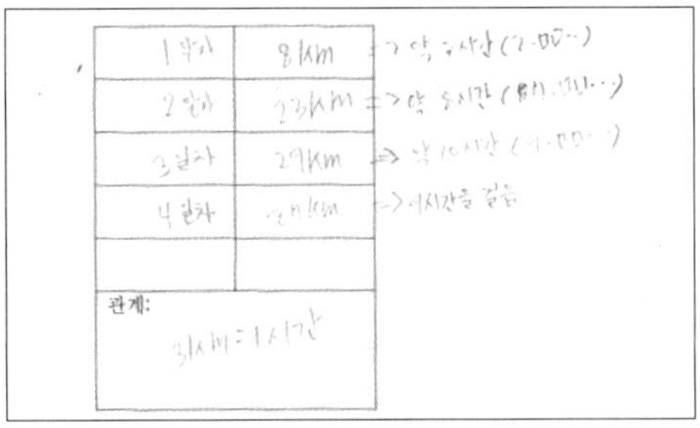

다음과 같이 두 가지 예를 동시에 들었는데, 설명을 다르게 한 경우를 활용해도 좋다.

1	2000
2	4000
3	6000
4	8000
5	10000

관계:
휴대쇼핑1시간 2000원지불

1	20%
2	20%
3	5%
4	5%
5	30%
6	20%
7	2%

관계:
교시별 나의 상태

(1)은 y가 x의 함수이고 (2)는 y가 x의 함수가 맞다.

(1)은 x가 일정하게 늘어나면 y도 일정하게 하나로 결정된수가 정비례 하고
(2)는 x에따라 y의 값이 1개 밖에 없으므로 함수가 맞다

- 함수 관계가 되면 무엇이 좋을지에 대해서도 의견을 나누어 보도록 한다. x의 값에 따라 y의 값이 한 개씩 정해질 경우 불확실한 상황에 대해 예측할 수 있는 도구가 된다고 답하기도 하였다. 이는 **탐구하기 5**의 실험을 통해서도 구체화해 볼 수 있겠다.
- **탐구 되돌아보기** 2, 5에서 규칙적인 관계를 식으로 표현하면 실제로 그려 보거나 따져 보지 않아도 예측이 가능함을 경험해 보도록 할 수 있다.

개념과 원리 탐구하기 2 _ 함수의 뜻과 기호 표현

교과서(상) 64쪽

탐구 활동 의도

- 두 변수의 관계가 무엇인지 보다 쉽게 이해하기 위해 표에 이어 그림을 이용하여 설명하도록 하였다.
- 함수의 뜻을 표와 함수 상자 그림과 연결하여 이해하고, 이것을 기호로 표현하는 아이디어를 얻도록 한다.
- 함수와 함숫값의 기호 표현을 이해하고 상황에 적용하여 함숫값을 구할 수 있다.

예상 답안

1 (1) [표]

x(초)	1	2	3	4	…
y(m)	2	4	6	8	…

[그림]

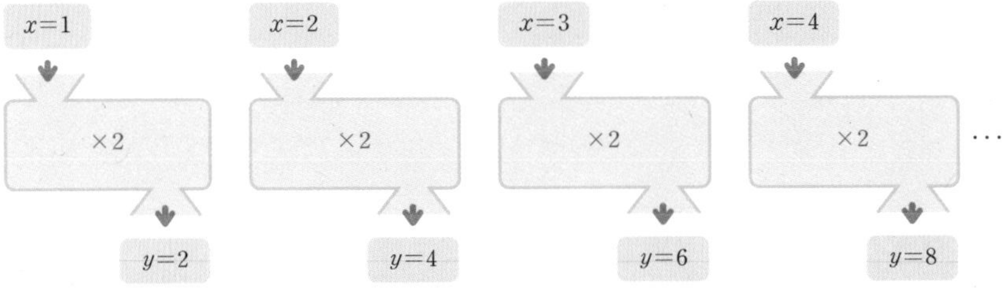

(2) • x의 값이 변함에 따라 y의 값이 하나씩만 정해지므로 함수다.

• 두 변수 x, y에 대하여 $y=2x$로 나타낼 수 있고 이 규칙에 의해 x의 값에 따라 y가 하나씩 정해지므로 함수라고 할 수 있다.

• x의 값에 따라 y가 변하고 값이 하나로 정해지므로 함수다.

• x의 값이 변하면 y의 값도 하나로 결정되기 때문에 함수다.

(3) $y=2x$이므로 $2\times100=200$(m)다.

(4) $y=2x$이므로 $2\times x=15$에서 $x=7.5$(초)다.

2 (1) $f(-1)=6$, $f(0)=7$, $f(1)=8$, $f(2)=9$

(2) x가 0일 때 y는 7이고, x가 1일 때 y는 8, x가 2일 때 y는 9, … 이므로 관계식으로 표현하면 $y=x+7$이 된다. 따라서 $f(-10)=-3$, $f(10)=17$이 된다.

수업 노하우

• **탐구하기 1**은 표에서 규칙성을 찾고, **탐구하기 2**는 이 관계를 추상화하기 위해 함수 상자 그림을 이용했다.

• 실험하는 과정에서 $y=f(x)$, $f(x)$ 기호, 함수 $f(x)$라는 용어가 학생들에게 낯설고 이해하기 쉽지 않음을 알 수 있었다. 사실 함수라는 용어보다 두 변수의 관계식으로 이해해도 중학교 과정에서는 큰 문제가 없다. 그러나 앞으로 함수라는 개념을 계속 확장하여 사용해야 하기 때문에 어떻게 학생들에게 익숙하게 할 수 있을까를 고민했다.

• 두 변수의 '관계'를 수학적으로 구체화하는 경험을 갖도록 하는 것이 필요하다. 학생들이 변수 사이에 일정한 규칙이 있음을 자기들의 언어로 표현하고, 이를 수학적으로 나타낼 수 있도록 한다.
다음은 1 (3)과 (4)에서 표와 그림에서 찾은 규칙을 적용하여 x 또는 y의 값을 구한 과정을 설명하게 한 것이다. 이와 같이 식에 어떤 값을 대입했다는 방법적 관점이 아니라 두 변수의 규칙과 관계에 중점을 둔 개념 이해가 가능하도록 안내한다.

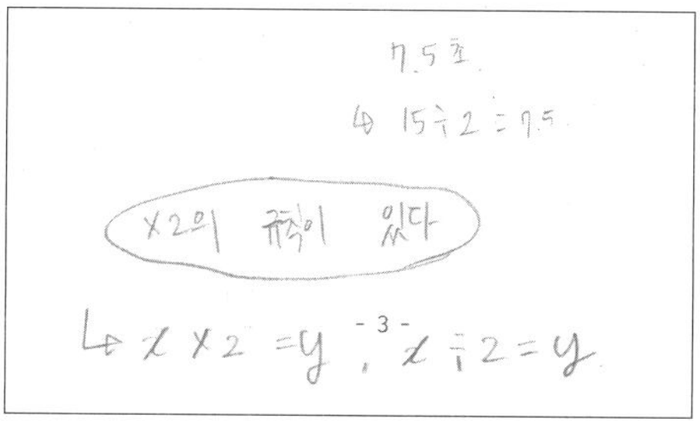

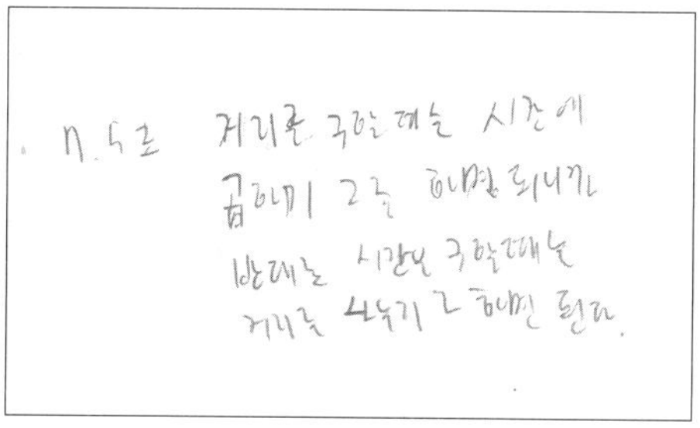

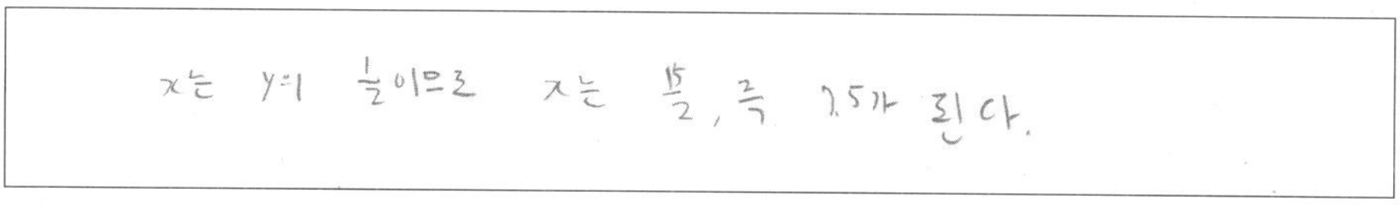

• 일차함수 식 구하기를 먼저 하지 않았다고 해서 학생들이 [2]에서 식을 구하지 못할 것이라고 생각하지 않아도 된다. 이미 초등학교의 규칙성 단원, 중학교 1학년의 정비례와 반비례 단원에서 이 정도의 규칙을 표현하는 방법을 배웠으며 여기서도 규칙성을 파악하여 문자를 이용한 식으로 나타내도록 안내한다.

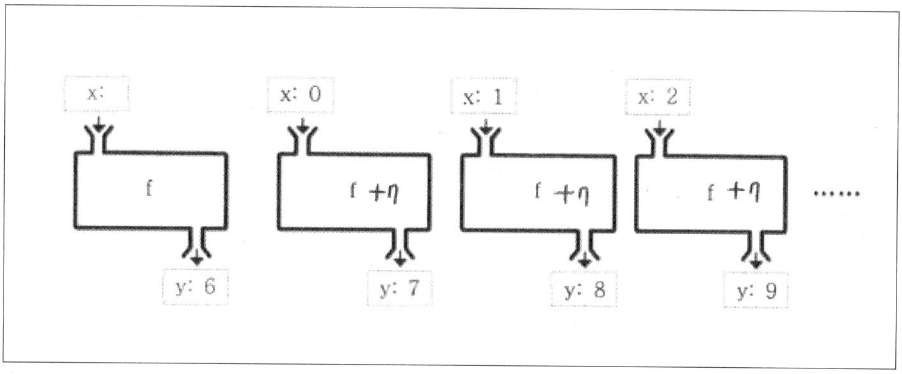

수업 연구

함수(函數)의 '함(函)'은 왜 상자인가?

함수는 영어로 function이라고 쓴다. 이 function을 중국어로 소리나는 대로 쓴 것이 '함수'라는 얘기가 전해지고 있다.

한편, 함수는 상자(함, 函) 위로 뭔가를 집어 넣었더니 밑에서 뭔가 나온다는 뜻에서 함수(函數)라고 이름을 붙였다는 얘기도 있다. 이때 x를 넣어서 y가 나온 규칙을 f라고 하면 $y=f(x)$인 관계가 성립한다는 것이다.

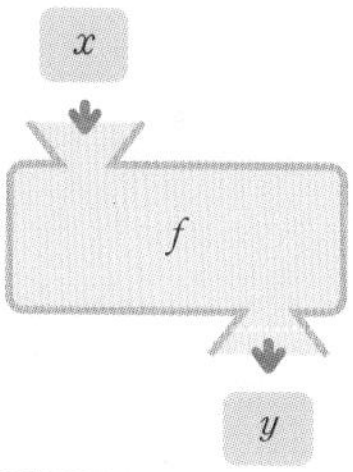

/2/ 국립고궁박물관에 가 보자 (일차함수의 그래프의 특징)

학습목표

1 두 변수의 관계를 그래프로 나타냈을 때 직선이 되는 경우의 특징을 발견하고, 이를 기울기 개념으로 연결할 수 있다.
2 일차함수가 되는 관계를 표와 그래프, 식을 이용하여 다양하게 설명할 수 있다.
3 함수의 정의에 입각하여 일차함수가 함수인지 추론할 수 있다.
4 일상 생활에서 변수가 될 수 있는 두 변량을 선택하고, 실험을 통해 이 변수의 관계가 일차함수인지 아닌지를 표와 그래프를 통해 판단할 수 있다. 이 과정에서 일차함수의 주요한 예측성의 의미를 경험할 수 있다.

2015 개정 교육과정 성취기준

일차함수의 의미를 이해하고, 그 그래프를 그릴 수 있다.

교수 · 학습 방법 및 유의사항

함수의 개념은 다양한 상황에서 한 양이 변함에 따라 다른 양이 하나씩 정해지는 두 양 사이의 대응 관계를 이용하여 도입한다.

평가 방법 및 유의 사항

함수와 관련하여 지나치게 복잡한 활용 문제는 다루지 않는다.

핵심발문

일차함수가 되는 관계가 가지는 특징은 무엇일까?

개념과 원리 탐구하기 3 _ 그래프가 직선이 되는 관계의 특징 (1)

교과서(상) 66쪽

탐구 활동 의도

- 여기서는 서로 다른 모양의 두 물컵으로부터 1학년에서 다룬 정비례 관계와 그렇지 않은 관계를 식이 아니라 표와 그래프로 먼저 그려 보게 할 것이다. 물의 높이가 시간에 따라 어떻게 변할 것인지 추론하여 그 변화율이 일정하다는 의미를 경험하게 하는 것이 목적이다.
- 두 변수의 그래프가 직선으로 나타나는 관계에 대해 특징을 분석할 것이다. 이를 탐구하기 위해 직선으로 나타나는 상황과 그렇지 않은 상황을 비교하도록 하였다. 직선이 되는 상황의 특징은 그렇지 않은 경우와의 비교 속에서 발견할 수 있기 때문이다.
- 그래프가 직선으로 그려질 때, 이 변화의 패턴이 일정함을 표와 그래프에서 구체적으로 어떻게 나타

나는지를 발견할 수 있다.

- 중학교 1학년에서 정비례 관계식을 배웠으므로 컵 A의 상황을 식으로 표현할 수 있다. 위에서 발견할 수 있는 특징을 식과 연결하여 추론할 수 있도록 하여 이후 기울기의 개념과 연결지을 수 있는 토대를 마련하고자 하였다.

예상 답안

1 (1) [컵 A]

시간(초)	0	5	10	15	20	25	30
높이(mm)	0	20	40	60	80	100	120

[컵 B] 학생들의 답은 다양할 수 있으며 아래는 예시다.

시간(초)	0	5	10	15	20	25	30
높이(mm)	0	30	56	78	96	110	120

이유: 컵 A 는 통의 너비가 일정해서 물의 높이가 일정하게 늘어날 것이다. 반면, 컵 B는 통의 너비가 위로 갈수록 넓어지므로, 처음에는 높이가 빨리 올라가다가 점차 천천히 올라갈 것이다.

(2) 그래프를 점으로 찍기도 하고, 선으로 연결하기도 하였다.

• 점으로 표시한 경우

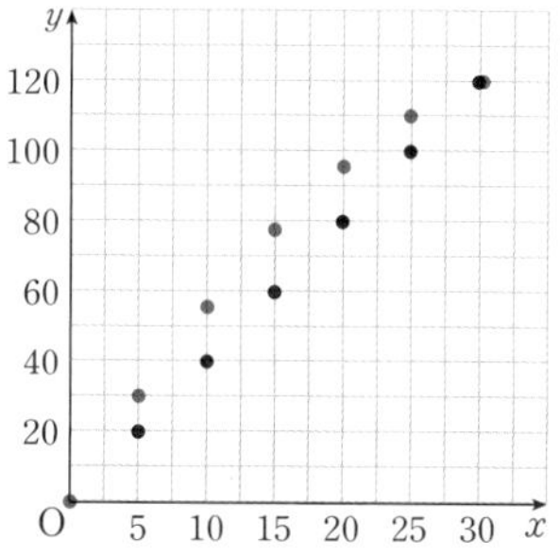

컵 A: • 컵 B: •

• 선으로 연결한 경우

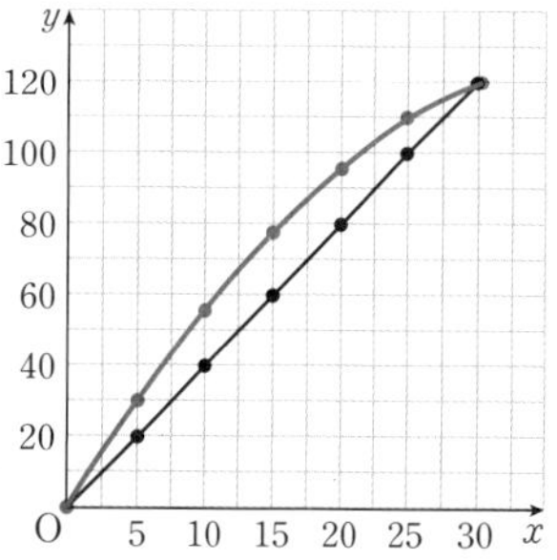

컵 A: • 컵 B: •

나의 의견	모둠의 의견
• 컵 A는 규칙적이게 증가하고 컵 B는 규칙적이지 않게 증가한다.	• 컵 A의 그래프는 점들이 한 줄로 찍히며 늘어나는 y의 값이 일정하므로 점들을 연결하면 직선이 된다. 반면, 컵 B의 그래프는 시간이 지날수록 y의 값의 늘어나는 양이 작아지므로 점들을 연결하면 곡선이 된다.

학생 답안

차이점 : 상황 1은 규칙적이게 y가 커지고 상황 2는 그렇지 않다.

공통점 : 함수이다. / x에 따라 y가 하나이고 변한다. 증가하는 그래프이다.

1은 인공적이고 2는 비인공적이다.

— 일정하게 증가 또는 일정하지 않게 증가한다고 설명하기도 하였다.

> A는 일정하게 증가하여 그래프 모양이 직선이고, 그에 반해 B는 일정하지 못하게 증가하여 그래프 모양이 곡선이다

> 컵A는 컵의 넓이가 일정하며 높이가 일정하게 높아진다
> 컵B는 컵의 넓이가 아래는 좁았다가 점점 넓어지기 때문에 처음에는 A보다 높이가 높지만 넓어지는 컵의 넓이 때문에 갈수록 높이가 적게 증가한다.

2 각 컵은 모두 x의 값이 변함에 따라 y의 값이 하나씩만 정해지므로 함수다.
직선이 되는 컵은 A이고, 컵 A의 함수식은 $y=4x$다.

3 표를 보면 시간이 5초 늘어날 때마다 높이가 20(mm)씩 일정하게 높아지는 경우 그래프가 직선의 모양으로 나타난다. 함수식에서는 x의 값의 변화량에 따라 y의 값의 변화량이 일정하게 변하고 그 비율이 항상 같기 때문에 그 비율의 값인 수가 변수 x앞에 숫자로 곱해진다.

+5 +5 +5

시간(초)	0	5	10	15	20	25	30
높이(mm)	0	20	40	60	80	100	120

+20 +20 +20

수업 노하우

- 두 컵 A, B의 높이는 모두 120 mm고 30초 만에 모두 가득 찼다는 조건을 제시한 것은 필수적인 것은 아니지만, 두 그래프가 마지막에 만나는 모습을 보이는 것이 여러 가지로 시사하는 바가 풍부해질 것으로 생각했다. 이 조건 제한을 풀고 보다 열린 문제로 바꿔서 수업을 진행해도 나름 의미 있는 수업이 될 것이다.
- 두 컵의 높이가 120 mm로 똑같다는 조건과 일정한 속도로 음료수가 나온다는 조건을 인지하고 탐구로 들어가도록 한다.
- 그래프를 그릴 때, 좌표축과 눈금이 없는 모눈을 주고 그림으로써 축과 눈금의 간격을 스스로 정할 수 있도록 한다. 그래프를 바르게 그렸는지 확인 후 탐구하도록 하여, 잘못된 그래프로 인해 탐구가 제대로 이루어지지 않는 일이 없도록 한다.
- 1 에서 두 그래프의 차이를 탐구하는 (2)에 집중할 수 있도록 진행한다.
  — 실험에 사용한 문제는 컵의 부피가 60 mm였다. 이때 컵 B의 표를 어떻게 채울지에 많은 시간을 할애하지 않아도 된다. 컵 B는 모둠마다 표의 수치가 다소 다를 수 있으며 경향성 정도만 파악하는 정도로 다룬다. 시간이 지날수록 늘어나는 양이 감소하도록 수치를 정했다.

컵 B :

시간(초)	0	5	10	15	20	25	30
높이(mm)	0	15	28	38	47	55	60

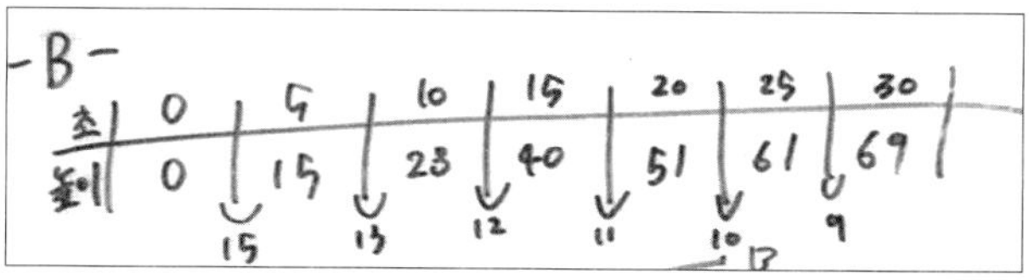

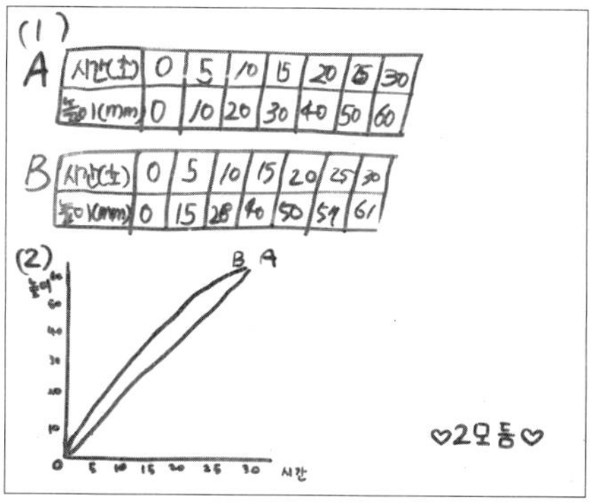

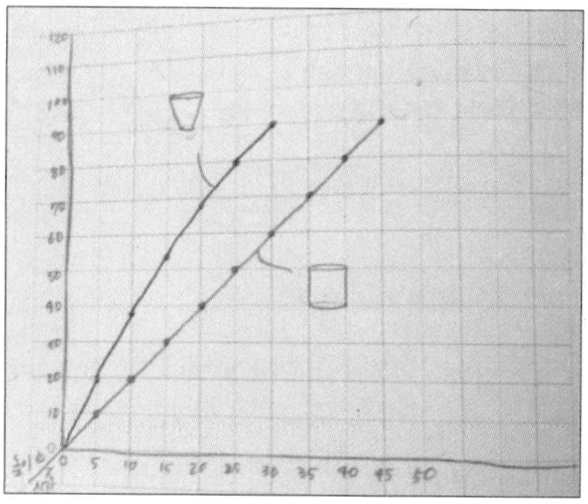

• 컵 A에 대해 학생들은 한 변수가 일정하게 증가할 때, 다른 변수도 일정하게 증가한다며 '일정하다'는 표현을 썼다. 또 비율이라는 표현은 사용하지 않았지만, 일정한 간격으로 (규칙을 이용하여 많은) 점을 찍을 수 있다는 패턴을 발견하고 구체화 시켰다. 어떤 관계와 어떤 규칙이 있는가를 발견하고 그것이 그래프와 식에 어떻게 나타나는가를 탐구하도록 안내한다.

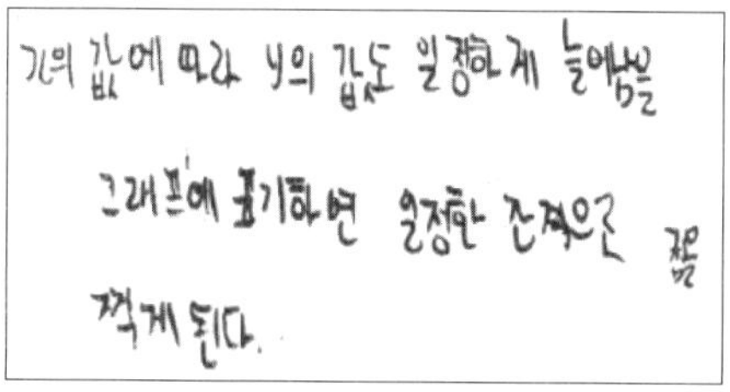

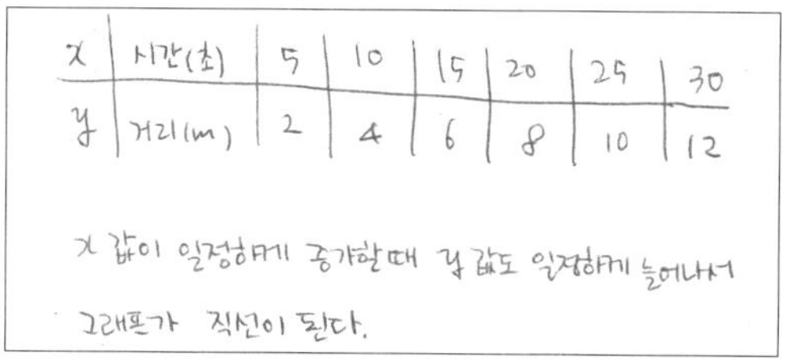

• 다음은 학생들이 [2]와 [3]에서 직선의 모양을 갖는 그래프의 특징을 정리한 내용이다. 직선으로 그래프가 나타날 때는 '두 변수의 관계를 함수식으로 나타낼 수 있다.', 'x 앞에 곱해진 값이 같다.', '일정하게 늘어난다.' 등으로 표현했다. 무엇을 보고 이렇게 판단했는지 근거를 들어 설명하며 규칙을 표현하는 것을 지속적으로 하게 한다.

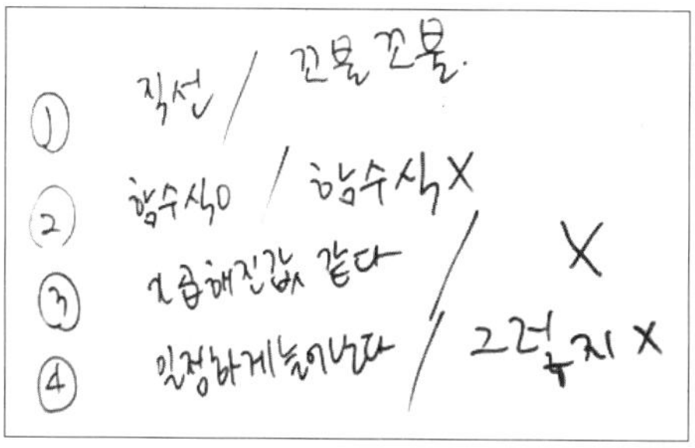

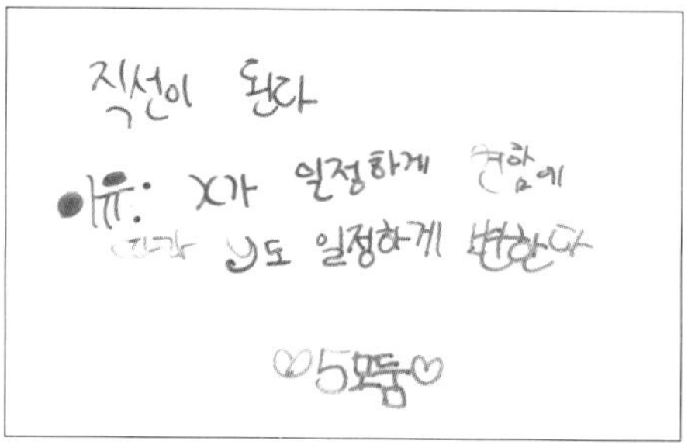

• 아래와 같이 기울기의 개념에 거의 근사한 표현을 한 학생들도 있다. 다만 증가와 감소라는 개념으로 표현하는데 이는 **탐구하기 4**에서 기울기가 음수인 경우의 사례로 또 다룰 것이므로 논의를 깊게 하지 않아도 된다.

- 그렇게 생각한 이유: x의 값이 1씩 오를때마다. y의 값이 2씩 오르기때문 (일정하게 오름)

- 컵 B의 변화 상태가 예시 답안과 다른 경우도 많고, 변화 상태가 일정하지 않은 경우도 많이 나타나지만 중요한 것은 직선적인 변화를 하는 컵 A에 주목하고, 컵 B의 변화는 직선이 아니라는 것에만 초점을 맞추도록 한다.
- 중학교 1학년에서 배운 그래프의 해석과 연계해서 그래프를 해석하는 과정에서 모둠활동과 전체 공유활동을 진행하는 것이 흥미로움을 유발할 수 있다.

수업 연구

개념 이해의 보색대비(complementary contrast)론

수학 개념은 그 정의만 가르쳐도 학생들을 이해시킬 수 있다. 그런데 그 정의가 아닌 것을 대비시키면 오히려 정의가 명확하게 드러난다. 이것은 미술에서 보색 대비 효과와 비슷하다. 보색 대비는 색상이 정반대되는 보색끼리 배색되었을 경우, 각각의 색의 색상이 더욱 뚜렷해지며 채도가 높아져 보이는 현상을 말한다.

일차함수가 직선이 된다는 것은 직선이 아닌 경우를 대비시킬 때 더 명확해진다. 일차함수가 일차식으로 나타난다는 것은 일차식이 아닌 이차식이나 삼차식 또는 유리식을 대비시켜야 더욱 명확해진다.

수학적인 추가 탐구

컵 B의 변화를 그린 그래프를 보면 컵 A와의 차가 증가하다가 다시 감소하는 경향을 보인다. 이로써 컵 B의 변화가 이차함수, 즉 포물선의 형태인지를 추론할 수 있다. 아직 이차함수를 배우지 않았지만 학생들의 논의가 여기까지 발전될 수 있다.

개념과 원리 탐구하기 4 _ 그래프가 직선이 되는 관계의 특징 (2)

교과서(상) 68쪽

탐구 활동 의도

- **탐구하기 3**은 증가하는 직선의 그래프를 탐구했다면 여기서는 기울기가 음수인 그래프가 직선이 되는 관계의 특징을 발견하는 활동이다. 앞에서 발견한 일차함수의 특징이 이 상황에서도 성립하는지도 확인할 수 있다.
- 계단을 오를 때마다 소모되는 열량이 일정하게 늘어나는 변화를 관찰함으로써 일차함수의 관계를 나타내는 식의 특징을 살펴보려고 한다.

예상 답안

1 (1) 100계단을 올라가면 $100\times0.15=15$(kcal)가 소모되므로 남은 열량은 $150-15=135$(kcal)이다.
한편, $150\div0.15=1000$이므로 1000계단을 올라가면 150 kcal가 모두 소모된다.

(2) 〈표〉
표는 x의 간격에 따라 다양하게 만들어진다. 예를 들면 다음과 같이 x의 간격이 1 또는 10인 경우가 나올 수 있다.

계단의 수(x개)	0	1	2	3	4	5	…
소모되고 남은 열량(y kcal)	150	149.85	149.7	149.55	149.4	149.25	…

계단의 수(x개)	0	10	20	30	40	50	…
소모되고 남은 열량(y kcal)	150	148.5	147	145.5	144	142.5	…

〈그래프〉

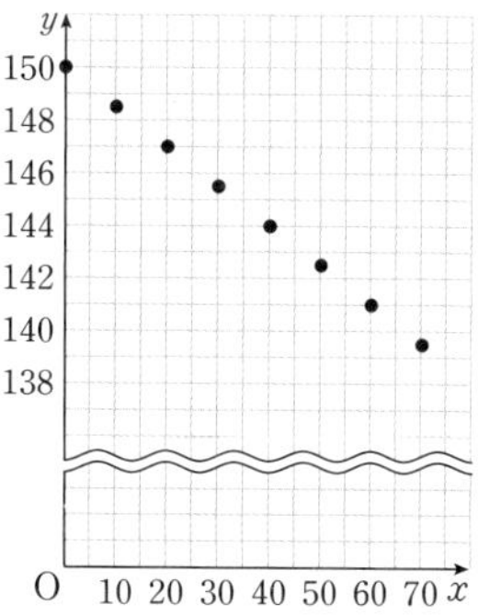

〈식〉
1계단 올라갈 때마다 0.15 kcal가 소모되므로 x계단 올라가면 $0.15x$ kcal가 소모된다.
따라서 $y=150-0.15x$ 또는 $y=-0.15x+150$인 관계가 성립한다.

2

나의 생각	모둠의 의견
• 표에서 보면 계단 10칸을 오를 때마다 열량이 1.5 kcal가 줄어든다. 한 칸씩 오를 때마다 소모되고 남은 열량이 0.15 kcal씩 일정하게 줄어들고 있으므로 일차함수다. • 식을 보면 $y=-0.15x+150$으로 $y=ax+b$의 형태이므로 일차함수다.	• 그래프에서 보면 점들이 일렬로 찍혀 있으며 이를 연결하면 직선의 모양을 가진다. 또한 계단 한 칸을 오를 때마다 0.15 kcal가 줄어든다. 한 칸씩 오를 때마다 소모되고 남은 열량이 0.15씩 일정하게 줄어들고 있으므로 일차함수다.

3 (1) 거짓, $y=2x$는 $y=2x+0$으로 표현할 수 있고, $2x+0$은 일차식이므로 일차함수다.

학생 답안

식을 이용한 설명 외에 그래프가 직선이 된다고 하는 설명도 있을 수 있다.

• 식을 이용한 설명

- 그렇게 생각한 이유: b의 값이 없어도 x.y 의 관계가 성립됨.

y=2x는 y=2x+0
- 그렇게 생각한 이유: → y=ax+b의 꼴이랑 b
일정하게 값이 늘어난다.

b는 미지수 여서 0이 들어가면된다.

• 그래프를 이용한 설명

y와 x는 정비례관계이므로 그래프로 나타내면 직선이 되므로
일차함수 관계이다.

- 일정하게 변한다.
- 그림으로 나타내면 직선이다.

3-1 [거짓]
• y=2x를 그래프로 나타내었을때
직선으로 나타나져서.
• x가 변할 때 y도 일정하게 변한다
일정하게 「즉, 함수임」
3
3-2 [거짓]
. 그래프로 나타내면 직선 모양이 된다.
. x가 일정하게 1늘어나면 y도 일정하게 1줄어든다.
ㄴ 일정하니까 함수라고 생각함.

• 표를 이용한 설명

+1 +1 +1 +1 +1 +1 +1

x	1	2	3	4	5	6	7	8	…
y	2	4	6	8	10	12	14	16	…

+2 +2 +2 +2 +2 +2 +2

(2) 거짓, x의 값이 1씩 늘어날 때마다 y의 값은 1씩 일정하게 줄어들고 있으므로 일차함수가 될 수 있다. 또한 x가 0일 때는 y의 값이 11이 되므로 $y=11-x$고 y가 x에 대한 일차식으로 나타내어지므로 일차함수다.

학생 답안

식을 이용한 설명 외에 x의 값의 변화에 따른 y의 값의 변화로 설명할 수도 있다.

② 거짓이다.
2-1. $y=11-x$ 라는 함수식이 존재하여서
2-2. 직선으로 그래프가 나타날 수 있어서.

- 그렇게 생각한 이유: x의 값이 +1 될때 y의 값이 -1 된다,
(일정하게 늘어나고 줄어듬)

3-2 [거짓]
·그래프로 나타내면 직선 모양이 된다.
·x가 일정하게 1늘어나면 y도 일정하게 1줄어든다.
ㄴ일정하니까 함수라고 생각함.

수업 노하우

• [1]에서 소모되고 남은 열량의 데이터로 변형해야 함을 인식하도록 한다. 이 과제는 관계를 표와 그림으로 나타내는데 다소 어려움이 있는 학생들이 많을 것이다. 따라서 모둠으로 문제를 해결하도록 하며 모르는 것이 있을 때는 꼭 물어볼 수 있는 용기를 가지도록 허용적인 문화를 형성한다.

• 표에서 x의 값을 어떻게 정하는지 다양한 방법이 있을 수 있다. 1씩 차이 나도록 정할 수도 있지만 10씩 차이 나도록 정하면 y의 값을 보다 쉽게 구할 수 있었다.

계단의 수(x개)	0	10	20	30	40	50	…
남은 열량의 칼로리($y$kcal)	150	148.5	147	145.5	144	142.5	…

−1.5 −1.5

• 식만 구하게 하는 것보다 표와 그래프에서의 특징을 먼저 관찰하고 식에 연계하도록 한다.

- [1]의 탐구를 충분히 하도록 하여 일차함수가 되는 관계와 그 관계를 식으로 표현하였을 때의 특징을 연결하도록 한다. 또한, **탐구하기 3**에서 직선으로 나타내는 관계의 그 특징과도 연결하여 주어진 상황으로부터 일차함수인지 아닌지를 판단할 수 있도록 한다.
- [3] (2)를 다음과 같이 설명한 학생들도 있었다. 반비례이므로 일차함수가 아니라고 하거나 또는 논리적인 오류가 있었다. 이 경우 이런 학생들의 답을 이용하여 설명을 보완하며 일차함수를 표, 그래프, 식의 여러 가지 표현을 종합적으로 이해하게 할 수 있다.

> · 두변수의 관계를 나타낸 표에서
> x가 일정하게 변하고 y도 변하는 반비례 관계이기 때문
>
> 일차함수는 오직 정비례 관계인데
> 이 표는 $y=\frac{a}{x}$ 꼴로 ($a=$ 상수) 나타내지 못하므로 이 표는 일차함수이다
> => x가 일정하게 변할때 y도 일정하게 변하기때문이다

개념과 원리 탐구하기 5 _ 일차함수의 관계

교과서(상) 71쪽

탐구 활동 의도

- 이 과제는 2~3차시 분량의 수업으로 프로젝트 활동이다.
- 함수를 배우는 이유 중 하나는 어떤 두 변량 사이의 관계의 규칙을 살펴 식으로 나타냄으로써 주어진 값 이외의 상황을 분석하고 예측하기 위함이다. 그런 의미에서 이 과제는 실험을 통해 얻은 데이터를 분석하면서 일차함수가 되는 관계인지 아닌지를 판단하고자 한다.
- 실험에서 보이는 오차를 어떻게 처리할 것인지를 생각해 보고, 전체적인 경향이 일차함수 관계인지 아닌지를 판단하여 시간에 따라 물의 높이가 어떻게 달라지는지를 예측해 볼 수 있다. 또한 물의 흐름을 통해 x가 연속적인 값을 가질 때, y도 연속적인 값을 가짐을 느껴 볼 수 있다.
- 이 실험에서 높이가 다른 세 물통에서의 시간에 따른 물의 높이를 조사한 데이터를 통해 함수 관계인지를 판단하고, 함수 관계라면 일차함수 관계가 될 수 있는지 아닌지를 판단해 보도록 한다. 이때 점들을 이어 직선을 그려 봄으로써 그래프에서 직선으로 그려지는 관계의 의미도 생각해 보도록 한다.

예상 답안

1 (1)

x(초)	0	10	20	30	40	50	60	70	80	⋯
y(cm)	22	21	20	19	18	17	16	15	14	

(2)

x(초)	0	10	20	30	40	50	60	70	80	⋯
y(cm)	10	10	10	10	10	10	10	10	10	

(3)

x(초)	0	10	20	30	40	50	60	70	80	⋯
y(cm)	0	1	2	3	4	5	6	7	8	

*실제 실험을 하면 데이터에 약간의 오차가 날 수 있다.

2 각각의 실험에서 x가 의미하는 것은 시간이고, y가 의미하는 것은 페트병 안의 물의 높이다.

3 실험값에 따라 그래프의 모양이 다르다. ①번 페트병은 비교적 일정하게 감소하다가 나중에 천천히 줄어드는 모양을 띠며, ②번 페트병은 처음에는 높이가 조금 올라가거나 내려갈 수도 있지만 이후에는 일정한 수위를 유지하다가 줄어들고, ③번 페트병은 비교적 일정하게 증가하는 그래프의 모양을 나타낸다.

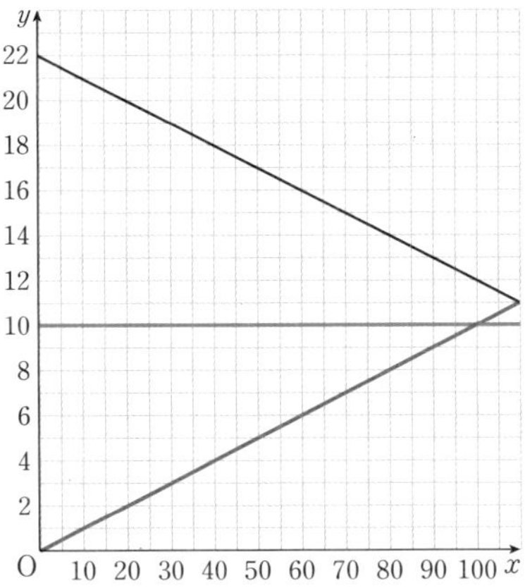

학생 답안

x : 시간 y: 세번째 물통의 물의 양

x	10	20	30	40	50	60	70	80	90	100
y	1	1.8	2.5	3.3	4.1	5	5.9	6.7	7.6	8.5

x : 시간 y: 두번째 물통의 물의 양

x	20	40	60	80	100	120	140	160	180	200
y	10.1	10.1	10	9.9	9.9	9.9	9.9	9.9	9.9	9.9

x : 시간 y: 첫번째 물통의 물의 양

x	20	40	60	80	100	120	140	160	180	200
y	18.4	16.6	15.1	13.7	12.3	11.1	9.9	8.7	7.7	6.7

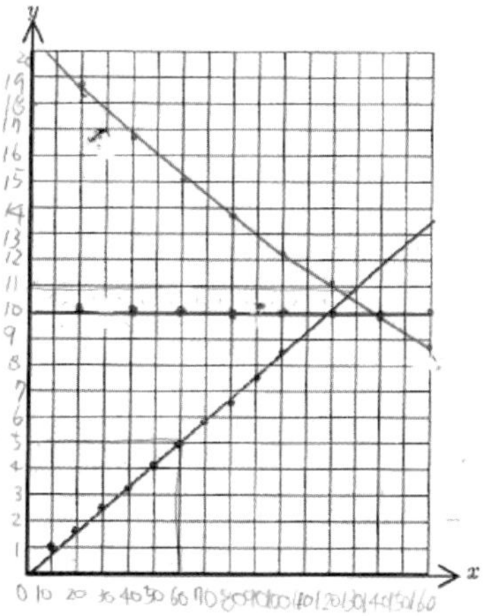

4 ①번과 ②번은 어림하여 직선의 모양을 갖는다고 생각할 수도 있고, 오차가 심한 모둠의 결과에서는 직선의 모양을 갖지 않는다고 판단할 수도 있다. 특히 ②번은 값의 변화가 일정하지 않아 점들을 연결하는 직선이 그려지지 않을 경우가 더 많다. ③번 페트병은 비교적 일정한 값이 나오므로 '직선의 모양을 갖는다'라고 판단할 수 있다.

5 ③번 페트병의 실험에서는 ②번 페트병의 역할로 페트병 속의 공기의 압력이 일정하게 유지되므로 일차함수의 관계를 갖는다. 실제로 실험이 정확하게 진행된다면 시간에 따라 일정하게 증가하는 데이터의 값을 얻을 수 있다. 따라서 10초마다 비교적 일정하게 늘어나는 높이(1 (3)의 예상답안에서는 1 cm)를 구하면, 80초에 8 cm였으므로 90초에는 9 cm 정도가 될 것이다.

6 물을 일정하게 채워줄 경우 ①번과 ③번은 비교적 일정하게 늘어나거나 줄어들고 직선의 모양을 가지므로 일차함수가 될 수 있다.
그러나 ②번 페트병은 물의 높이의 변화가 거의 없으므로 일차함수가 아니다.

수업 노하우

- 실험 도구를 구입 또는 직접 제작하기 어렵거나 실험을 진행할 수 없을 때는 예상 답안에 있는 수치를 학생들에게 제공하고 탐구를 진행할 수 있다.

자격루 물실험 도구 제작 방법

준비물: 통의 두께가 일정한 1000 mL 페트병 3개, 고무호스(지름 3 mm), 드릴, 송곳, 글루건, 높이가 15 cm, 30 cm인 받침대 각각 1개

1. 페트병에는 눈금자를 붙여서 높이를 읽을 수 있도록 한다.
2. 받침대 위에 페트병을 올려놓고 호스로 연결할 부분에 펜으로 표시한다.
3. 펜으로 표시된 부분에 송곳으로 구멍을 내고 드릴을 이용하여 구멍의 크기를 넓힌다.
4. 고무호스를 잘라서 한쪽은 위쪽 페트병에, 한쪽은 아래쪽 페트병에 끼운다.
5. 고무호스로 연결한 부분에 물이 새지 않도록 호스 바깥쪽과 페트병을 글루건으로 연결한다.

자격루 물실험 방법

준비물 : 물실험 도구, 초시계

1. 높이를 다르게 하여 세 개의 물통을 받침대 위에 올려놓고, 호스로 연결한다.
2. 밸브를 잠그고(밸브가 없는 경우, 손으로 호스 끝을 막는다), 맨 위쪽에 있는 물통에 물을 가득 붓는다.(이때 깔때기를 이용하면 물이 새지 않아서 좋다.)
3. '준비시작'을 외치면서 밸브를 동시에 열어 물이 흐르게 한다. 한 명은 '시작'소리와 함께 초시계 버튼을 누르고 10초 또는 20초마다 '○○초'라고 말한다. 다른 한 명은 눈금을 보고 읽는다. 또 다른 한 명은 기록한다.
   (맨 위의 물통에 물을 계속 채워주면, 맨 아래쪽의 물의 높이의 변화에서 오차를 더 줄일 수 있다.)
4. 물이 계속 내려오도록 하여 시간이 지날 때마다 측정할 수도 있고, 10초 또는 20초 단위로 밸브를 잠갔다가 열어서 측정할 수도 있다.
5. 오차가 심할 경우 재실험을 하여 비교적 정확한 값이 측정될 수 있도록 한다.

- [4]에서 일정하게 증가하거나 감소한다고 생각하면 직선을 그릴 수 있고, 그렇지 않으면 직선을 그릴 수 없다고 생각할 것이다. 아이들은 일정하게 늘어나는 것에 오차가 있으면 안 된다고 생각하여 직선을 그릴 수 없다고 답하는 경우가 많다. 점들을 지나는 직선을 그릴 수 있을 때의 조건을 따져 보는 것이 일차함수의 뜻을 배우는 기초가 될 것이다.
- 맨 아래 물통의 높이가 비교적 일정하게 증가함을 위의 표와 그래프에서 살펴볼 수 있다. 이를 식으로 표현하면 $y=ax$의 꼴이 되어 일차함수 관계라고 말할 수 있다. 만약, 실험에서의 값이 매우 불규칙한 모둠의 경우에는 다른 모둠의 자료와 비교해 봄으로서 실험에서의 일반적인 값들이 규칙적으로 움직이고 있음을 공유하고 이를 식으로 표현할 수 있음을 알게 한다. 가장 가까운 직선을 그려 그 식을 구해 보는 활동도 같이 이루어져야 할 것이다.
- 이론적으로는 수압이 달라짐에 따라 맨 위의 물통의 높이가 일정하게 줄지 않지만 실험에서의 데이터는 일정한 값을 보일 수 있다. 이를 일차함수 관계로 볼 것인지 그렇지 않은지를 토론하게 하는 것도 함수 관계를 통해 예측을 할 수 있는 부분에 대한 생각을 확장하는 데 큰 역할을 할 것이다.

탐구 되돌아보기 예상 답안

교과서(상) 74~78쪽

1 개념과 원리 탐구하기 1

ㄱ. 다음 표와 같이 x의 값이 변함에 따라 y의 값이 하나로 정해지지 않으므로 함수가 아니다.

x	y
1	1, 2, 3, 4, ⋯
2	2, 4, 6, 8, ⋯
3	3, 6, 9, 12, ⋯
⋯	⋯

ㄴ. 우리 반의 월별로 생일자의 수를 세면 하나로 정해진다. 즉 x의 값이 변함에 따라 y의 값이 하나로 정해지므로 함수다.

ㄷ. x의 값이 변함에 따라 y의 값이 하나로 정해지므로 함수고, 이를 만족하는 함수를 식으로 나타내면 $y=11x$다.

ㄹ. x의 값이 변함에 따라 y의 값이 하나로 정해지므로 함수고, 이를 만족하는 함수를 식으로 나타내면 $y=\frac{1}{10}x$다.

2 개념과 원리 탐구하기 1, 2

(1) [그림 1]~[그림 4]의 보도블럭의 개수는 각각 1, 5, 9, 13이다. 즉 4개씩 일정하게 증가하고 있다. 그림 순서 x가 1씩 늘어날 때마다 보도블럭의 개수 y는 4씩 늘어나기 때문에 일차함수다.

(2) x가 1씩 늘어날 때마다 y는 4씩 늘어나므로 x에 4를 곱한 일차식으로 표현할 수 있다. 처음 개수가 1(개)이므로 이를 만족하는 일차함수를 식으로 나타내면 $y=4x-3$이 된다.
따라서 $f(x)=4x-3$이다.

(3) $f(100)$은 x가 100일 때의 함숫값이다.
따라서 $y=4x-3$의 x에 100을 대입하면 $4\times100-3=397$이 된다.

3 개념과 원리 탐구하기 2, 3

(1) 일차함수가 아니다.
x가 1씩 증가할 때 y는 일정하게 증가하지 않고 1, 4, 7, 10, 13 만큼 증가하기 때문이다.

(2) 일차함수가 아니다.
일차함수는 직선 모양의 그래프기 때문에 곡선 모양의 그래프는 일차함수라고 할 수 없다.

(3) 일차함수다.
일차함수는 $y=ax+b$의 꼴의 식으로 나타낼 수 있기 때문이다.

4 개념과 원리 탐구하기 3, 4

$y=ax+b(a\neq0)$의 꼴로 식이 나타내어지는 것은 (2), (3)이다.

(1) x가 1씩 증가할 때, y의 변화량이 일정하지 않기 때문에 일차함수가 아니다.

(2) x가 2씩 증가할 때, y가 3씩 일정하게 증가하기 때문에 일차함수다.

(3) x가 1씩 증가할 때, y가 2.5씩 증가하기 때문에 일차함수다.

(4) x의 값이 일정하게 증가할 때, y의 값의 변화량이 일정하지 않고, 그래프 모양도 곡선이기 때문에 일차함수가 아니다.

학생 답안

(1)

시간(초)	거리(m)
0	0
1	2
2	9
3	11
4	20
5	25

y값이 일정하게 늘어나지 X

(2)

시간(초)	거리(m)
0	0
2	3
4	6
6	9
8	12
10	15

$y=x+\frac{x}{2}$

(3) 걸은 시간은 x, 걸은 거리를 y라 할 때
$y=2.5x$ $+0$

$y=2.5x+0$ →
$ax+b$의 꼴과 같다.

(4) 걸은 속력은 x, 걸은 시간을 y라 할 때
$y=\frac{100}{x}$ 왜냐면 그래프가 곡선이다

$a\times\frac{1}{x}$의 꼴이 된다.

5 개념과 원리 탐구하기 2, 3

(1) 주어진 그래프는 원점을 지나는 직선이므로 $y=ax$의 꼴이다. 이 직선이 점 $(-1,\ 2)$를 지나므로 $a=-2$이고 $y=-2x$이다.
따라서 $f(x)=-2x$이다.

(2) $f(-1)=-2\times(-1)=2$
$f(0)=-2\times0=0$
$f(1)=-2\times1=-2$

(3) $f(50)=-2\times50=-100$

6 개념과 원리 탐구하기 5

(1) 처음 머리카락 길이는 3.6 cm이고 한 달에 1.6 cm씩 길어지고 있기 때문에 12개월 후는 처음 머리카락의 길이에 1.6 cm를 12번 더하면 된다.
즉, $3.6+1.6\times12=22.8$ 이므로 1년 후의 머리카락의 길이는 22.8 cm다.

(2) $y=1.6x+3.6$

(3) $30=1.6x+3.6$이므로 $1.6x=26.4$
$x=16.5$
따라서 최소한 17개월을 길러야 한다.

(4) $f(x)=1.6x+3.6$
$f(30)=1.6\times30+3.6=51.6$

7 내가 만드는 수학 이야기

학생 답안 1

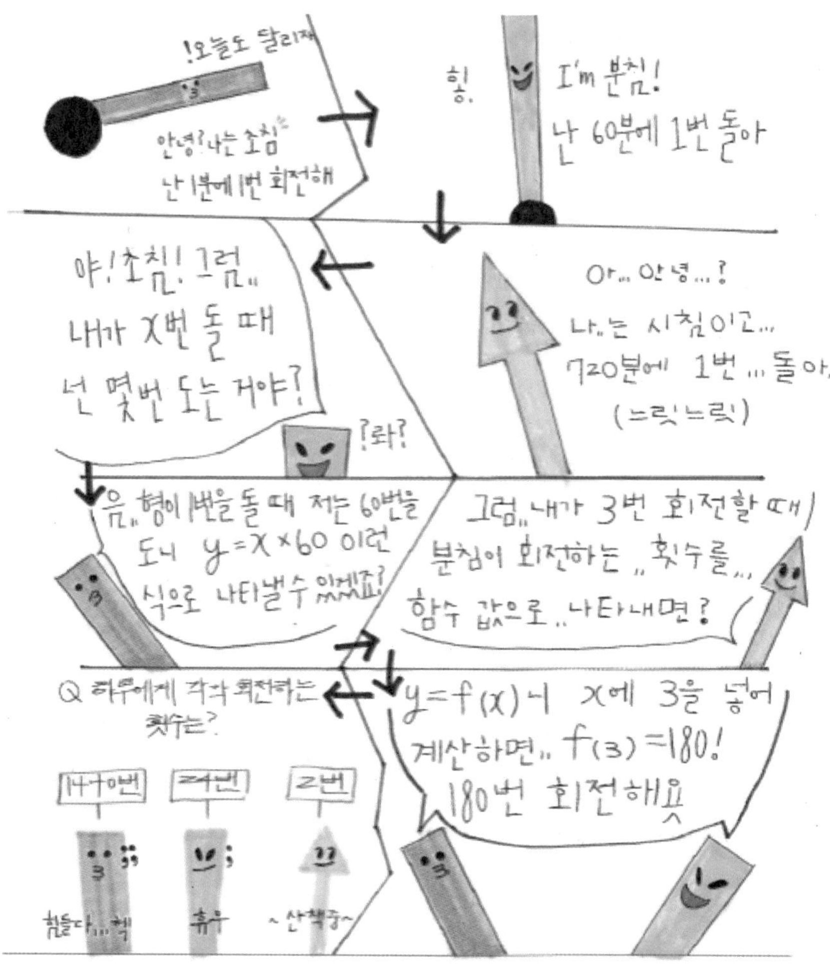

학생 답안 2

분침이, 초침이, 시침이가 함께 이야기 하고 있었어요

그 이야기는 누가 가장 중요한지에 대한 이야기였어요

초침이가 말했어요 "내가 없으면 분침이와 시침이가 제대로 돌아갈 수 없어"

분침이가 말했어요 "아니야 내가 제일 중요해! 내가 없으면 사람들이 정확한 시간을 알 수가 없잖아"

시침이가 말했어요 "아니야 모두 조용! 내가 없으면 하루를 구별하기 힘들어진다고"

(그리고 이어서)

그 할수록 계속 언성만 높아지면서 일이 커지기 시작했어요

그 때 시계가 말했어요 "아니야 우리모두가 소중하단다 한 명이라도 없으면 우리는 제대로 된 시계가 될 수 없지. 초침을 y로 두고 분침을 x로 둔다고 치자. x분침이 1, 2, 3, 4, 두 분간격으로 움직일 때마다 y초침도 60초, 120초, 180초로 움직여. 만약에 x분침이 제 기능을 하지 못해 2배 느리게 움직인다면 y초침도 어쩔 수 없이 2배 느리게 움직여야 해. ($y=f(x)$일 때 $f(x)=60x$)
그러니까 우리 함께 도와서 제일 좋은 시계 ($y=f(x)$일 때 $f(2)=120x$)가 되어보자!

해피엔딩일이라아니게이

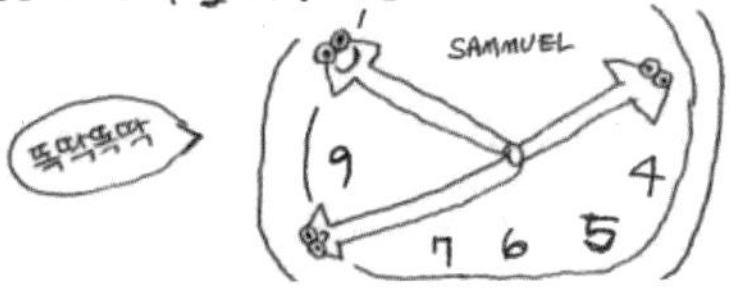

학생 답안 3

제목: 일차함수의 생활

함수라는 보물창고 안에는 멋진 시계가 들어있었어요.
그 시계의 이름은 일차함수이고 x분침이 1, 2, 3, 4…분 간격으로 똑딱똑딱 거릴 때마다 y초침은 60, 120, 180, 240…초 간격으로 같이 똑딱똑딱거려요. 식을 정리해보면 $y=f(x)$일때 $f(x)=60x$로 정리할 수 있어요.
어느날 시계가 고장이 나서 평소보다 2배나 느리게 움직이기 시작했어요. x분침은 1, 2, 3, 4…분 간격으로, y초침은 120, 240, 360, 480초 간격으로 똑딱똑딱똑딱똑딱 거렸어요 ($y=f(x)$일때 $f(x)=120x$)
시계방 사람은 시계의 상태를 보더니, "음, 이건 x초침의 지수가 2가 아니니 금방 고칠 수 있을거야"라고 말했어요.
그러고 나서 [$f(x)=60x$]의 식을 적용해서 시계는 금방 고쳐졌지요. 시계는 평소처럼 잘 움직였고 일차함수의 생활도 규칙적으로 되돌아왔어요.

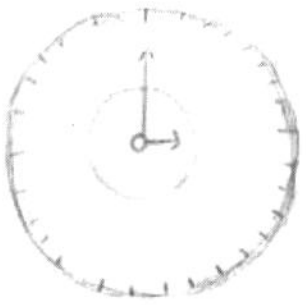

2 서울 여행 2일차 (일차함수의 그래프의 성질)

단원 지도 계획

/1/ 수로 표현하는 계단

1차시	**개념과 원리 탐구하기 1** 직선의 기울기를 표현하는 방법
2차시	**개념과 원리 탐구하기 2** 직선의 기울기의 뜻
3차시	**개념과 원리 탐구하기 3** 절편의 뜻
4차시	**개념과 원리 탐구하기 4** 그래프의 평행이동

/2/ 직선 코스로 가 보자

5차시	**개념과 원리 탐구하기 5** 기울기, 절편, 평행이동을 이용한 식 구하기
6차시	**개념과 원리 탐구하기 6** 일차함수의 그래프와 식의 관계
7차시	**개념과 원리 탐구하기 7** 지나는 점을 이용한 식 구하기 **개념과 원리 탐구하기 8** 일차함수의 그래프
8차시	**게임하며 탐구하기 9** 일차함수의 식 구하기

9차시	탐구 되돌아보기
10차시	개념과 원리 연결하기
11차시	수학 학습원리 완성하기

• 교과서 각 단원마다 제시된 **탐구 되돌아보기**는 **개념과 원리 탐구하기**와 연계하여 수업 시간 내 또는 수업 시간 이후 복습으로 활용할 수 있습니다.

/1/ 수로 표현하는 계단 (직선의 기울기와 절편)

학습목표

1 직선이 되는 관계의 특징으로 발견한 내용을 직선의 기울기 개념으로 연결할 수 있다.

2 직선의 기울어진 정도를 하나의 수치로 정량화하는 방법을 발견하고 이를 수학적 개념인 기울기로 구체화한다. 그리고 표와 그래프, 식에서 이를 구하는 방법을 발명할 수 있다.

3 일차함수의 $y=ax+b$에서 a의 의미를 기울기의 개념으로 해석할 수 있다.

4 일상 생활의 맥락에서 축과의 교점이라는 절편의 뜻을 이해하고 구하는 방법을 발견한다.

5 일차함수의 평행이동과 식의 관계를 발견할 수 있다.

2015 개정 교육과정 성취기준

일차함수의 의미를 이해하고, 그 그래프를 그릴 수 있다.

일차함수의 그래프의 성질을 이해하고, 이를 활용하여 문제를 해결할 수 있다

교수 · 학습 방법 및 유의 사항

함수의 개념은 다양한 상황에서 한 양이 변함에 따라 다른 양이 하나씩 정해지는 두 양 사이의 대응 관계를 이용하여 도입한다.

평가 방법 및 유의 사항

함수와 관련하여 지나치게 복잡한 활용 문제는 다루지 않는다.

핵심발문

일차함수의 기울기와 y절편을 표, 식, 그래프에서 각각 어떻게 설명할 수 있을까?

개념과 원리 탐구하기 1 _ 직선의 기울기를 표현하는 방법

교과서(상) 80쪽

탐구 활동 의도

- **탐구하기** 2에서 x가 1만큼 할 때 y가 얼마 증가하는 것인가를 비교하는 것으로 일반화할 수 있도록 이 탐구에서는 기울기의 뜻을 다루기 전에 기울기를 나타낼 수 있는 방법을 고민하게 한다. 계단의 가파른 정도를 간편하고 합리적으로 나타낼 수 있는 방법이 무엇인지 고민하게 한다.
- [1]에서는 두 변수의 관계가 직선으로 나타나는 것의 특징을 표, 그래프, 식에서 규칙성을 찾아 구했다. 여기서는 앞에서 발견한 규칙성을 수학적 용어인 기울기로 연결짓게 하는 것이 목적이다. 앞서 일차함수에서 무엇인가가 일정하다는 것을 직관적으로 이해했다면 여기서는 '기울기가 일정하다.'라고 구체화시키는 것이 목적이다.

- [1]은 직선의 기울어진 정도를 하나의 수치로 정량화하는 방법을 발견하도록 하는 활동이다. 기울어진 정도를 왜 $\frac{(\text{계단의 높이})}{(\text{계단의 너비})}$로 계산해야 하는가를 가파른 순위를 정해 보면서 생각해 보게 한다. 계단의 너비가 기준이 되어야 실제 가파른 정도와 기울어진 정도의 수치의 경향이 일치함을 경험하게 하기 위함이다.
- [2]는 경사 비율은 하나의 수치지만, 이를 분자와 분모, 높이와 너비로 분리하여 그림으로 표현하여 이 비율을 개념적으로 이해하도록 하는 활동이다.
- [3]은 직선의 기울기가 일정함을 확인하고, 이를 수치로 표현하는 방법을 추론하는 활동이다. 정비례와 혼동하지 않도록 y절편이 0이 아닌 경우로 주었다. [2]와 연결하여 그래프에서 일정한 비율을 찾게 한다.

예상 답안

[1] (1) ① → ③ → ②로 갈수록 계단이 더 가파르다.

(2) 가파른 정도를 나타내는 비율은 다양할 수 있다. 다음은 $\frac{(\text{계단의 높이})}{(\text{계단의 너비})}$로 가파른 정도를 나타내는 비율을 계산한 표다.

구분	가파른 정도를 나타내는 비율
계단 ①	$\frac{1}{3}\left(\text{또는 } \frac{10}{30}\right)$
계단 ②	$3\left(\text{또는 } \frac{30}{10}\right)$
계단 ③	$1\left(\text{또는 } \frac{30}{30}\right)$

가파른 정도를 나타내는 비율을 $\frac{(\text{계단의 높이})}{(\text{계단의 너비})}$로 계산하니 그 경향이 (1)에서 생각한 가파른 정도와 일치한다.

[2]

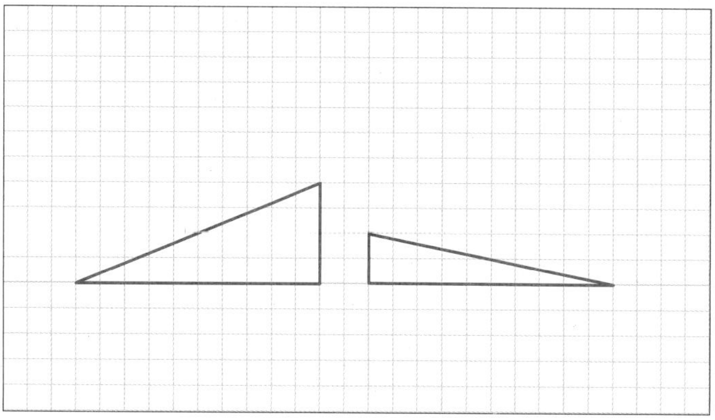

학생 답안

아래의 경우와 같이 높이를 일정하게 그려도 되고, 각각 따로 그려도 된다.

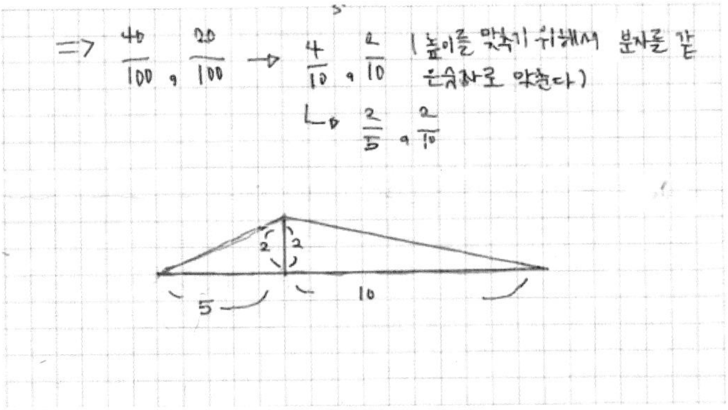

3 (1) • 기울어진 정도는 $\frac{1}{2}$이다.

• 그래프에서 x의 값이 2만큼 증가할 때, y의 값이 1만큼 증가한다.

• 다음과 같이 표를 만들어 기울어진 정도를 계산할 수 있다.
표에서 x의 값이 2만큼 증가할 때, y의 값이 1만큼 증가한다.

x	-4	-2	0	2	4
y	0	1	2	3	4

(2) • 기울어진 정도는 $-\frac{2}{3}$다.

• 그래프에서 x의 값이 3만큼 증가할 때, y의 값이 2만큼 감소한다.

• 다음과 같이 표를 만들어 기울어진 정도를 계산할 수 있다.
표에서 x의 값이 3만큼 증가할 때, y의 값이 2만큼 감소한다.

x	-3	0	3	6	9
y	8	6	4	2	0

수업 노하우

• 1에서 선택한 방법에 따라 '가파른 정도를 나타내는 비율'과 '가파른 정도'가 반대로 나타날 수도 있다. 예를 들어 가파른 정도를 나타내는 비율을 $\frac{(\text{계단의 너비})}{(\text{계단의 높이})}$로 선택했을 경우 다음과 같다.

구분	가파른 정도를 나타내는 비율
계단 ①	3
계단 ②	$\frac{1}{3}$
계단 ③	1

이 경우에는 가장 가파른 계단의 기울기가 $\frac{1}{3}$로 가장 작다. 직관적으로 계단의 가파른 순위가 정해지므로 어떤 비율이 더 적절한가, 더 편리한가를 논의해 보도록 할 수 있다.

• 2는 기울기가 비율임을 이해하도록 하는 활동이다. 40 %와 20 %의 언덕을 실제로 그리기 위해서는 이를 밑변에 대한 높이의 비율, 즉 분수로 나타내야 함을 발견할 수 있도록 안내한다.

• 다음과 같이 내리막 언덕을 오르막 언덕처럼 그렸다면 오르막과 내리막을 다르게 그리기 위해서 어떻게 할지 생각해 보도록 할 수 있다. 내리막에서의 경사도를 어떻게 표현할 수 있을지 질문을 던져 기울기가 음수가 되는 경우를 이후에 생각해 볼 수 있도록 한다.

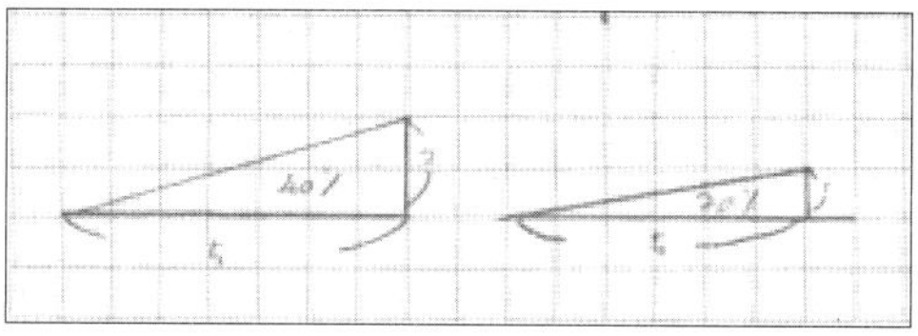

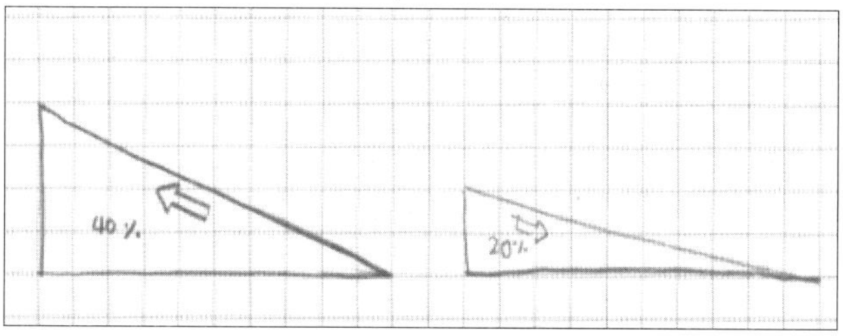

• [3] 에서 표를 만들어 사용하는 학생들이 있었다. 직선이 지나는 점들을 골라서 적을 수 있음을 안내한다. 그리고 채운 순서쌍 사이의 비를 계산해 보도록 한다. 학생마다 다른 점을 선택했음을 보여줄 수도 있다.

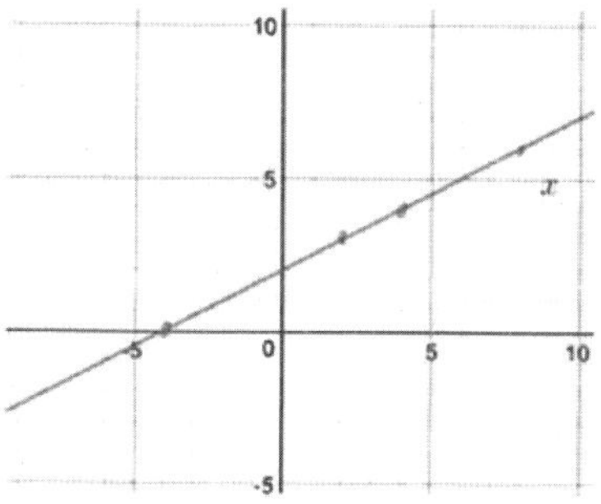

+2 +6

x	-2	0	2	4	8
y	1	2	3	4	6

(+2)

x	0	2	4	6	8
y	2	3	4	5	6

(+1)

• [3] 에서 기울어진 정도를 음수로 표현해야 함을 발견하고 놀라워 하는 학생들이 있었다. (1)과 (2)를 비교하여 왜 기울기가 서로 다른 부호가 되어야 하는지 추론할 수 있도록 논의를 진행한다.

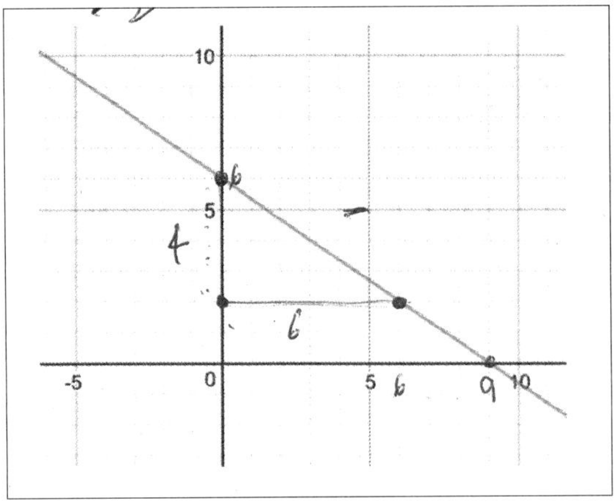

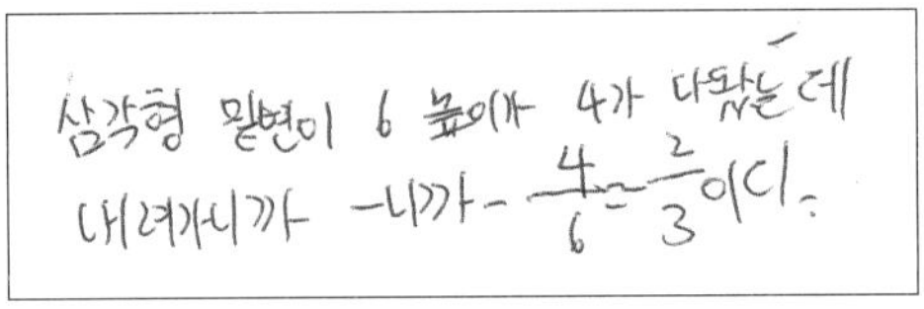

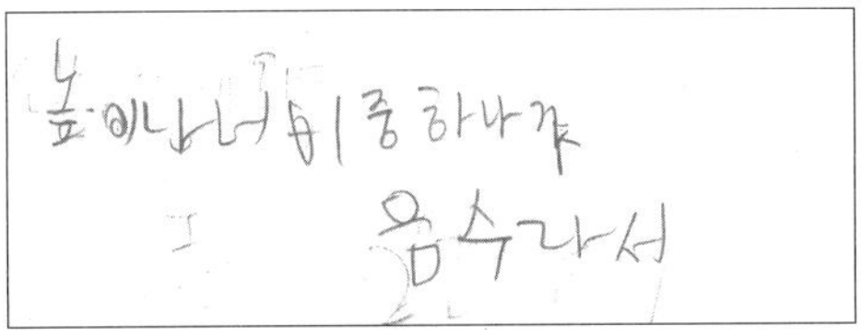

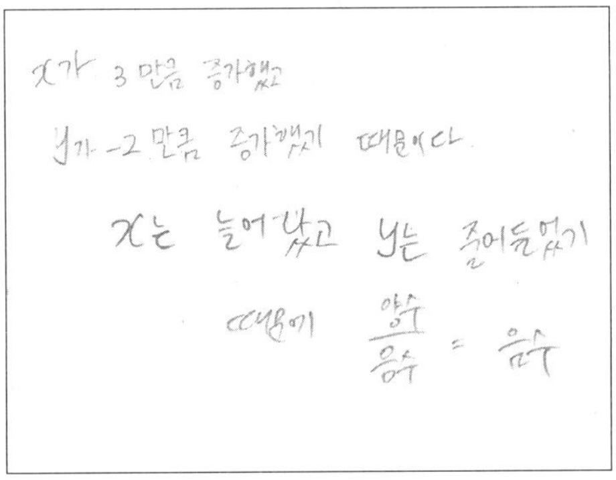

• [3]에서 대부분의 학생들이 표를 만들 때 (1)의 경우는 x의 값이 2씩, (2)에서는 3씩 간격을 두고 찾는 것을 볼 수 있었다. 왜 이런 점을 찾았는지 물어볼 수 있으며, 이것을 기울어진 정도와 관련지어 설명해 볼 수 있도록 발문할 수도 있다.

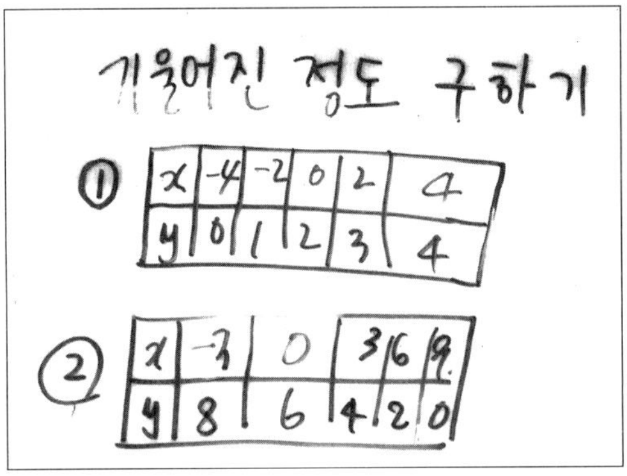

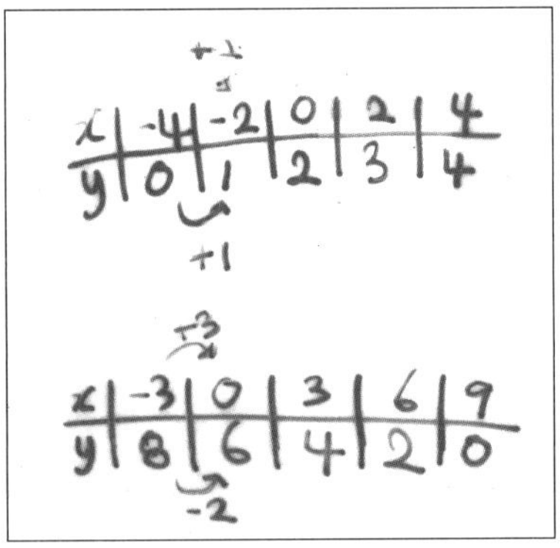

참고 비율은 분수로서 $\frac{(\text{비교하는 양})}{(\text{기준량})}$으로 나타낸다. 즉, 기준량에 대한 비교하는 양의 비율이라고 할 수 있다. 계단의 경사도를 나타내는 비율에서 기준량을 계단의 너비로 잡아야 가파를수록 경사도가 큰 비율이 만들어진다.

개념과 원리 탐구하기 2 _ 직선의 기울기의 뜻

교과서(상) 82쪽

탐구 활동 의도

- 이 탐구활동은 기울기의 뜻을 정의한 대로 구하는 활동으로 구하는 방법을 스스로 발견하게 하는 것이 목적이다. 기울기를 구할 수 있는 두 점만을 주지 않고 의도적으로 여러 개의 점을 제시하였다. 이 중 두 점을 이용해야 한다는 것을 탐구하게 하기 위해서다.
- 표와 그래프에서 기울기를 구할 때, 기울기를 계산하는 것이 목적이 아니라 직선의 그래프에서 기울기가 일정하다는 것이 어떤 패턴으로 나타나는지를 관찰하게 하는 것이 우선이다. 기울기의 값만 구하는 것은 큰 의미가 없다. 이 패턴을 이용하여 기울기의 값을 구하는 것이 목적이다.
- 1 (3)은 식을 구하는 방법을 안내하지 않았지만 이미 배운 경험들을 이용하여 두 변수의 관계식을 구해 보도록 하여 일차함수 식에 대한 고정 관념과 어려움을 극복하게 하기 위함이다. 식을 구하는 방법에 의존하지 않고, 관찰할 수 있는 여러 가지 규칙을 이용하여 식을 만들게 하고, 그 식에서 기울기가 어떻게 나타나는지 추론하게 한다.
- 2 는 일차함수의 식에서 a가 기울기임을 선언하는 방식이 아니라 왜 a가 기울기가 되는지 중학교 2학년의 수준에서 탐구해 보도록 하는 과제다.

예상 답안

1 (1)

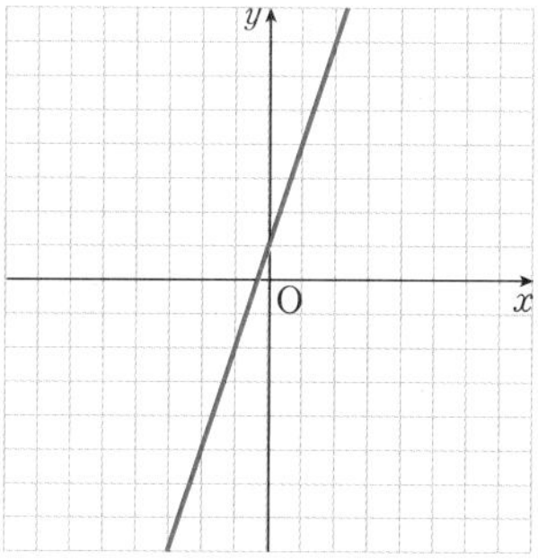

(2)

나의 생각	모둠의 의견
기울기는 3이다. 〈표〉 x가 -1에서 0으로 1만큼 변할 때 y는 -2에서 1로 3만큼 증가했고, x가 1에서 2로 1만큼 변할 때도 y는 4에서 7로 3만큼 증가했다. 〈그래프〉 x의 값이 1씩 증가할 때마다 y의 값이 3씩 증가한다.	기울기는 3이다. 〈표〉 x의 값이 1씩 증가할 때마다 y의 값이 3씩 증가한다. 〈그래프〉 $(\text{기울기})=\dfrac{(\text{수직 변화량})}{(\text{수평 변화량})}$ $=\dfrac{(y\text{의 값의 증가량})}{(x\text{의 값의 증가량})}=\dfrac{3}{1}=3$

(3) 함수식은 $y=3x+1$이므로 x에 곱해져 있는 수가 3이다. 이것의 의미는 x의 값이 1만큼 증가할 때마다 y의 값은 3만큼 증가한다는 의미다. 따라서 그래프의 기울기가 3이다.

2 학생들의 답은 다양할 수 있다.

$x=0$일 때 $y=b$, $x=1$일 때 $y=a+b$이므로

$$(\text{기울기})=\frac{(y\text{의 값의 증가량})}{(x\text{의 값의 증가량})}=\frac{(a+b)-b}{1-0}=a$$

학생 답안

일차함수 $y=ax+b$에서 기울기는 a입니다. 그래프의 기울기가 a가 되는 이유를 써 보자.

일차함수 y=ax+b에서 x의 값이 늘어남에 따라 y도 똑같이 늘어나는 그의 배율이 a이기에, a=기울기이다.

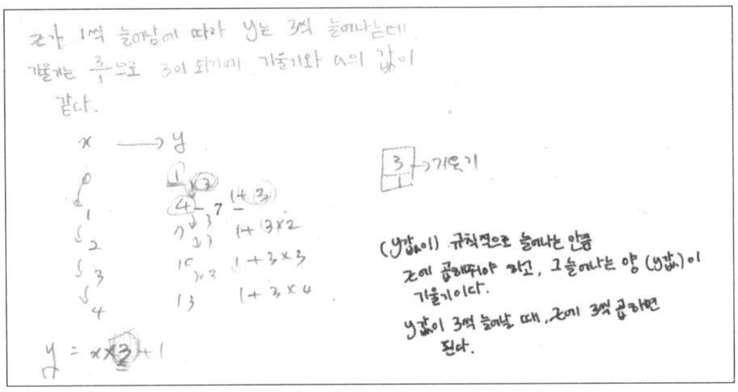

수업 노하우

- 1 에서는 표, 그래프로 주어진 여러 가지 정보들 중 필요한 정보가 무엇인지를 찾아 정의대로 구하게 한다.
- 학생들은 표에서 기울기를 어떻게 구할지 다음과 같이 고민하는 모습을 보였다.

> • 표에서 $\frac{y}{x}$로 구하면 될까? 그런데 다 달라.
> • 빼면 돼. 서로서로. 넌, 무엇을 빼라고 한 거야?
> • y가 3씩 증가하는데 이건 무슨 뜻이 있지 않을까?

- 정비례에서 $\frac{y}{x}$가 일정하다는 것, 기울기가 $\frac{(y\text{의 값의 증가량})}{(x\text{의 값의 증가량})}$이라는 내용과 혼동하기도 했다. 이때 학생들이 앞에서 직관적으로 해온 활동을 수학적으로 정리할 수 있도록 논의를 진행한다. 다음과 같이 빼야 하는 이유는 그래프에서 너비와 높이를 구하는 과정임을 알아냈다.

(1)에서 표, 그래프, 함수식에서 기울어진 정도는 어떻게 나타나는가?

표: $\frac{4-1}{1-0}=\frac{3}{1}=3$ / 빼는 이유는 칸이 얼마나 증가했는지 알기 위해서

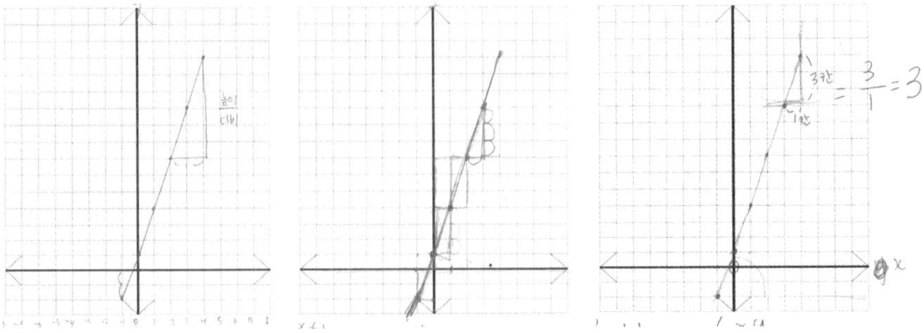

- 함수식을 구하는 것을 어려워할 수도 있다. 이때 식으로 접근하지 않고 다음과 같이 규칙성의 관점에서 접근할 수 있도록 안내한다.

x	-1	0	1	2	3	4
y	-2	1	4	7	10	13

- 아무 점이나 두 점을 잡아서 구하면 되는건지 묻는 학생도 있었다. 이에 대해서는 닮음 단원에서 논의할 것이므로 여기서는 직관적으로 이해하고 넘어갈 수 있도록 한다.
- 이와 같이 이 탐구하기는 표와 그래프에서 기울기가 어떻게 나타나는지를 탐구하여 기울기를 왜 공식처럼 구할 수 있는지 발견하는 것에 논의의 핵심을 맞춘다.
- [2]에서 아래와 같이 설명한 학생은 거의 없었다.

> $y=ax+b$ 에서 서로 다른 두 점을 (x_1, y_1), (x_2, y_2)라 하자. 이때 기울기는
>
> $$(\text{기울기})=\frac{(\text{수직 변화량})}{(\text{수평 변화량})}=\frac{(y\text{의 값의 증가량})}{(x\text{의 값의 증가량})}=\frac{y_2-y_1}{x_2-x_1}=\frac{(ax_2+b)-(ax_1+b)}{x_2-x_1}=\frac{a(x_2-x_1)}{x_2-x_1}=a$$
>
> 이므로 기울기는 a다.

- 그러나 학생들의 수준에서 다음과 같이 여러 가지 방법으로 설명하는 것을 볼 수 있었다.

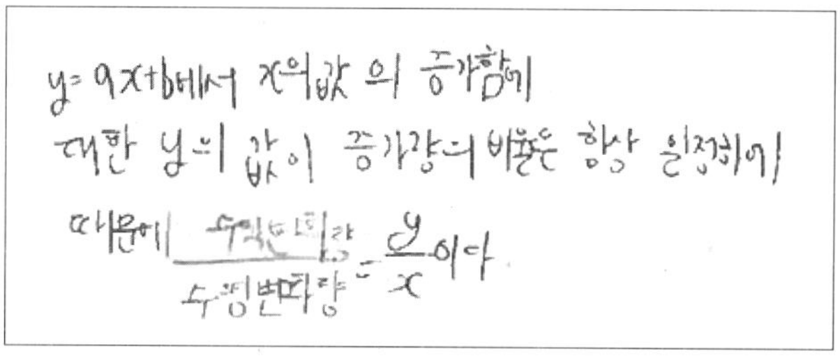

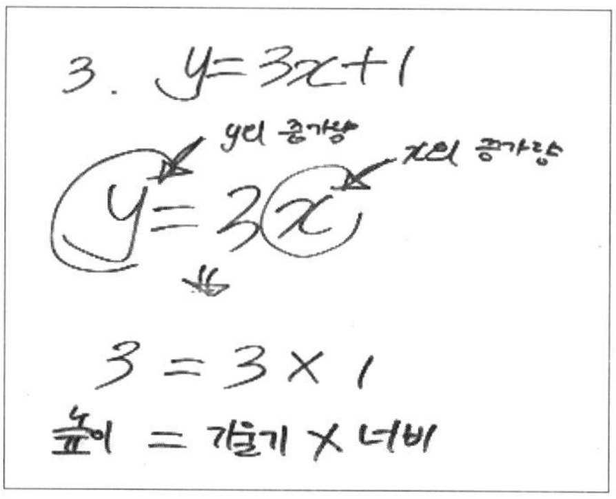

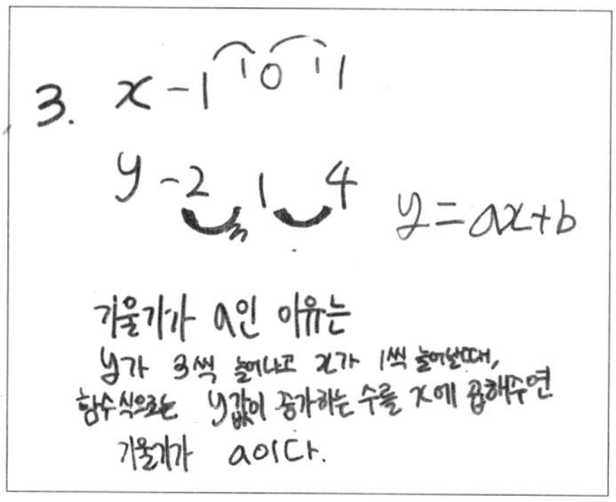

탐구하기 2에서 다룬 세 가지 상황을 모두 활용하여 귀납적으로 기울기가 x의 계수임을 설명하기도 했다.

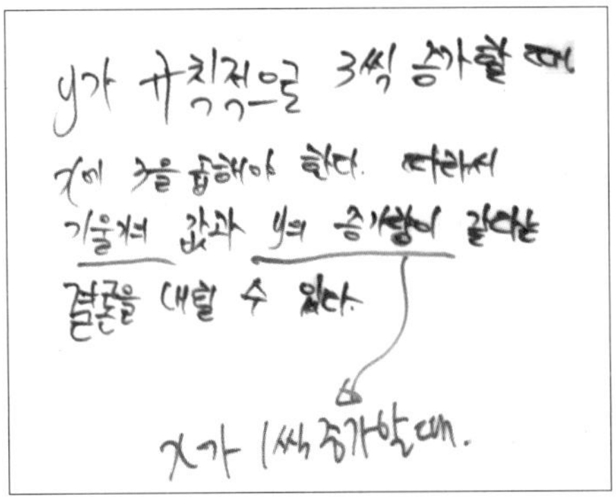

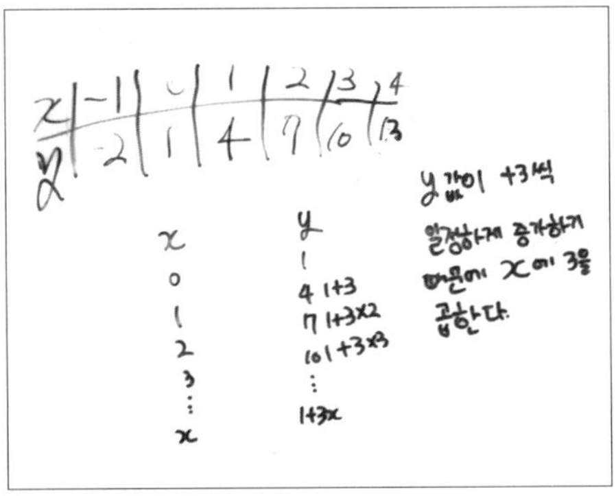

문자를 쓰지 않더라도 x의 값이 1만큼 변할 때 y의 값이 a만큼 변한다는 사실을 보여주면 된다. 위와 같은 답도 왜 그런지를 물어 보고 논리적으로 대답한다면 맞다고 할 수도 있다.

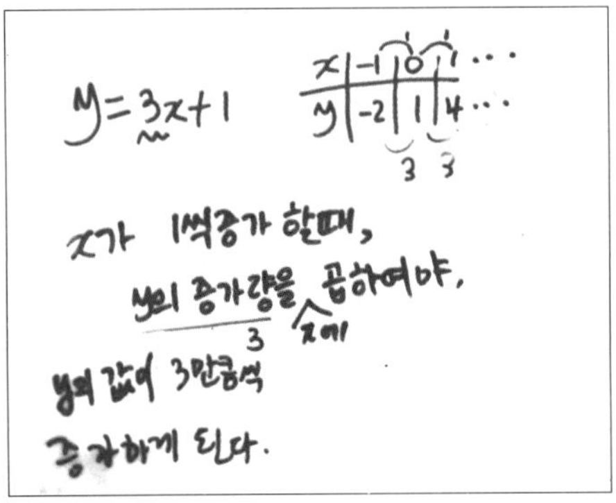

개념과 원리 탐구하기 3 _ 절편의 뜻

교과서(상) 84쪽

탐구 활동 의도

- 실생활의 맥락을 통하여 축과의 교점이라는 절편의 뜻을 이해하고 절편을 구하는 방법을 발견하는 활동이다. 1의 (1)과 (2)에서는 맥락을 이용하여 축과 만나는 점의 좌표를 구하고, 이를 구하는 과정에서 깨달은 내용을 (3)에서 일차함수의 식과 연결짓도록 한다.
- 2는 단순히 x절편과 y절편을 구할 때, 식에 x와 y의 값 중 하나에 0을 대입하는 방법을 익히는 것이 아니다. 일차함수 식에서 절편의 의미와 연결지어 x절편과 y절편을 어떻게 구할 수 있는지 그 방법을 만들어가게 하는 것이 목적이다.
- 이를 위해서 점의 x좌표와 y좌표의 의미를 맥락을 통해 이해하고 둘 중 하나를 모를 때, 각 값을 식에 대입하여 구할 수 있음을 복습할 수도 있다.
- 3은 기존에 y절편이 식에서 b임을 선언했던 방식이 아니라 왜 b가 y절편이 되는지 탐구해 보도록 하는 과제다.

예상 답안

1 (1) $(40, 0)$, 남은 운항 거리가 0km이므로 유람선이 40분 동안의 운항을 마치고 다시 여의도로 돌아왔다.

(2) $(0, 8)$, 아직 유람선이 출발하지 않았으므로 남은 거리는 총 운항 거리인 8km다.

(3) $y=8-0.2x$ 또는 $y=-0.2x+8$

(1)의 $(40, 0)$은 $y=0$일 때의 x의 값으로 구할 수 있다. $0=8-0.2x$, $x=40$

(2)의 $(0, 8)$은 $x=0$일 때의 y의 값으로 구할 수 있다. $y=8-0.2\times0=8$

2

나의 생각	모둠의 의견
x절편은 40이고 y절편은 8이다. $x=0$을 대입하면 y절편을 구할 수 있고, $y=0$을 대입하면 x절편을 구할 수 있다.	x절편은 40이고 y절편은 8이다. x절편은 그래프와 x축이 만나는 점의 x좌표이고 y절편은 그래프와 y축이 만나는 점의 y좌표인데, x축과 y축 위의 점의 좌표는 각각 y좌표와 x좌표가 0이므로 주어진 함수식에 $y=0$과 $x=0$을 대입했을 때 얻은 x의 값과 y의 값이 각각 x절편과 y절편이 된다.

3 그래프와 y축이 만나는 점은 반드시 y축 위에 있고 y축 위의 점의 좌표는 x좌표가 0이므로 $x=0$을 함수식 $y=ax+b$에 대입하여 얻은 y의 값이다. 그런데 함수식 $y=ax+b$에 $x=0$을 대입하면 $y=a\times0+b=b$가 되므로 일차함수 $y=ax+b$의 y절편은 b다.

학생 답안

식이 아니라 다음과 같이 말로 설명할 수도 있다.

x 가 0이면 앞의 a가 무엇이든 0이되기 때문

x가 0 일때 ax는 무조건 0 이 되기 때문이다 (b만남음)

수업 노하우

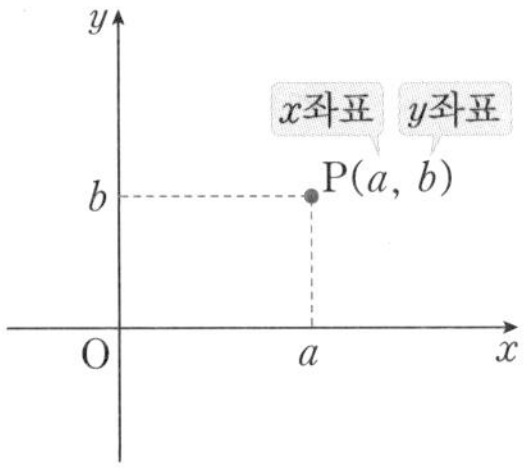

- 점의 좌표의 의미를 그래프 위에서 설명할 수 있는지 복습할 수 있다.
- [1]에서 (1)과 (2)를 구하기 전 주어진 맥락에서 함수식을 먼저 구하는 학생도 있지만, 식을 구하지 못하는 학생도 있어서 점의 좌표를 먼저 구해 보도록 하였다. 점의 좌표의 의미를 이용하여 식이 없어도 학생들은 상황을 설명할 수 있었다.
- (1)과 (2)를 통해 상황을 이해하면서 학생들은 속력이 시간에 따른 거리 관계에서 기울기임을 발견해 내기도 했고, 0분일 때는 남은 운항거리가 8 km임을 이용하여 식을 만들기도 했다. 이미 이 활동을 통해 절편의 의미를 어느 정도 이해함을 관찰할 수 있었다.
- 각 절편을 함수식을 이용하여 어떻게 구할 수 있는지 논의하면서 x절편을 구할 때 $y=0$을 대입하고, y절편을 구할 때 $x=0$을 대입하는 이유를 생각해 보도록 안내한다. 학생들이 처음에는 잘 설명하지 못하고 방법만을 이야기한다.
  '절편 → 축과의 교점 → 축 위의 점의 특징 → 그래프가 지나는 점과 함수식의 관계'
  로 연결지을 수 있도록 전체 논의를 진행할 필요가 있다.
- 처음 과제에는 [1]에서 x축 또는 y축과 만나는 특별한 점의 의미를 묻기 전에 $x=28$인 점의 좌표를 구하도록 하여 x와 y값의 의미를 복습하도록 하였는데, 실험 수업을 하면서 절편에 집중하도록 하기 위해 과제를 수정했다.
- [3]에서는 y축과 만나는 점의 y좌표, 즉 y절편은 $x=0$을 대입하여 그 값을 얻기 때문에 항상 일차함수의 식 $y=ax+b$의 상수항과 같음을 발견하도록 하는 과제로 학생들이 이를 암기하지 않고 이해하도록 하기 위해서 물었다.

주의 학생들이 x절편과 y절편을 정확히 이해하고 답할 수 있도록 지도해야 한다. 간혹 학생들 중에는 x절편이 그래프가 x축과 만나는 점의 좌표라고 생각하여 x절편을 구하는 문제에서 점의 좌표를 쓰거나, x축과 만나는 점의 좌표를 구하는 문제에서 x절편만 답하는 경우가 있으므로 이 점에 유의하도록 강조하여 지도한다.

참고
- 왜 x축 위의 점들은 y좌표가 0일까? 또는 왜 y축 위의 점들은 x좌표가 0일까?
  당연하게 느껴지지만 좌표의 정의를 생각하게 하는 질문이다. 이런 질문을 학생들에게 추가로 던질 수 있다.
  x축 위의 점 P의 y좌표는 점 P에서 y축 위에 내린 수선의 발의 y의 값으로 정의 되었다. 그래서 $y=0$이다.
  마찬가지로 y축 위의 점 Q의 x좌표는 점 Q에서 x축에 내린 수선의 발의 x의 값이 0이기 때문이다.

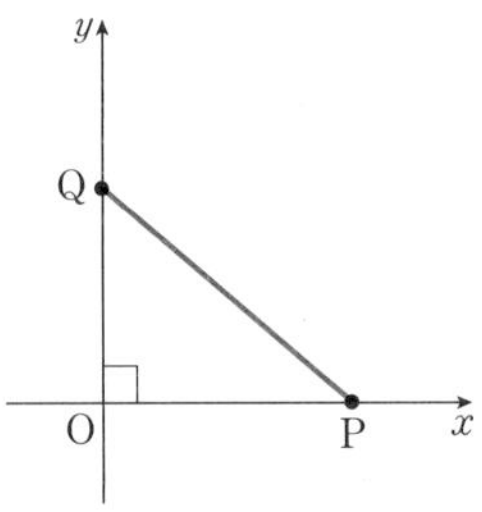

개념과 원리 탐구하기 4 _ 그래프의 평행이동

교과서(상) 86쪽

탐구 활동 의도

- 기존 교과서는 일차함수의 그래프를 설명할 때 평행이동을 이용하고 있다. $y=ax$의 그래프를 y축의 방향으로 평행이동하여 $y=ax+b$의 그래프를 이해하도록 한 것이다. 즉 평행이동 자체가 탐구의 대상이 아니고 그래프를 설명하기 위해 도입된 개념이라고 보인다.
- STAGE 3에서는 패턴으로 일차함수의 그래프를 그리고 식을 구하므로 그래프를 설명하기 위한 평행이동은 의미가 없다고 판단하여 그래프의 평행이동 자체를 생각해 보도록 하였다.
- 그래프를 평행이동할 때 변하는 것과 변하지 않는 것이 있다. 이때 이러한 규칙성을 일차함수 식과 연결지어 기존 교과서에서 다루는 내용을 보다 개념적으로 심도 깊게 다루었으며 이는 이차함수의 그래프의 평행이동과도 연결되도록 구성하였다.
- 1 은 학생들이 평행이동이라는 용어의 뜻에 충실하게 직관적으로 먼저 그래프를 그려 보도록 하고, 만든 그래프가 원래의 식과 어떤 차이가 있는지를 탐구하게 하였다. 실험 결과 학생들은 y축 방향의 평행이동보다는 x축 방향의 평행이동으로 그래프를 많이 그려서 이 내용을 추가하게 되었다.
- x축의 방향으로 평행이동, y축의 방향으로 평행이동이란 용어 역시 학생들에게 쉽지 않은 표현임을 실험을 통해 알게 되어 용어 설명도 추가했다. 2 에서는 학생들이 평행이동과 관련하여 식을 구하는 방법을 외우지 않고 그래프를 그리면서 발견할 수 있도록 하였다.
- 3 은 지금까지의 활동을 종합하여 기울기가 같으면 두 직선이 평행함을 발견하고 여러 가지 식을 만들고 그래프를 상상해 보게 하는 활동이다.

예상 답안

1 (1)

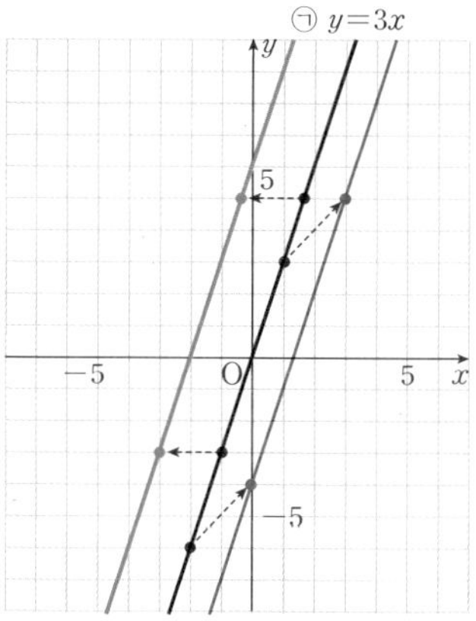

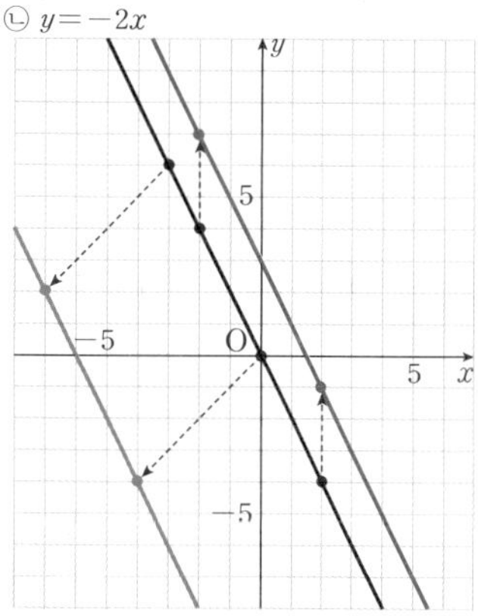

㉠에 대해서는 하나는 왼쪽으로 2칸 이동해서 평행한 직선을 그렸고 다른 하나는 오른쪽으로 2칸, 위로 2칸을 이동해서 그렸다. 그리고 ㉡에 대해서는 하나는 위로 3칸 이동해서 평행한 직선을 그렸고 다른 하나는 왼쪽으로 4칸, 아래로 4칸을 이동해서 그렸다.

(2) 방법 1 평행이동한 그래프도 모두 직선이므로 일차함수의 그래프다. 따라서 두 변수 x와 y의 관계는 $y=ax+b$의 형태로 나타낼 수 있으므로 각각의 평행이동한 직선이 지나는 두 점의 좌표를 관계식에 대입하면 직선의 식을 구할 수 있다.

방법 2 평행이동을 하여 그린 직선들은 원래의 그래프와 기울어진 정도, 즉 기울기가 같다. 그리고 일차함수의 식 $y=ax+b$에서 a가 기울기를 나타내므로 ㉠과 ㉡을 평행이동한 직선의 식은 각각 $y=3x+b$, $y=-2x+b$의 형태가 된다. 이 식에 직선 위의 한 점의 좌표를 대입하면 직선의 식을 구할 수 있다.

	㉠	㉡
[방법 1]	$y=ax+b$에 $(-1, 3)$과 $(-4, -6)$을 대입하면 두 식 $3=-a+b$, $-6=-4a+b$ 를 얻을 수 있고, 이 두 식을 연립하면 $a=3$, $b=6$ 임을 알 수 있다. 따라서 파란색 직선의 식은 $y=3x+6$다. 이와 비슷한 방법으로 빨간색 직선의 식을 구하면 $y=3x-4$다.	$y=ax+b$에 $(-6, 0)$과 $(-3, -6)$를 대입하면 두 식 $0=-6a+b$, $-6=-3a+b$를 얻을 수 있고, 이 두 식을 연립하면 $a=-2$, $b=-12$임을 알 수 있다. 따라서 파란색 직선의 식은 $y=-2x-12$이다. 이와 비슷한 방법으로 빨간색 직선의 식을 구하면 $y=-2x+3$이다.
[방법 2]	$y=3x+b$에 파란색 직선이 지나는 점 $(-1, 3)$을 대입하면 $3=-3+b$가 되어 $b=6$임을 알 수 있다. 따라서 파란색 직선의 식은 $y=3x+6$이다. 이와 비슷한 방법으로 $y=3x+b$에 $(3, 5)$를 대입하면 $b=-4$이다. 따라서 빨간색 직선의 식은 $y=3x-4$이다.	$y=-2x+b$에 파란색 직선이 지나는 점 $(-3, -6)$을 대입하면 $-6=6+b$가 되어 $b=-12$임을 알 수 있다. 따라서 파란색 직선의 식은 $y=-2x-12$이다. 이와 비슷한 방법으로 $y=-2x+b$에 $(2, -1)$을 대입하면 $b=3$이다. 따라서 빨간색 직선의 식은 $y=-2x+3$이다.

2 (1)

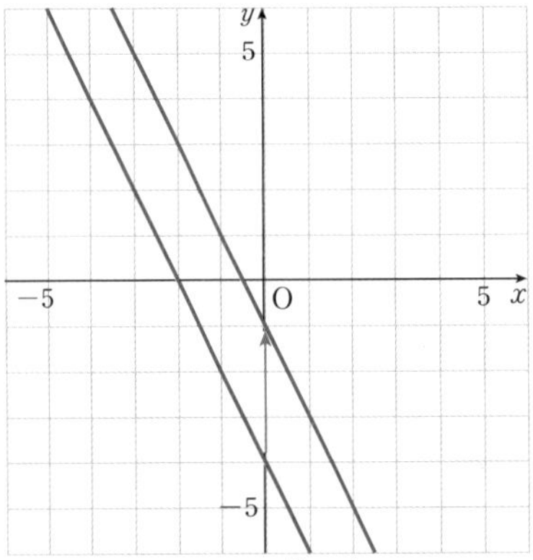

$y==-3x-4$

(2)

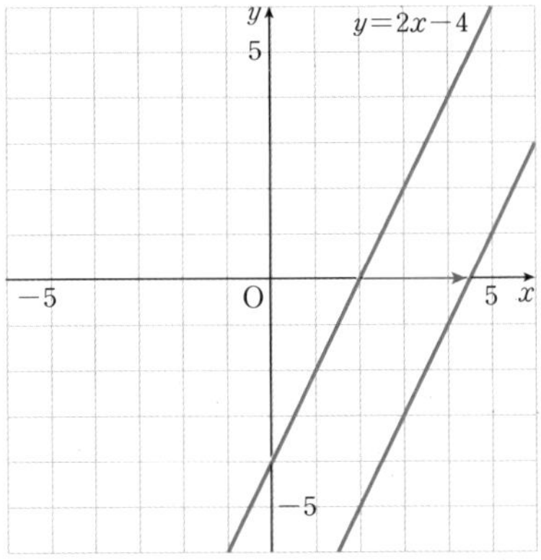

(1) 일차함수 $y=-3x-4$의 그래프를 y축의 방향으로 $+3$만큼 평행이동하면 기울기는 그대로이고 y절편이 $+3$만큼 변하므로, 평행이동한 일차함수의 식은 $y=-3x-1$이 된다.

(2) 일차함수 $y=2x-4$의 그래프를 x축의 방향으로 $+3$만큼 평행이동하면 기울기는 그대로이고 y절편은 작아지는데 기울기가 2이므로 y절편은 -6만큼 이동한다. 평행이동한 일차함수의 식은 $y=2x-10$이 된다.

3 학생들의 답은 다양할 수 있다.

예 $y=7x$, $y=7x-1$, $y=7x+8$

수업 노하우

- 학생들이 [1](1)을 해결하기 전에 평행이동의 의미를 정확히 이해하도록 해야 한다. 그리고 답을 적을 때에는 평행이동의 의미에 맞도록 '어느 도형이 어느 방향으로 얼마만큼의 일정한 거리를 이동'했는지 설명하도록 안내한다.
- [1]에서 학생들은 주로 x축의 방향으로 평행이동을 이용하여 그래프를 그렸다. y축의 방향으로 평행이동을 이용하여 그리는 학생들은 매우 드물었다. 그만큼 x축 평행이동이 더 감각적으로 그리기 쉬울 수 있다고 판단하여 x축과 y축으로의 평행이동을 모두 고려하기로 했다. 그렇다고 해서 자신들이 그린 평행이동에 관련된 용어를 알고 그린 것은 아니므로 용어는 학생들이 그린 결과를 이용하여 제시하기로 했다.

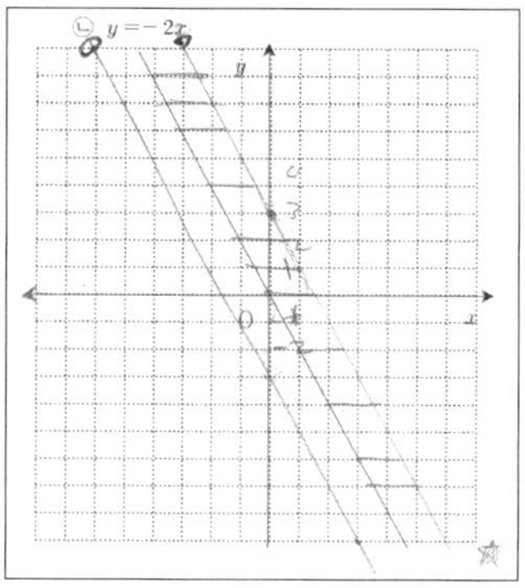

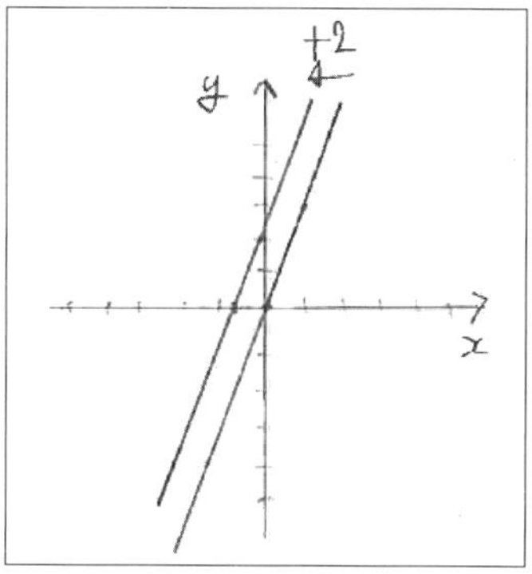

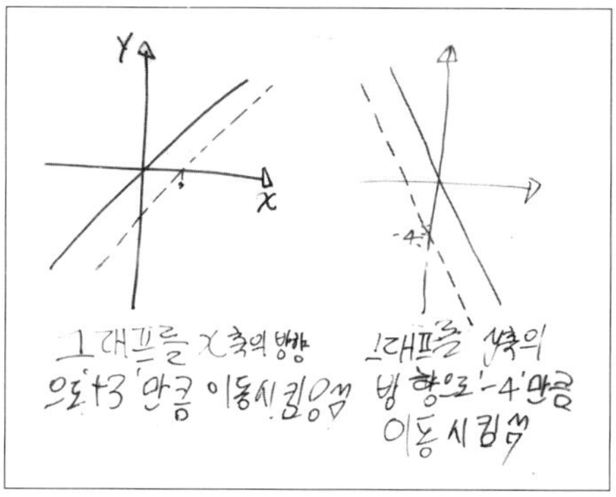

- 학생 답안 예시로 제시된 방법에 대해 교사가 직접 구체적으로 안내할 필요는 없다. 대신 학생들 스스로 그 방법을 설명해 보도록 지도한다. 학생들의 설명이 '점을 대각선 방향으로 옮겼다, 직선을 오른쪽으로 이동시켰다, 직선을 아래쪽으로 끌어당겼다'와 같이 다소 서툴더라도 함께 이동 방법에 대해 이야기 나누는 시간을 갖는 것이 중요하다. 그리고 이때 교사는 선을 일정한 방향으로 평행이동 시키기 위한 구체적인 방법이 무엇인지 발문함으로써 학생들이 서로 대응하는 점의 간격이 일정하다는 것을 스스로 발견하여 식과 연결짓도록 한다.
- 결과를 가지고 평행한 직선들의 식 사이에 어떤 관계가 있는지 충분히 살펴 보고 논의하는 과정이 필요하다. 왜냐하면 이를 [2]에서 수학적 용어로 정리할 것이기 때문이다. 원래의 직선의 식과 평행이동한 직선의 식 사이에 어떤 변화가 있는지 확인하고 평행이동한 방법이 식에 어떤 영향을 주는지 이해할 수 있는 시간을 충분히 주도록 한다. 또한 역으로 평행이동한 직선의 식에서 찾을 수 있는 변화가 그래프에는 어떤 변화로 나타나는지도 살펴보게 해야 한다.

/2/ 직선 코스로 가 보자 (일차함수의 그래프와 식)

학습목표

1 서로 평행한 그래프가 가지는 공통점을 발견할 수 있다.

2 일차함수의 식과 표, 그래프와의 관계를 통합적으로 이해하고, 일차함수를 식, 표, 그래프로 표현할 수 있다.

3 일차함수의 그래프를 다양한 방법으로 그릴수 있다.

2015 개정 교육과정 성취기준

1 일차함수의 의미를 이해하고, 그 그래프를 그릴 수 있다.

2 일차함수의 그래프의 성질을 이해하고, 이를 활용하여 문제를 해결할 수 있다.

교수 · 학습 방법 및 유의 사항

함수의 개념은 다양한 상황에서 한 양이 변함에 따라 다른 양이 하나씩 정해지는 두 양 사이의 대응 관계를 이용하여 도입한다.

평가 방법 및 유의 사항

함수와 관련하여 지나치게 복잡한 활용 문제는 다루지 않는다.

핵심발문

표, 그래프, 식 등으로 나타낸 두 변수 사이의 관계를 해석하고 각각을 다른 표현으로 바꾸어 나타낼 수 있을까?

개념과 원리 탐구하기 5 _ 기울기, 절편, 평행이동을 이용한 식 구하기

교과서(상) 88쪽

탐구 활동 의도

- **탐구하기** 3에서 다룬 절편과 **탐구활동** 4에서 다룬 평행이동을 서로 연관 짓는 탐구활동으로 기울기, 절편과 평행이동의 의미를 다시 한번 확인하고 이들 사이의 관계를 이해하게 한다.

예상 답안

1

구분	x절편	y절편
수일 그래프	5	650
인혁 그래프	10	650

구분	x절편의 의미	y절편의 의미
수일 그래프	출발한 지 5분 만에 공연 장소에 도착했다.	문자를 받았을 때의 위치에서 공연 장소까지의 거리가 650 m다.
인혁 그래프	출발한 지 10분 만에 공연 장소에 도착했다.	문자를 받았을 때의 위치에서 공연 장소까지의 거리가 650 m다.

2 인혁이의 그래프는 기울기가 $-\frac{650}{10}=-65$이고 y절편이 650이므로, 이 그래프가 나타내는 일차함수의 식은 $y=-65x+650$이다. 그런데 인애와 인혁이의 그래프가 서로 평행하므로 두 그래프의 기울기는 같다. 그러므로 인애의 그래프가 나타내는 일차함수의 식은 $y=-65x+b$이다. 여기에 인애의 그래프가 지나는 점 $(5, 0)$을 대입하면 $0=-325+b$이므로 $b=325$다.
따라서 인애의 그래프가 나타내는 일차함수의 식은 $y=-65x+325$이므로 인애의 그래프의 y절편은 325다.

수업 노하우

- 앞서 배운 개념들을 서로 연결지어 이해하고 정리하는 활동이 되도록 지도한다. 따라서 모둠끼리 문제를 해결하기 전에 일정 시간 동안 각자 문제를 해결하게 하는 것이 좋다. 그리고 그 후에 모둠원끼리 서로의 답안을 공유하게 하여 각자 부족한 부분을 확인하고 보완하는 시간을 갖게 한다.
- 3에서 인혁이의 그래프가 나타내는 일차함수의 식을 구할 때 예상 답안으로 제시된 것과는 다른 방법, 즉 x절편과 y절편을 이용하는 학생이 있을 수도 있다. 그러므로 모둠끼리 답안을 공유하는 과정에서 서로의 풀이가 어떻게 다른지 비교해 보고 친구의 풀이를 이해해 보게 하는 것도 필요하다. 일차함수의 식을 구하는 것은 **탐구하기 7**에서 더욱 자세히 다루게 된다.

개념과 원리 탐구하기 6 _ 일차함수의 그래프와 식의 관계

교과서(상) 89쪽

탐구 활동 의도

- 1은 지금까지 배운 일차함수의 식과 그래프에서 얻을 수 있는 정보들을 이용하여 제시된 일차함수의 그래프를 찾아보고, 그려 보게 하는 활동이다.
- 2는 그래프를 친구에게 설명할 때, 어떤 정보를 이용하여 설명하는 것이 적절한지 논의하게 한다. 일차함수의 그래프를 그릴 때 상황에 따라 효율적인 방법이 무엇인지 발견할 수 있다.

예상 답안

1 (1) ㉢, y절편이 1인 그래프를 찾으면 ㉠과 ㉢인데, ㉠은 오른쪽 아래를 향하므로 기울기가 음수인 그래프다. ㉢의 그래프가 지나는 점 중 모눈종이의 격자점과 만나는 두 점을 오른쪽 그림과 같이 찾고 기울기를 구해 보면 $\frac{2}{5}$임을 알 수 있다. 따라서 식 $y=\frac{2}{5}x+1$의 그래프는 ㉢이다.

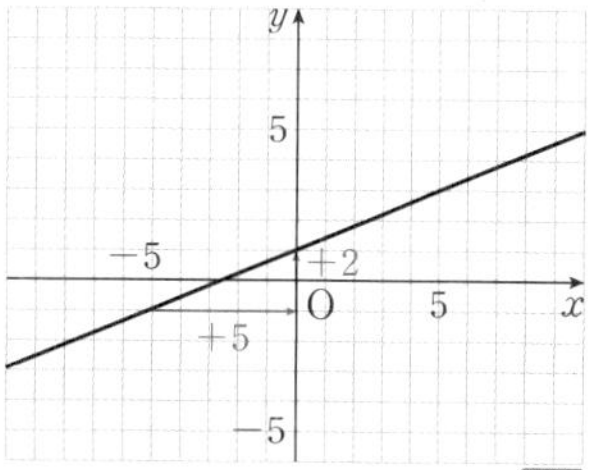

(2) 주어진 그래프 중 $y=-3x-1$의 그래프는 없다. 일차함수 $y=-3x-1$의 y절편은 -1이고 주어진 그래프 중 y절편은 -1인 것은 ㉡밖에 없는데 ㉡은 오른쪽 위를 향하므로 기울기가 양수인 그래프다.

(3) ㉤, y절편이 -2인 그래프를 찾으면 ㉣, ㉤, ㉥인데, 이 중 기울기가 양수인 그래프는 ㉤밖에 없다. ㉤의 그래프 위의 두 점을 찾아 기울기를 구해 보면 $\frac{1}{2}$임을 알 수 있다. 따라서 직선 $y=\frac{1}{2}x-2$의 그래프는 ㉤이다.

2 (1)

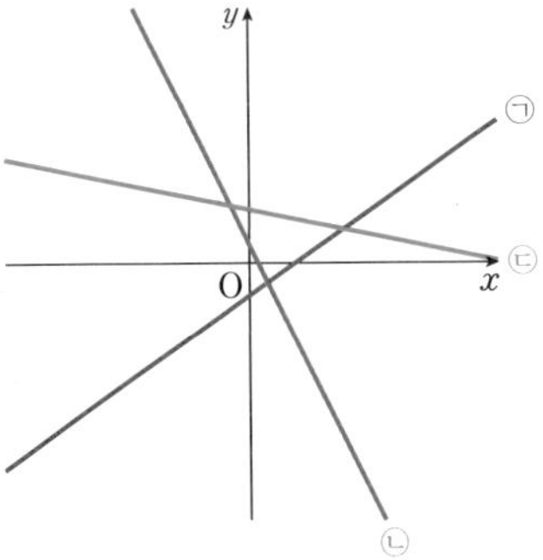

(2)

나의 생각	모둠의 의견
x절편과 y절편을 이용한다. ㉠ x절편이 $\frac{3}{2}$이고 y절편이 -1인 직선 형태의 그래프를 그려 봐. ㉡ x절편이 $\frac{1}{2}$이고 y절편이 1인 직선 형태의 그래프를 그려 봐. ㉢ x절편이 10이고 y절편이 2인 직선 형태의 그래프를 그려 봐.	y절편과 기울기를 이용한다. ㉠ y절편 -1을 찍고 거기서 오른쪽으로 3칸, 위로 2칸 올라간 곳에 또 점을 찍고 두 점을 연결해. ㉡ y절편 1을 찍고 거기서 오른쪽으로 1칸, 아래로 2칸 내려간 곳에 또 점을 찍고 두 점을 연결해. ㉢ y절편 2를 찍고 거기서 오른쪽으로 5칸, 아래로 1칸 내려간 곳에 또 점을 찍고 두 점을 연결해.

학생 답안

다음과 같이 다양한 반응이 나왔다.

각각 그래프에 x절편을 구하여 x절편y절편에 점을 찍어 직선을 긋는다.

어.. 일단 먼저 y절편 1을 그래프에 점을 찍어! 그런 담에 기울기는 $-\frac{2}{1}$이잖아. 오른쪽으로 한칸가고 아래로 두칸가면.. 헤헤 :)

이 외에도 많은 조건을 알려주는 설명도 가능하다. 이 경우에는 그릴 수 있는 최소한의 조건이 무엇인지 정리해 갈 수도 있다.

> y절편은 -1이고 x절편은 $\frac{3}{2}$이므로
> 기울기가 (y값이 2 늘어날 때 x값은 3 늘어나므로) $\frac{2}{3}$여서

아래와 같은 설명은 수학적 표현으로 함께 바꾸어 볼 수도 있다.

> 처음에 y절편에 점을 찍고 기울기의 분모와 분자만큼 이동해서 점을 찍고 쭈우욱 점을 이어서 선을 만든다

(3) 선택한 모둠의 방법이 x절편과 y절편을 이용하는 것이라면 x절편과 y절편을 이용하여 기울기를 구하고 일차함수의 식을 구할 수 있다. 예를 들어 x절편이 10, y절편이 2라면 오른쪽과 같은 그래프를 그릴 수 있다.

이 그래프의 기울기는 $-\frac{1}{5}$이므로 함수식은

$y=-\frac{1}{5}x+2$가 된다.

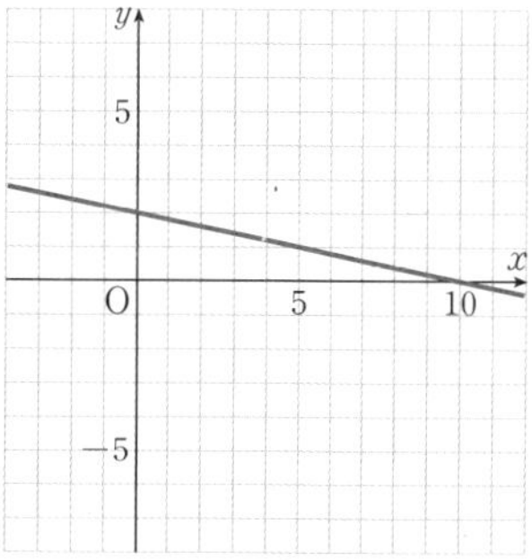

수업 노하우

- [2](2)는 [2](1)에서 일차함수의 그래프를 어떻게 그렸는지 구체적으로 그 방법을 적어 보는 활동이다. [2](2)까지의 활동을 마친 후에는 모둠끼리 각자의 방법을 공유하게 하고 그 중 가장 좋은 방법이라고 생각한 것을 하나 택하여 발표하게 한다.
  - 학생들마다 사용하는 방법은 여러 가지였다.
  - 특히 기울기가 양수인 것과 음수인 것을 그래프 상에서 구분하는 것을 혼동했다. 그래프를 이용하여 기울기를 구하는 과정에 대해 구체적으로 설명하게 해 볼 수 있다.
- [2](2)에 대한 모둠 활동을 할 때에는 공유한 여러 가지 방법의 공통점을 찾아보게 한다. 그래프를 그리는 방법은 여러 가지지만 일차함수의 그래프가 갖는 특징, 즉 직선이라는 점 때문에 반드시 2개의 점을 찾아야 한다는 공통점을 학생들 스스로 발견하도록 기회를 제공한다. 만약 공통점을 발견하기까지 어려움을 겪는 학생들이 많거나 시간이 많이 소요된다면, 다음과 같은 발문으로 시간 단축이 가능하다.

> 일차함수의 그래프의 특징은 무엇인가요? 1학년 때 배운 정비례 관계의 그래프도 직선이었는데, 이 때에는 그 그래프를 어떻게 그렸었나요?

- [2](2)의 설명은 예시로 제시한 두 가지 방법보다 훨씬 다양하게 나타날 수 있다. 이 중 가장 효율적인 방법을 놓고 토론에 부치는 수업 진행을 구상할 수 있다.

- 주어진 일차함수의 식에 특정한 x의 값을 2개 대입하여 2개의 순서쌍을 구하고, 그것을 좌표로 하는 두 점을 연결한다.
  예 두 점 (3, 1)과 (6, 3)을 연결하는 직선을 그려.(㉠)
- 주어진 일차함수의 식에 특정한 x의 값을 대입하여 순서쌍을 구하고, 그것을 좌표로 하는 점과 y절편을 연결한다.
  예 y축 위의 -1에 점을 찍고 그 점을 점 (3, 1)과 연결하면 돼.(㉠)
- 그래프를 지나는 한 점(x절편이나 y절편을 이용할 수도 있다)과 기울기를 이용한다.
  예 점 (1, -1)을 찍고, 그 점에서 오른쪽으로 1칸, 아래로 2칸 내려간 곳에 또 점을 찍어. 그리고 그 두 점을 직선으로 연결해.(㉡)

개념과 원리 탐구하기 7 _ 지나는 점을 이용한 식 구하기

교과서(상) 91쪽

탐구 활동 의도

- 이 탐구활동은 지금까지 배운 일차함수의 식과 그래프에서 얻을 수 있는 정보들을 이용하여 일차함수의 식을 찾는 활동이다. 특히 표로 주어진 정보에서 어떤 정보를 선택했는지를 논의하게 하여, 일차함수의 특징을 종합할 수 있도록 하는 것이 목적이다.

예상 답안

1 (1)

x	1	2	5	9	10	15
y	-1	1	7	15	17	27

모두 한 직선 위에 있으므로 일차함수의 그래프 위의 점이다. 이때 기울기가 일정하므로 기울기가 2인 것을 이용하여 구하였다. 즉, y의 값의 증가량이 x의 값의 증가량의 2배가 되도록 빈칸의 수를 채워 넣었다.

학생 답안

아래와 같이 비율을 이용하여 구할 수 있다.

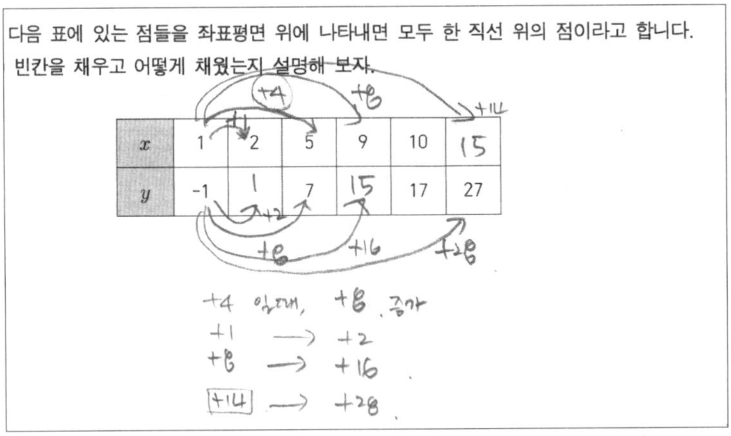

(2) $y=2x-3$, 기울기가 2이고 y절편이 -3이다.

학생 답안

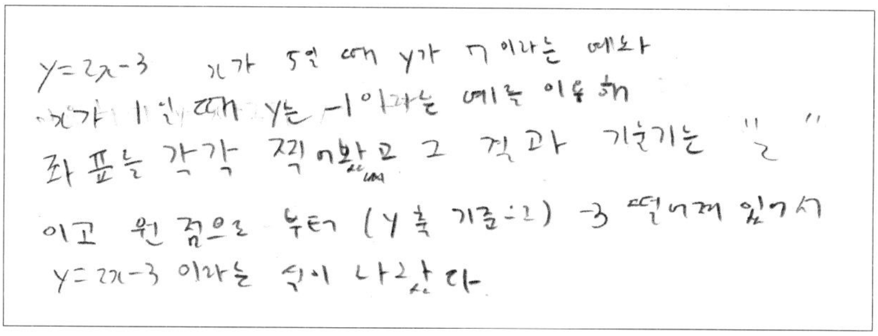

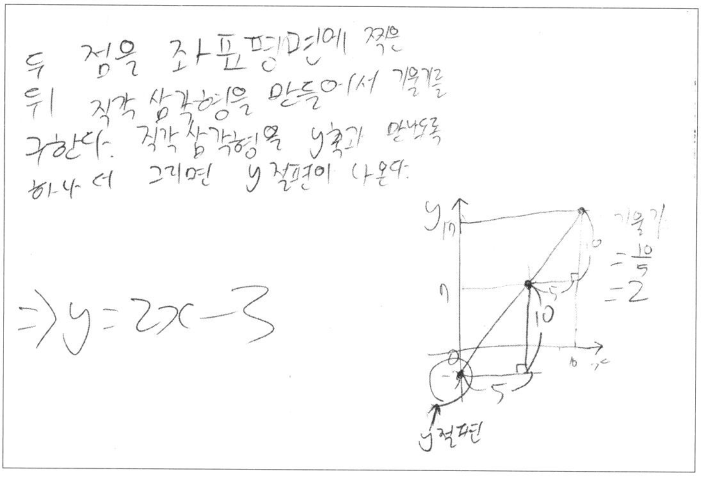

수업 노하우

- [1]에서 학생들은 여러 가지 방법으로 문제를 해결했다. 학생들의 문제 해결 과정을 종합하여 일차함수의 특징을 정리할 수 있다.
- 학생들은 주어진 세 점 중 두 점을 골라서 여러 번 직선의 기울기를 구하기도 하였다.
  일반적으로 두 점이 주어졌을 때, 기울기를 먼저 구하고 한 점을 대입하여 y절편을 구한다. 그런데 일차함수를 패턴으로 학습하니 학생들 중 표에서 규칙성을 찾아 $x=0$일 때 y의 값(y절편)을 표에서 바로 구하여 일차함수의 식을 구하기도 하였다.
- 결론적으로는 학생들이 기울기와 y절편을 구하면 일차함수의 식을 구할 수 있음을 이해하도록 하되, 주어진 정보에서 이들을 어떻게 구할 수 있을지, 어떤 것이 효율적이고 편리한지를 논의하게 할 수 있다.

[연립방정식을 이용한 풀이]

만약 연립방정식을 이용할 수 있다면 다음 풀이도 가능하다.

그래프가 직선이므로 그래프가 나타내는 함수식은 일차함수의 식이다. 따라서 식 $y=ax+b$에 두 점 $(1, -1)$과 $(5, 7)$을 대입하면 연립방정식 $\begin{cases} -1=a+b \\ 7=5a+b \end{cases}$ 를 얻고, 이것을 풀면 $a=2$, $b=-3$이므로 구하는 일차함수의 식은 $y=2x-3$이다.

그러므로 이 직선이 지나는 다른 점들의 좌표를 구하면 $(2, 1)$, $(9, 15)$, $(15, 27)$ 등이다.

• 실제로 그래프를 그려서 해결한 학생도 있었다.

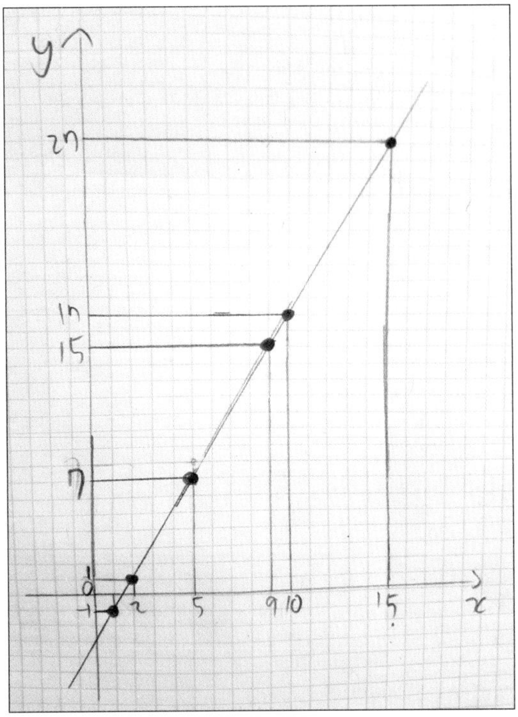

개념과 원리 탐구하기 8 _ 일차함수의 그래프

교과서(상) 92쪽

탐구 활동 의도

- [1]은 일차함수의 그래프를 그린 과정을 보고 그 방법을 추측하는 활동이다. 이 활동은 세 가지 접근 방법으로 일차함수의 그래프를 그릴 수 있다는 것을 보여주고 있다.
- [2]는 두 점이 주어졌을 때, 공식이 아니라 일차함수의 특징을 이용하여 일차함수의 식을 구하도록 하는 것이다. 이 직선이 지나는 나머지 점은 표, 그래프, 식의 여러 가지 방법으로 모두 구할 수 있으며 이 중 어떤 방법이 가장 일반적일지 논의한다. 일반적으로 두 점의 좌표만 있으면 일차함수의 그래프와 식을 구할 수 있음을 발견할 수 있게 한다.
- [3]은 일차함수의 그래프를 그릴 때, 직선의 결정 조건을 이용하는 것이 편리함을 보여주기 위한 것이다.

예상 답안

[1] 성현－(3), 혁－(1), 영준－(2)

세 학생 모두 일차함수의 식은 $y=\frac{1}{2}x+2$이다.

2 학생들의 답은 다양할 수 있다.

그래프가 직선이므로 그래프가 나타내는 함수식은 일차함수의 식이다. 일차함수의 그래프는 기울기가 일정하므로 제시된 두 점을 이용하여 기울기를 구하고 그 변화량을 이용하여 이 직선이 지나는 다른 점들을 구할 수 있다. 제시된 두 점의 기울기는

$$\frac{5-10}{3-(-2)}=-1$$

이므로 이 그래프 위의 점들은 x의 값이 1씩 증가할 때마다 y의 값은 1씩 감소한다.

그러므로 이 직선은 $(-1, 9)$, $(0, 8)$, $(4, 4)$, $(5, 3)$ 등의 점을 지남을 알 수 있다.

3

나의 생각	모둠의 의견
• x절편과 y절편을 찾으면 일차함수의 그래프를 그릴 수 있다. • y절편과 기울기를 이용하면 일차함수의 그래프를 그릴 수 있다.	• 두 점을 지나는 직선은 오직 하나이므로 꼭 x절편이나 y절편 또는 기울기를 이용하지 않더라도 일차함수의 그래프가 지나는 점 두 개만 알 수 있다면 얼마든지 그래프를 그릴 수 있다.

수업 노하우

- 1 에서는 자기 스스로 좋아하는 방법이 있는 것을 넘어서서 다른 사람의 방법을 추론하고 이해하는 데까지 이를 수 있도록 다양한 발표를 공유한다. 모둠활동까지 갈 필요는 없다. 또한 영준이의 방법이 (1), (2), (3) 모두 해당된다고 답하는 학생이 있을 수 있다. 이 경우 설명해 보도록 하고 3 과 연결지을 수 있다.
- 2 에서는 기울기의 개념을 이용하여 일차함수의 식을 구하지 않고도 직선이 지나는 다른 점들을 많이 구할 수 있음을 이해시킨다. 식을 이용한 기계적 계산보다 기울기, 즉 비율을 이용하는 과정을 경험하면서 비율 개념의 효율성을 생각해 보게 한다.
- 3 은 일차함수의 그래프가 결국 직선이고, 직선을 결정하는 기본 조건은 서로 다른 두 점만 정해지면 가능하므로, 두 점을 찾는 것이 효율적임을 인지시킨다.

게임하며 탐구하기 9 _ 일차함수의 식 구하기

교과서(상) 94쪽

탐구 활동 의도

- 일차함수의 특징을 알고 게임을 이용하여 일차함수의 식을 구하는 연습하는 활동이다.

예상 답안

(1) 각 코스는 직선 ①, ②, ③으로 그릴 수 있다.

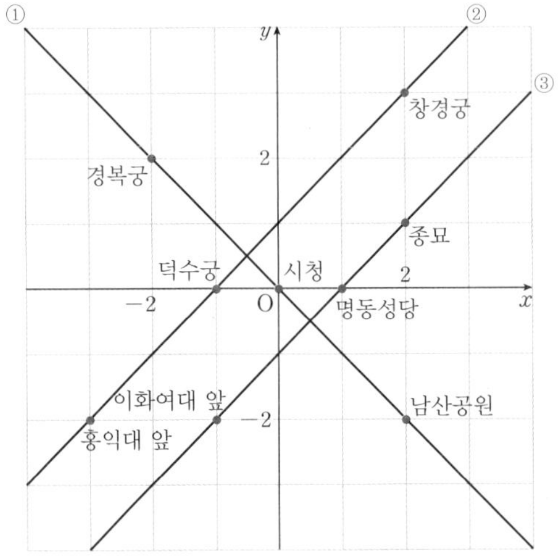

(2) 구하는 방법은 여러 가지일 수 있다.

[직선 ①] 경복궁, 시청, 남산공원

기울기가 -1이고, 원점을 지나므로 일차함수의 식은 $y=-x$

[직선 ②] 홍익대 앞, 덕수궁, 창경궁

기울기가 1이고 y절편은 1이므로 일차함수의 식은 $y=x+1$

[직선 ③] 이화여대 앞, 명동성당, 종묘

기울기가 1이고 y절편은 -1이므로 일차함수의 식은 $y=x-1$

수업 노하우

- 9개의 점을 모두 지나도록 직선을 3개 그리면 남는 점이 없는 것을 발견할 수 있도록 한다.
- 세 개의 점을 지나는 직선의 식을 구하는 방법은 다양할 수 있다. 학생들이 무엇을 이용하여 구했는지 서로 비교해 볼 수 있도록 할 수 있다.
- 이외에도 지도를 이용하여 가보고 싶은 탐방 장소와 탐방 코스를 정해 보도록 할 수 있다.

탐구 되돌아보기 예상 답안

교과서(상) 95~101쪽

1 개념과 원리 탐구하기 1

현주: $\frac{4}{10}=0.4=40\%$

태훈: $\frac{2}{5}=0.4=40\%$

지현: $\frac{28}{70}=\frac{4}{10}=0.4=40\%$

주의 너비와 높이가 다르더라도 그 비가 일정하면 경사도가 동일하다는 점을 인지시킨다.

2 개념과 원리 탐구하기 2

③>②=④>⑤>①

⑤의 기울기는 $\frac{-3}{+7}=-\frac{3}{7}$이고

①의 기울기는 $\frac{-6}{+2}=-3$이다.

둘 다 음수이므로 ⑤>①이다.

주의 그래프가 위에 있다고 무조건 기울기가 큰 것은 아님을 주의시키자.

3 개념과 원리 탐구하기 2, 3

(1) 기울기: -3, y절편: 6, 함수식: $y=-3x+6$

(2) 기울기: 3, y절편: 6, 함수식: $y=3x+6$

(3) 기울기: $\frac{3}{2}$, y절편: -1, 함수식: $y=\frac{3}{2}x-1$

(4) 기울기: $-\frac{1}{2}$, y절편: 5, 함수식: $y=-\frac{1}{2}x+5$

(5) 기울기: $\frac{5}{2}$, y절편: 5

(6) 기울기: -3, y절편: 20

4 개념과 원리 탐구하기 3

(1) 기울기가 커지면 y절편은 작아지고, 기울기가 작아지면 y절편이 커진다.

(2) 기울기가 커지면 x절편은 커지고 기울기가 작아지면 x절편이 작아진다.

5 개념과 원리 탐구하기 3

좌표의 뜻을 생각해 보자.

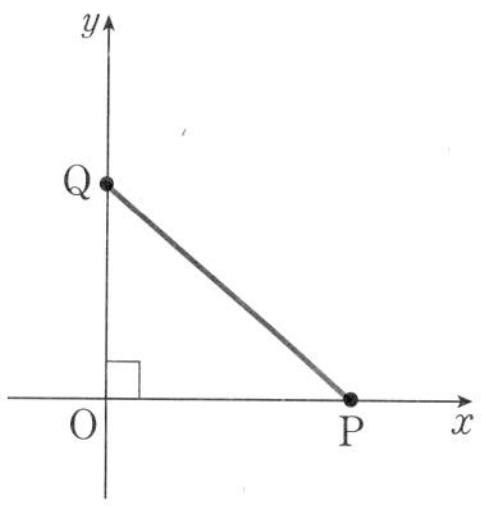

그림에서 x축 위의 점 P의 y좌표는 점 P에서 y축 위에 내린 수선의 발의 y의 값으로 정의되었다. 이때 수선의 발은 원점 O(0, 0)이므로 $y=0$이다.
마찬가지로 y축 위의 점 Q의 x좌표는 점 Q에서 x축에 내린 수선의 발의 x의 값인데, 수선의 발이 원점 O(0, 0)이므로 $x=0$이다.

6 개념과 원리 탐구하기 4

같은 점	다른 점
두 그래프는 모두 직선이다.	정비례의 그래프는 원점을 지나지만 일차함수의 그래프는 원점을 지나지 않을 수도 있다.

7 개념과 원리 탐구하기 6

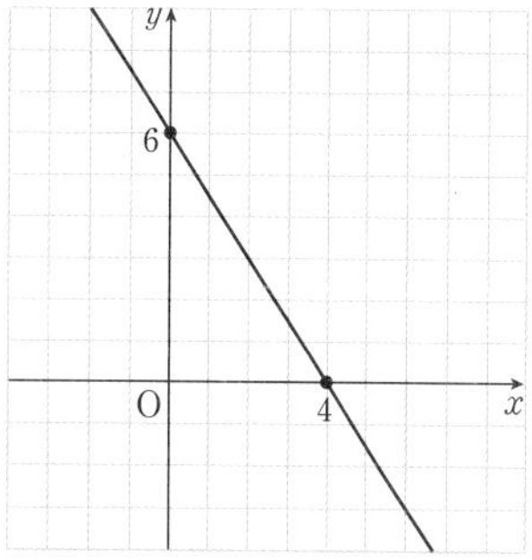

- 그래프는 원점을 지나지 않는 직선이다.
- x절편과 y절편은 각각 4와 6이다.
- 그래프의 기울기는 $-\frac{3}{2}$이다.
- 그래프가 제 1, 2, 4 사분면을 지난다.

• 이 그래프는 $y=-\frac{3}{2}x$의 그래프를 y축의 방향으로 6만큼 평행이동한 직선이다.

• 이 그래프는 $y=-\frac{3}{2}x$의 그래프를 x축의 방향으로 4만큼 평행이동한 직선이다.

8 개념과 원리 탐구하기 3, 4

(1)

구분	관계식
수영장 A	$y=-7.5x+120$
수영장 B	$y=-7.5x+105$

(2)

구분	x절편	y절편
수영장 A	16	120
수영장 B	14	105

(3)

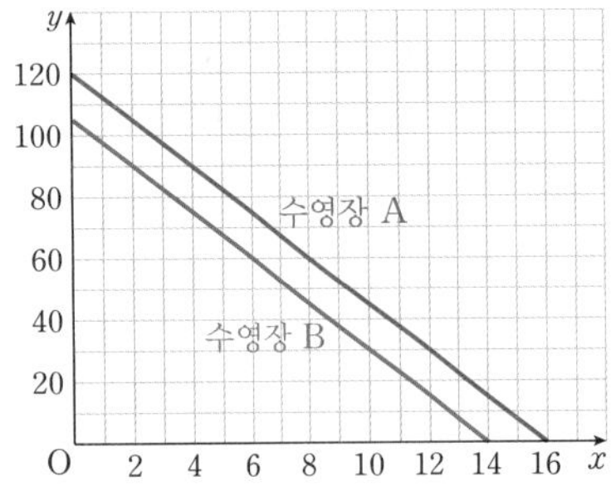

9 개념과 원리 탐구하기 8

(1)

• 한국의 신발 사이즈가 10씩 변할 때마다 미국과 영국의 신발 사이즈는 모두 1씩 일정하게 변하므로 한국과 미국, 한국과 영국 사이는 모두 일차함수의 관계라고 할 수 있다.

• 미국의 신발 사이즈가 1씩 변할 때마다 한국과 영국의 신발 사이즈는 각각 10, 1씩 일정하게 변하므로 미국과 한국, 미국과 영국 사이는 모두 일차함수의 관계라고 할 수 있다.

• 영국의 신발 사이즈가 1씩 변할 때마다 한국과 미국의 신발 사이즈는 각각 10, 1씩 일정하게 변하므로 영국과 한국, 영국과 미국 사이는 모두 일차함수의 관계라고 할 수 있다.

(2) (1)에 의하면 두 변수 K와 U, 그리고 K와 E는 각각 일차함수의 관계다.

• 한국의 신발 사이즈가 10씩 변할 때마다 미국의 신발 사이즈는 1씩 일정하게 변하므로 기울기는 $\frac{1}{10}$이라고 할 수 있다. 그러므로 $\mathrm{U}=\frac{1}{10}\mathrm{K}+b$인 관계식을 만족한다.

표에서 $\mathrm{K}=260$일 때, $\mathrm{U}=8$이므로 이것을 관계식에 대입하면

$8=\frac{1}{10}\times260+b$에서 $b=-18$

이므로 ★에 들어갈 식은 각각 $\frac{1}{10}\mathrm{K}-18$이다.

• 한국의 신발 사이즈가 10씩 변할 때마다 영국의 신발 사이즈도 1씩 일정하게 변하므로 위와 같이 기울기는 $\frac{1}{10}$이라고 할 수 있다. 그러므로 $\mathrm{E}=\frac{1}{10}\mathrm{K}+d$인 관계식을 만족한다.

표에서 $\mathrm{K}=260$일 때, $\mathrm{E}=7.5$이므로 이것을 관계식에 대입하면

$7.5=\frac{1}{10}\times260+d$에서 $d=-18.5$

이므로 ♥에 들어갈 식은 $\frac{1}{10}\mathrm{K}-18.5$이다.

(3) $\mathrm{U}=\frac{1}{10}\mathrm{K}-18$(㉠)과 $\mathrm{E}=\frac{1}{10}\mathrm{K}-18.5$(㉡)는 K의 계수가 같고, 상수항이 서로 다른 관계식이다. 따라서 하나의 좌표평면에 두 개의 그래프를 그린다면 서로 평행한 그래프가 그려질 것이다. ㉠의 그래프는 ㉡의 그래프를 y축의 방향으로 0.5만큼 평행이동한 것이다.

학생 답안 1

제목: x절편과 y절편의 자기소개

x절편과 y절편이 만나 자기소개를 했습니다

x절편: "안녕 나는 x절편이야 나는 일차함수의 그래프가 x축과 만나는 점의 x좌표이라고 할수있어"

y절편: "아 안녕 나는 y절편이야 나는 일차함수의 그래프가 y축과 만나는 점의 y좌표 라고 할수있어"

둘이 인사를 나눈후 식 $y=3x-2$에 대해 얘기를 나눴습니다

x절편: "$y=3x-2$에 나를 구하려면 y에 0을 대넣고 한 변에 x만 남고 모두 이항해 그러면 $2=3x$ 인데 x만 남겨야 하니까 3의 역수인 $\frac{1}{3}$를 양변에 곱해줘 $\frac{1}{3}\times 2=3x\times\frac{1}{3}$, $\frac{2}{3}=x$, 따라서 이 식의 x절편은 $\frac{2}{3}$라고 할 수있지 너는 어떻게 구할 수 있어?"

y절편: "나는 의외로 간단해!, 너를 구하려면 y에 0을 넣어야 하지만 나는 x에 0을 넣어 그러면 $y=3\times 0-2$, $y=-2$ 이므로 -2만 남으니까 y절편은 -2가 되는거지"

x절편: "아 그렇구나 그럼 너랑 나랑 구했으니까 그래프로 그릴수 있겠지?"

y절편: "당연하지"

$y=3x-2$의 그래프 →
x절편 $=\frac{2}{3}$
y절편 $=-2$

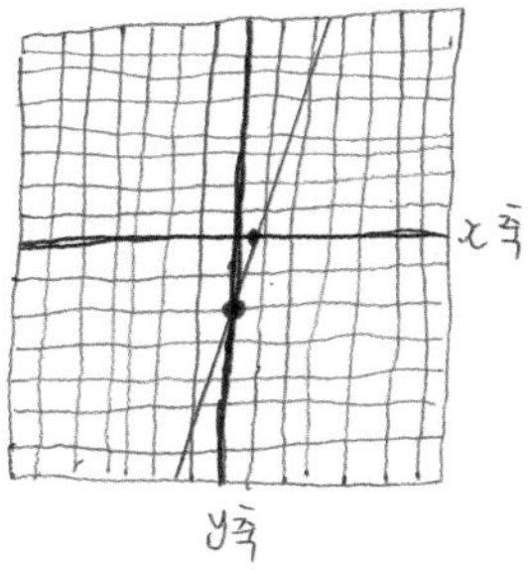

학생 답안 2

제목: 일차함수나라

옛날에 '일차함수'라는 나라가 있었어요 함수나라는 크게 x절편, y절편도시로 나뉘었지요. 사실 함수 나라의 사람들은 예외없이 x와 y로 나누어져 있어요 x인사람은 x절편 도시에, y인 사람은 y절편 도시에 살고있지요. 이렇게 설명을 해서 쉬워보이지만, 이곳에 처음오는 사람은 대체 뭐가 뭔지 알 수 없을만큼 헷갈린다고 해요. 그리고 이곳은 선택받은 사람만 올 수 있어요. 위에서 말 한 x와 y는 당연히 출입이 가능하지만, 이곳은 일차함수 나라이기 때문에 x^2은 출입이 불가능하답니다

어느 날, 일차함수 나라에 처음 온 A씨는 일차함수 나라로 이사를 가야했어요. 하지만 일차함수 나라에는 x절편 도시와 y절편 도시로 나뉘어져있죠 그래서 나라 입구에 x절편 도시로 가는 길 y절편 도시로 가는 길이 나뉘어져있어요. 하지만 일차함수 나라에 처음 온 A씨는 x절편 도시가 뭔지, y절편 도시가 뭔지 몰랐어요 심지어 본인이 x인지 y인지도 모르고있는 사람이었어요. 그나마 알수있는 단서는 표지판과 거울이었죠 표지판에는 이렇게 적혀 있었어요.

이걸 본 2y는 x절편 도시에는 y가 0이고(y가 없고) y절편 도시에는 x가 0이라는 것(x가 없음)을 눈치챘어요. 하지만 A씨는 본인이 x인지 y인지 몰랐어요 그 때, 갈림길 옆에 전신거울 하나가 반짝 빛났어요 그리고 가서 거울을 보았더니, 일차함수 나라에 들어오기 전까진 없었던 "2y"라는 글자가 옷에 새겨져 있었어요! 그리고는 자신이 y라는것을 알게됐죠. 모든 비밀을 알아-챈 A씨는 안심을 하고 y절편 도시로 가는 길로 향했습니다.
A씨는 무사히 이사를 하고 일차함수 나라에서 즐거운 시간들을 많이 보냈답니다 !! -끝.

학생 답안 3

<용어>
함수, 일차함수, 함숫값, 평행이동, 기울기, x절편, y절편

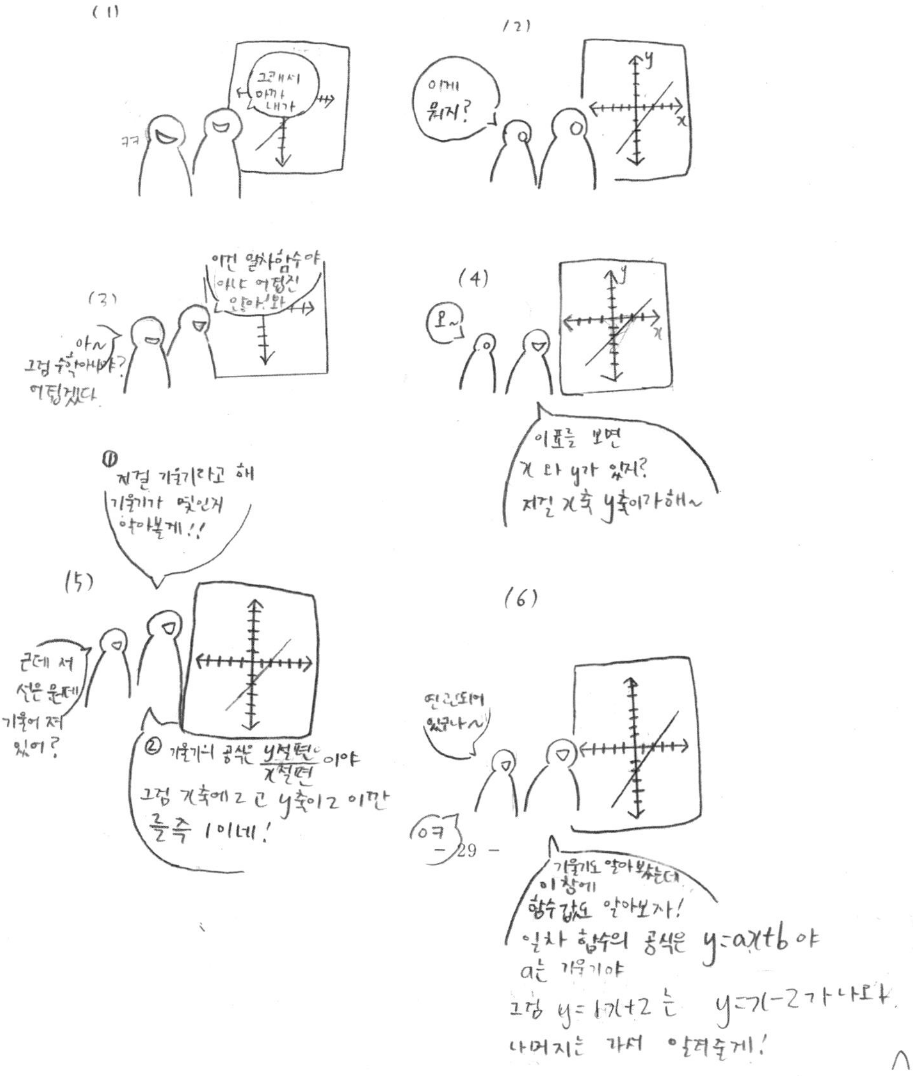

학생 답안 4

<용어>

함수, 일차함수, 함숫값, 평행이동, 기울기, x절편, y절편

우리의 용사 링크는 젤다 공주를 위협하고 있는 마왕 함수에 대항하기 위해 일차 함수의 검을 뽑기 위해 여정을 떠난다. 여정을 떠나고 마왕 함수의 부하인 함숫값의 몬스터를 쓰러뜨려 가며 일차함수의 검을 목표로 나아가고 있었다. 그러던 도중 4마리의 사천왕 몬스터 중 하나인 평행 이동의 괴물을 만났다. 괴물이 말했다 "용사여 날 쓰러뜨리기 위해서는 문제를 풀어야 한다. $y=3x+4$ 의 그래프에서 y축의 방향으로 -7 만큼 평행 이동한 식은?" 그러자 링크는 "그것도 문제냐? 우리 3살짜리 사촌동생도 풀겠네.. 답은 $y=3x-3$!" "아닛! 저.. 정답이다.. 꾸에에에에에 에에엑!" 다음 사천왕인 기울기의 괴물이 나타났다 "흥! $y=\frac{1}{4}x+7$에서 기울기는?" 그러자 링크는 "야 너도 쉽네. 답은 $\frac{1}{4}$!" "으아아악!" 그러자 마지막 사천왕인 쌍둥이 x절편의 괴물과 y 절편의 괴물이 나타났다, "우리의 문제는 $y=-4x+4$ 의 식에서 x절편과 y 절편을 구하는 것이다!" 하지만 우리의 링크는 "음... 이건 좀 어렵지만 꼼수 없이 x절편은 1이고 y절편은 4야!" "아닛! 우리의 문제도 풀다니! 원통하다아-아아아아아 .... 꾸액!" 그리고 링크는 일차함수의 검을 획득하였다. 그러자 검의 기운에서 일차함수의 정령이 나와 말했다, "용사 링크여 아직 마지막 관문이 남았도다 일차함수의 정의를 말하여라" 그러자 링크가 말했다 "일반 함수의 식에서 $y=ax+b$ 의 꼴로 나타낼 수 있는 것!" 그러자 정령이 "오오! 정답이다 이제 마왕 함수를 물리치는데 도움을 주겠!" 그리고 마왕 성 .... 마왕 함수가 말했다, "드디어 왔느냐 용사 링크여 나의 문제를 풀어라 $y=\frac{1}{4}x-4$ 의 식에서 기울기, x절편, y절편을 구하고 아래의 좌표 평면에 그래프를 그려라" 그러자 링크는 "이건 식은죽 먹기지 정답은 이거다!" "아니이이이 이럴! 이걸 풀다니이이이 꾸액" 그러자 젤다가 해방 되었고 젤다가 말했다 "링크... 고마워요 이리 가까이 와보세요.." 그러자 링크는 가까이 갔고 젤다는 링크의 심장을 빼먹었다.

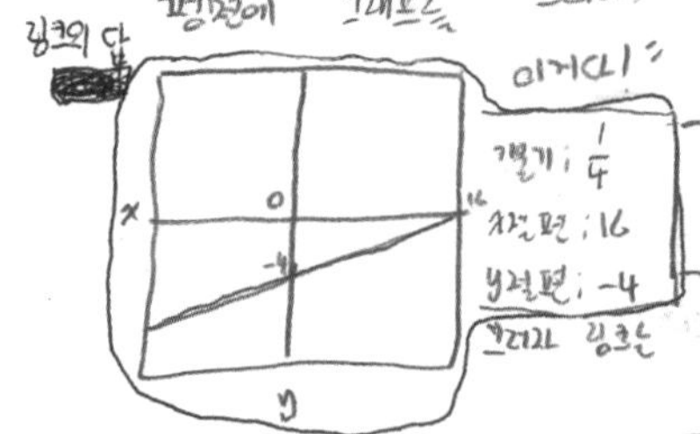

- 29 -

그리고 링크를 2대 마왕 함수로 앉히고 스스로를 봉인하였다 ....

학생 답안 5

제목: 보물 사냥꾼

개념과 원리 연결하기 예상 답안

교과서(상) 102~103쪽

1

나의 첫 생각

기울기라고 하는 것을 $\frac{(y\text{의 값의 증가량})}{(x\text{의 값의 증가량})}$으로 정하든 또는 이것을 뒤집어서 $\frac{(x\text{의 값의 증가량})}{(y\text{의 값의 증가량})}$으로 정하든 상관이 없다. 정하는 대로 사용하면 된다.

다른 친구들의 생각

기울기를 $\frac{(x\text{의 값의 증가량})}{(y\text{의 값의 증가량})}$으로 정하면 **탐구하기 1**에서 가파른 정도를 나타내는 비율이 역수가 된다. 그렇게 되면 가장 가파른 비율이 가장 작은 수가 되어 가파르다는 말을 거꾸로 해야 한다.

정리된 나의 생각

기울기를 $\frac{(x\text{의 값의 증가량})}{(y\text{의 값의 증가량})}$으로 정하면 가파른 정도와 그것을 나타내는 비율이 어울리지 않기 때문에 기울기는 $\frac{(y\text{의 값의 증가량})}{(x\text{의 값의 증가량})}$, 즉 계단의 너비를 기준으로 잡아야 타당하다.

2 (1)

일차함수의 뜻

함수 $y=f(x)$에서 $y=ax+b$ $(a, b$는 상수, $a\neq0)$와 같이 y가 x에 대한 일차식으로 나타날 때, 이 함수를 x에 대한 일차함수라고 한다.

일차함수의 성질

① 일차함수의 그래프는 직선이다. 이때 a를 기울기, b를 y절편이라고 한다.

② 일차함수는 x의 값의 변화량에 대한 y의 값의 변화량의 비율이 일정하다.

(2)

일차함수와 관련 개념 사이의 연결성

- $ax+b$(단, $a\neq0$)와 같이 다항식 중 최고차 항이 일차인 것을 일차식이라고 하는데, 일차함수는 $y=ax+b$의 꼴로 나타내어진다.
- 일차함수의 식 $y=ax+b$에서 일차항의 계수 a는 직선의 기울기와 같다.
- 일차함수의 식에 x의 값을 대입하여 나오는 y의 값을 순서쌍 (x, y)로 나타내면 (x, y)는 좌표가 된다.
- 변하는 두 양 사이의 관계를 좌표평면 위에 그림으로 나타낸 것을 그래프라고 하는데, 일차함수 $y=ax+b$에서 두 양 x, y 사이의 관계를 좌표평면에 나타낸 것은 직선 모양이 된다.
- 정비례 관계식은 일차함수의 식 $y=ax+b$에서 $b=0$일 때와 같다.

학생 답안 1

정리된 나의 생각

$y = 2x+2$

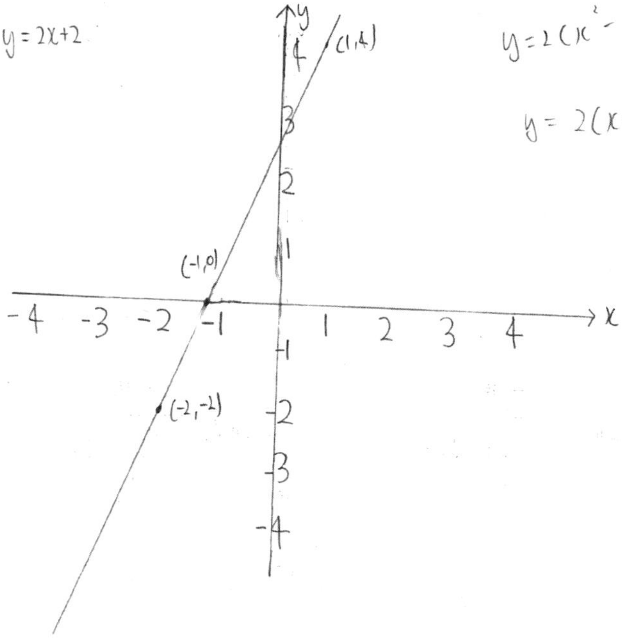

$y = 2(x^2 - \frac{1}{2}x + \frac{1}{16}) + 3 + \frac{1}{16}$

$y = 2(x - \frac{1}{4})^2 + \frac{49}{16}$

If

$\frac{y\text{의 값의 증가량}}{x\text{의 값의 증가량}} = \frac{4-(-2)}{1-(-2)} = \frac{6}{3} = 2 \;/\; \frac{4-0}{1-(-1)} = \frac{4}{2} = 2$

If

$\frac{x\text{의 값의 증가량}}{y\text{의 값의 증가량}} = \frac{1-(-2)}{4-(-2)} = \frac{3}{6} = \frac{1}{2}$

$/ \; \frac{1-(-1)}{4-0} = \frac{2}{4} = \frac{1}{2}$

이렇게 하면 반대가 나옴.

학생 답안 2

나의 첫 생각

$y=ax+b$, $y-b=ax$, $\therefore x=\frac{y-b}{a}$ 인데

$\frac{y-b}{a}$ 이 $\frac{(y\text{의 값의 증가량})}{(x\text{의 값의 증가량})}$ 과 같아서

다른 친구들의 생각

일종의 약속일 것이다

나의 생각과 같다

정리된 나의 생각

$x=\frac{y-b}{a}$, $\frac{y-b}{a}=\frac{(y\text{의 값의 증가량})}{(x\text{의 값의 증가량})}$ 과 같아서

기울기를 $\frac{(y\text{의 값의 증가량})}{(x\text{의 값의 증가량})}$ 으로 구하는 것 같다

학생 답안 1

2. 일차함수의 개념을 정리해 보자.

(1) 일차함수의 뜻과 성질, 법칙 등을 모두 정리해 보자.

$y = ax + b$. ($a \neq 0$, a와 b는 상수)

문자의 차수가 (최대) 1인 함수

→ 그래프가 직선

→ $y = ax + b$에서 a가 기울기, b는 y절편

→ 기울기 a는 $\frac{(y\text{값 증가량})}{(x\text{값 증가량})}$

(2) 이전에 배운 개념 중 일차함수와 연관된 개념은 다음과 같습니다. 이들 개념과 일차함수의 개념 사이에 연관성을 정리해 봅시다.

일차함수와 연결된 개념	일차함수와 관련 개념 사이의 연관성
• 규칙 찾기 • 정비례 • 함수와 함숫값 • 일차함수	(원점을 지나는 정비례인 함수) ↑ (상수가 0이라는 특정조건 추가) ↑ 일차함수 정 비 례 ↓ 함수와 함숫값 ↓ 규칙찾기

학생 답안 2

2. 일차함수의 개념을 정리해 보자.

(1) 일차함수의 뜻과 성질, 법칙 등을 모두 정리해 보자.

y가 x에 대한 일차식으로 나타낼 때

이 함수를 x에 대한 일차함수라고 한다.

- 함수의 그래프가 직선

- x가 일정하게 변할 때 y도 일정하게 변하는 것

(2) 이전에 배운 개념 중 일차함수와 연관된 개념은 다음과 같습니다. 이들 개념과 일차함수의 개념 사이에 연관성을 정리해 봅시다.

일차함수와 연결된 개념	일차함수와 관련 개념 사이의 연관성
• 규칙 찾기 • 정비례 • 함수와 함숫값 • 일차함수	x 값이 바뀌면, 그 값에 따라 y 값도 어떻게 바뀌는지 규칙 찾기. x 값이 일정하게 변하면 y 값도 일정하게 변하는 정비례 관계.

학생 답안 3

2. 일차함수의 개념을 정리해 보자.

(1) 일차함수의 뜻과 성질, 법칙 등을 모두 정리해 보자.

미지수의 차수가 일차수인 함수, x에 값에 따라 y의 값이 하나씩 정해진다

기울기가 일정하다 좌표평면에 직선으로 나타난다

↳ $\frac{(y의\ 값의\ 증가량)}{(x의\ 값의\ 증가량)}$이 일정하다

(2) 이전에 배운 개념 중 일차함수와 연관된 개념은 다음과 같습니다. 이들 개념과 일차함수의 개념 사이에 연관성을 정리해 봅시다.

일차함수와 연결된 개념	일차함수와 관련 개념 사이의 연관성
• 규칙 찾기 • 정비례 • 함수와 함숫값 • 일차함수	규칙 찾기: 함수는 규칙된 수의 연속으로 이루어졌다 정비례: 정비례 하면 기울기가 +가 된다 (일차함수) 함수와 함숫값: y=ax+b에서 y가 함숫값, 전체를 함수라고 부름

학생 답안 4

2. 일차함수의 개념을 정리해 보자. x에 값에 따라 그 값에 맞는 y의 값이 나오는것.

(1) 일차함수의 뜻과 성질, 법칙 등을 모두 정리해 보자. x와 y의 값은 하나씩이다.

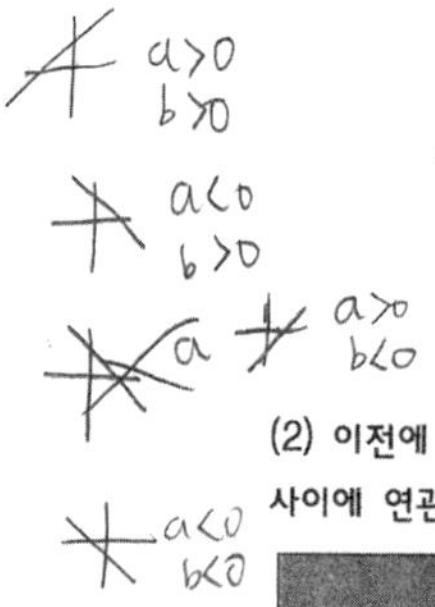

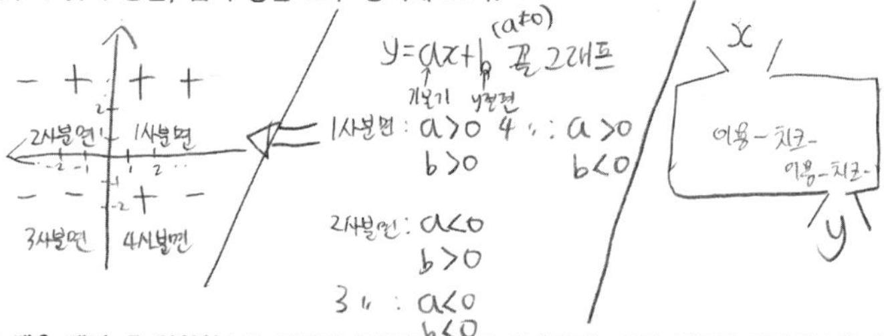

(2) 이전에 배운 개념 중 일차함수와 연관된 개념은 다음과 같습니다. 이들 개념과 일차함수의 개념 사이에 연관성을 정리해 봅시다.

일차함수와 연결된 개념	일차함수와 관련 개념 사이의 연관성
• 규칙 찾기 • 정비례 • 함수와 함숫값 • 일차함수	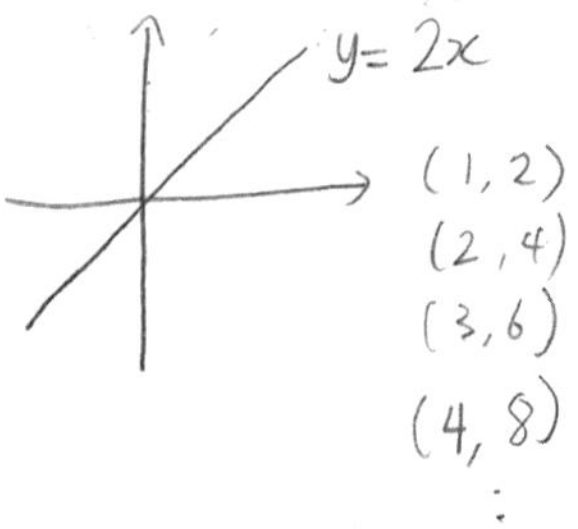 y=2x (1, 2) (2, 4) (3, 6) (4, 8) ⋮ 정비례한다

수학 학습원리 완성하기 예상 답안

학생 답안 1

내가 선택한 문제

계단의 너비와 높이를 이용하여 계단의 가파른정도를 나타내고자 합니다

나의 깨달음

계단의 높이를 가파른 정도로 나타내는 것은 안되고

각도가 클수록 가파르다는 3학년 과정이니 제외

너비×높이도 안된다, 너비-높이도 안 된다

너비÷높이는 된다 $\frac{1}{10} > 10$, $\frac{1}{7} > 8$

높이÷너비도 된다 $10 > \frac{1}{10}$, $7 > \frac{1}{8}$ 근데 너비÷높이는

작은것이 더 크고 높이÷너비는 큰 것이 더 크니까 비교하기 쉬운

높이÷너비가 더 쉬운 방법이라는 것을 알았다

수학 학습원리

수학적 추론을 통해 자신의 생각 설명하기

학생 답안 2

내가 선택한 문제

서울 여행 2일차 탐구하기 5

우리학교 축제 준비, 탐구하기 - 4 -

나의 깨달음

만약 $y=3x+2$ 의 그래프와 $y=3x-2$ 의 그래프가 있다.

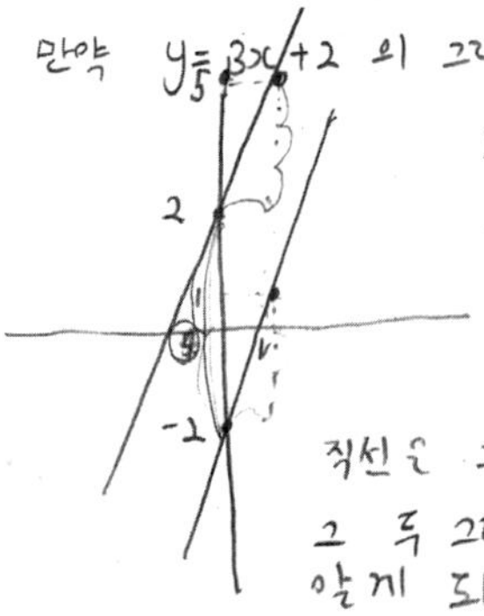

두 그래프는 평행하다. 기울기가 같으므로.

하지만, 이 그래프의 y 절편이 같으면 일치한다.

왜냐하면 $y=3x+2$ 은 $y=3x-2$ 를 y축 방향으로 + 4만큼 이동한 것 이기 때문이다. 우선 평행 이동한 직선을 그릴 때는 기울기가 같아야 하는 것을 알았고, 그리고 그 두 그래프의 차이를 y축의 칸수(?) y축을 보고 하는 것도 알게 되었다.

㉠ $4x+2y=12$ ㉡ $y=-2x+6$

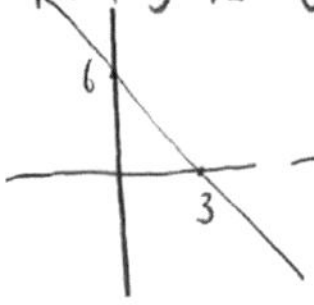

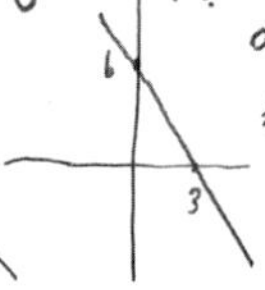

일차방정식의 그래프와 함수의 식의 그래프가 일치한다는 것을 알 수 있다. 그래서 일차방정식과 함수의 식으로도 변형할 수 있다는 것은 자연스럽게 알게 되었다. 그리고 $ax+by+c=0$ 이꼴인데 $y=-\frac{a}{b}x-\frac{c}{b}$ 로 나타낼 수 있어 일차 함수는 직선이기 때문에 일차 방정식의 직선인 것도 알게되었다.

수학 학습원리

수학적 의사소통 능력 기르기, 관찰하는 습관을 통해 규칙성 파악하기

여러 가지 수학 개념 연결하기

STAGE 4

동시에 만족하는 값을 구해 보자
– 연립방정식

이 단원의 핵심 지도 방향

일차함수와 그 그래프를 STAGE 3에서 다루었으므로 여기서는 미지수가 2개인 일차방정식을 기존보다 자연스럽게 도입할 수 있습니다. 미지수가 2개인 일차방정식 단원에서 해가 자연수인 경우만 제한적으로 다루었던 것에서 방정식을 만족하는 해를 찾아 그래프로 나타내 보고, 그 규칙성을 찾아 이 방정식의 해를 모두 표현했을 때 직선이 됨을 추론할 수 있습니다. 일차함수의 개념을 이용하면 미지수가 2개인 일차방정식과 그 해를 좀더 이해하기 쉽다는 것을 확인할 수 있었습니다.

학생들은 2학년에서 방정식과 함수를 배우는 과정에서 둘 다 x, y가 나오는데 어떤 것은 방정식이라 하고, 어떤 것은 함수라고 하는지 혼란스러워하는데 두 변수의 관계로서 함수를 다루고, 이들의 그래프가 직선이라는 것을 매개로 방정식과 연결짓는 구조는 학생들의 혼란을 줄일 수 있습니다. 이런 전개 방향은 연립방정식에서도 해가 자연수가 되는 경우만을 보여주면서 공통해를 구하는 억지스러움이 아니라 일차함수의 교점으로서 연립방정식의 해를 도입할 수 있게 되어 논리적입니다.

연립방정식에서는 각 방정식의 해를 찾는 것이 아니라 방정식을 연립함으로써 공통의 해가 있음을 가정하고 가감법과 대입법을 사용하는 것임을 이해하도록 합니다. 즉, 방정식의 해를 각각 구하여 공통의 해를 찾는 방식이 비효율적이라는 것을 경험하도록 하고, 연립방정식을 통해 공통의 해를 쉽게 찾을 수 있다는 것을 발견하게 합니다. STAGE 3과 STAGE 4는 기존 교과서와 단원의 구조가 다름을 감안하고 지도할 필요가 있습니다.

1 모르는 수가 두 개 (미지수가 2개인 일차방정식)

단원 지도 계획

/1/ 몇 개를 사야할까

- 1차시 — 개념과 원리 탐구하기 1: 미지수가 2개인 일차방정식과 그 해의 뜻
- 2차시 — 개념과 원리 탐구하기 2: 미지수가 2개인 일차방정식의 해의 뜻과 그래프

/2/ 다르면서 같은 것을 찾아라

- 3차시 — 개념과 원리 탐구하기 3: 일차방정식과 일차함수의 관계 (1)
- 4차시 — 개념과 원리 탐구하기 4: 축에 평행한 직선의 방정식
- 5차시 — 게임하며 탐구하기 5: 일차함수와 일차방정식

6차시 — 탐구 되돌아보기

• 교과서 각 소단원마다 제시된 **탐구 되돌아보기**는 **개념과 원리 탐구하기**와 연계하여 수업 시간 내 또는 수업 시간 이후 복습으로 활용할 수 있습니다.

/1/ 몇 개를 사야할까 (미지수가 2개인 일차방정식)

학습목표

1 미지수가 2개인 일차방정식의 뜻을 알고, 실생활 맥락에서 미지수가 2개인 일차방정식의 해의 의미를 연결할 수 있다.

2 미지수가 2개인 일차방정식의 해를 그래프로 나타내는 활동을 통해 그 의미를 발견할 수 있다.

2015 개정 교육과정 성취기준

일차함수와 미지수가 2개인 일차방정식의 관계를 이해한다.

교수 · 학습 방법 및 유의 사항

1 방정식과 부등식은 다양한 상황을 통해 도입하여 그 필요성을 인식하게 하고, 여러 가지 방법으로 풀어 보면서 더 나은 풀이 방법을 찾고 설명해 보게 한다.

2 방정식과 부등식을 활용하여 실생활 문제를 해결하고 그 유용성과 편리함을 인식하게 한다.

3 방정식과 부등식의 해가 문제 상황에 적합한지 확인하게 한다.

4 '식의 값', '좌변', '우변', '양변', '이차식', '전개식', '연립일차방정식', '소거', '가감법', '대입법' 용어는 교수 · 학습 상황에서 사용할 수 있다.

평가 방법 및 유의 사항

방정식과 부등식에 대한 지나치게 복잡한 활용 문제는 다루지 않는다.

핵심발문

미지수가 2개인 일차방정식과 그 해의 관계는 무엇인가?

개념과 원리 탐구하기 1 _ 미지수가 2개인 일차방정식과 그 해의 뜻

교과서(상) 109쪽

탐구 활동 의도

- [1]은 1학년에서 배운 일차방정식의 뜻을 확장하여 미지수가 '2개'인 일차방정식을 이해하게 하는 활동이다.
- 실제적인 상황의 결과와 일차방정식의 해의 의미를 연결할 수 있는 문제다.
- 방정식의 해란 주어진 방정식이 참이 되도록 하는 값임을 알게 하는 것이 목표이다. (1)에서 상황에 맞는 결과를 구한 값이 방정식의 해임을 이해하는 것이 목적이다.

예상 답안

1 (1) 3과 2에 적당한 수를 곱해서 합이 20이 되는 수를 찾는다.

$2\times$(10봉지)$=20$(개)

$3\times$(2봉지)$+2\times$(7봉지)$=20$(개)

$3\times$(4봉지)$+2\times$(4봉지)$=20$(개)

$3\times$(6봉지)$+2\times$(1봉지)$=20$(개)

- (3개씩 초콜릿, 2개씩 초콜릿)
  =(0봉지, 10봉지), (2봉지, 7봉지), (4봉지, 4봉지), (6봉지, 1봉지)

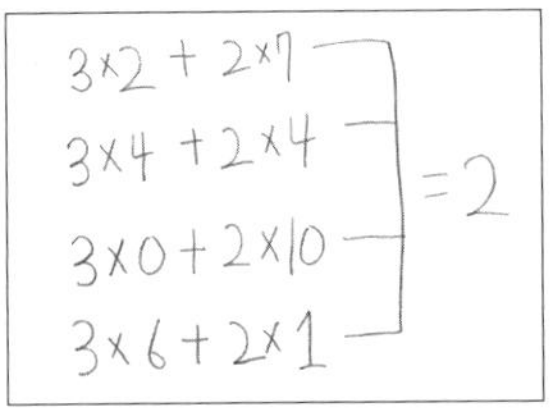

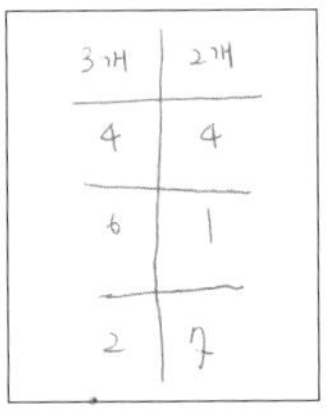

(2) • 식: $3x+2y=20$

- 이 식은 일차방정식인가? (예)

— 그렇게 생각한 이유: $3x$와 $2y$가 각각 일차식이기 때문에 (일차식)$=0$의 꼴로 나타냈다고 할 수 있으므로 $3x+2y=20$은 일차식이다.

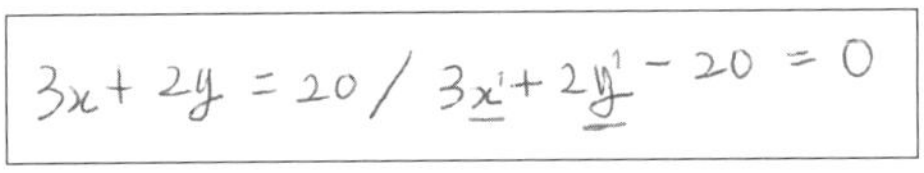

(3) (1)에서 구한 결과를 각각 (2)의 방정식의 x와 y에 대입하면 등식을 만족한다.

식 $3x+2y=20$에 순서쌍 (0, 10), (2, 7), (4, 4), (6, 1)을 각각 x와 y에 대입하면 만족한다.

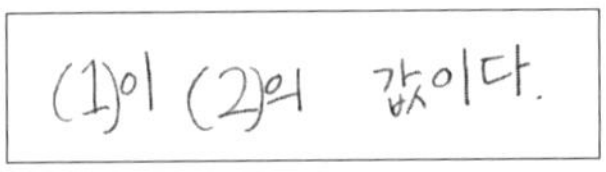

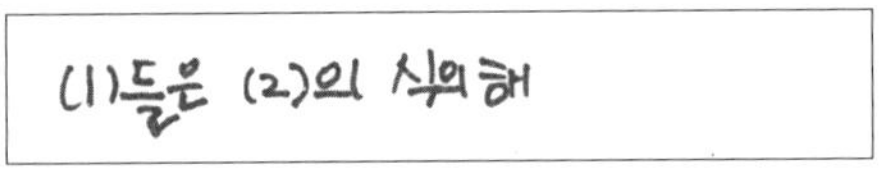

수업 노하우

- 미지수가 2개인 일차방정식은 처음 배우는 학생들의 입장에서는 혼란스러울 수 있다. 미지수가 1개인 일차방정식과 비교하여 x와 y의 값을 같이 구해야 한다는 것을 발견할 수 있도록 한다. 또한 해를 쌍으로 표현하는 이유도 생각해 볼 수 있다. 다음과 같이 표현했을 때 이를 효율적으로 나타내는 방법으로서 순서쌍을 도입할 수 있다.

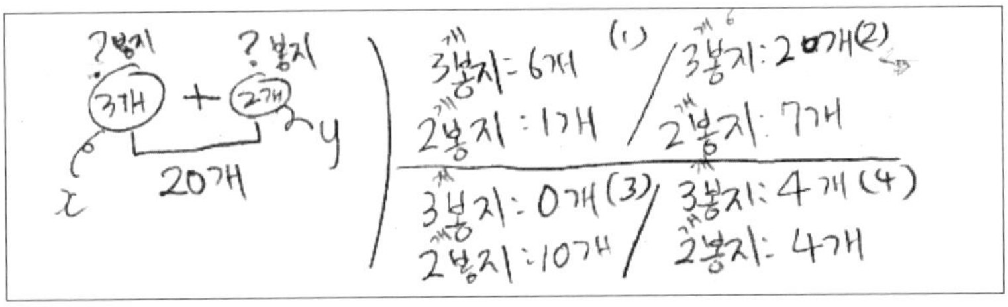

- 일차방정식인지 묻는 문항에서 $3x$와 $2y$가 각각 일차식이고 두 번 더했기 때문에 $3x+2y=20$은 이차식이라고 답하는 학생들도 있었다. 이 경우 x, y의 각 차수를 질문하고 이차인 항이 있는지 발문해 볼 수 있다.

• 상황에 따라 다음과 같은 발문을 통해 미지수가 2개인 방정식의 특징이 무엇인지 생각해 보도록 할 수도 있다. 해의 개수, 해의 표현에서 달라지는 점들을 직관적으로 느끼게 해 볼 수 있다.

다음 <보기>의 두 방정식의 공통점과 차이점을 찾아보자.

<보기>
㉠ $3x+1=9$ ㉡ $3x+y=9$

• 해를 빠짐없이 구하려면 x, y 중 어느 한 값을 0부터 순서대로 구해야 한다.
$(x, y)=(0, 10), (2, 7), (4, 4), (6, 1)$

수업 연구

차수

• 중 1에서 $ax+b=0(a\neq0)$꼴의 방정식을 일차방정식이라 했다. 여기서는 주목하는 문자가 x 하나였다.
• 중 2에서 $ax+by+c=0(a\neq0$ 또는 $b\neq0)$꼴의 방정식이 나오는데 두 문자 x, y가 모두 일차이므로 이것을 x, y에 관한 일차방정식이라 한다.
이와 같이 주목하는 문자의 개수는 차수에 영향을 주지 않는다. 방정식 또는 다항식의 차수는 주목하는 문자가 곱해진 개수다.

개념과 원리 탐구하기 2 _ 미지수가 2개인 일차방정식의 해의 뜻과 그 그래프

교과서(상) 110쪽

탐구 활동 의도

• 미지수가 2개인 일차방정식의 해의 뜻을 이해하고, 미지수가 2개인 일차방정식의 해를 좌표평면 위에 그래프로 나타낼 때, 그래프가 직선이 된다는 것을 학생들이 추론을 통해 발견하는 활동이다.
• 1 번의 의도는 다음과 같다.
(1) 해의 순서쌍을 직관적으로 5개 이상 구하는 것으로, 정수 또는 자연수로 해의 범위를 제한할 경우 학생들이 이를 이해하기는 쉽지 않다. 따라서 처음에는 자기가 아는 대로 해를 구해 보도록 한다. 꼭 정수나 자연수일 필요는 없다.
(2) 해를 좌표평면에 표시하고 그 특징을 파악함으로서 해의 그래프에 규칙이 있음을 발견하게 한다. 또한 해란 방정식을 만족하게 하는 값이고, 그것을 좌표평면 위에 나타낸 것이 그래프이다. 따라서 이 둘을 별개로 보지 않고 방정식과 그래프의 개념을 연결시킬 수 있도록 한다.
(3) 해를 나타낸 그래프의 규칙성이 파악되면 (1)에서 학생들이 찾은 해가 전부가 아님을 발견할 수 있다.
(4) 해의 범위가 수 전체의 집합으로 확장될 경우 (2)와 (3)을 종합하여 직선이 됨을 발견할 수 있도록 한다.

예상 답안

1 (1) 자연수의 해만 쓴 경우: $(1, 10)$, $(2, 8)$, $(3, 6)$, $(4, 4)$, $(5, 2)$
정수 해를 쓴 경우: $(-3, 18)$, $(-2, 16)$, $(-1, 14)$, $(0, 12)$, $(1, 10)$, ...

(1,10), (2,8), (3,6), (4,4), (5,2)

(10,12), (-1,14), (8,-4), (7,-2), (9,-6)

유리수 해를 쓴 경우: $\left(-\frac{1}{2}, 13\right), (0, 12), \left(\frac{1}{2}, 11\right), (1, 10), (2, 8), \ldots$

(2) • 점이 일정한 규칙으로 찍힌다.
• 한 점을 기준으로 한 칸 오른쪽, 두 칸 아래쪽으로 계속해서 점이 찍힌다.

학생 답안

모든 점이 x가 증가하면
y는 그 증가량 x 2만큼 감소한다.

규칙적임

기울기가 2

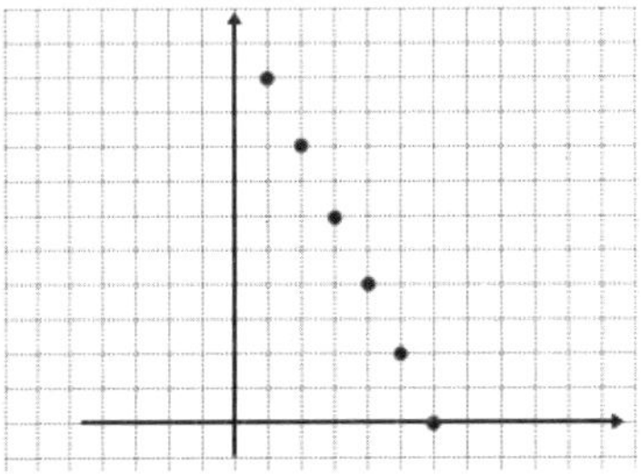

(3)

나의 생각	모둠의 의견
전부가 아니다. 분수인 해도 있을 것 같다. 분수도 존재한다.	위의 그림은 자연수 또는 정수의 해만 찍어서 나타낸 것이고, 분수나 소수, 음수 등 다른 여러 가지 해가 더 있을 것이다. 그 점들을 다 찍어보면 직선으로 연결 될 것 같다. x에 분수와 음수를 대입할 수 있다.

학생 답안

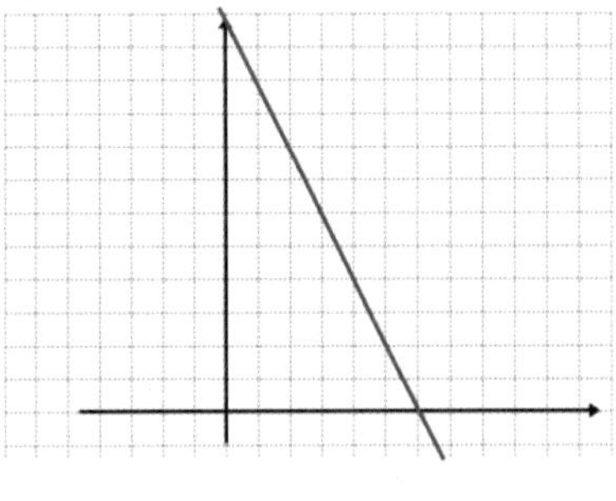

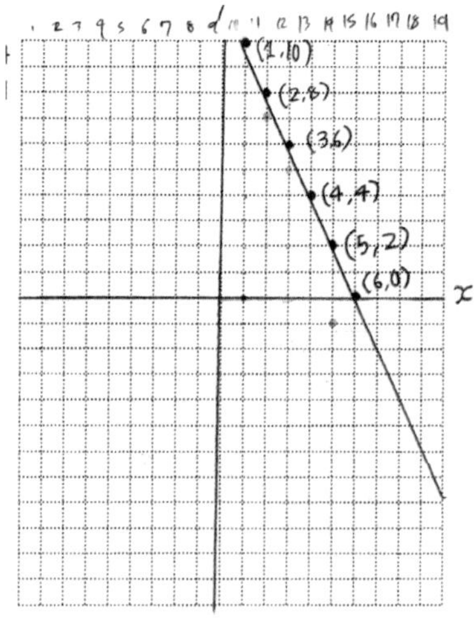

수업 노하우

• 학생들이 해를 순서쌍으로 나타내는 것이 낯설 수 있음을 유의한다.

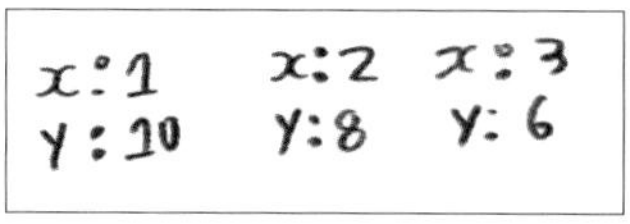

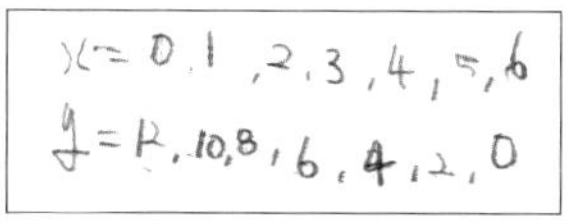

• 5개 정도의 점을 찍어 선형임을 추측해 내지 못할 경우 추가로 서너 개의 점을 더 찍도록 요구할 수 있다.

• 음수나 소수, 유리수 등을 이용하여 해를 구한 학생을 사전에 점검하여 전체 공유시 발표하도록 배려한다.

• 제1사분면에서만 그리는 경우에는 x나 y가 음수인 해가 존재할 수 있는지 질문하여 모둠 활동을 유도한다.

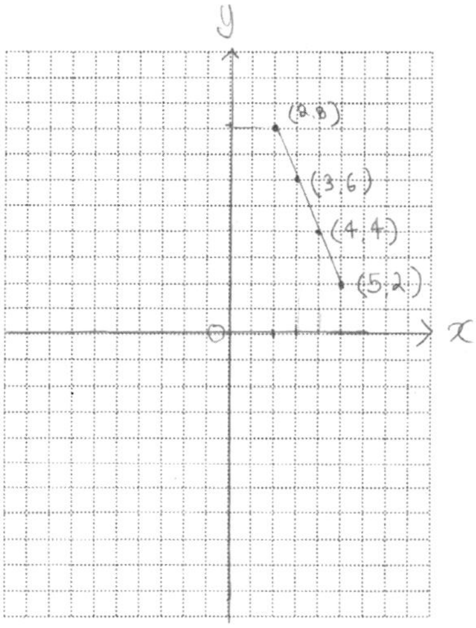

• 순서쌍 (6, 0)은 (1)의 식에서 찾은 해였는데, 그래프에 나타낼 때 다음과 같았다면 맞는 해일지 아닐지 논의해 보도록 하며 해의 규칙성을 이해하게 할 수 있다.

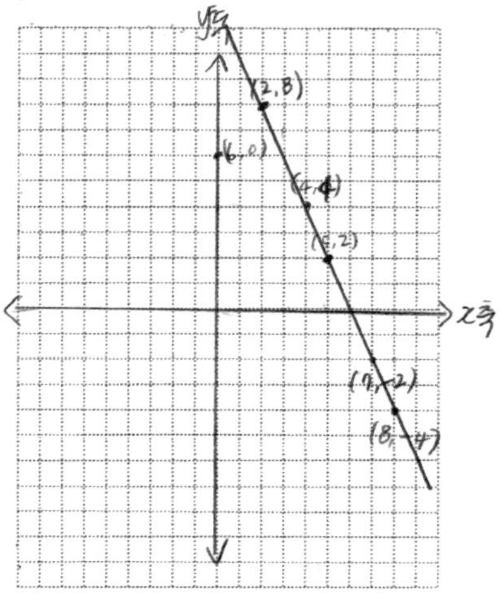

• 여기서 미지수가 2개인 일차방정식이 나타내는 그래프가 직선이 됨을 이해해야 **탐구활동 3**이 원활하게 진행된다.

/ 2 / 다르면서 같은 것을 찾아라 (일차방정식과 일차함수와의 관계)

학습목표

1 일차함수와 미지수가 2개인 일차방정식의 관계를 그래프를 이용해 발견할 수 있도록 한다. 이를 이용하여 미지수가 2개인 일차방정식의 그래프를 보다 효율적으로 그리는 방법을 논리적으로 찾아낼 수 있다.

2 일차함수의 그래프에서 기울기가 0임에 착안하여 $y=q$ 꼴의 그래프를 이해한다.

3 $y=q$ 꼴의 그래프를 이용하여 $x=p$꼴의 그래프를 이해한다.

2015 개정 교육과정 성취기준

일차함수와 미지수가 2개인 일차방정식의 관계를 이해한다.

핵심발문

미지수가 2개인 일차방정식의 그래프의 모양은 어떠한가? 이 그래프는 일차함수의 그래프와 어떠한 관련이 있을까?

개념과 원리 탐구하기 3 _ 일차방정식과 일차함수의 관계 1 – 직선에 초점 두기

교과서(상) 112쪽

탐구 활동 의도

- 1(1)은 **탐구하기 2**의 복습이기도 하다. **탐구하기 2**에서 일차방정식의 해의 그래프가 직선이 됨을 배웠다. 1(2)는 일차방정식과 일차함수의 관계를 직접적으로 묻기 때문에 그 전에 1에서 일차방정식의 그래프를 보며 일차함수와 같은 점이 있음을 발견할 수 있도록 열어 둔 활동이다. 다양한 답이 나올 수도 있겠지만 그래프의 모양에서 일차함수의 그래프가 연상되도록 하는 의도가 있다.
- 1(2)는 그래프의 모양이 직선이라는 것을 통해 미지수가 2개인 일차방정식은 곧 일차함수와 같음을 발견할 수 있게 한다. 여기서 일차방정식과 일차함수가 어떻게 같은지 식으로도 설명할 수 있도록 한다. 의도적으로 계수를 다르게 주어 다른 식으로 보이도록 하지만 결국은 학생들이 두 식이 같은 식임을 유도할 수 있도록 하는 활동이다.
- 2는 일차방정식의 해의 그래프가 직선이 되고, 일차함수의 그래프가 직선이 된다는 것을 통해 직선의 방정식이라는 용어를 스스로 이해할 수 있도록 한다. $ax+by+c=0$이라는 표현보다 그래프의 형태가 직선이라는 것을 적용하여 방정식과 연결하여 설명할 수 있도록 한다.
- 이때 식의 꼴은 함수의 꼴이나 방정식의 꼴이나 상관없으며 강조하지 않아도 된다. (일차식)$=0$, '$y=\sim$' 둘 다 상관없으며 학생들이 개념적으로 방정식과 함수의 관계를 탐구할 수 있도록 하는 것에 초점을 둔다.

예상 답안

1 (1) $(x, y)=(0, 6), (1, 4), (2, 2), (3, 0)$은 이 방정식의 해가 된다. 이 좌표를 그래프를 점으로 찍고 이어서 그래프로 그리면 아래와 같다.

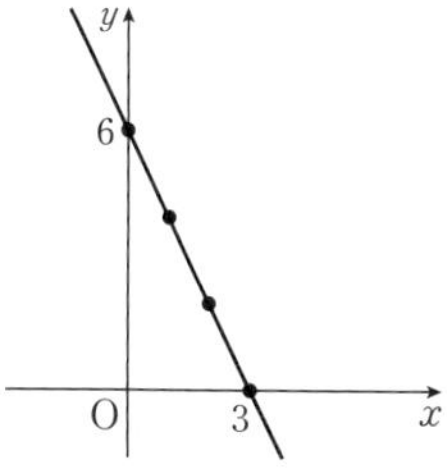

(0,6) (2,2)
(1,4) (3,0)

학생 답안

㉠ $4x+2y=12$

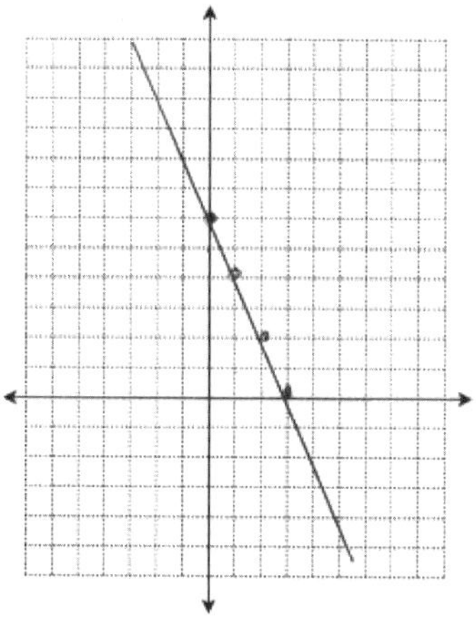

㉡ $y=-2x+6$

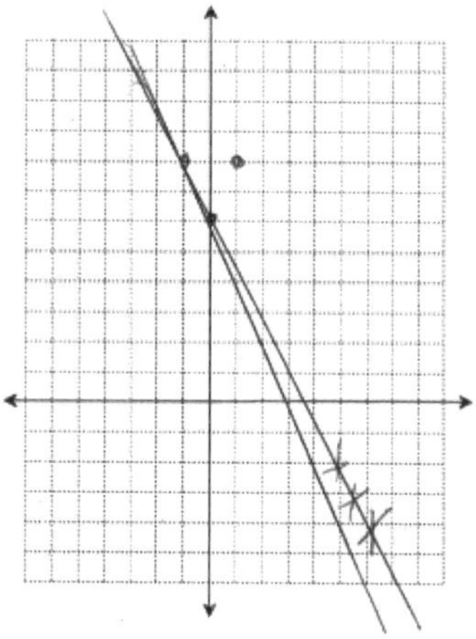

찾은 해에서 절편까지 찾았다.

(2) 기울기는 -2, y절편은 6이고 이를 그래프로 그리면 오른쪽 그림과 같다.

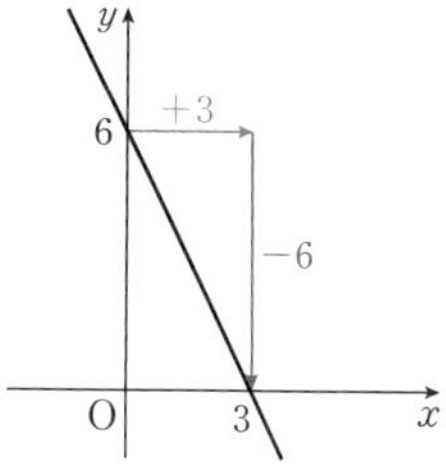

기울기 : −2
y = +6

학생 답안

㉠ $4x+2y=12$

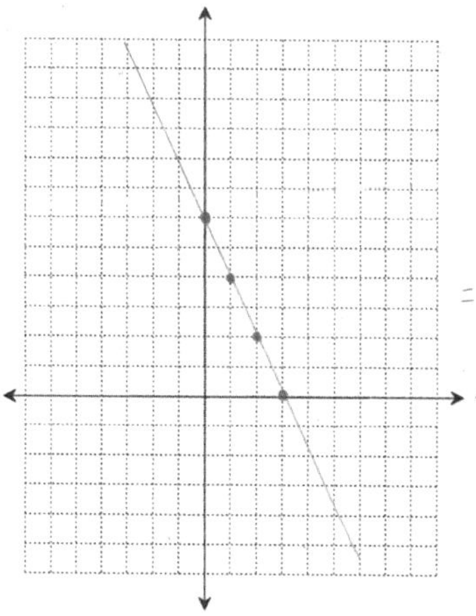

㉡ $y=-2x+6$

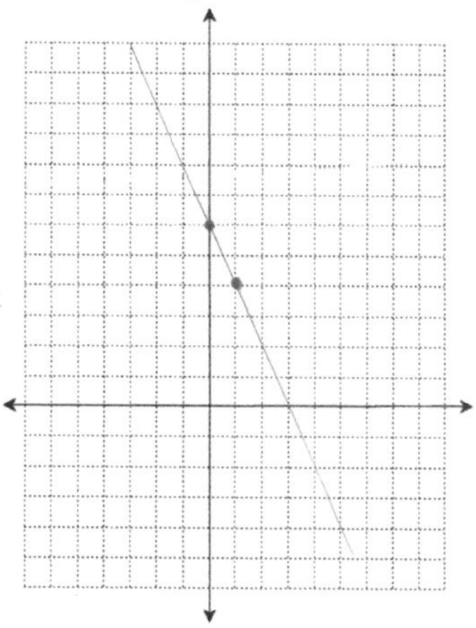

학 생
답 안

㉠ $4x+2y=12$

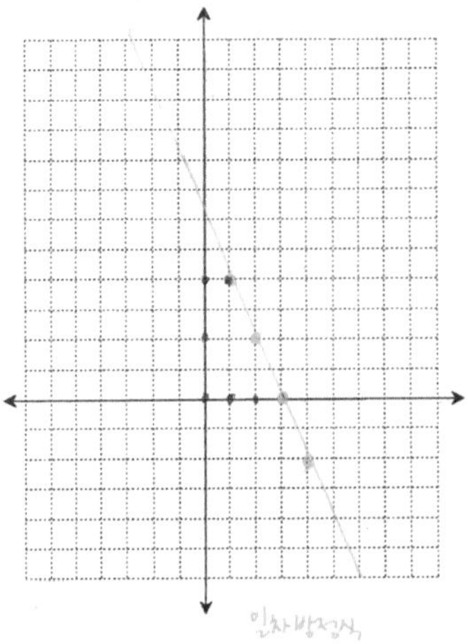

㉡ $y=-2x+6$

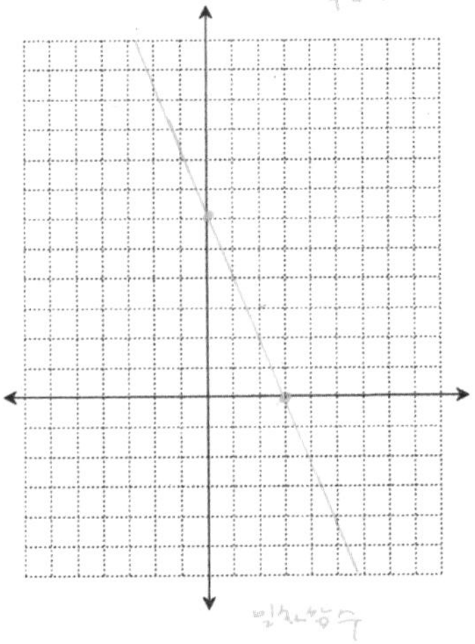

(3) ㉠과 ㉡의 그래프는 같다. 일차방정식 $4x+2y=12$와 일차함수 $y=-2x+6$의 그래프는 일치한다. 일차방정식 $4x+2y=12$를 y에 대한 식으로 정리하면 $2y=-4x+12$, 즉 $y=-2x+6$이 되기 때문이다.

㉠의 식 $4x+2y=12$ 에 ÷2를 하면 $2x+y=6$ 이고 이항하면 $y=-2x+6$ 이므로 ㉡의 식과 같다.

직선의 방정식을 일차함수식으로 고치면 $y=-4x+5$ 이므로 같다.

2 일차방정식 $ax+by+c=0$을 y에 대한 식으로 정리하면 $y=-\frac{a}{b}x-\frac{c}{b}$가 된다. 즉, 일차방정식은 일차함수의 꼴로 변형이 되고 일차함수의 그래프는 직선이기 때문에 일차방정식 $ax+by+c=0$을 직선의 방정식이라고 부르는 것 같다.

$y=\square$ 꼴로 나타내려면 y앞에 있는 b를 없애야해서 모든 수를 b로 나눈다 그래서 $\frac{ax}{b}+\frac{by}{b}+\frac{c}{b}=0$ $y=-\frac{ax}{b}-\frac{c}{b}$
(1)

ax와 c를 이항해서 (y의 계수로 나누면) 일차 함수가 되고 함수식을 그래프로 그리면 직선이 돼서.

3 (1) 두 식은 같다.

- 그렇게 생각한 이유: $12x+3y=15$를 y에 대한 식으로 정리하면 $3y=-12x+15$이고 양변을 3으로 나누면 $y=-4x+5$가 된다.

(2) 일차방정식 $ax+by+c=0$을 y에 대한 식으로 나타내면 $y=-\frac{a}{b}x-\frac{c}{b}$가 된다. 이 식은 $y=mx+n$꼴이므로 일차함수 $y=-\frac{a}{b}x-\frac{c}{b}$의 그래프와 일차방정식 $ax+by+c=0$의 그래프는 서로 같다.

수업 노하우

- 1 (1)에서 ㉠의 해를 자연수 또는 정수 범위에서 점으로만 표현한 경우 해를 모두 찾았는가? 내가 구한 해가 전부일까? 등의 발문을 제공하여 자신이 찾은 해에 대해 다시 고민해 볼 수 있도록 한다.
- 1 (2)에서는 꼭 기울기와 y절편을 이용하지 않고 임의의 두 점을 찍어서 직선으로 연결하는 방법이나 x절편과 y절편을 찍어 직선으로 연결하는 방법도 허용한다.
- 1 (3)은 결과적으로 그래프가 같다고만 언급할 수 있지만 직선의 방정식 ㉠과 일차함수의 식 ㉡을 연결하는 과정을 통해서 2의 일반화된 설명으로 연결할 수 있다.

> 해가 같다.
> 그래프가 같다.

- 2에서 '$a\neq0$ 또는 $b\neq0$'이라는 단서가 학생들에게 어려울 수 있다. 논리적으로 접속사 '또는'을 제대로 가르친 상태가 아니지만 예시를 통해서 지도하도록 한다.

개념과 원리 탐구하기 4 _ 축에 평행한 직선의 방정식

교과서(상) 114쪽

탐구 활동 의도

- **탐구하기 3**에서 미지수가 2개인 일차방정식의 그래프가 직선이라는 것을 학생들이 스스로 발견할 수 있도록 하였다면 여기에서는 특수한 형태의 선형 그래프를 이해하는 것이 목적이다.
- 점의 특징을 이용하여 $x=p$, $y=q$ 꼴의 직선의 방정식을 발견하기는 쉽지 않다. 학생들은 일차함수에서 기울기가 0이고 y절편이 k인 경우를 이용하여 $y=k$ 꼴의 방정식을 만들 수 있다. 그리고 이 방정식의 형태를 점의 특징과 연결하여 이해한 다음 $x=p$ 꼴을 추론할 수 있게 한다.
- 이것이 방정식인가, 함수인가를 논하기보다는 주어진 그래프에서 규칙성을 찾아 식으로 표현할 수 있도록 한다.

예상 답안

1 (1) y절편이 3이고 기울기가 '0'이기 때문에 함수 $y=ax+b$에 $a=0$, $b=3$을 대입하면 $y=3$이다. 그리고 이 그래프는 x축과 평행하다.

학생 답안

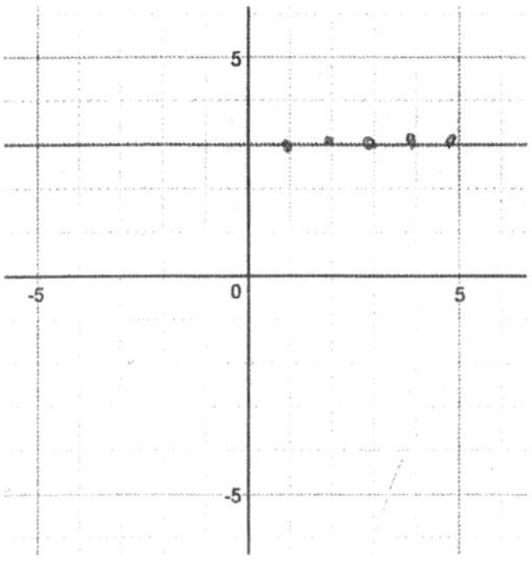

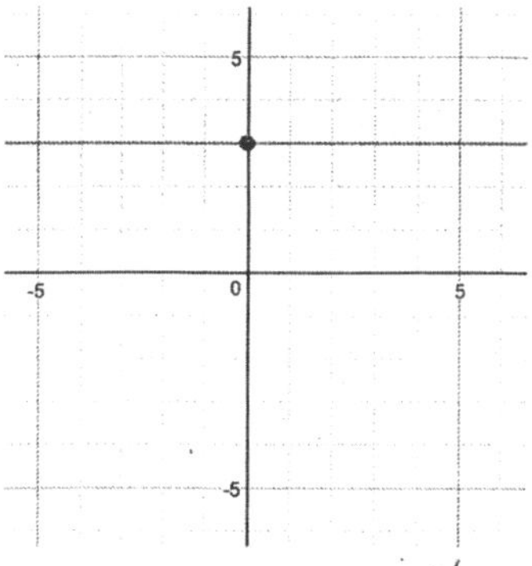

(2) 순서쌍: $(-4, 3)$, $(-2, 3)$, $(0, 3)$, $(1, 3)$, $(5, 3)$

나의 생각	모둠의 의견
• y의 값이 모두 3이다. 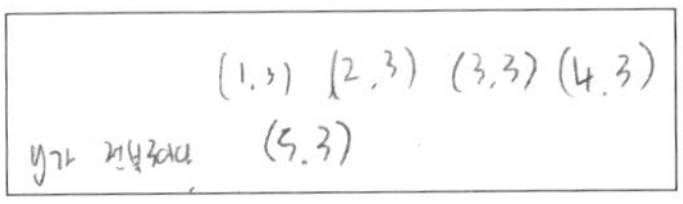	• 친구들의 답과 비교했을 때 y좌표가 모두 3이라는 공통점이 있다. • y좌표가 일정하다. • x좌표는 아무것이나 다 써도 된다. (x좌표는 음수, 양수, 분수, 소수 등 모든 수가 가능하다.) • 기울기가 0인 직선이라고 생각한다. y절편은 3이고, 기울기는 0이다. • $y=ax+3$에서 $a=0$인 것이라고 생각할 수 있다. 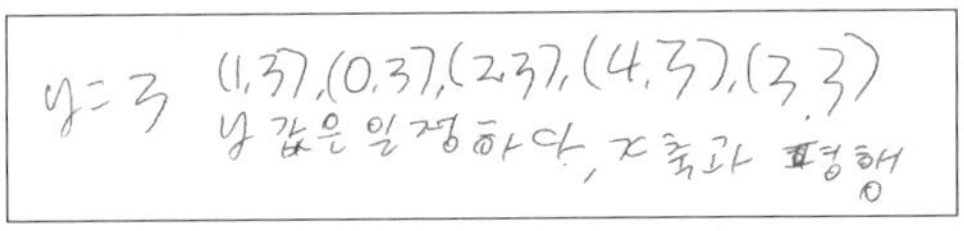

(3) 식 $y=3$은 기울기가 0이고 y절편이 3인 직선이라고 볼 수 있다.
모양은 x축과 평행한 직선이고 이 직선 위에 있는 점들의 y좌표는 모두 3이다. 즉, 모든 점의 y좌표가 같은 값을 가지면 $y=$(y좌표의 값)이라는 식으로 표현할 수 있다.

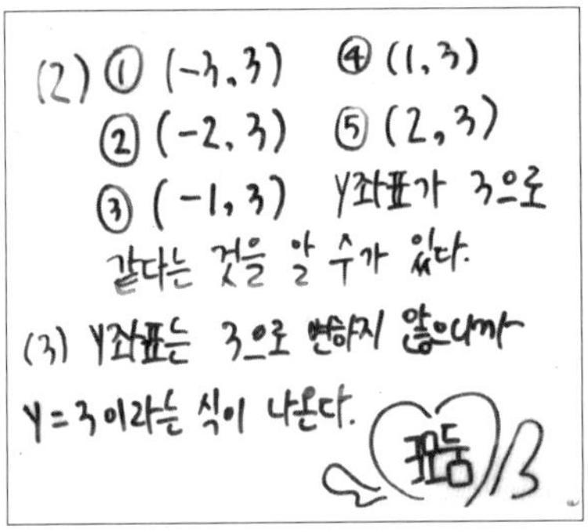

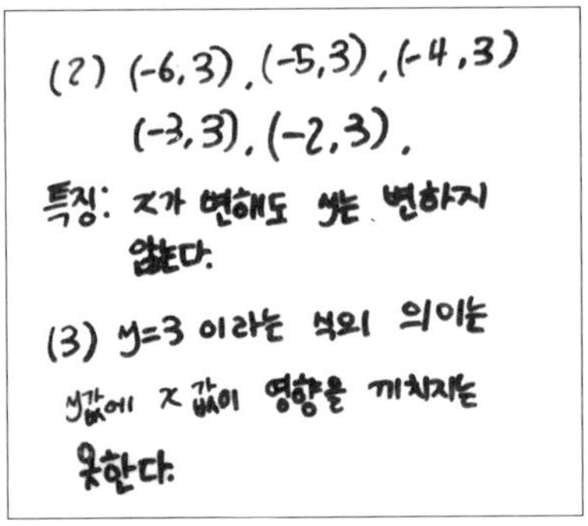

2 (1) 순서쌍 : (3, −1), (3, 0), (3, 2), (3, 3), (3, 5)

나의 생각	모둠의 의견
• x의 값이 모두 3이다. 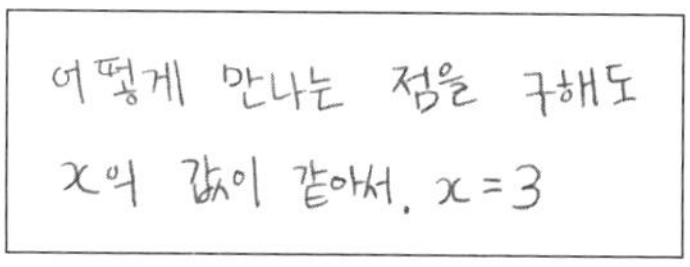 	• 친구들의 답과 비교했을 때 x좌표가 모두 3이라는 공통점이 있다. • x좌표가 일정하다. • y좌표는 아무것이나 다 써도 된다. (y좌표는 음수, 양수, 분수, 소수 등 모든 수가 가능하다.) • 기울기가 0인 직선은 아닌데, $x=3$은 이것도 함수일지 아닐지 궁금하다. • 함수의 뜻에 의하면 x는 3인데 y의 값이 무수히 많으니까 함수가 아니라고 생각한다.

(2) 1에서 직선 위의 모든 점의 y좌표가 3이었을 때 $y=3$이라는 식을 구한 것처럼 오른쪽 직선 위의 점은 x좌표가 모두 3이기 때문에 $x=3$ 이라는 직선의 방정식으로 표현할 수 있다. 그리고 이 직선은 y축과 평행하다.

3 • x축 : x축 위의 모든 점들은 y좌표가 0이다. 따라서 x축의 방정식은 $y=0$이다.

• y축 : y축 위의 모든 점들은 x좌표가 0이다. 따라서 y축의 방정식은 $x=0$이다.

수업 노하우

• 학생들이 생각보다 어려워할 수 있다. 그래프 위의 점을 모둠별로 다양하게 찾아 공유할 수 있도록 하고, 그 점들에서 규칙성을 찾도록 한다.

• 2에서 다음과 같이 답하는 경우가 있었다.

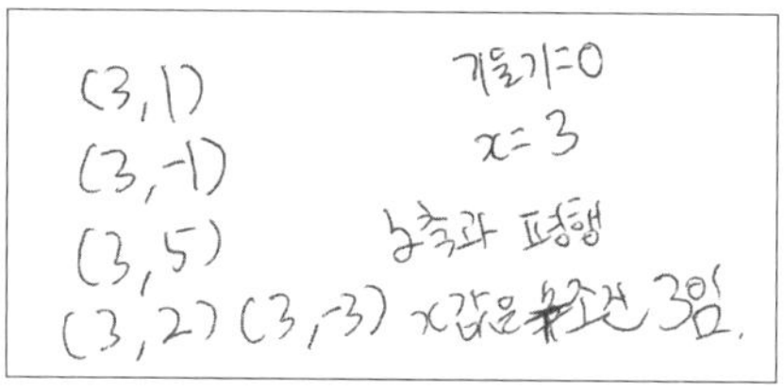

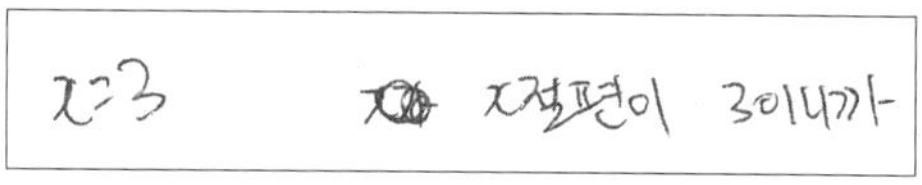

이 경우에 $x=3$은 기울기를 구할 수 없는데, 기울기가 0, x절편이 3이라는 표현을 하기도 한다. 이 경우에 함수의 정의를 이용하여 함수가 아님을 논의할 수 있다.

• x 좌표가 π인 점도 있다는 학생들도 있다. x좌표가 모든 수라는 것을 자연스럽게 다룰 수 있다.

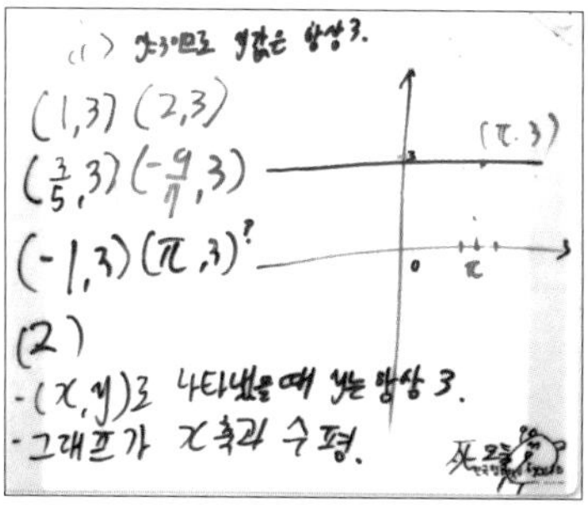

• 축과 평행하다는 것을 탐구하는 과제는 **탐구 되돌아보기**에서 다룬다.

게임하며 탐구하기 5 _ 일차함수와 일차방정식

탐구 활동 의도

- 미지수가 2개인 일차방정식과 일차함수의 관계를 간단한 게임을 통해 정리하는 활동이다.
- 의도적으로 (1)의 답은 2개로 구성하였다.

예상 답안

1 주어진 일차방정식을 $y=ax+b$의 꼴로 식을 변형하거나 함수식을 구해서 서로 같은 것끼리 연결한다.

(1) $x+y=3$, 즉 $y=-x+3$이므로 기울기가 -1, y절편이 3인 직선이다.
x절편은 3이므로 ㉢과 같은 직선이다.
㉣의 두 점 $(-2, 5)$, $(1, 2)$를 대입하면 식이 성립한다.

(2) $x+2y=5$를 y에 대하여 정리하면 ㉠ $y=-\frac{1}{2}x+\frac{5}{2}$이다.

(3) $3x-y=7$, 즉 $y=3x-7$이므로 기울기가 3이고 y절편이 -7인 직선이다.
$x=2$, $y=-1$을 $3x-y=7$에 대입하면 성립하므로 점 $(2, -1)$을 지나는 직선이다.

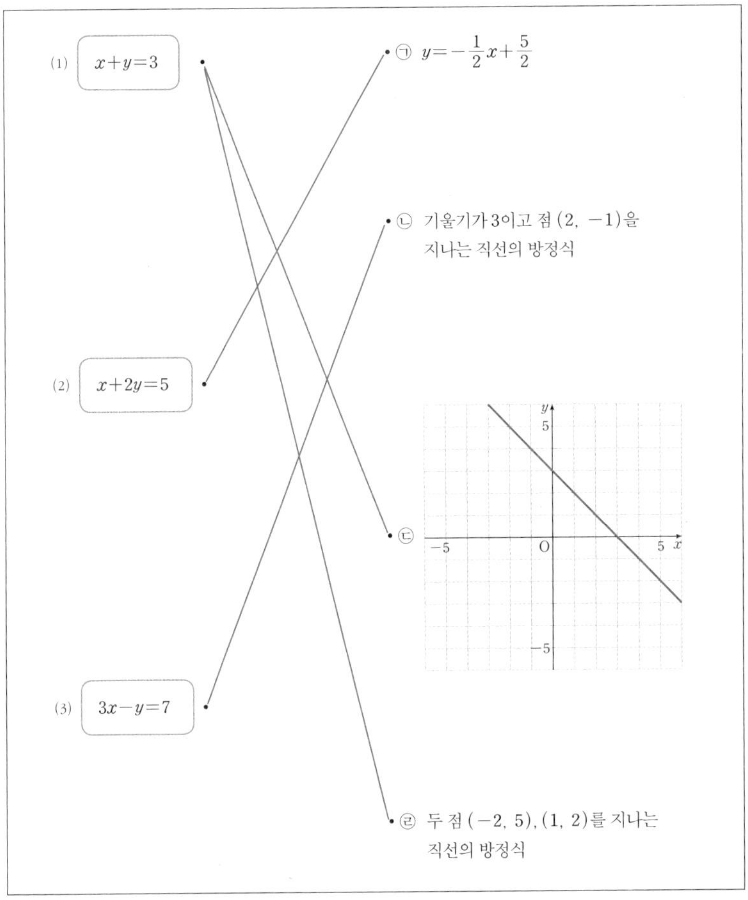

수업 노하우

- 일차함수와 일차방정식을 패턴을 통해 이해하도록 했을 때, 학생들이 두 점 $(-2, 5)$와 $(1, 2)$를 지나는 직선의 방정식을 구하는 방식이 다양함을 확인할 수 있었다.
  - 두 점을 표로 나타내어 기울기를 $\dfrac{-3}{+3}=-1$로 나타냈다.

+3

x	-2	-1	0	1
y	5	4	3	2

−3

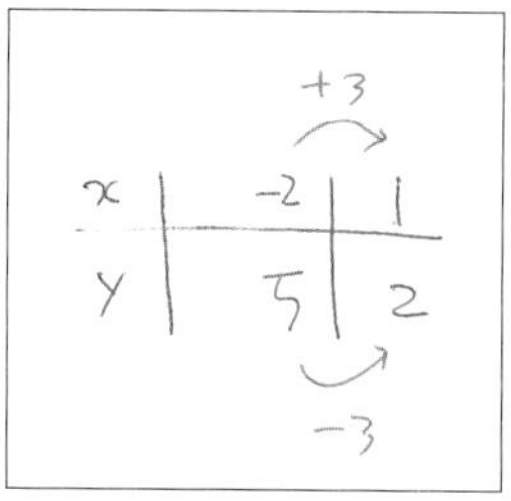

  - 기울기가 -1임을 이용하여 $y=-x+b$ 꼴에 점 $(1, 2)$를 대입하여 b를 구하기도 했고, 표에서 패턴을 이용하여 $x=0$일 때 y의 값을 구하기도 하였다. 계산을 못하는 학생들도 규칙성을 이용하여 y절편을 찾을 수 있음을 볼 수 있었다.

탐구 되돌아보기 예상 답안

교과서(상) 117~120쪽

1 개념과 원리 탐구하기 1

(1) 아이스크림 바의 개수를 x라 하고 아이스크림 콘의 개수를 y라 하면 관계식은
$800x+1000y=8000$

(2) 관계식이 $800x+1000y=8000$이므로 해를 순서쌍으로 표현하면 $(10, 0)$, $(5, 4)$, $(0, 8)$이다.
$(10, 0)$일 때는 아이스크림 바를 10개, 아이스크림 콘은 사지 않았다는 것을 의미한다.
$(5, 4)$일 때는 아이스크림 바를 5개, 아이스크림콘은 4개를 샀다는 것 의미한다.
$(0, 8)$일 때는 아이스크림 바를 사지 않고 아이스크림 콘만 8개 샀다는 것을 의미한다.

2 개념과 원리 탐구하기 2

(1) 점 $(3, 2)$가 일차방정식 $2x+3y=12$의 그래프 위에 있나요? (있다.)
- 그렇게 생각한 이유: x에 3, y에 2를 대입하면 좌변과 우변이 같음을 알 수 있다. 점 $(3, 2)$가 일차방정식의 그래프 위에 있으므로 일차방정식의 해가 됨을 의미한다.

(2) 점 $(2, 3)$은 위의 일차방정식의 그래프 상에 있나요? (없다.)
- 그렇게 생각한 이유: x에 2, y에 3을 대입하면 좌변은 13, 우변은 12이므로 좌변과 우변이 다르다. 따라서 점 $(2, 3)$은 위의 일차방정식의 그래프 위에 있지 않다. 이는 점 $(2, 3)$이 위의 일차방정식의 해가 아님을 의미한다.

3 개념과 원리 탐구하기 2

$x+3y=15$를 만족하는 해를 구하면 다음과 같다.

x	$\cdots$	12	9	6	3	0	-3	$\cdots$
y	$\cdots$	1	2	3	4	5	6	$\cdots$

x의 값을 실수 전체로 할 때 주어진 일차방정식의 그래프는 다음과 같다.
이는 x와 y의 범위가 자연수만이 아닌 수 전체로 확장될 수 있음을 의미한다.

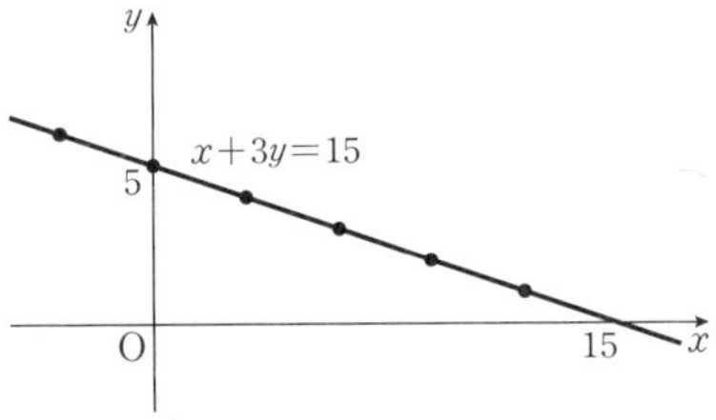

4 개념과 원리 탐구하기 4

(1) $\cdots$, $(-2, 3)$, $(-1, 3)$, $(0, 3)$, $(1, 3)$, $(2, 3)$, $(3, 3)$, $\cdots$
위의 점들을 그래프 위에 나타내면 다음과 같고, 점들을 연결한 직선의 방정식은 $y=3$이므로 x축과 평행한 직선임 알 수 있다.

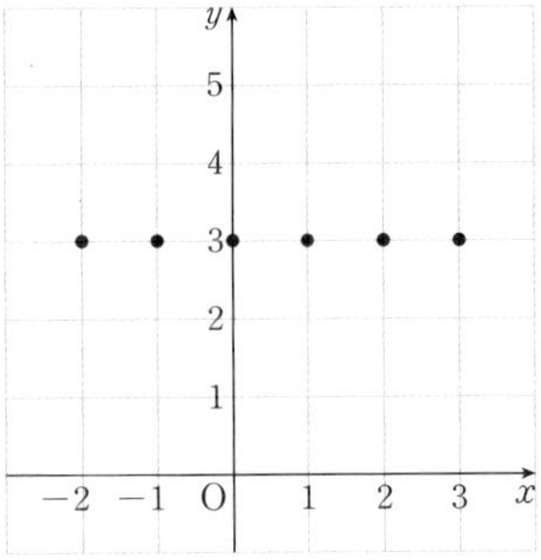

(2) $\cdots$, $(5, -3)$, $(5, -2)$, $(5, -1)$, $(5, 0)$, $(5, 1)$, $(5, 2)$, $(5, 3)$, $\cdots$
위의 점들을 그래프 위에 나타내면 다음과 같고, 점들을 연결한 직선의 방정식은 $x=5$이므로 y축과 평행함을 알 수 있다.

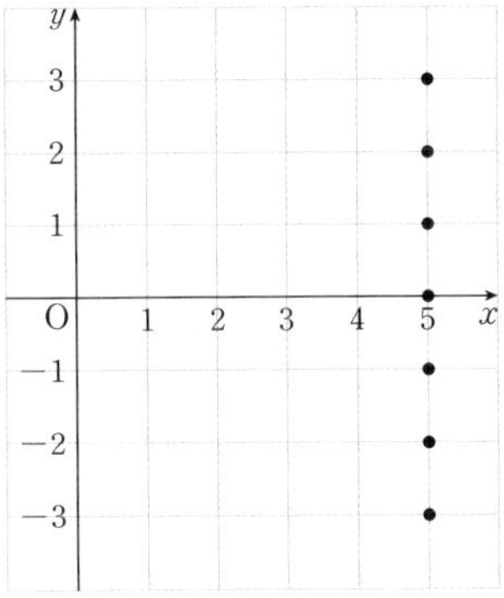

5 개념과 원리 탐구하기 4

(1) 직선 $y=4$ 위의 점은

$\cdots$, $(-2, 4)$, $(-1, 4)$, $(0, 4)$ $(1, 4)$, $(2, 4)$, $(3, 4)$, $\cdots$

등이 있다. 그리고 x의 값은 변하는데 y의 값은 4로 고정되어 있다.

(2) y의 값은 수 전체로 확장될 수 있으므로 점 $\left(7, \frac{1}{3}\right)$, $\left(7, \frac{1}{10}\right)$, $\left(7, \frac{1}{100}\right)$, $\cdots$과 같이 y를 만족하는 수들은 무수히 많다.

6 내가 만드는 수학 이야기

학생 답안 1

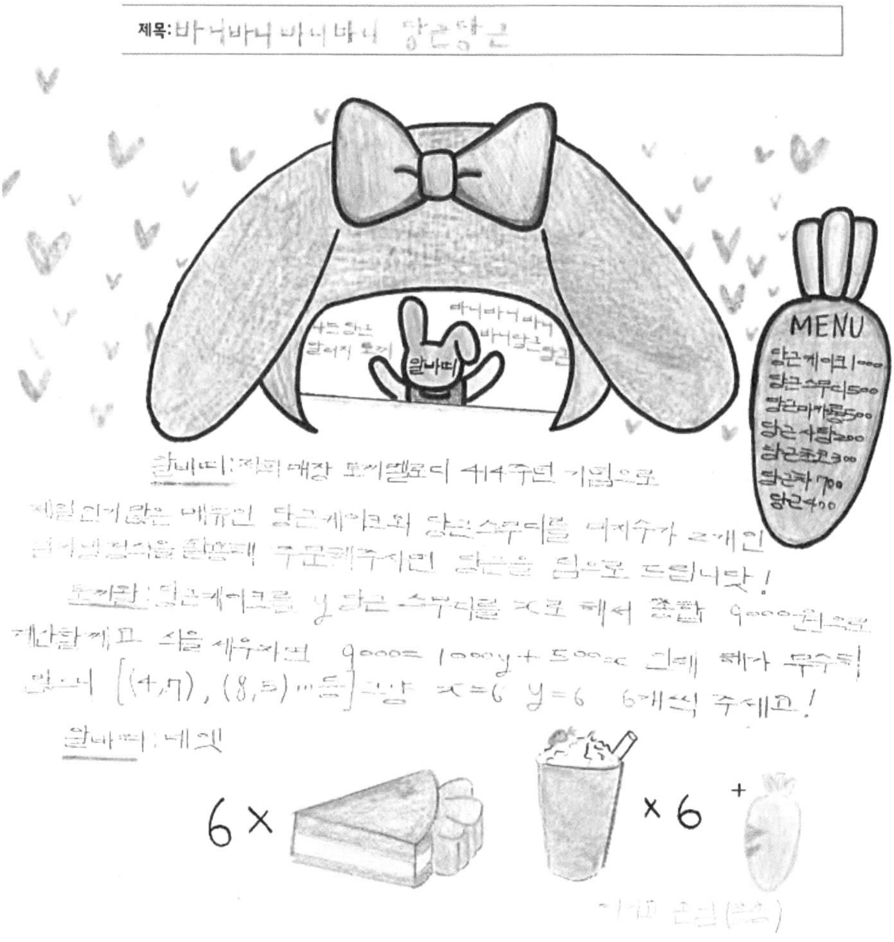

학생 답안 2

제목: 우리집 비밀번호

난 어제 우리집 비밀번호를 풀었다.

우리집 비밀번호는 매일 바뀌기 때문에

날마다 문제를 풀어내어야만

집에 들어갈수있다. 언제나 쉬운문제들밖에 없어서

곧 시시했다. 그러나 오늘은 좀 달랐다.

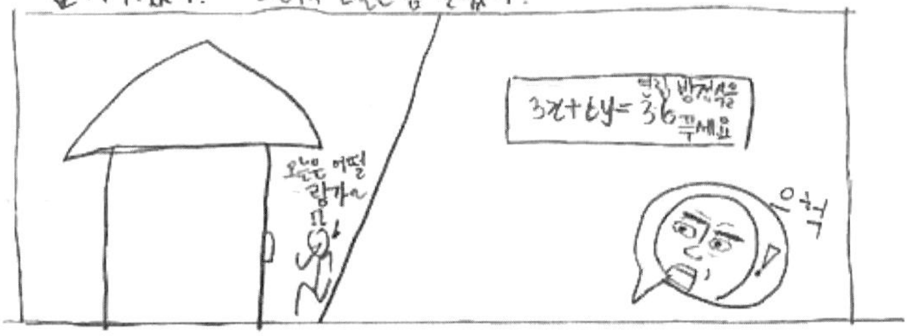

먼저 이 연립방정식을 볼때 나는 '이렇게 어려운 문제가!'

하고 탄식했다. 그러나 그 밑에는...

집에 들어가는게 이리 힘들단걸 처음 알았

다..

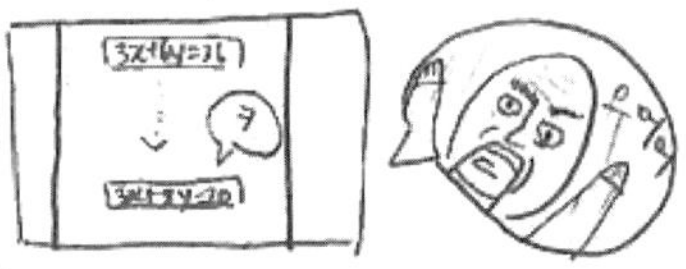

먼저 식을 세워야 했다.

$$
\begin{array}{r}
3x+6y=36 \\
-)\ 3x+8y=20 \\
\hline
-2y=16.
\end{array}
$$

(사실 수업시간에 끄금들은건 있었다)

$y=-8$

$(48-36=12,\ 3\times4=12)\ x=4$ x는 어떻게 구할까 생각했는데 y값을 식에 대입하여 구했다.

이렇게 난 오늘도 미지수가 2개인 일차방정식 2개가 연립된 식을

풀어내었고 집에 들어가 계산 숙제였던 일차함수의 활용 단원을

미루어 놓았다.

학생 답안 3

제목: 사촌동생에게 심부름을-!! ?!

사촌동생이 우리집으로 왔다. 배가 너무너무 고파서 15,000을 주고 편의점에 가서 저녁먹거리 심부름을 시켰다.

잠시 뒤- 사촌동생에게서 온지가 왔다. (띠로롱-!!)

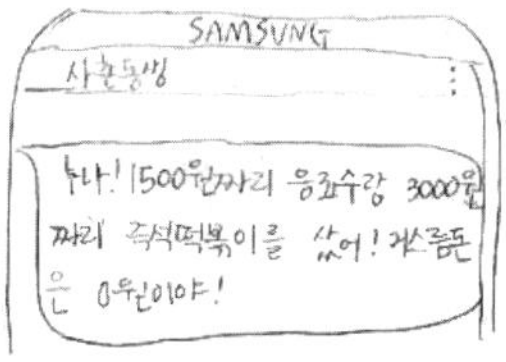

" 사촌동생은 음료수와 즉석떡볶이를 각각 몇개 산걸까? "

음료수 개수를 x, 즉석떡볶이 개수를 y 라는 미지수로 세우자!

= $1500x + 3000y = 15000$. 이식은 미지수가 2개인 일차방정식이야.

일차함수로 바꿔보면 → $y = -\frac{1}{2}x + 5$. 순서쌍을 세워보자!

→ (2, 4), (4, 3), (0, 5), (10, 0) 이 순서쌍들을 그래프에 그려보면, 순서쌍은 엄청엄청 많을테고 해도 엄청 많겠지? 그럼 직선의 방정식이라고 하겠네..

본론으로 들어가서! $1500x + 3000y = 15000$

$x + 2y = 10$

학생 답안 4

제목: 봄날에는 미지수 2개인 필링

필링이와 봄날이는 놀이동산에 갔어요.

키가 150cm ~ 160cm인 친구는 3,000을 내야 티켓을 살 수있고, 161cm ~ 170cm인 친구는 6,000을 내야 티켓을 살 수 있어요.

오늘 놀이동산의 수익이 15만원일때, 오늘 몇명이 들어온걸까?

필링: 봄날아 키가 150~160cm인 친구를 x, 키가 161cm ~ 170cm인 친구를 y로 두었을때 이 걸 넣은식을 뭐라고 할 수 있을까?

봄날: 미지수가 2개인 일차방정식이라고 할 수 있어.

필링: 식은 $3000x + 6000y = 150000$ 라고 할 수 있어.
그리고 y만 남긴 식인 $3000y = 150000 - 6000x$로 바꿀수 있어.
이 식은 일차 함수라고도 할수있지.

봄날: 그럼 미지수가 2개인 일차 방정식은 일차 함수라고도 할수 있겠네!

필링: 이걸 풀면 $y = 50 - 2 = 48$명이야.
이번엔 x를 풀면 $3000 \times 48 = 144000$,

$6000x = 150000 - 144000$

$= 6000$

$\therefore x = 1$이다.

봄날: 그러면 오늘 놀이기구는 총 49명이 탔고, 키가 161 ~ 170cm인 친구는 48명이왔고, 150~160cm인 친구는 1명이 탔어.

2 축제 준비 (연립방정식)

단원 지도 계획

/ 1 / 판매행사 계획하기

1차시 — **개념과 원리 탐구하기 1**
연립방정식과 일차함수의 관계

2차시 — **개념과 원리 탐구하기 2**
연립방정식과 그 해의 뜻

/ 2 / 몇 개나 팔았을까

3차시 — **개념과 원리 탐구하기 3**
가감법을 이용한 연립방정식의 풀이

4차시 — **개념과 원리 탐구하기 4**
대립법을 이용한 연립방정식의 풀이

5차시 — **개념과 원리 탐구하기 5**
해가 무수히 많은 경우와 해가 없는 경우

6차시 — **게임하며 탐구하기 6**
연립방정식의 풀이 복습

7차시 — 탐구 되돌아보기

8차시 — 개념과 원리 연결하기

9차시 — 수학 학습원리 완성하기

• 교과서 각 소단원마다 제시된 탐구 되돌아보기는 개념과 원리 탐구하기와 연계하여 수업 시간 내 또는 수업 시간 이후 복습으로 활용할 수 있습니다.

/1/ 판매행사 계획하기 (연립방정식의 풀이)

학습목표

1 미지수가 2개인 일차방정식과 일차함수와의 관계를 이용하여 두 방정식을 동시에 만족하는 해가 두 일차함수 그래프의 교점임을 발견한다.

2 두 방정식을 연립하여 해를 구하는 알고리즘의 필요성을 경험하고 이를 연립방정식의 해의 뜻과 연결지어 설명할 수 있다.

2015 개정 교육과정 성취기준

1 미지수가 2개인 연립일차방정식을 풀 수 있고, 이를 활용하여 문제를 해결할 수 있다.

2 일차함수와 미지수가 2개인 일차방정식의 관계를 이해한다.

교수 · 학습 방법 및 유의 사항

1 방정식, 부등식을 활용하여 실생활 문제를 해결하고, 그 유용성과 편리함을 인식하게 한다.(문제해결, 창의 · 융합, 태도 및 실천)

2 방정식, 부등식의 해가 문제 상황에 적합한지 확인하게 한다.

3 '이차식', '전개식', '연립일차방정식', '소거', '가감법', '대입법' 용어는 교수 · 학습 상황에서 사용할 수 있다.

평가 방법 및 유의 사항

방정식, 부등식에 대한 지나치게 복잡한 활용 문제는 다루지 않는다.

핵심발문

두 일차방정식을 동시에 만족하는 해는 어떻게 구할 수 있나요?

개념과 원리 탐구하기 1 _ 연립방정식과 일차함수의 관계

교과서(상) 122쪽

탐구 활동 의도

- **STAGE 4**의 1 모르는 수가 두 개에서 학습한 일차방정식과 일차함수의 관계를 이용하여 두 방정식을 동시에 만족하는 해가 두 일차함수의 교점임을 발견하는 것이 목적이다. 그래서 두 방정식을 괄호로 묶어서 제시하지 않았다.

- 연립방정식을 푸는 알고리즘을 배우기 전에 연립방정식의 해의 의미는 두 방정식을 공통으로 만족하는 해임을 기하학적 관점에서 먼저 탐구하게 하는 활동이다.
- 자연수 몇 개만 대입하여 공통인 해를 구하는 방식은 연립방정식의 해가 자연수만 있을 것이라는 오개념이 생길 수 있다. 여기서는 각 방정식의 해를 특정한 몇 개만 구하는 것이 아니라 그래프를 이용하여 실제로 다 나타내 볼 수 있도록 하였다.

예상 답안

1 학생들의 답은 다양할 수 있다.

아래와 같은 방법으로 그리지 않고 일차함수의 식으로 바꾸어 함수의 그래프 그리기를 이용하여 그릴 수 있다. 함수의 그래프를 그리기 위해 x절편과 y절편을 구한다.

㉠ $x+y=\frac{1}{2}$의 x절편을 구하기 위해 $y=0$을 대입하면 $x=\frac{1}{2}$이다.

또 y절편을 구하기 위해 $x=0$을 대입하면 $y=\frac{1}{2}$이다.

따라서 ㉠은 x절편이 $\frac{1}{2}$, y절편이 $\frac{1}{2}$인 직선이다.

㉡ $-x+2y=4$의 x절편을 구하기 위해 $y=0$을 대입하면 $x=-4$이다.

또 y절편을 구하기 위해 $x=0$을 대입하면 $y=2$이다.

따라서 ㉡은 x절편이 -4, y절편이 2인 직선이다.

㉠, ㉡을 그래프로 나타내면 아래와 같다. 두 직선의 교점이 보물이 있는 지점이다.

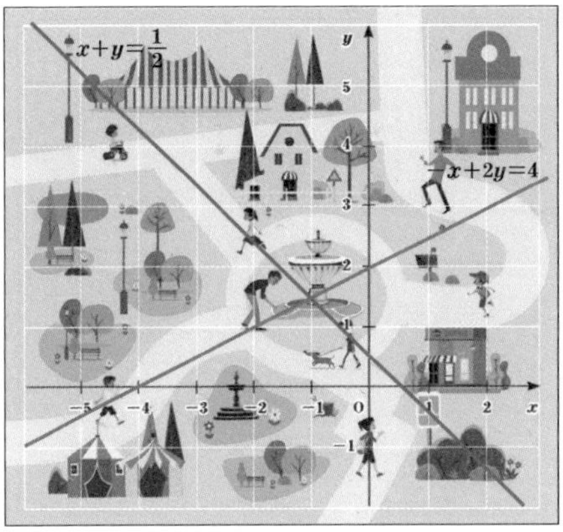

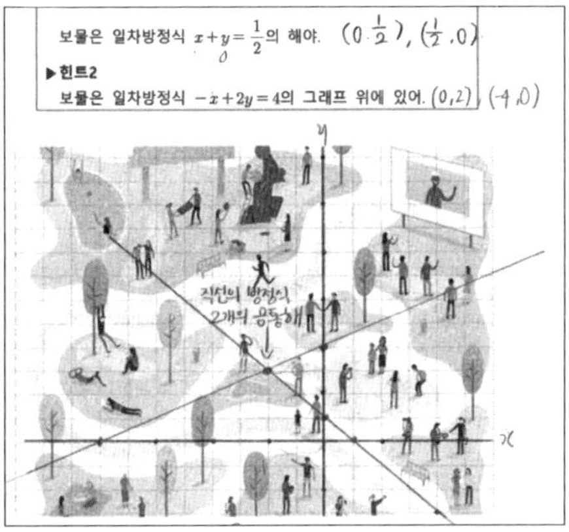

2 ㉠ $2x+y=2$를 변형하면 $y=-2x+2$이므로, 이 일차함수의 그래프는 기울기가 -2, y절편이 2인 직선이다.

㉡ $x+y=-1$을 변형하면 $y=-x-1$이므로, 이 일차함수의 그래프는 기울기가 -1, y절편이 -1인 직선이다.

이것을 그래프로 나타내면 아래와 같다.

두 직선의 교점이 두 방정식 ㉠, ㉡을 동시에 만족하는 x, y의 값이다.

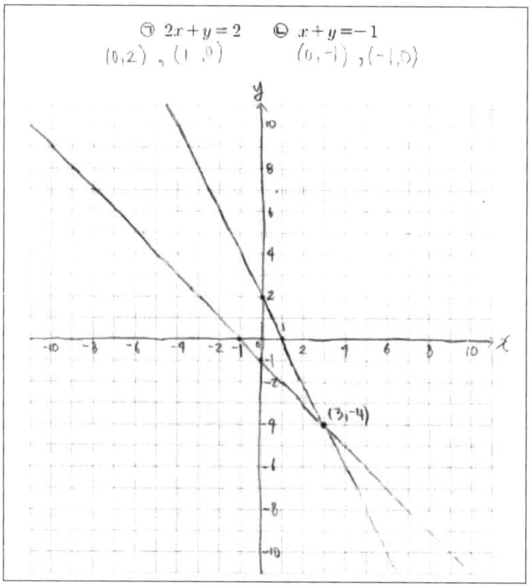

두 방정식을 동시에 만족한다는 것은 그래프에 직선을 그렸을 때 (x절편과 y절편으로 생) 교점을 말하는 것이다. 그래서 (3, −4)가 나온다

이때 두 직선의 교점은 $(3, -4)$이므로 $x=3, y=-4$가 두 방정식을 동시에 만족하는 값이다.
실제로 $x=3, y=-4$를 두 방정식에 대입하면 다음과 같이 등식이 성립한다.
㉠ $2\times3+(-4)=2$ ㉡ $3+(-4)=-1$

수업 노하우

- 연립방정식을 푸는 알고리즘을 배우고 나면 그 두 방정식의 공통해라는 의미를 고민하지 않게 된다. 따라서 먼저 일차함수와 일차방정식의 관계를 이용하여 연립방정식의 해의 의미를 기하학적인 접근으로 생각해 보게 한 것이다. 학생들은 '교점'이 해일 것이라고 직관적으로 답한다.

$x+y=\frac{1}{2}$ 의 해이면서
$-x+2y=4$ 의 교점을 구하면 된다.

- 여기에서 만족하지 않고 '교점'의 x좌표와 y좌표가 각 직선의 방정식을 만족하는 것을 연립방정식의 해의 뜻과 연결하는 발문이 필요하다.
- 학생들이 주어진 일차방정식을 일차함수의 그래프로 나타내는 것을 어려워하기도 했다. 이 경우에는 **탐구하기 2**와 **탐구하기 3**에서 했던 방법을 복습하게 할 수 있다. 어떤 학생들은 방정식을 만족하는 몇 개의 점을 표시하여 직선을 찾았다. 이 방법으로라도 그래프를 그릴 수 있도록 격려할 수 있다.
- [1]에서 그래프를 그리기 어려워할 경우 다음과 같은 발문을 할 수 있다.

> • 각각의 방정식을 만족하는 일차방정식의 해를 어떻게 찾을 수 있을까?
> • 해를 몇 개 정도 찾으면 그래프를 그릴 수 있을까?
> • 이 방정식을 일차함수의 꼴로 바꿀 수 있을까?

개념과 원리 탐구하기 2 _ 연립방정식과 그 해의 뜻

교과서(상) 124쪽

탐구 활동 의도

- 연립방정식에서 가감법이나 대입법을 사용하여 해를 구하는 방법은 두 방정식의 공통해가 있음을 전제한 알고리즘이다. 여기서는 이처럼 연립을 하는 알고리즘을 이용하여 방정식의 해를 쉽게 구할 수 있다는 필요성을 느끼는 것이 목적이다.
- 1은 각각의 방정식에서 학생들이 해를 직접 구하여 공통인 해를 찾는 것이 불편함을 경험하는 활동이다. 이를 통해 가감법과 대입법 알고리즘의 필요성과 의미를 깨닫게 한다. 일반적으로 연립방정식의 해의 뜻은 두 방정식을 공통으로 만족하는 값이라고 하면서도 뜻을 설명할 때와 달리 가감법이나 대입법과 같은 알고리즘을 왜 이용하는지, 이 알고리즘의 의미가 무엇인지는 고민할 여지를 주지 않는다.
- 2는 상황을 그림으로 나타내어 구해야 할 값인 미지수 x와 y가 두 방정식에서 같은 값임을 직관적으로 이해하도록 한 것이다. 그리고 두 식을 동시에 이용하여 해를 구하는 것이 각각의 해를 따로 구하여 공통인 것을 찾는 것보다 편리함을 경험하게 하는 활동이다.
- 즉 1과 2는 모두 공통해를 찾는 것이 목표이다. 그런데 1은 각각의 해를 찾아 공통인 것을 찾는 방법, 2는 두 방정식을 연립하여 보다 쉽게 해를 찾을 수도 있다는 것을 경험하게 하는 것이 이 탐구하기의 목적이다.
- 3은 두 방정식을 연립하여 편리하게 해를 구할 수 있음을 이해한 이후 연립방정식과 그 해의 뜻을 정의한 것이다.

예상 답안

1 학생들의 답은 다양할 수 있다.

(1) 솜사탕과 달고나를 판 개수를 순서쌍 (솜사탕, 달고나)로 나타내면, (10, 60) (20, 50) (30, 40), (40, 30), (50, 20) 등이 가능하다. 이것 이외에도 더 많은 경우가 나올 수 있다.

(2) 솜사탕은 1000원, 달고나는 500원이다. 총 판매액이 60000원이므로
60000원 − (솜사탕 개수) × 1000원을 500으로 나누면 달고나 개수가 된다.
이것을 (솜사탕, 달고나)로 나타내면 (10, 100), (20, 80), (30, 60), (40, 40), (50, 20) 등이 가능하다. 이것 이외에 다른 경우도 나올 수 있다.

(3) 솜사탕과 달고나를 70개 팔고 총수입이 60000원이면 (1), (2)번의 조건을 동시에 만족해야 한다.
(1)과 (2)를 동시에 만족하는 것은 (50, 20)이다. 결국 솜사탕 50개, 달고나 20개를 팔았다.

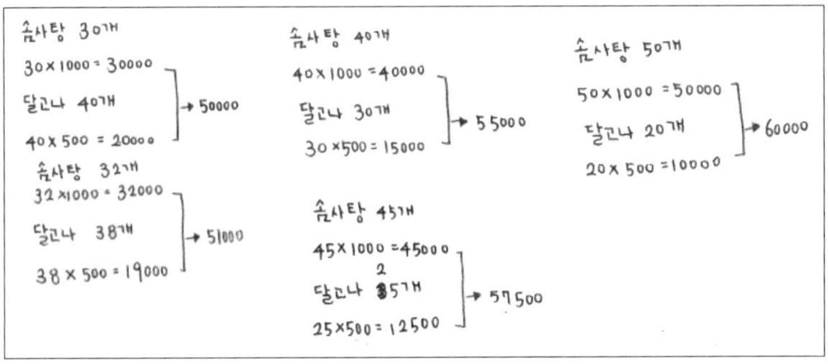

2 학생들의 답은 다양할 수 있다.

(1)

나의 생각

성수가 핫도그 4개, 음료수 2개를 7000원에 샀고, 혜정이는 핫도그 6개와 음료수 2개를 9000원에 샀기 때문에 결국 혜정이는 성수가 산 것에 핫도그 2개만 더 산 것이다.
핫도그 2개는 9000－7000＝2000(원)이고 결국 핫도그 한 개의 가격은 1000원이다. 그리고 음료수 2개는 3000원이므로 결국 음료수 1개의 가격은 1500원이다.

> 이유 : 핫도그의 개수가 2개가 차이나고
> 음료수의 개수는 같고 가격은 2000원 차이.
> 그렇기에 핫도그 6개는 6000원 남은돈 3000
> 음료수 삼천 3000÷2=1500 핫도그 6000÷6=1000
> 핫도그 1개 : 1000 음료수 : 1500

모둠의 의견

• 주어진 상황을 아래와 같이 수식으로 나타낼 수 있다.

> 음료 : 1500원
> 핫도그 6개 + 음료 2개 = 9000원
> － 핫도그 4개 + 음료 2개 = 7000원
> 핫도그 2개 2000원
> 핫도그는 한개당 1000원, 9000 - 핫도그 값 = 음료
> 음료 2개 = 3000원 ÷2

> 음료수 1개 : 1500원
> 돈은 2000원 차이나고, 핫도그도
> 2개 차이나서 핫도그 1개의 가격은
> 1000원이다.
> 1500원이다
>
> $4x+2y=7000$
> $\frac{2x}{2}=\frac{2000}{2}$
> $x=1000$
> $6000+2y=9000$
> $2y=3000$
> $y=1500$ 음료수

• 그림 전체를 문자로 나타내서 풀 수도 있다.

> (1) 핫도그 : 1000, 음료수 : 1500
> 방법 : 핫도그를 x라 놓고, 음료수를 y라 할 때
> 혜정 : $6x+2y=9000$
> 성수 : $4x+2y=7000$
> $\begin{cases} 6x+2y=9000 \\ 4x+2y=7000 \end{cases}$
> ○○○○○○ + △△ = 9000
> ○○○○ + △△ = 7000
> 9000 − 7000 = 2000
> $2x=2000$
> $x=1,000$
> 나온 x의 값을 식에 대입하면 y값이 나온다.
> $y=1,500$
> (2) 9000원에 나온 핫도그와 음료수의 개수가 8개인데, 여기에 각 1000원 나누기 1000원이 남게 하고 핫도그의 개수선 [illegible]

(2) 1은 각 조건에 해당하는 것들을 각각 구한 후, 결과를 보고 비교하여 같은 것을 찾는다.
반면 2(1)은 두 조건을 묶어서 생각한다. 두 조건을 묶어서 생각하면 만족하는 값은 한 쌍 뿐이다.
두 조건을 모두 만족하는 값을 찾는 것은 공통점인데, 차이점은 두 조건을 따로 따로 보는가, 아니면 묶어서 같이 고려하는가이다. 묶어서 같이 보면 만속하는 값을 보다 쉽게 구할 수 있다.

> 차이 - (1)은 모든 경우를 각각 구해 공통적인 것을 찾아냄(복잡)
> (2)는 문제에서 다른 조건만 찾아내어 그 조건을 이용해 풀음(비교적 간단)
> 공통 - 둘 다 해를 구하는 문제!! 수열쩝
> 가격이나 아무튼 모르는게 하나씩 있음
> 재미가 없음 4모둠.
> 집에 가고 싶게 만드는 문제

3 　 1 의 경우: x를 솜사탕의 개수, y를 달고나의 개수라고 했을 때 연립방정식은

$\begin{cases} x+y=70 \\ 1000x+500y=60000 \end{cases}$ 이다.

연립방정식의 해를 순서쌍으로 나타내면 $(50, 20)$이므로 솜사탕은 50개, 달고나는 20개 팔았다.

2 의 경우: x를 핫도그의 개수, y를 음료수의 개수라고 했을 때 연립방정식은

$\begin{cases} 6x+2y=9000 \\ 4x+2y=7000 \end{cases}$ 이다.

연립방정식의 해를 순서쌍으로 나타내면 $(1000, 1500)$이므로 핫도그는 1개에 1000원, 음료수는 1500원이다.

수업 노하우

- 1 과 2 의 수업에서 주의를 기울여야 할 부분은 해의 '값이 얼마인가'에 초점을 두지 않도록 하는 점이다. 학생들은 보통 초등학교에서 했던 대로 또는 대충 값만 구하고 어떤 방법으로 해를 구했는지 생각하지 않고 문제를 다 풀었다고 말하는 경우가 종종 있었다. 이때 값이 얼마인지 구하는 것보다 그 값을 어떻게 구했는지를 논리적으로 설명할 수 있는 발문을 할 필요가 있다.
- 아래와 같이 푼 모둠의 경우는 풀이는 했지만 식이 없어서, 방정식과 연결하기 어렵다. 이럴 경우 그림과 식을 이용하여 푼 풀이로 연결 지을 수 있도록 한다.

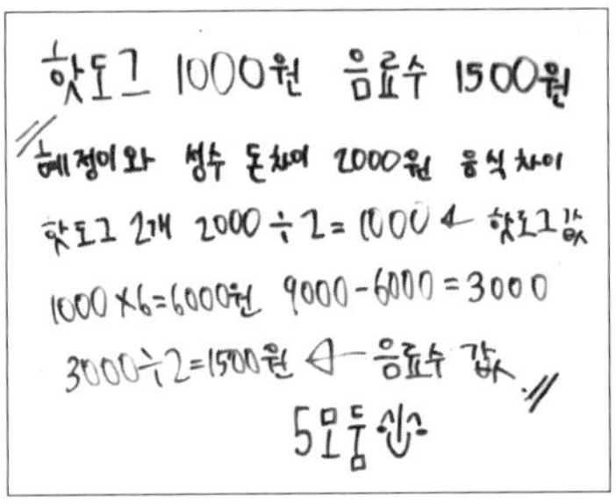

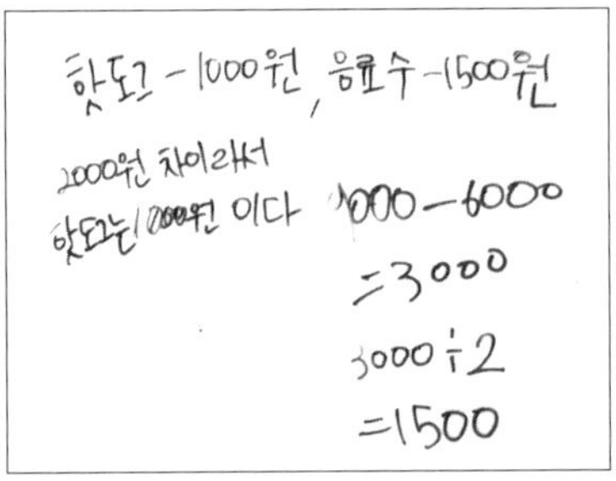

- 1 과 2 에서 아래와 같이 미지수를 두지 않고 직관적인 풀이를 했다면 미지수를 두고 풀어가는 방법을 개발하도록 하는 것이 필요하다. 이런 방법은 일반화할 수 있는 전략을 개발하기 어렵기 때문이다.
그림을 이용하면 위와 같이 학생들은 어렵지 않게 핫도그 1개와 음료수 1개의 값을 구한다. 이때도 마찬가지로 답을 구하는 것에 그치지 않도록 유의한다. 2 의 경우 연립방정식을 푸는 알고리즘으로 가는 중간 과정으로 그림을 이용하여 각자가 푼 방법을 모둠활동을 통해 공유하고, 풀이 과정을 논리적으로 점검할 수 있도록 안내한다.

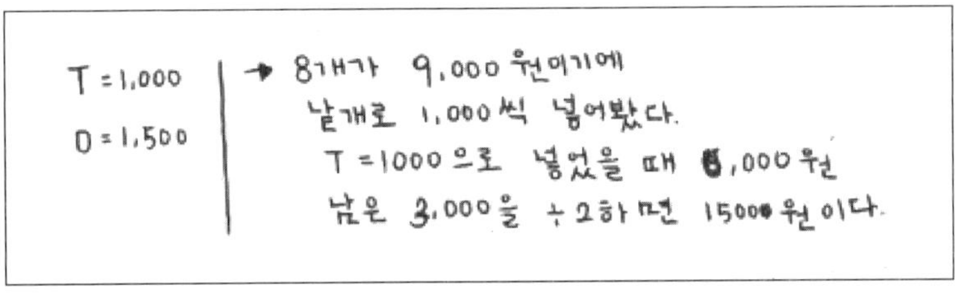

- 1 (1)은 개수 정보만 이용하여 해를 구하고, (2)는 수입금액 정보만 이용하여 해를 구해야 한다. 각 방정식의 해는 다음과 같이 생각보다 많으며, 공통해를 구하는 것이 쉽지 않다.

(1)을 만족하는 경우

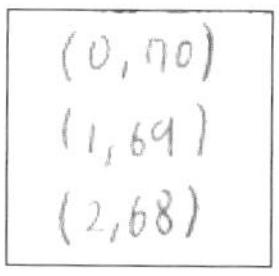

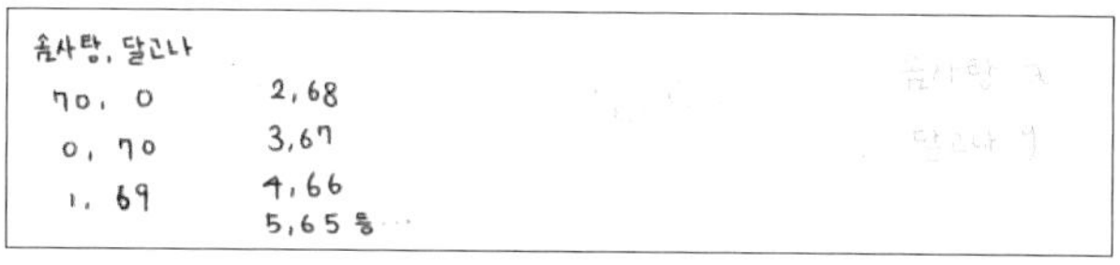

(2)를 만족하는 경우;

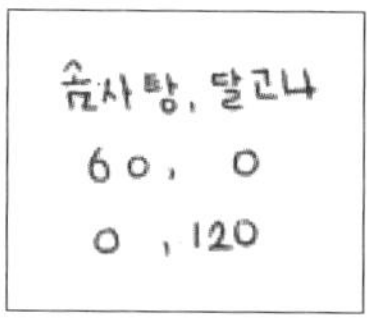

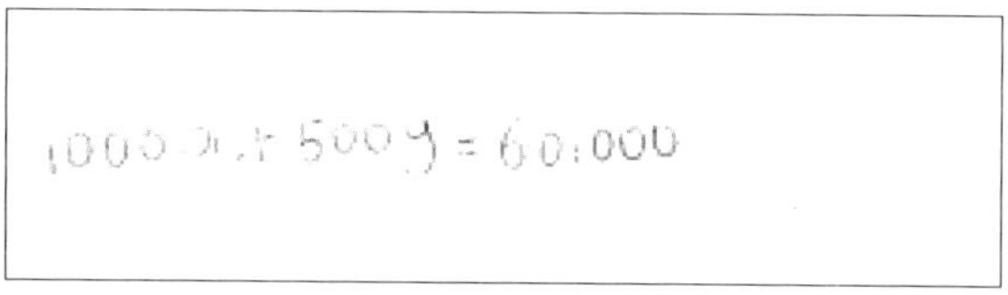

- 직관적으로 바로 솜사탕 50개, 달고나 20개를 찾은 학생들도 있는데 이 경우에는 답을 구하는 과정에 대한 논리를 만들어 볼 수 있도록 안내할 수 있다.

  이런 학생들은 이미 (1)의 해 중에서 (2)의 조건을 만족하는 것을 선택하여 구했을 가능성이 높다. 즉, 두 방정식을 공통으로 만족한다는 전제를 이용한 것으로 (2)의 해를 다 구하라고 했는데 다 구한 것이 아니라, 선택적으로 구한 것임을 깨달을 수 있도록 하는 발문이 필요하다. 그리고 이런 논의는 2 (2)에서 각 방정식의 해를 다 구하는 것이 얼마나 비효율적인지를 이해할 수 있는 기반이 될 수 있다.

  2 에서 학생이 그림으로만 설명했다면 오른쪽과 같이 식으로 표현하도록 안내한다.

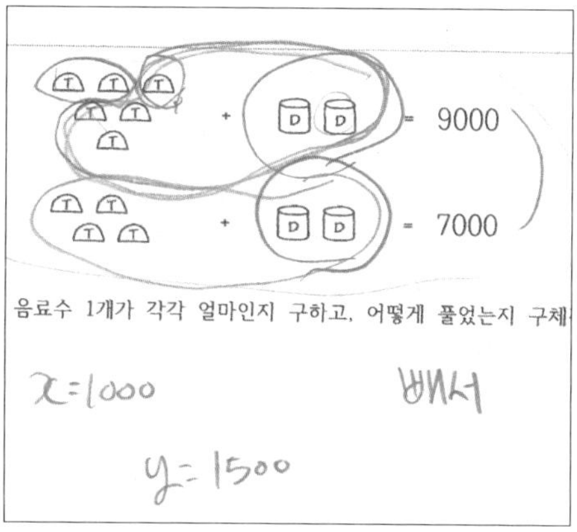

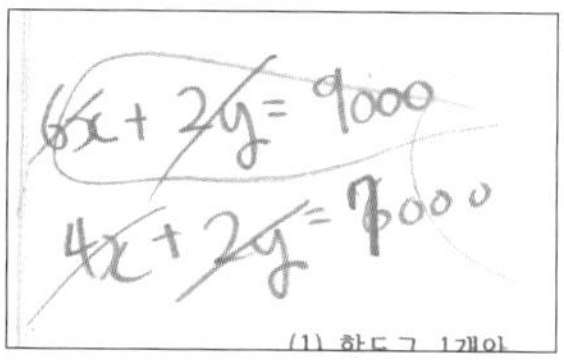

• 그림으로 푼 과정을 식에서 다시 설명해 볼까?

위 그림에서 학생은 단순히 '빼서'라고 표현했는데 이를 보다 구체적으로 설명하도록 하여 무엇과 무엇을 뺐는지, 결과적으로 미지수 1개를 소거한 과정임을 돌아볼 수 있도록 한다.

식을 이용해서 풀기 보다는 과정을 식으로 나타내어 보게 할 수도 있다. 그림에서 핫도그 4개와 음료수 2개가 7,000원임을 위의 그림에 대입한 것으로 볼 수도 있고, 뺀 것으로 볼 수도 있다. 학생들이 이와 같이 두 식을 한꺼번에 이용하여 조건을 단순화하는 것을 이해할 수 있도록 한다.

- 1 의 방법과 2 의 방법을 비교할 때 다음과 같이 표현하기도 하였다. 학생들이 해를 어떻게 구했는지, 1 과 2 의 차이점이 무엇인지, 어떤 것이 더 편리했는지를 학생들이 돌아볼 수 있도록 다음과 같이 발문할 수 있다.

노가다와 노가다가 아니다.

- 1에서는 일일이 계산해야하지만 2는 식으로 풀 수 있다.
두 식의 전재조건이 같을 때만 성립한다.

공통점 : 해를 구하는 것이 목표.

차이점 : 표로 구하는 방법은 표를 따로 구해
두 개의 경우를 만족시켜 값을
구했지만 2(1)번 방법은 두개를
같이 고려하여 값을 구했다.

공 : 해를 구할수있다.

차 : 풀이 방법이 달랐다
1번은 하나하나 구해서 공통으로 나온
해를 구했고 2번은 달라진 핫도그
의 양을 가격에서 빼어 해를 구했다.

공통점 : 해를 찾는 것.

차이점 : 1번째는 따로따로
구했고 2번째는 두 식을
같이 생각해서 구했다.

주의

- [2]는 대입법, 가감법 등을 가르치는 것이 목적이 아니라 공통인 해를 그림을 이용하여 [1]보다 간편하게 구할 수 있음을 경험하는 것이 목표이다.
- [3]에서는 학생들이 솜사탕의 개수를 x, 달고나의 개수를 y로 놓을 수도 있고, 다른 문자로 놓을 수도 있다. 무엇을 문자로 놓았는지도 설명할 수 있도록 한다.

/2/ 몇 개나 팔았을까 (연립방정식과 두 일차함수의 관계)

학습목표

1 그림으로 표현된 상황을 이용하여 가감법과 대입법의 아이디어를 발견하고, 이를 이용하여 연립방정식을 푸는 알고리즘을 발명할 수 있다.
2 발명한 전략을 이용하여 해를 구하고 의사소통을 통해 그 전략을 일반화할 수 있다.
3 연립방정식의 해가 없는 경우와 해가 무수히 많은 경우를 일차함수를 이용하여 설명하고, 이러한 연립방정식을 만들 수 있다.

2015 개정 교육과정 성취기준

1 미지수가 2개인 연립일차방정식을 풀 수 있고, 이를 활용하여 문제를 해결할 수 있다.
2 일차함수와 미지수가 2개인 일차방정식의 관계를 이해한다.

교수 · 학습 방법 및 유의 사항

1 방정식, 부등식을 활용하여 실생활 문제를 해결하고, 그 유용성과 편리함을 인식하게 한다. (문제해결, 창의 · 융합, 태도 및 실천)
2 방정식, 부등식의 해가 문제 상황에 적합한지 확인하게 한다.
3 '이차식', '전개식', '연립일차방정식', '소거', '가감법', '대입법' 용어는 교수 · 학습 상황에서 사용할 수 있다.

평가 방법 및 유의 사항

방정식, 부등식에 대한 지나치게 복잡한 활용 문제는 다루지 않는다.

핵심발문

연립일차방정식을 푸는 전략은 무엇일까?

개념과 원리 탐구하기 3 _ 가감법을 이용한 연립방정식의 풀이

교과서(상) 127쪽

탐구 활동 의도

- 연립방정식의 해를 구하기 위한 알고리즘을 발견하는 활동이다. 특정한 연립방정식에만 적용되는 방법이 아닌 모든 연립방정식을 풀 수 있는 '일반화된 방법'을 학생들이 만들어 내는 사고를 하게 하는 것이 이 활동의 목적이다.
- 여기서는 가감법을 이용한 풀이를 먼저 다루기로 하였다.

- [1]은 일부러 대입법이나 가감법을 바로 적용할 수 없는 상황을 주었다. 직접적으로 보이지 않아 그림을 변형하는 과정이 필요하고, 그 과정을 표현하게 하였다. 지나치게 간단한 상황일 경우에는 풀이 과정이 자동화되어 어떻게 푼 것인지 학생들이 과정을 설명하기 어려울 수 있기 때문이다.
- [2]는 상황을 그림이 아닌 식으로 주었을 때 두 식을 더한다는 의미를 이해하게 하는 활동이다.
- [3]은 [1]과 [2]에서 그림, 설명, 식으로 주어진 상황에서 연립방정식의 해를 구하기 위해서 두 미지수 중 한 미지수를 소거했다는 것을 탐구하게 한다. 그리고 그 방법 중 하나로 두 식을 더하거나 빼는 방법이 있음을 발견하게 한다. 무엇보다 이 방법으로 모든 연립방정식을 풀 수 있음을 경험하게 한다.

예상 답안

[1] 이 문제는 여러 가지 풀이가 가능하다. 그 아이디어가 꼭 가감법이지 않아도 그림을 이용해서 여러 가지로 답을 구할 수 있다.

(1)

나의 생각

아래 그림과 같이 '우산 2개와 모자 4개'를 사면 36,000원이 된다. 그러면 모자 3개의 가격은 12,000원이다. 따라서 모자 하나의 가격은 4,000원이 되므로 우산 하나의 가격은 10,000원이다.

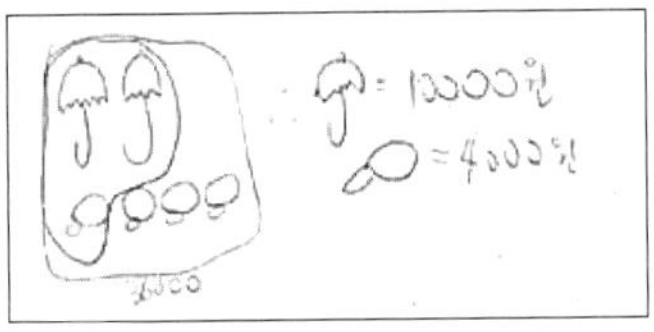

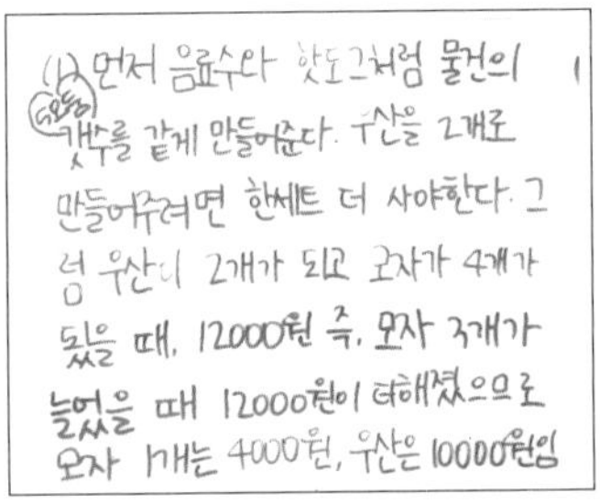

모둠의 의견

- 식에서 모자와 우산의 가격을 비교하여 우산이 모자보다 6000원 비싸다는 조건을 추가로 구하여 해결할 수도 있다.

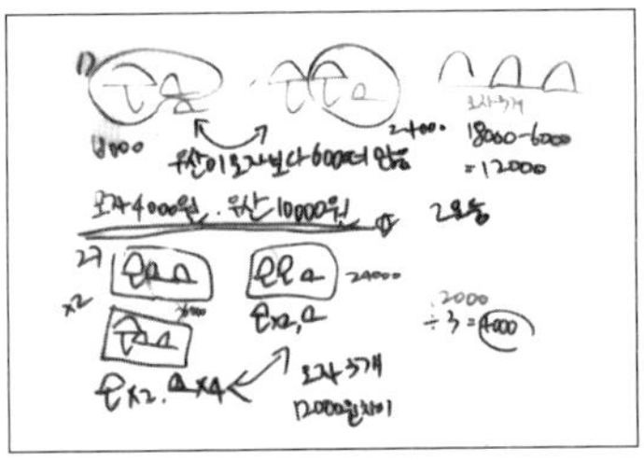

- 모자의 개수를 맞추는 방법도 있다.

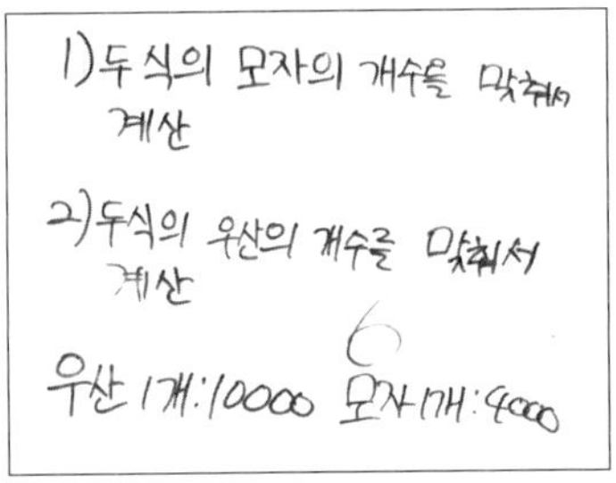

(2) 풀이 과정을 그림으로 잘 나타낸 것을 골라 그 그림 상황을 다음과 같이 식으로 표현하였다.

$$\begin{cases} x+2y=18000 & \cdots\cdots ㉠ \\ 2x+y=24000 & \cdots\cdots ㉡ \end{cases}$$

㉡에 2배를 하면

$4x+2y=48000$ ⋯⋯ ㉢

㉢－㉠을 하면

$3x=30000$ $\quad\therefore x=10000$

x의 값을 ㉠에 대입하면 $y=4000$

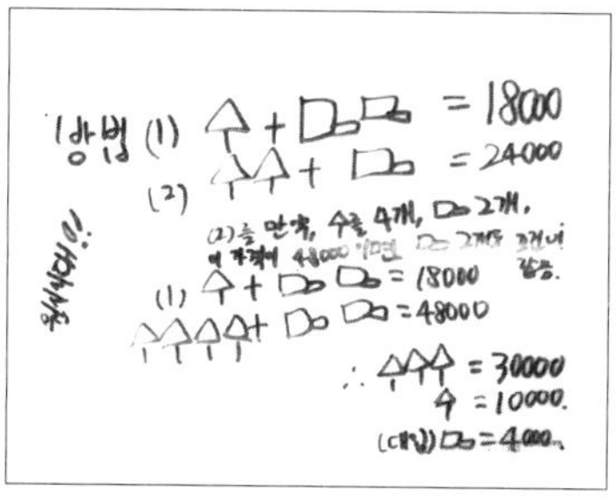

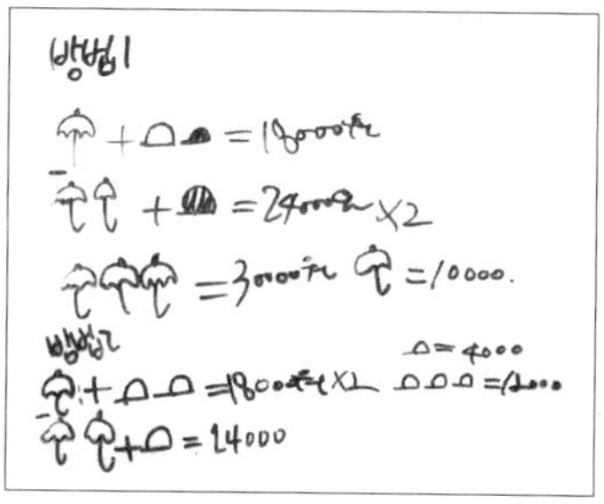

2

$(x+y)+(6x-y)=5+4$ … ①	두 방정식을 변끼리 더하면 미지수 y가 사라지고 x가 남는다. (좌변은 식끼리, 우변은 수끼리 각각 계산한다.)
$7x=9$ … ②	양변을 더하면 좌변에는 $7x$, 우변에는 9가 남는다.
$x=\frac{9}{7}$ … ③	양변을 7로 나누면 $x=\frac{9}{7}$가 된다.
$\frac{9}{7}+y=5$ … ④	y의 값을 구하기 위해 $x=\frac{9}{7}$를 주어진 식에 대입한다.
$y=\frac{26}{7}$ … ⑤	y의 값을 구하면 $y=\frac{26}{7}$이 된다.

3 (1)

나의 생각	모둠의 의견
두 식을 비교하여 미지수 1개를 없앤다. 미지수 1개 없앤다. 두 식에서 계수를 맞추어 그 미지수와 관련된 값이 같도록 만든 후 두 식을 빼거나 더해서 나머지 미지수의 값을 구한다. 두 식의 x값과 y의 값이 같다는 전제하에 두 식을 빼거나 더해서 미지수 한 개를 없애 두 식의 공통된 해를 구한다.	• 우산의 개수 또는 모자의 개수를 맞추는 이유는 두 식을 비교하기 위해서이다. 우산의 개수를 2개로 맞추면, 두 식을 비교하여 모자의 값을 구할 수 있다. 모자의 개수를 2개로 맞추면, 두 식을 비교하여 우산의 값을 구할 수 있다. 즉 둘 중의 한 종류의 개수를 맞추면 나머지 하나의 종류를 구할 수 있다. • 이런 과정이 미지수의 종류를 두 종류에서 한 종류로 줄이는 과정이다. • 그림이나 식 표현에서 빼거나 더할 때 미지수 하나를 줄이는 과정이 포함되어 있다. 미지수가 2개인 일차방정식을 미지수가 1개인 일차방정식으로 변형하여, 일차방정식의 풀이 알고리즘을 이용하여 푼다.

(2) ① y의 계수의 절댓값이 같고 부호가 다르므로 두 식을 더하면 y가 없어진다.

$$\begin{cases} x+y=5 & \cdots\cdots ㉠ \\ 6x-y=4 & \cdots\cdots ㉡ \end{cases}$$

㉠+㉡을 하면 $7x=9$, 즉 $x=\frac{9}{7}$

이를 ㉠에 대입하면 $y=\frac{26}{7}$ 이다.

② y의 계수가 같으므로 두 식을 빼면 y가 없어진다.

$$\begin{cases} 5x+3y=-8 & \cdots\cdots ㉠ \\ 2x+3y=4 & \cdots\cdots ㉡ \end{cases}$$

㉠－㉡을 하면 $3x=-12$, 즉 $x=-4$

이를 ㉠에 대입하면 $y=4$이다.

수업 노하우

- 학생들이 여러 가지 방법으로 풀었다. 모둠 친구들과의 논의를 통해 일차적으로는 어떻게 풀었는지를 공유하고, 그 과정에서 공통된 아이디어를 찾아 일반적인 풀이 방법을 개발할 수 있도록 한다.

- 서로 풀이한 방법의 공통점과 차이점은 무엇일까요?

- 각각의 과제마다 가감법으로 풀 수도 있고, 대입법으로 풀 수도 있다. 가감법을 의도한 활동이지만 학생들이 발견한 풀이에 따라 수업을 진행할 수도 있는데 어떤 방법인가보다는 풀이 과정을 식과 연결지어 설명하도록 하는 것에 중점을 둔다.
다음의 학생은 대수적으로 푼 것이 아니라 그림을 이용하여 직관적으로 풀었다. 이 경우 그림의 의미를 식으로 표현하도록 추가 발문할 수 있다.

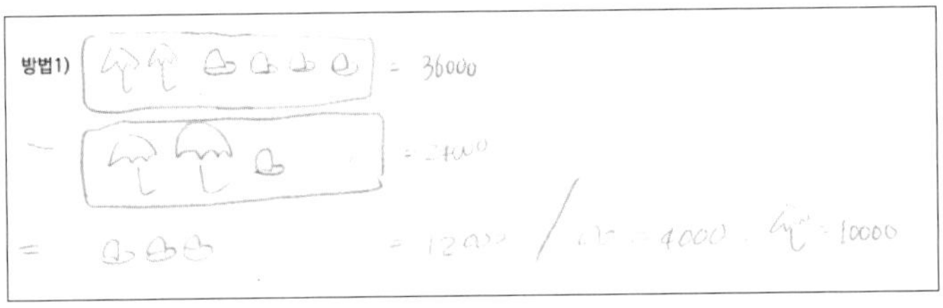

⇨

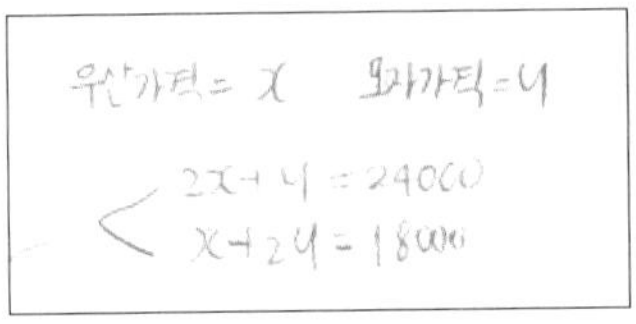

⇨

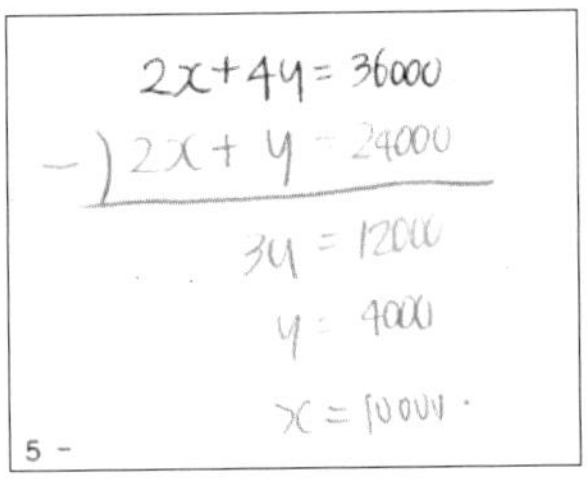

- 학생들이 그림이나 식의 표현에서 빼거나 더할 때 미지수 하나를 줄이는 과정(소거)이 포함되어 있음을 [1]과 [2]의 논의 과정에서 경험할 수 있도록 하는 것이 필요하다. [1], [2]에서 풀이 과정을 공유할 때 [3]에서 일반적인 전략을 발견할 수 있는 논의가 뒷받침 될 수 있는 발문과 진행이 필요하다. 그래야 [3]에서 소거의 아이디어가 전략으로 나올 수 있다.

- 우산 1개와 모자 2개 조건을 우산 2개와 모자 4개 조건으로 바꾼 이유가 무엇인가요?

방법 1의 예

한 학생은 첫 번째 그림과 같은 내용을 두 세트 구매하겠다고 했다. 그 이유가 우산의 개수를 동일하게 하기 위해서였다고 말했다. 이런 내용은 공유할 필요가 있다.

식의 양변에 2를 곱하는 이유를 그림과 연결한다. 식의 양변에 2를 곱해도 해는 달라지지 않음 역시 이해할 수 있도록 지도 할 필요가 있다. 다음과 같이 풀이한 학생에게 2를 곱해도 해가 달라지지 않는지를 물어 볼 수 있다.

방법2) $\begin{cases} 1x+2y=18000 \Rightarrow 2x+4y=36000 \\ 2x+y=24000 \Rightarrow 2x+y=24000 \end{cases}$

$3y=12000$

$y=4000$

방법 2의 예

- 모자와 우산의 차이를 계산한 학생도 있다. 이후 그 차이를 활용하여 어떻게 모자와 우산 1개의 금액을 구하는지 말로 표현할 수 있도록 하여 소거의 아이디어에 접근할 수 있도록 안내한다.
- 2 는 식으로 주어졌을 때 두 식을 더하는 의미를 이해하도록 하는 것이다. 아래와 같이 기계적인 답변은 경계하고, 양변을 더할 때 좌변끼리 우변끼리 더하는 과정을 이해할 수 있도록 안내한다.
  다음 학생은 식과 해로 나누어 뺐다고 했는데 옳은 용어로 구체적으로 설명을 하도록 지도한다.

$3x+5y=15$ 와 $3x+y=7$를 동시에 만족하는 x, y를 구하자.

$(x+y)$-$(3x+y)$= 15-7	… ①	두식을 식과 해로 나눠서 뺀다
$4y=8$	… ②	뺀 값을 구한다
$y=2$	… ③	뺀 값을 토대로 y의 해를 구한다
$3x+2=7$	… ④	대입한다
$3x=5$	… ⑤	대입결과를 구한다
$x=\frac{5}{3}$	… ⑥	x의 해를 구한다

다음과 같이 설명했다. 두 식을 왜 합했는지 발문을 해 볼 수 있겠다.

①: 두식을 합쳐요 → 값이 달라짐
②: 새로운 값 탄생! (괄호를 풀어줘요)
③ 동류항끼리 묶어줘요.
④: (x+y)=4 식 대입
⑤: 동류항끼리 계산-//

- 2 (1) 소거의 과정을 다음과 같이 표현한 경우도 있었다. 이 아이디어를 소거와 연결한다.

말그대로 15는 3x+5y이고 7은 3x+y 이므로
15-7로 식을 축소시켜서
8=4y로 간편하게 만들었다.

단순하게 만들기 위해
식을 줄인다. (더하면 식가 줄는다)

y의 해를 쉽게 찾기 위해서 이다.

주의

- 가감법이라는 용어는 강조하여 지도하지 않는다.
- 실험 수업을 해보니 대입법은 가감법에 비해 그림과 연결하여 설명하는 것이 쉽지 않고, 식을 대수적으로 다루는 것이 능숙하지 않을 경우 식을 계산하는 과정에 대한 보충이 필요할 수도 있기 때문에 대입법 보다 가감법을 먼저 다루었다.
- 연립방정식을 푼 후에는 구한 해가 맞는지 검산해 보도록 한다.

개념과 원리 탐구하기 4 _ 대입법을 이용한 연립방정식의 풀이

교과서(상) 129쪽

탐구 활동 의도

- 연립방정식의 해를 구하기 위한 알고리즘을 발견하는 활동이다. 특정한 하나의 방정식에만 적용되는 방법이 아닌 모든 연립방정식을 풀 수 있는 학생들이 '일반화된 방법'을 만들어 내는 사고를 하게 하는 것이 이 활동의 목적이다.
- 여기서는 대입법을 이용한 풀이를 다룬다.
- 1은 식의 대입을 이용하여 소거할 수도 있음을 이해하는 활동이다. 일방적으로 한 문자에 대해 풀어서 대입하는 것이 공식으로 암기하기보다는 한 미지수를 소거하는 관점에서 시원이와 제이의 풀이를 비교하고 여러 가지 전략을 만들 수 있도록 한다.

예상 답안

1 학생들의 답은 다양할 수 있다.

(1) 시원이의 풀이

$x=90-y$를 ㉠에 대입하면

$1000(90-y)+500y=65{,}000$을 정리하면 $-500y=-25{,}000$에서 $y=50$

$y=50$을 ㉡에 대입하면 $x=40$

따라서 솜사탕 개수는 40, 달고나 개수는 50이다.

제이의 풀이

$y=90-x$를 ㉠에 대입하면

$1000x+500(90-x)=65{,}000$을 정리하면 $500x=20{,}000$에서 $x=40$

$x=40$을 ㉡에 대입하면 $y=50$

따라서 솜사탕 개수는 40, 달고나 개수는 50이다.

(2) 학생들의 답은 다양할 수 있다.

나의 생각	모둠의 의견
• 두 방정식 중 하나를 x나 y에 대한 식으로 정리한다.	주어진 방정식 중 하나를 다른 문자에 대해 정리하고 나머지 식에 대입한다. 그 다음 미지수 하나가 없어지면 미지수가 한 개인 일차방정식이 되므로 일차방정식을 풀면 된다.

(3) ① $\begin{cases} x-y=-6 & \cdots\cdots ㉠ \\ x+y=4 & \cdots\cdots ㉡ \end{cases}$

㉡을 x에 대한 식으로 정리하면

$x=4-y$ $\cdots\cdots$ ㉢

㉢을 ㉠식에 대입하면 $4-y-y=-6$, 즉 $-2y=-10$

따라서 $y=5$이다.

$y=5$를 ㉡에 대입하면 $x=-1$

② $\begin{cases} x-y=-1 & \cdots\cdots ㉠ \\ -2x+y=7 & \cdots\cdots ㉡ \end{cases}$

에서 ㉠, ㉡식을 y에 대해 정리하면

$\begin{cases} y=x+1 & \cdots\cdots ㉢ \\ y=2x+7 & \cdots\cdots ㉣ \end{cases}$

y의 값이 같으므로 $x+1=2x+7$, 즉 $x=-6$

$x=-6$을 ㉢에 대입하면 $y=-5$

수업 노하우

- 수의 대입을 식의 대입으로 확장할 수 있도록 수의 대입을 사전 또는 이후에 안내할 수 있다.
- [1]에서 어떤 미지수를 먼저 없애더라도 그 결과는 같음을 발견할 수 있게 한다.
- 다음과 같이 시원이의 풀이를 완성하기보다는 가감법으로 푼 학생도 있을 수 있다. 이럴 경우에는 다른 풀이 방법도 있을 수 있다는 관점으로 전환할 수 있다. 시원이의 풀이와 비교하여 어떤 것이 더 식이 간단한지 비교할 수도 있다.

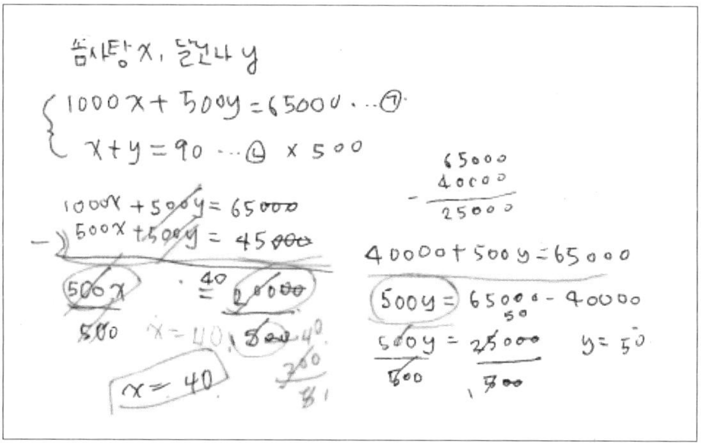

참고

〈수학적 연결성〉

연립방정식의 양변을 변끼리 더하거나 빼는 과정에서 식이 변하는데 나중에 나온 값이 처음 연립방정식의 해라고 할 수 있을까? 라는 질문에 답을 명확히 하려면 등식의 성질을 연결해야 한다. 즉, 등식의 양변에 같은 수를 더하거나 빼도 등식은 성립한다는 성질이다. 등식이나 방정식이나 연립방정식이나 그 원리가 똑같음을 개념의 연결성을 통해 인식하도록 지도한다.

주의

- 대입법이라는 용어는 강조하여 지도하지 않는다.
- 연립방정식을 푼 후에는 구한 해가 맞는지 검산해 보도록 한다.

개념과 원리 탐구하기 5 _ 해가 무수히 많은 경우와 해가 없는 경우

교과서(상) 130쪽

탐구 활동 의도

- 가감법이나 대입법은 두 방정식의 공통해가 있음을 전제하고 푸는 전략이라고 할 수 있다. [1]은 해가 무수히 많거나, 해가 없는 경우에는 이 방법으로 해를 구할 수 없음을 먼저 경험하도록 하는 것을 의도한 활동이다.
- [2]는 [1]에서 나타난 어려움을 극복하기 위해 그래프를 이용하도록 하고, **탐구하기 1**에서 했던 내용을 연결하여 해가 없는 경우와 해가 무수히 많은 경우를 발견하게 한다.
- 그래프를 그리면서 [1]과 같은 경우의 식의 특징까지 함께 발견하게 할 수 있고 [3]에서 발견한 내용이 맞는 지 문제를 만들어 보면서 추측하고 검증해 볼 수 있다.

예상 답안

[1] 이 문제는 '해가 없다', '해가 무수히 많다'라고 답하지 않아도 된다. 바로 [2]와 연계하여 풀 수 있다.

(1) $\begin{cases} 2x-y=-2 & \cdots\cdots ㉠ \\ 4x-2y=2 & \cdots\cdots ㉡ \end{cases}$

㉠에 2를 곱하면

$4x-2y=-4 \quad \cdots\cdots ㉢$

㉡－㉢을 하면 $0=6$ 이것은 성립하지 않은 식이므로 연립방정식을 만족하는 해는 없다.

(2) $\begin{cases} 3x+2y=6 & \cdots\cdots ㉠ \\ 6x+4y=12 & \cdots\cdots ㉡ \end{cases}$

㉠에 2를 곱하면

$6x+4y=12 \quad \cdots\cdots ㉢$

㉢은 ㉡과 같으므로 ㉠, ㉢을 동시에 만족하는 해는 무수히 많다.

2 (1) $\begin{cases} 2x-y=-2 & \cdots\cdots ㉠ \\ 4x-2y=2 & \cdots\cdots ㉡ \end{cases}$

㉠의 x, y절편을 구하면 x절편은 -1, y절편은 2

㉡의 x, y절편을 구하면 x절편은 $\frac{1}{2}$, y절편은 -1

두 직선 모두 기울기가 2이고 y절편은 다르기 때문에 평행하고 만나지 않는다.
따라서 해는 없다.

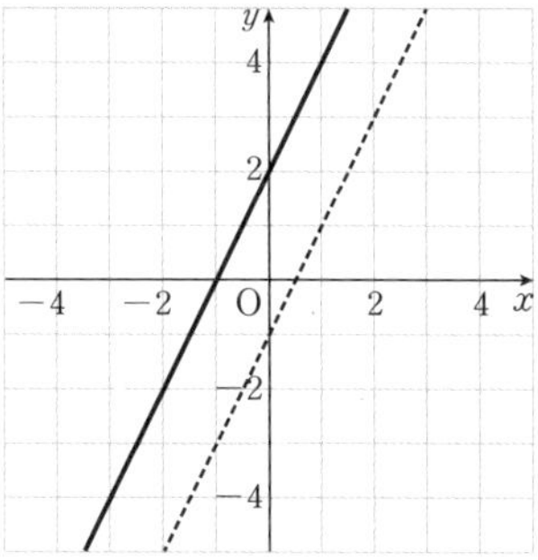

(2) $\begin{cases} 3x+2y=6 & \cdots\cdots ㉠ \\ 6x+4y=12 & \cdots\cdots ㉡ \end{cases}$

㉠의 x, y절편을 구하면 x절편은 2, y절편은 3

㉡의 x, y절편을 구하면 ㉠과 마찬가지로 x절편은 2, y절편은 3

따라서 두 직선은 일치하고 해는 무수히 많다.

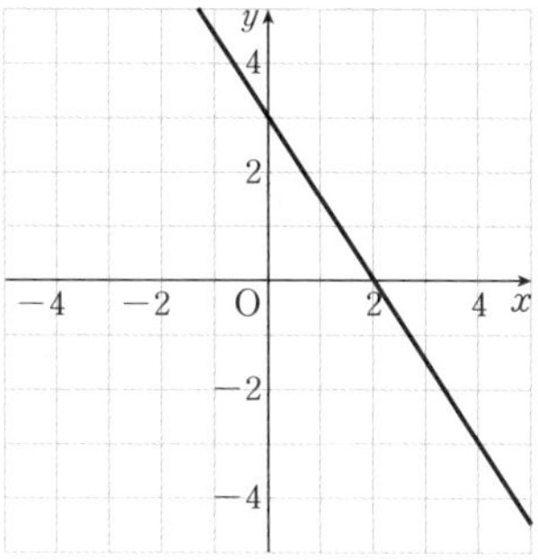

3 (1) 해가 없는 경우는 x, y의 계수가 같은 배만큼 늘어나는데 상수항은 같은 배만큼 늘어나지 않게 하면 기울기는 같은데 y절편이 달라져서 평행하게 된다. 두 직선이 평행하면 교점이 없으므로 해가 없다.

$\begin{cases} 3x-2y=-2 \\ 6x-4y=1 \end{cases}$

(2) 해가 무수히 많은 경우는 x, y의 계수가 같은 배만큼, 상수항도 같은 배만큼 늘어나게 하면 두 직선은 겹쳐지게 된다. 두 직선이 겹쳐지면 교점이 무수히 많게 되므로 해는 무수히 많게 된다.

$\begin{cases} 3x-2y=2 \\ 6x-4y=4 \end{cases}$

수업 노하우

• [1]에서 가감법이나 대입법으로 풀 때 해를 어떻게 말해야 할지 학생들이 당황하는 경우가 있다. 이때 '해가 무수히 많다' 또는 '해가 없다'라고 교사가 답을 설명하지 않고 바로 [2]로 넘어간다.

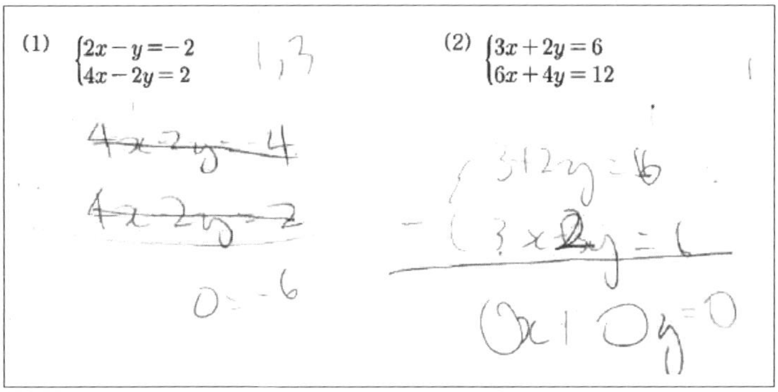

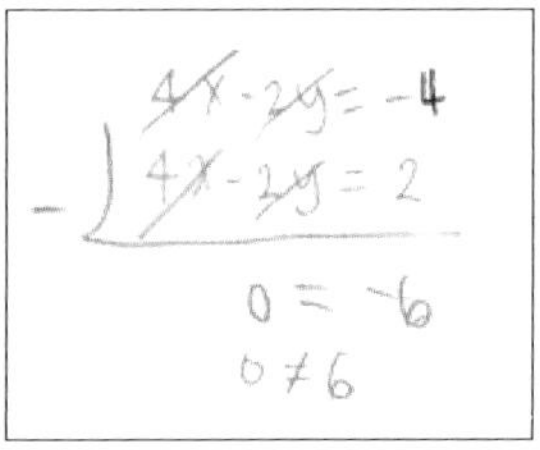

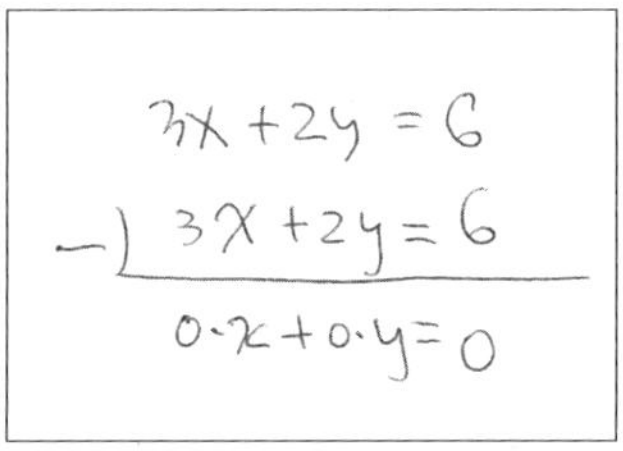

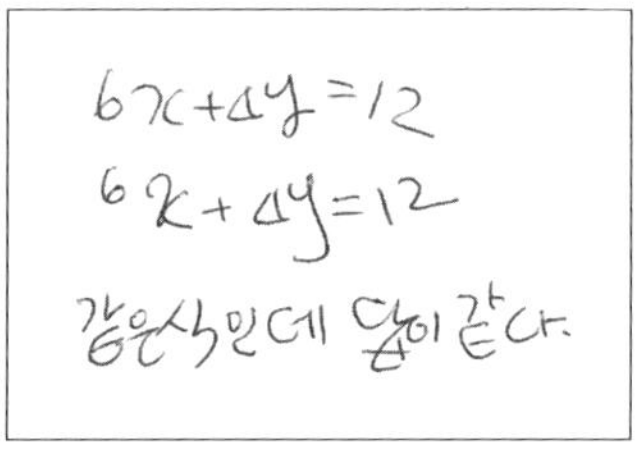

• [2]에서 학생들은 각각의 식을 그래프로 그려서 (1)의 경우에는 두 함수의 기울기가 같아 평행임을 발견한다. 일차함수의 꼴로 바꾸는 과정에서 x와 y의 계수가 같으면 기울기가 같다는 사실도 논의를 통해 발견했다.

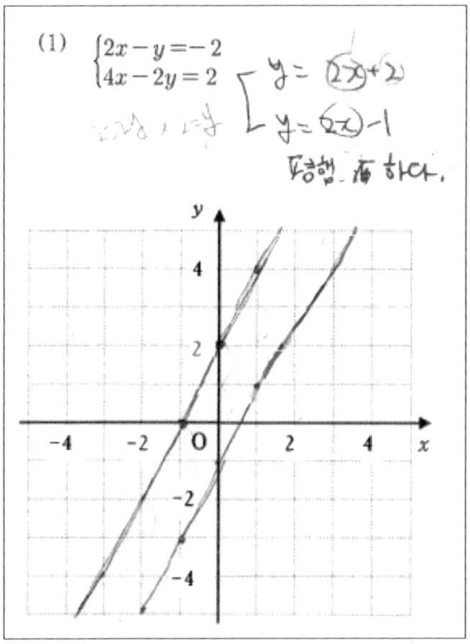

• 일차함수 식의 꼴로 바꾸면 기울기와 y절편이 모두 같음을 발견할 수 있다. 이를 이용하여 계수 사이의 관계까지 논의해 볼 수 있으며 [3]으로 연결할 수 있다.

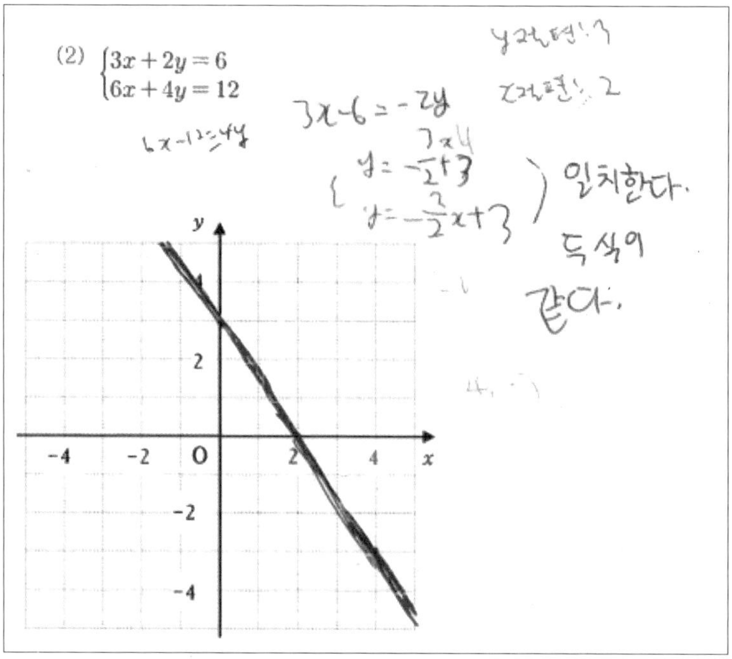

• 3 은 학생들이 다음과 같이 설명하기도 했다. 계수와의 관계를 문자식으로 나타내지 못해도 그 의미를 살린 설명으로 볼 수 있다. 이를 이용하여 해가 없는 경우와 무수히 많은 경우의 예를 만들 수 있었다. 학생들은 일차함수의 그래프의 관점보다는 식의 관점으로 풀어냄을 관찰할 수 있었다.

(1)

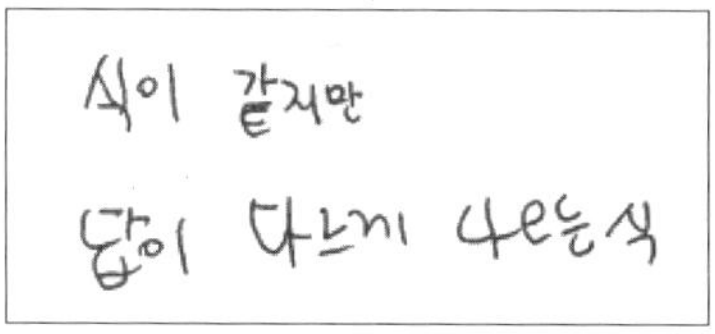

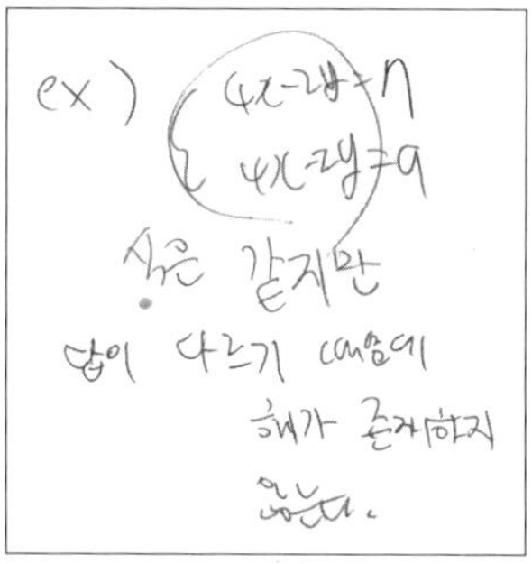

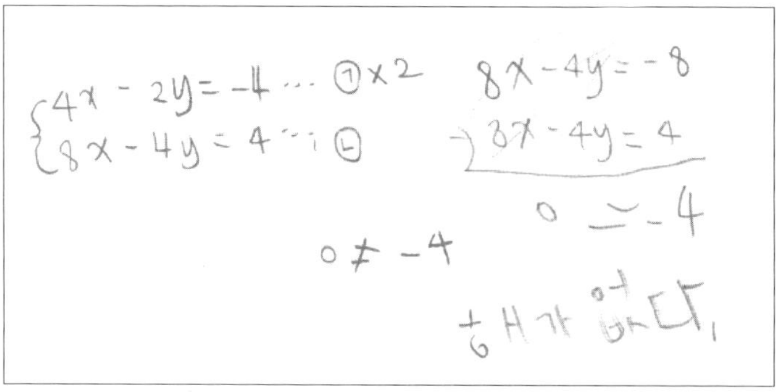

(2)

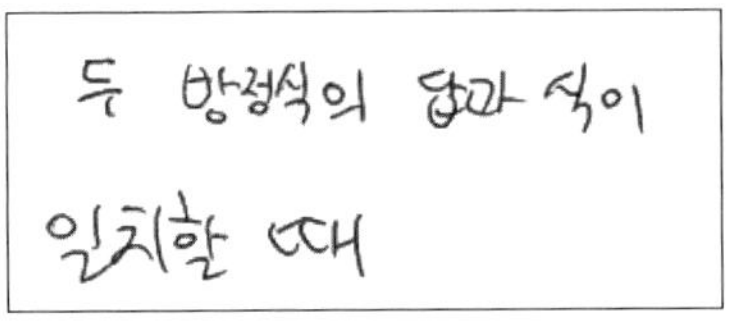

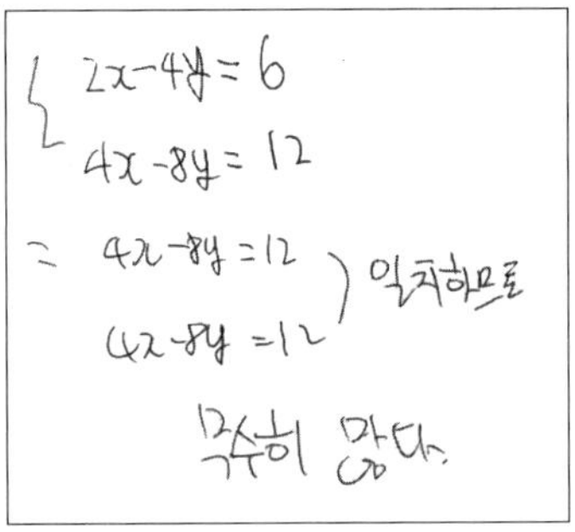

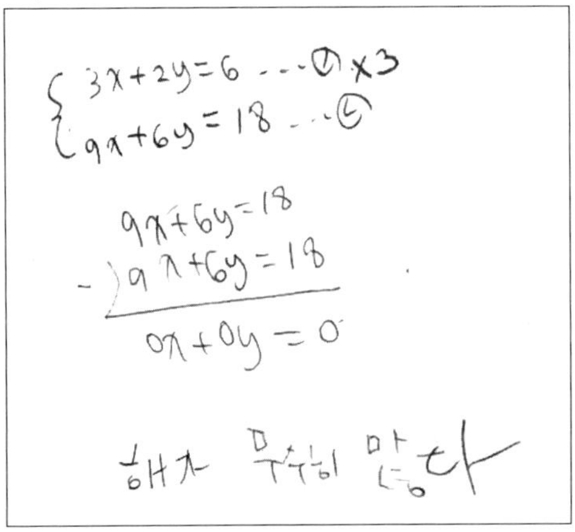

게임하며 탐구하기 6 _ 연립방정식의 풀이 복습

교과서(상) 132쪽

탐구 활동 의도

- 연립방정식의 풀이를 게임을 통해 연습하는 활동이다.

예상 답안

“(어)(떤) 것을 완전히 (알)(려)(거)(든) 그것을 (다)(른) 이에게 (가)(르)(쳐)(라)!”

❶ $\begin{cases} x+5y=2 \\ x+2y=-1 \end{cases}$ ⇨ $\begin{array}{r} x+5y=2 \\ -)\ x+2y=-1 \\ \hline 3y=3 \end{array}$

$3y=3$에서 $y=1$이므로 $x+5y=2$에 대입하여 풀면 $x=-3$이다.
따라서 연립방정식의 해는 $x=-3$, $y=1$이므로
$x+y=-2$ ⇨ 글자는 ‘(려)’이다.

❷ $\begin{cases} 3x+y=11 \\ 2x+y=9 \end{cases}$ ⇨ $\begin{array}{r} 3x+y=11 \\ -)\ 2x+y=9 \\ \hline x=2 \end{array}$

$x=2$를 $2x+y=9$에 대입하여 풀면 $y=5$이다.
따라서 연립방정식의 해는 $x=2$, $y=5$이므로
$x+y=7$ ⇨ 글자는 '㉣르'이다.

❸ $\begin{cases} 3x+y=9 \\ x+2y=8 \end{cases}$ ⇨ $\begin{array}{r} 6x+2y=18 \\ -)\ \ x+2y=8 \\ \hline 5x=10 \end{array}$

$5x=10$에서 $x=2$이므로 $x+2y=8$에 대입하여 풀면 $y=3$이다.
따라서 연립방정식의 해는 $x=2$, $y=3$이므로
$x+y=5$ ⇨ 글자는 '든'이다.

❹ $\begin{cases} -x+2y=-16 \\ -x+y\ \ =-9 \end{cases}$ ⇨ $\begin{array}{r} -x+2y=-16 \\ -)\ -x+y=-9 \\ \hline y=-7 \end{array}$

$y=-7$을 $-x+y=-9$에 대입하여 풀면 $x=2$이다.
따라서 연립방정식의 해는 $x=2$, $y=-7$이므로
$x+y=-5$ ⇨ 글자는 '다'이다.

❺ $\begin{cases} 5x+3y=1 \\ 3x+2y=1 \end{cases}$ ⇨ $\begin{array}{r} 10x+6y=2 \\ -)\ \ 9x+6y=3 \\ \hline x=-1 \end{array}$

$x=-1$을 $3x+2y=1$에 대입하여 풀면 $y=2$이다.
따라서 연립방정식의 해는 $x=-1$, $y=2$이므로
$x+y=1$ ⇨ 글자는 '알'이다.

❻ $\begin{cases} -2x+3y=-1 \\ 2x+3y=7 \end{cases}$ ⇨ $\begin{array}{r} -2x+3y=-1 \\ +)\ \ 2x+3y=7 \\ \hline 6y=6 \end{array}$

$6y=6$에서 $y=1$이므로 $2x+3y=7$에 대입하여 풀면 $x=2$이다.
따라서 연립방정식의 해는 $x=2$, $y=1$이므로
$x+y=3$ ⇨ 글자는 '거'이다.

❼ $\begin{cases} 2x+y=1 \\ -6x+5y=21 \end{cases}$ ⇨ $\begin{array}{r} 6x+3y=3 \\ +)\ -6x+5y-21 \\ \hline 8y=24 \end{array}$

$8y=24$에서 $y=3$이므로 $2x+y=1$에 대입하여 풀면 $x=-1$이다.
따라서 연립방정식의 해는 $x=-1$, $y=3$이므로
$x+y=2$ ⇨ 글자는 '른'이다.

❽ $\begin{cases} 3x+y=14 \\ x=y+2 \end{cases}$ ⇨ $\begin{array}{r} 3x+y=14 \\ +)\ \ x-y=2 \\ \hline 4x=16 \end{array}$

$4x=16$에서 $x=4$ 이므로 $x-y=2$에 대입하여 풀면 $y=2$이다.
따라서 연립방정식의 해는 $x=4, y=2$이므로
$x+y=6$ ⇨ 글자는 '㉮'이다.

❾ $\begin{cases} -3x+y=0 \\ x-5y=-14 \end{cases}$ ⇨ $\begin{array}{r} -3x+y=0 \\ +)\ 3x-15y=-42 \\ \hline -14y=-42 \end{array}$

$-14y=-42$에서 $y=3$이므로 $-3x+y=0$에 대입하여 풀면 $x=1$이다.
따라서 연립방정식의 해는 $x=1, y=3$이므로
$x+y=4$ ⇨ 글자는 '(어)'이다.

❿ $\begin{cases} -x-3y=12 \\ -x+y=-4 \end{cases}$ ⇨ $\begin{array}{r} -x-3y=12 \\ -)\ -x+y=-4 \\ \hline -4y=16 \end{array}$

$-4y=16$에서 $y=-4$이므로 $-x+y=-4$에 대입하여 풀면 $x=0$이다.
따라서 연립방정식의 해는 $x=0, y=-4$이므로
$x+y=-4$ ⇨ 글자는 '(떤)'이다.

⓫ $\begin{cases} 2x+y=4 \\ -y=x+7 \end{cases}$ ⇨ $\begin{array}{r} 2x+y=4 \\ +)\ -x-y=7 \\ \hline x=11 \end{array}$

$x=11$를 $-x-y=7$에 대입하여 풀면 $y=-18$이다.
따라서 연립방정식의 해는 $x=11, y=-18$이므로
$x+y=-7$ ⇨ 글자는 '㉣'이다.

⓬ $\begin{cases} 2x+y=3 \\ x-2y=9 \end{cases}$ ⇨ $\begin{array}{r} 4x+2y=6 \\ +)\ x-2y=9 \\ \hline 5x=15 \end{array}$

$5x=15$에서 $x=3$ 이므로 $x-2y=9$에 대입하여 풀면 $y=-3$이다.
따라서 연립방정식의 해는 $x=3, y=-3$이므로
$x+y=0$ ⇨ 글자는 '(처)'이다.

수업 노하우

- 문제를 풀지 않으면 찍어서 문장을 완성하기 애매한 단어를 주었다. 학생들이 연립방정식을 풀어야만 문장을 완성할 수 있을 것이다.
- 명언을 맞추면, 옳게 풀었는지 짝끼리 점검을 하게 할 수 있다.

탐구 되돌아보기 예상 답안

교과서(상) 133~139쪽

1 개념과 원리 탐구하기 3

(1) 직선 l의 그래프는 기울기가 $\frac{3}{2}$이고 y절편은 3이므로 직선의 방정식은 $y=\frac{3}{2}x+3$이다. 이 식에 2를 곱해 정리하면 $2y-3x=6$이다.

$$\begin{cases} 2y-3x=6 & \cdots\cdots ㉠ \\ y=2x & \cdots\cdots ㉡ \end{cases}$$

㉡을 ㉠에 대입하면 $x=6$

$x=6$을 ㉡에 대입하면 $y=12$

따라서 두 직선은 점 $(6, 12)$에서 만난다.

2 개념과 원리 탐구하기 3, 4

(1) 직선 ㉠은 x가 1 늘어날 때 y는 4씩 줄어들기 때문에 기울기는 -4이다. 또 $x=0$일 때 $y=-6$이므로 y절편은 -6이다. 따라서 직선의 방정식은 $y=-4x-6$이다.

㉡은 x가 4 늘어날 때 y는 8씩 늘어나기 때문에 기울기는 2이다. 또 $x=0$일 때 $y=0$이므로 y절편은 0이다. 따라서 직선의 방정식은 $y=2x$이다.

$$\begin{cases} y=-4x-6 & \cdots\cdots ㉠ \\ y=2x & \cdots\cdots ㉡ \end{cases}$$

㉠, ㉡에서 $2x=-4x-6$

이것을 정리하면 $x=-1$

$x=-1$을 ㉡에 대입하면 $y=-2$

따라서 점 $(-1, -2)$에서 두 직선은 만난다.

(2) ㉡은 $y=2x$이다.

㉢은 x가 1 줄어들 때 y는 1씩 늘어나기 때문에 기울기는 -1이다. 또 $x=0$일 때 $y=3$이므로 y절편은 3이다. 따라서 직선의 방정식은 $y=-x+3$이다.

$$\begin{cases} y=-x+3 & \cdots\cdots ㉢ \\ y=2x & \cdots\cdots ㉡ \end{cases}$$

㉡, ㉢에서 $2x=-x+3$

이것을 정리하면 $x=1$

$x=1$을 ㉡에 대입하면 $y=2$

따라서 점 $(1, 2)$에서 두 직선은 만난다.

(3) ㉢은 $y=-x+3$이다.

㉣은 x가 2 늘어날 때 y는 1씩 늘어나기 때문에 기울기는 $\frac{1}{2}$이다. 또 $y=\frac{1}{2}x+b$에 점 $(4, 5)$를 대입하면 $b=3$이 된다. 따라서 ㉣은 $y=\frac{1}{2}x+3$이다.

분수를 정수로 만들기 위해 양변에 2를 곱해 정리하면 $2y-x=6$

$$\begin{cases} y+x=3 & \cdots\cdots ㉠ \\ 2y-x=6 & \cdots\cdots ㉡ \end{cases}$$

㉠, ㉡을 더하면

$3y=9, y=3$

$y=3$을 ㉠에 대입하면 $x=0$

따라서 점 $(0, 3)$에서 두 직선은 만난다.

3 개념과 원리 탐구하기 2, 3

(1)

$(3x+5y)-(3x+y)$ $=15-7$	$\cdots$ ①	x의 계수가 같으므로 두 식의 양변을 변끼리 뺀다.
$4y=8$	$\cdots$ ②	x가 소거되고 y에 대한 일차방정식이 된다.
$y=2$	$\cdots$ ③	양변을 2로 나누어 y의 값을 구한다.
$3x+2=7$	$\cdots$ ④	구한 y의 값을 식에 대입한다.
$3x=5$	$\cdots$ ⑤	x에 대한 일차방정식을 구한다.
$x=\frac{5}{3}$	$\cdots$ ⑥	x의 값을 구한다.

(2) 미지수 x의 계수가 같으므로 x를 소거하기 위해서 변끼리 뺐다.

4 개념과 원리 탐구하기 4

[풀이 방법]

미지수가 2개인 일차방정식은 일차함수와 같다.

따라서 두 방정식을 각각 함수 꼴로 변형할 수 있다.

그리고 연립방정식의 해는 두 일차함수의 교점이므로 두 식의 y의 값이 같다고 놓고, 교점의 x좌표를 구했다.

다음과 같이 놓고 푼 식에서 x의 값은 두 함수의 교점의 x좌표이다.

$-2x+130=-x+90$

[풀이 완성]

㉠, ㉡의 y의 계수가 같으므로

$-2x+130=-x+90$

이 식을 정리하면 $x=40$

이것을 ㉡에 대입하면 $y=50$

따라서 솜사탕 개수는 40, 달고나 개수는 50이다.

5 개념과 원리 탐구하기 3

(1) 알 수 있다.

[그림 1]은 떡볶이 두 접시와 어묵 한 그릇에 5,000원이고, [그림 2]는 떡볶이 한 접시와 어묵 3그릇에 5,000원으로 둘 다 5,000원이다. 만약 [그림 1]과 [그림 2]에서 각각 떡볶이 한 접시와 어묵 한 그릇을 빼 보면 [그림 1]의 떡볶이 한 접시와 [그림 2]의 어묵 두 그릇의 값은 같다.

따라서 떡볶이의 가격이 어묵 가격의 2배다.

(2) [그림 2]에서 두 세트를 산다면 떡볶이는 두 접시, 어묵은 6그릇이 되고, 가격은 10,000원이다.

떡볶이 두 접시와 어묵 한 그릇의 가격은 5,000원이므로, 어묵 5그릇의 가격은 5,000원이다.

따라서 어묵 한 그릇의 가격은 1,000원이다.

이를 식으로 구할 수도 있다.

떡볶이의 값을 x, 어묵의 값을 y라 하면

$$\begin{cases} 2x+6y=10000 & \cdots\cdots ㉠ \\ 2x+y=5000 & \cdots\cdots ㉡ \end{cases}$$

㉠－㉡을 하면 $5y=5000$

따라서 5000원으로 어묵을 5그릇 살 수 있음을 알 수 있다.

(3) (1)에서 떡볶이 한 접시는 어묵 두 그릇의 가격과 같다고 하였다. 어묵 한 그릇의 가격이 1,000원이므로 떡볶이 한 접시의 가격은 2,000원이다.

6 개념과 원리 탐구하기 3

(1) [그림 2]에서 긴 양초 2개와 짧은 향초 2개가 3,400원이므로 긴 양초 1개와 짧은 향초 1개는 1,700원이다.

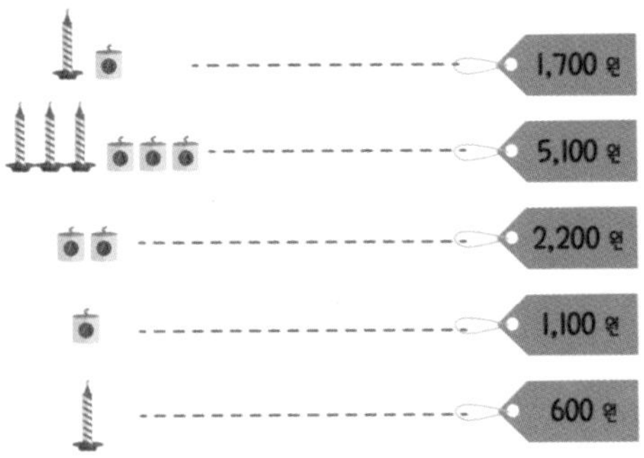

긴 양초와 짧은 향초 3세트는 5,100원이다.

[그림 1]과 비교하면 짧은 향초 2개는 2,200원이 된다. 따라서 짧은 향초 1개는 1,100원이다.

긴 양초와 짧은 향초 한 세트가 1,700원이므로 긴 양초는 600원이 된다.

(2) [그림 1]을 두 세트 사면 긴 양초 6개, 짧은 향초 10개에 14,600원이다. [그림 2]를 3세트 사면 긴 양초 6개, 짧은 향초 6개에 10,200원이다. 두 식 모두 긴 양초가 6개이므로 이를 빼면 짧은 향초 4개의 가격은 4,400원이다.

따라서 짧은 향초 1개는 1,100원이 되므로 긴 양초는 600원이다.

7 개념과 원리 탐구하기 4

민재와 지훈이 누구의 의견은 옳고 누구의 의견을 틀리다고 할 수 없다. 두 친구의 방법 모두 답을 구할 수 있기 때문이다. 두 식의 부호로 보았을 때 민재의 방식으로 하는 것이 식을 변형하는데 쉬울 수는 있다.

8 개념과 원리 탐구하기 3, 4

(1) ㉡의 두 번째 식을 2로 나누면 $-x+4y=6$이 되어 ㉠과 같아진다. 따라서 두 연립방정식의 해는 같다.

(2) $$\begin{cases} 2x+3y=10 & \cdots\cdots ㉠ \\ -2x+8y=12 & \cdots\cdots ㉡ \end{cases}$$

두 식을 더하면 $11y=22$이고 $y=2$

이 식을 ㉡에 대입하면 $x=2$이고 $2x+3y=10$이다.

(3) x, y 중 계수의 절댓값을 같게 만들 수 있는 수를 양변에 곱한다.

절댓값이 같으면 두 식을 빼고 다르면 두 식을 더해 미지수 하나를 소거한다.

남은 미지수를 구하기 위해 일차방정식을 푼다.

구한 미지수를 처음 식에 대입하여 나머지 미지수를 구한다.

9 개념과 원리 탐구하기 3, 4

(1) $\begin{cases} 4x-(x-2y)=-1 & \cdots\cdots ㉠ \\ x+2y=-3 & \cdots\cdots ㉡ \end{cases}$

㉠을 괄호를 풀어 정리하면

$3x+2y=-1$ ········· ㉢

㉢에서 ㉡을 빼면 $2x=2$에서 $x=1$이다.

$x=1$을 ㉡에 대입하여 풀면 $y=-2$이다.

(2) $\begin{cases} \frac{x}{3}-y=5 & \cdots\cdots ㉠ \\ \frac{x}{2}+\frac{y}{3}=2 & \cdots\cdots ㉡ \end{cases}$

㉠의 양변에 3을 곱하면

$x-3y=15$ ······ ㉢

㉡의 양변에 6을 곱하면

$3x+2y=12$ ······ ㉣

㉢의 양변에 3을 곱한 식과 ㉣을 변끼리 빼면

$-11y=33$에서 $y=-3$이다.

$y=-3$을 ㉢에 대입하여 풀면 $x=6$이다.

(3) $\begin{cases} 0.2x-0.1y=0.3 & \cdots\cdots ㉠ \\ -\frac{1}{2}x+\frac{3}{10}y=\frac{4}{5} & \cdots\cdots ㉡ \end{cases}$

㉠의 양변에 10을 곱하면

$2x-y=3$ ······ ㉢

㉡의 양변에 10을 곱하면

$-5x+3y=8$ ······ ㉣

㉢의 양변에 3을 곱한 식과 ㉣을 변끼리 더하면

$x=17$이다.

$x=17$을 ㉢에 대입하여 풀면 $y=31$이다.

10 개념과 원리 탐구하기 3, 4

(1) $x=3, y=2$

$\begin{cases} x+y=5 \\ x-y=1 \end{cases}$

이것 이외에 다른 답도 가능하다.

(2) $x=\frac{1}{4}, y=\frac{1}{2}$

$\begin{cases} 4x+2y=2 \\ 8x-4y=0 \end{cases}$

이것 이외에 다른 답도 가능하다.

(3) $x=0, y=0$

$\begin{cases} 2x-y=0 \\ 4x+3y=0 \end{cases}$

이것 이외에 다른 답도 가능하다.

(4) $x=-2, y=-3$

$\begin{cases} 2x-y=-1 \\ -2x+3y=-5 \end{cases}$

이것 이외에 다른 답도 가능하다.

학생 답안 1

제목:

Q 미지수가 2개인 연립일차방정식이란?

A 각각의 방정식이 미지수가 2개인 일차방정식인 연립방정식

그럼 미지수가 2개인 연립일차방정식으로 나타내보자

$\begin{cases} 3x+2y=45 & \cdots ㉠ \\ 2x+y=28 & \cdots ㉡ \end{cases}$

㉡의 양변에 ×2 $4x+2y=56$ ⋯ ㉢

㉠−㉢ $-x=-11$ ∴ $x=11$

㉡에 $x=11$을 대입하면 $22+y=28$ ∴ $y=6$ $x=11$, $y=6$

모르겠다

호수에게는 펩시와 요구르트가 있다

펩시3개와 요구르트 2개의 세로길이를 합치니 45cm였고

펩시2개와 요구르트 1개의 세로길이를 합치니 28cm였다

(조건이다)

각각의 길이를 구하여라

x, y를 사용해

학생 답안 2

제목: 교실벽꾸미기

나는 미술시간에 반짝이 끈으로 도형을 만들어서 교실 벽을 꾸몄다.

나는 정육각형과 정사각형을 여러개 만들었다.

길이가 90cm인 끈을 두개로 나눈다음 한 끈으로는 정육각형을 다른 한 끈으로는 정사각형을 하나씩 만들었다. 정사각형의 한변의 길이는 28에서 정육각형의 한변의 길이의 2배를 뺀것과 같다고 한다 그랬을때 정육각형의 한변의 길이를 구하여라

정육각형의 한변의 길이를 x 정사각형의 한변의 길이를 y라고 하면

$6x+4y=90 \rightarrow (3x+2y=45)$

$2x+y=28$ 로 나타낼 수 있다

$3x+2y=45$

$-)\ 4x+2y=56$

$-x=-11$ $x=11$ $y=6$ 이다

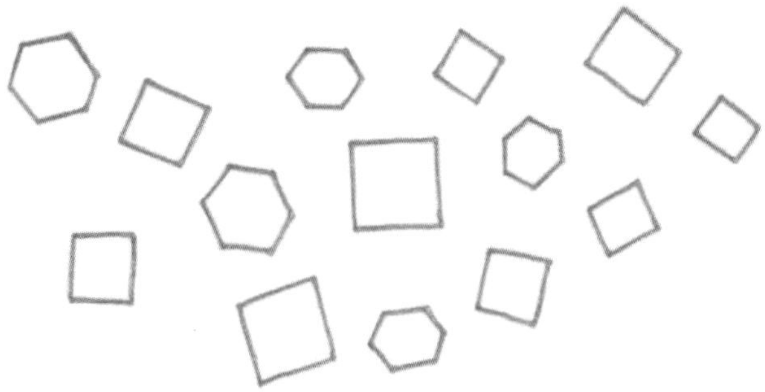

제목: 문구점 가게.

대 한민국 1970년도에 1원에 껌을 사먹을 수 있었던 때에 한 문구점 가게가 있었습니다. 그 가게에는 많은 불량식품들이 있었습니다.

그 곳에는 많은 음식이 있었는데 그 중 책과 라면 가격표가 이상하게 적혀 있었습니다. 그 가격 표에는

x: 책값, y: 라면 값
$3x+2y=45$ (이걸 풀세요)
$2x+y=28$

라고 적혀 있었습니다. 어떤 아이가 라면을 먹고 싶어 이 문방구에 왔는데 라면 가격표가 이렇게 되어 있었습니다. 라면이 아이는 이 연립방정식의 해를 구해

아이1: 이게 뭐야. 라면 먹고 싶은데 보니 가격표에 미지수가 두개인 연립 방정식이 적혀 있어. 수학시간도 아닌데.

아이2: 이걸 보니 연립방정식으로 풀어야 될것같아.

$$\begin{cases} 3x+2y=45 \\ 2x+y=28 \end{cases}$$

$x+y=17$

$y=17-x$

$2x+17-x=28$

$x=11$

값이 11원이니 라면 값은

$2x+y=28$ $y=6$.

라면 값이 6원이네. 어때? 나 똑똑하지!

돈 좋진거 엄마에게 들킬 수 있으니 빨리 이 식을 풀고 라면을 먹어야 될 것 같아.

아이1: 지금 니 똑똑하단 말든 신경쓸 시간이 없어. 빨리 라면이나 사고 먹자.

아이2: 그래. 빨리 라면이나 먹자.

학생 답안 4

제목: 학교 짱이 되는 길

멍청한 내친구는 지난 1년간 수학 성적으로 학교 짱을 이었었다

나는 그친구때문에 항상 1등과 학교 짱의 자리를 바라보기만

해야 했다

그러나 어느날, 나에게 기회가 찾아왔다

선생님께서 매우 어려운 수학 문제를 시험에 내셨는데 일반이었던

그 친구가 그문제를 풀기 못한 것이다 이 소식을 들은 나는 쉬는시간 동안

학습기를 뚫어지라 정독했고 그렇게 시험시간이 찾아왔다.

문제는 이러했다

$3x+2y=45kg$
$2x+y=28kg$
x가 쌀가마니의 1개의 무게,
y가 벼가마니의 개수를 뜻할때
(쌀가마니의 개수)(벼가마니의 개수)를

구하여라.

정확하게. 그리고 부드럽게. 나는 천천히 문제를 풀어갔다.

$$\begin{cases} 3x+2y=45 \\ 2x+y=28 \end{cases} \rightarrow \begin{array}{r} 6x+4y=90 \\ -\,6x+3y=84 \\ \hline y=6 \end{array}$$

x를 어떻게 구해야 하나 고민했지만 y의 값을 식에 대입하여,

x가 7이라는 것을 구했다.

<7−6=−1> 1가마니? 뭔가 이상한 소리인가 했지만 일단 적었다

'학교 짱은 아무나 되는게 아닌가 보다' 하고 생각하며 쉬던 중 들려온

소식을 들었다. 내가 1등이라는 소식이었다. 문제 출제자가 누구인지 궁금했다.

아— 쉽진 않았지만 영광스러웠다.

샘물중고등학교

– 19 –

개념과 원리 연결하기 예상 답안

교과서(상) 142~143쪽

1

나의 첫 생각

사실이 아니라고 생각한다.
일차방정식의 해는 하나라고 했는데 어떻게 2개가 있다는 것인지 이해가 가지 않는다. 분명 둘 중 하나는 해가 아니다. 인혁이가 계산을 잘못했을 것이다. 확인해 봐야겠다.

다른 친구들의 생각

(은이) 예를 들어 $2x-4=0$과 같이 일차방정식의 미지수가 하나인 경우는 해가 하나만 존재하지만 $x+y=3$과 같이 미지수가 2개인 일차방정식의 해는 $(1, 2)$, $(2, 1)$과 같이 2개가 있을 수도 있다. 인혁이 말은 사실이 아니다.
(새희) 인혁이 말은 사실이기는 하지만 일차방정식의 해를 모두 찾은 것은 아니다. 일차방정식의 해는 $(1, 2)$, $(2, 1)$만 있는 것이 아니라 $(0, 3)$, $(3, 0)$도 있고, 음수를 사용하면 더 많아지며, 분수나 소수를 사용하면 무수히 많게 된다.

정리된 나의 생각

두 사람의 말을 들어보니 내 생각이 짧았음을 깨달았다. 그런데 새희의 말을 들으니 미지수가 두 개인 일차방정식의 해를 나타낸 그래프는 일차함수의 그래프와 같이 직선으로 나타나며 그 직선 위의 모든 점이 해가 된다는 것을 깨달았다.

2 (1)

연립방정식의 뜻

두 방정식을 동시에 만족하는 x, y의 값을 구하기 위해 $\begin{cases} x+y=9 \\ 2x+y=13 \end{cases}$ 과 같이 두 일차방정식을 한 쌍으로 묶어서 나타낸 것을 미지수가 2개인 연립일차방정식 또는 간단히 연립방정식이라 한다. 이때 두 일차방정식을 동시에 만족시키는 x, y의 값 또는 그 순서쌍 (x, y)를 연립방정식의 해라 하고, 연립방정식의 해를 구하는 것을 연립방정식을 푼다고 한다.

연립방정식의 풀이

① 가감법 : 방정식을 적당히 변형하여 어느 한 미지수의 계수를 일치시킨 후에 두 방정식을 더하거나 빼서 한 미지수를 소거하여 연립방정식의 해를 구하는 방법

② 대입법 : 방정식을 적당히 변형하여 어느 한 미지수를 다른 미지수에 관한 식으로 나타낸 다음 이 식을 다른 식에 대입하여 연립방정식의 해를 구하는 방법

(2)

연립방정식과 관련 개념 사이의 연결성

- 문자를 사용한 식에서 문자를 어떤 수나 다른 식으로 바꾸어 넣는 것을 대입한다고 한다. 대입은 연립방정식을 풀 때 사용되는 풀이 기술 중 하나다.
- 등식의 양변에 같은 수를 더하거나 빼거나 곱하거나 나눠도 등식은 성립한다는 것이 등식의 성질이다. 연립방정식을 풀 때 가감법은 등식의 성질 중 양변에 같은 것을 더하거나 빼는 방법을 이용하는 것이다.
- 미지수가 2개인 일차방정식의 해는 무수히 많지만 일차방정식 2개를 동시에 만족하는 해는 단 하나 존재할 수 있다. 이것이 연립방정식의 해이다.
- 연립방정식을 푼다는 것은 각각의 일차방정식이 일차함수의 그래프인 직선을 나타내므로 연립방정식의 해는 두 직선의 교점과 일치한다.

개념과 원리 연결하기 예상 답안

학생 답안 1

나의 첫 생각

$\langle ax+by+c=0 \rangle \Rightarrow \langle by=-ax-c \rangle \Rightarrow \langle y=-\frac{a}{b}x-\frac{c}{b} \rangle$

이처럼 미지수가 2개인 일차방정식을 일차함수의 꼴로 바꿀수 있다

그러면 일차함수의 그래프를 그릴때 더욱 편리하게 볼수 있으며

이 일차방정식이 연립방정식으로 놓여질때 그래프의 교점을 구하여

해를 구할수 있다.

특징은 일차방정식을 y에 대한 식으로 나타낸다는 것이다

(예= ⟨y=ax+b⟩의 꼴로 고칠수 있는 것이다)

다른 친구들의 생각

미지수가 2개인 일차방정식의 각 항을 적절하게 이항하여

$y=ax+b$의 꼴로 나타낸다.

정리된 나의 생각

⟨$ax+by+c=0$⟩ ax와 c를 이항하여 ⟨$by=-ax-c$⟩ 꼴로 고친후

식을 b로 나누어 주면 ⟨$y=-\frac{a}{b}x-\frac{c}{b}$⟩ 꼴로 최종적으로 나타낸다.

이를 일차함수의 그래프에 나타내면 연립일차방정식인 경우

그래프의 교점을 구하여 그 해를 쉽게 구할 수 있다.

특징은 식 곧 (미지수가 2개인) 일차방정식을 y에 대한 꼴로 나타내는 것이란 것이다.

학생 답안 2

나의 첫 생각

$ax+by+c=0$은 일차방정식의 꼴이며 직선의 방정식 꼴이다

일차함수로 바꾸면 $by=-ax-c$

$= y=-\frac{a}{b}x-\frac{c}{b}$ 꼴로 바꿀 수 있다.

$ax+by+c=0$은 연립방정식으로 바꿀때 쉽고

$y=ax+b$는 함수로 바꿀때 알아보기 쉽다.

다른 친구들의 생각

$y=mx+n$은 일차함수 이므로 직선의 방정식이며

$ax+by+c=0$ 꼴이므로

$y=-\frac{a}{b}x-\frac{c}{b}$ 이것을 일차함수 꼴로 나타내면

나온다. $ax+by+c=0$ 꼴은 연립방정식으로 나타낼 때

쉽지만 $y=mx+n$은 함수를 나타낼 때

알아보기 쉽다.

정리된 나의 생각

$ax+by+c=0$ 꼴은 연립방정식으로 바꿀때 쉽고

$y=ax+b$은 함수를 나타낼때 알아 보기 쉽다.

학생 답안 3

친구들의 생각 1

$ax+by+c=0 \rightarrow by=-ax-c \quad \therefore y=-\frac{a}{b}x-\frac{c}{b} \leftrightarrow y=mx+n \ (m=-\frac{a}{b}.\ n=-\frac{c}{b}$

∴ 변형이 가능하다.

$y=mx+n$: 함수에서 x절편 / y절편 구할 때
연립방정식에서 미지수를 대입법으로
소거할 때

$ax+by+c=0$: 계수를 자연수로 남기고 싶을 때

친구들의 생각 2

$ax+by+c=0$.을 $y=mx+n$의 꼴로 바꿀 수 있다.

$ax+by+c=0$ 은 일차방정식이고 $ax+by=-c$의 꼴로 바꿀수 있다.

이때에 $by=-ax-c$ ($\times\frac{1}{b}$) $\rightarrow y=-\frac{a}{b}x-\frac{c}{b}$ 꼴로 변형시킬 수 있다.

이 식들에서 x, y 값이 수전체일 때 일차함수의 그래프는 직선이 된다.
또 $ax+by+c=0$의 해는 무수히 많고 그해를 좌표평면 위에 나타내면
직선이 된다 → 직선의 방정식이다!!
직선의 방정식을 일차함수 식으로 나타내면 x, y를 대입할때 편하게 해를 구할수있다 생각한다

친구들의 생각 3

$ax+by+c=0$ 의 해를, 라표평찐 위에
위치 시킬때 $y=mx+n$ 이라는 식이 나오기 때문이다.
$y=mx+n$은, x절편이나 y절편을 구할때 쉽고, 두식의
기울기 그래프의 모양을 유추해 볼때 적합하다.
$ax+by+c=0$은 두식의 공통된 해를 가감법으로 풀때 편리하고,
좀더 쉽게 미지수를 알수있다.

학생 답안 1

< 일차방정식 2개 이상을 연립하여 묶어 놓은 식 > x, y처럼 문자의 계수를 맞추어 어떠한 문자를 소거시키거나 대입해서 푸는 방법을 이용해서 공통된 x와 y의 값을 구하면 그것이 해가 된다.

가감법 $\begin{cases} 4x+y=2 \cdots ① \\ 2x+2y=1 \cdots ② \end{cases}$

⇒ ①에 2를 곱한다

$\begin{cases} 8x+2y=4 \\ 2x+2y=1 \end{cases}$ (y소거)

$-$ ─────

$6x=3$

$\therefore x=\frac{1}{2}$, $y=0$

대입법 $\begin{cases} x=2+y \\ y=2x+3 \end{cases}$

(2x에 $x=2+y$를 대입)

$y=2(2+y)+3$

$y=4+2y+3$

$y=7+2y$

$-y=7$

$\therefore y=-7$, $x=-5$

학생 답안 2

연립방정식의 해는 (두) 일차함수의 그래프의 교점이다

따라서 두 방정식(연립방정식의)을 만족하는 x와 y의 값은 두 일차함수의 그래프의 교점이 되는것이다 (순서쌍 x, y의 값).

예: ① $\begin{bmatrix} 1000x+500y=65,000 \\ x+y=90 \end{bmatrix}$ ⇒ ② $\begin{bmatrix} 500y=-1000x+65000 \\ y=-x+90 \end{bmatrix}$

↓

③ 이 두개의 일차함수 식을 그래프에 나타냈을때 그 두개의 그래프의 교점이 ①의 연립방정식의 해가 되는것이다.

학생 답안 1

〈연립방정식과 일차함수와 연결된 개념〉	〈개념 사이의 연관성〉
* 대입 * 등식의 성질 * (일차)방정식 * 미지수가 2개인 일차방정식 * 일차함수와 그 그래프	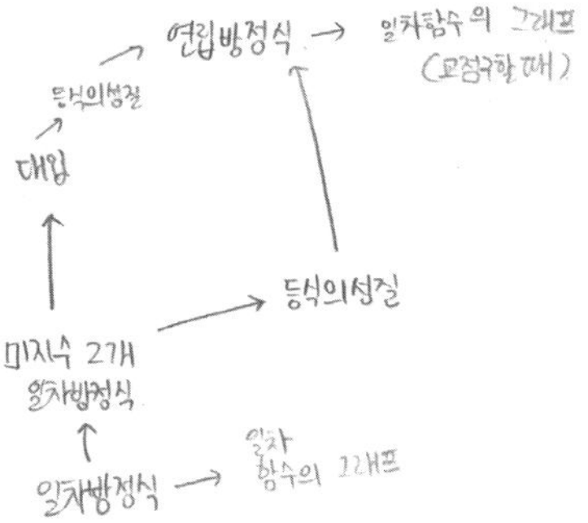

학생 답안 2

두 개념 사이의 연관성	모둠의 정리 ✓
연립방정식과 함수의 연관성에 대해 알게 되었다. 연립방정식 $\begin{cases} x+y=5 \\ 4x-y=5 \end{cases}$ => $y=5-x$ $4x-(5-x)=5$ $4x-5+x=5$ $5x=10 \quad \therefore x=2$ $y=5-2=3$ $x=2$ $y=3$ $(2,3)$ 함수 $y=-5+4x$ $y=-5+4\times2$ $=-5+8=3$ - 두 식의 해가 같다. -	방정식을 일차함수 꼴로 바꾸어 풀 수 있다. 일차함수의 해는 방정식의 해이기도 하다.

학생 답안 3

두 개념 사이의 연관성	모둠의 정리
연립방정식과 함수의 연관성에 대해 알게 되었다. 연방 $\begin{cases} x+y=5 \\ 4x-y=5 \end{cases}$ => $y=5-x$ $4x-(5-x)=5$ $4x-5+x=5$ $5x=10$ $x=2$ $y=5-2=3$ $x=2$ $y=3$ 함수 $y=-5+4x$ $y=-5+4\times2$ $=-5+8=3$ 두 식의 해는 같다 ↳ $(2,3)$	• 방정식을 일차함수 꼴로 바꾸어 풀 수 있다. • 방정식의 해는 일차함수의 해이기도 하다.

수학 학습원리 완성하기 예상 답안

학생 답안 1

내가 선택한 문제

[1] 탐구하기 2 $2x+y=12$의 해를 모두 그래프로 표시하기

나의 깨달음

$2x+y=12$의 해가 몇개인지 생각해본적이 없었다.

(1, 10) → +1, -2 → (2, 8) → +1, -2 → (3, 6) → +1, -2 → (4, 4) ⋮

그냥 그런가보다 했다. 그런데 규칙이 있었다.
x가 1 증가할때, y가 2 감소한다.
이건 기울기와 비슷했고 이 규칙을 이용하면
해를 계속 찾을 수 있다

그런데 직선모양으로 찍혀서
아마도 사이사이 점들도
될것같았다. 해가
이렇게 다양하고 많은 것이 신기하다.

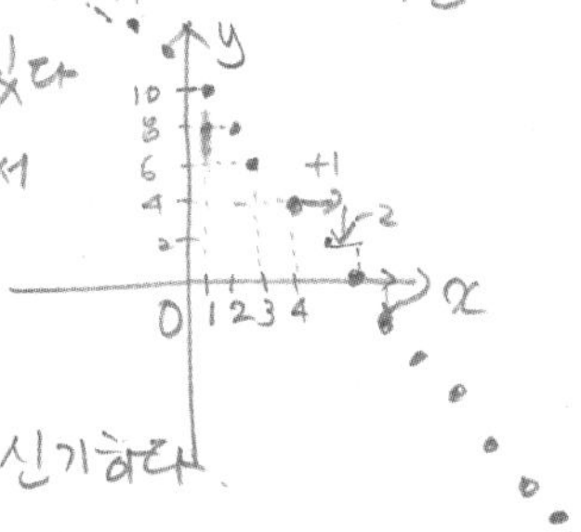

수학 학습원리

5번 여러가지 수학개념 연결 ⇒ 해와 기울기

학생
답안
2

내가 선택한 문제

[2] 축제 준비 하기 2번

나의 깨달음

핫도그와 우산의 가격을 그림으로 그려서 알아내는 것이 제일 쉬웠다. 겹치는 것을 지우면 남은 핫도그 두개가 2000원 이니까 핫도그 하나의 가격이 1000 원 이라는 것을 알 수 있다. 그런데 이것을 식으로 바꿔 정리하는 과정에서 x, y 중 하나가 없어야 해를 구할 수 있다는 게 이해가 됐다. 내가 그림을 지우면서 푼 것이 바로 미지수 하나가 사라지는 것이라는 걸 알았다. 그림으로 쉽게 풀 수 있는 것을 왜 식으로 바꿔서 풀어야 하는지 몰랐는데, 모든 문제를 그림을 그려서 풀수 없기 때문이라는 걸 알게 되었다. 그리고 앞에서 두 직선 그래프가 만나는 교점이 해 라는 것도 알았는데, 그 그래프 식이 결국 미지수가 두개인 일차방정식이고 이 방정식을 두 문자 중에서 하나만 없애면 쉽게 풀 수 있다는 것도 정리가 되었다. 그래프와 식이 다 연결 되는 것도 신기했다.

수학 학습원리

5. 여러가지 수학개념 연결하기

학생
답안
3

내가 선택한 문제

[1] 탐구하기 3의 1번

나의 깨달음

이 문제는 그냥은 안 풀린다.

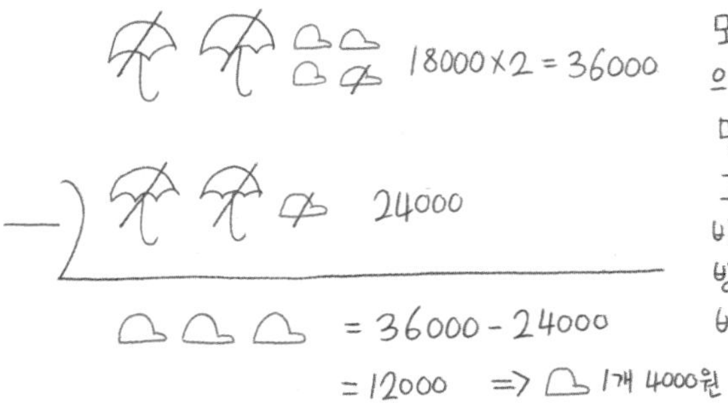

이 원리는 우산과 모자 두 종류 중 하나의 개수를 똑같이 만들어 주는 것이다. 그래서 양쪽 식을 비교할수 있다. 연립방정식의 풀이가 두 식을 비교하는 것임을 알게되었다.

수학 학습원리

3. 추론을 통해 설명하기

학생 답안 4

내가 선택한 문제

$$\begin{cases} x-2y=3 \\ 2x-4y=6 \end{cases}$$

이 연립방정식의 해를 구하더라.

$\begin{cases} x-2y=3 \\ 2x-4y=6 \end{cases} \Rightarrow \begin{matrix} 2x-4y=6 \\ 2x-4y=6 \end{matrix} \Rightarrow \begin{matrix} 2x-6=4y \\ 2x-6=4y \end{matrix} \Rightarrow \left. \begin{matrix} \frac{1}{2}x-\frac{3}{2}=y \\ \frac{1}{2}x-\frac{3}{2}=y \end{matrix} \right] \Rightarrow$ 두 그래프는 일치한다.

$\therefore$ 해는 무수히 많다.

나의 깨달음

$2x-4y=6$
$2x-4y=6$ 에서 두 식을 빼면 0이 나와서 잠시 머뭇거렸다.

하지만 머릿속에 그래프를 그려 생각해보니 각 식에 안 맞는 식을 그래프 상에 나타내보니 그래프 두 개가 일치하였다.
두 그래프가 일치하니, 교점도 무수히 많을 것이고 따라서 연립방정식의 해는 무수히 많을 것이다.

수학 학습원리

1. 끈기있는 태도와 자신감 기르기

STAGE 5

놀이동산에 가자

– 일차부등식

이 단원의 핵심 지도 방향

이 단원에서는 부등식의 풀이나 해를 구하는 것보다 부등식의 해의 의미와 그 해를 구하는 과정에 많은 시간을 할애합니다. 중학교 1학년에서 문자를 이용한 식이 처음 나왔고 그 이후 등식의 관점에서 식을 다룹니다. 초등학교에서 다룬 것처럼 단순히 부등호를 이용한 식이 아니라 이 단원에서 문자를 이용한 부등식이 처음 나왔음을 감안하여 그 의미를 학생들의 입장에서 고민할 수 있도록 하였습니다. 단순히 부등식을 푸는 것보다 문자를 이용한 부등식에서 x의 의미를 탐구하는 과정에 비중을 두었습니다.
또한 부등식의 해와 방정식의 해의 특징을 비교하도록 합니다. 단순히 해의 개수뿐만 아니라 부등식의 해가 어떤 범위로 나온다는 것을 발견할 수 있도록 하고, 부등식의 해는 하나의 값이 아니라 일반적으로 범위로 표현됨을 이해할 수 있도록 하였습니다.

부등식의 성질을 이용한 풀이 알고리즘을 가르치기 이전에 부등식의 해를 구할 수 있는 여러 가지 방법을 발견해 보면서 부등식의 의미를 이해하도록 하였고, 이후 보다 간편한 방법으로서의 풀이 알고리즘을 접하게 하는 것이 필요하다고 보았습니다.

1 크거나 작거나 (일차부등식)

단원 지도 계획

/1/ 놀이동산 가는 길

1차시
- **개념과 원리 탐구하기 1** 일상 생활 속의 부등식
- **개념과 원리 탐구하기 2** 문자를 사용한 부등식의 뜻

2차시
- **개념과 원리 탐구하기 3** 부등식과 그 해의 뜻

3차시
- **개념과 원리 탐구하기 4** 부등식을 이용한 부등식의 해의 표현

4차시
- **개념과 원리 탐구하기 5** 그래프를 이용한 부등식의 풀이

/2/ 어, 방향이 바뀌네

5차시
- **개념과 원리 탐구하기 6** 부등식의 성질

6차시
- **개념과 원리 탐구하기 7** 일차부등식의 뜻과 풀이
- **개념과 원리 탐구하기 8** 일차부등식과 일차부등식의 풀이

7차시
- **개념과 원리 탐구하기 9** 일차부등식의 활용

8차시
- **게임하며 탐구하기 10** 일차부등식의 풀이

9차시 탐구 되돌아보기

10차시 개념과 원리 연결하기

11차시 수학 학습원리 완성하기

• 교과서 각 소단원마다 제시된 **탐구 되돌아보기**는 **개념과 원리 탐구하기**와 연계하여 수업 시간 내 또는 수업 시간 이후 복습으로 활용할 수 있습니다.

/1/ 놀이동산 가는 길 (일차부등식의 뜻과 성질)

학습목표

1 일상 생활에서 크고 작음을 나타내는 표현을 찾아 부등호를 이용하여 적절하게 나타냄으로써 부등식의 의미를 직관적으로 이해한다. 특히 등식과 부등식을 비교하여 그 차이를 이해한다.

2 일차부등식에서 미지수의 값에 따라 두 식의 대소가 달라진다는 것을 이해할 수 있다. 해를 판별하는 과정을 통해 부등식의 해의 뜻을 이해하고, 그 특징을 발견할 수 있다. 또 정의에 충실하게 부등식의 해를 구하는 자신만의 방법을 발명할 수 있다.

3 부등식의 해를 수직선에 나타내는 방법을 이해할 수 있다. 이상, 이하, 초과, 미만의 표현을 부등식을 이용하여 나타내고 부등식의 해의 맥락에서 설명할 수 있다.

4 부등식의 해를 그래프를 이용하여 설명할 수 있다.

2015 개정 교육과정 성취기준

1 부등식과 그 해의 의미를 알고, 부등식의 성질을 이해한다.

2 일차부등식을 풀 수 있고, 이를 활용하여 문제를 해결할 수 있다.

교수 · 학습 방법 및 유의 사항

1 방정식과 부등식은 다양한 상황을 통해 도입하여 그 필요성을 인식하게 하고, 여러 가지 방법으로 풀어 보면서 더 나은 풀이 방법을 찾고 설명해 보게 한다.

2 방정식과 부등식을 활용하여 실생활 문제를 해결하고 그 유용성과 편리함을 인식하게 한다.

3 방정식과 부등식의 해가 문제 상황에 적합한지 확인하게 한다.

평가 방법 및 유의 사항

방정식과 부등식에 대한 지나치게 복잡한 활용 문제는 다루지 않는다.

핵심발문

부등식의 해의 뜻을 방정식의 해와 비교하여 설명해 볼까?

개념과 원리 탐구하기 1 _ 일상 생활 속의 부등식 (준비물 : 색연필이나 색 싸인펜)

교과서(상) 147쪽

탐구 활동 의도

- 일상 생활 속에서 접하는 다양한 상황을 문자를 이용한 식으로 표현할 수 있으며, 이 중에서도 크기를 비교할 때 부등호를 사용하여 표현할 수 있는 상황들을 찾아보도록 한다.
- 문자를 사용한 부등식에서 x의 의미를 직관적으로 이해한다.
- 초등학교 6학년 때 초과, 미만, 이상, 이하의 표현들을 배웠기 때문에 이를 바탕으로 수의 크기를 문자를 사용하여 표기할 수 있도록 한다.
- 일상 생활 속에 다양한 부등식이 활용되고 있다는 것을 알게 하고 조별로 그림으로 표현해 보고 서로 어떤 내용인지 맞추는 시간을 갖도록 한다.
- 이 탐구에서는 해를 찾는 것보다는 부등식으로 나타내고, 주어진 상황 속에서 부등식의 해가 무엇인지 생각하여 표현하게 하는 것이 목적이다.

예상 답안

1 (1) ❶ 앞차와의 간격이 100 m 이상이 되어야 한다.
❷ 아시안 하이웨이 1 : 고속도로 이름이 아시안하이웨이 1이다.
❸ 대전까지는 146 km 남았고, 북대구까지는 5 km 남았다.
❹ 이 도로에서 자동차의 속도는 100 km/시 이하여야 하고 50 km/시 이상이어야 한다.

학생 답안

1) 차량간의 거리 100m 이상.
2) 아시안 하이웨이는 1번 국도.
3) 대전까지 146km 남음 & 북대구까지 5km 남음.
4) 주행속도는 시속 100km 미만 50km 이상.

① 차 사이의 거리를 100m 이상 유지
② 일본, 한국, 중국, 인도, 터키를 연결하는 도로
③ 대전까지 146km 남음, 북대구까지 5km 남음
④ 시속 50km 이상, 100km 이하

(2) ❶ 앞차와의 간격을 x라고 하면 $x \geq 100$이다.
❷ 대전까지의 거리를 y, 북대구까지의 거리를 z라고 하면 $y=146$ km, $z=5$ km
❸ 이 고속도로에서의 자동차의 속력 v라고 하면 50 km/시$\leq v \leq$100 km/시

학생 답안

1) 차량간의 거리 = a → a ≥ 100m
2) 아시안 하이웨이 = x → x = 1번국도
3) 대전까지 남은 거리 = x / 북대구까지 남은 거리 = y → x = 146km y = 5km
4) 주행속도 = a → a < 100, a ≥ 50km

① 차사이의 거리 = y, y ≥ 100
④ 차의 속력 = x, 50 ≤ x ≤ 100
③ 대전까지 남는 거리 = a, a = 146km
북대구 〃 = b, b = 5km

(3) (등식) : 대전까지의 거리를 y라고 하면 $y=146\text{ km}$, 북대구까지의 거리 z 라고 하면 $z=5\text{ km}$
(등식이 아닌 것) : 앞차와의 간격을 x라고 하면 $x\geq 100$이다.
이 고속도로에서의 자동차의 속력을 v라고 하면 $50\text{ km/시}\leq v\leq 100\text{ km/시}$

학생 답안

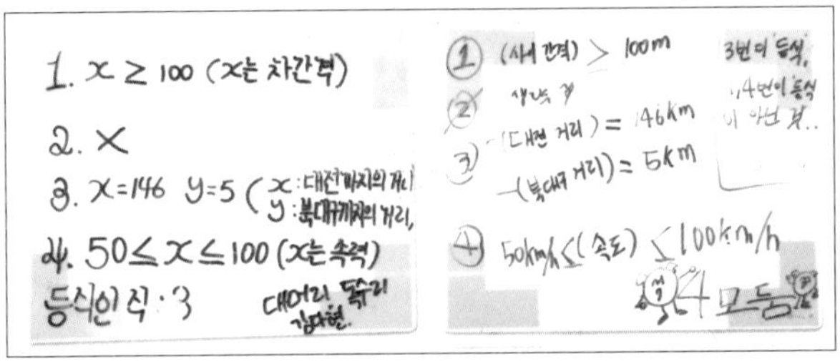

2 (1) 티비 프로그램의 시청 가능 연령, 술이나 담배의 판매 가능 연령, 투표 가능 나이 등 일상에서 접할 수 있는 다양한 것들을 찾아볼 수 있도록 한다.

학생 답안

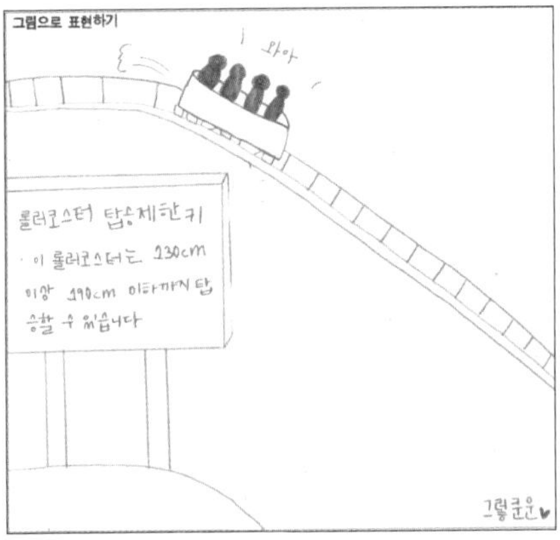

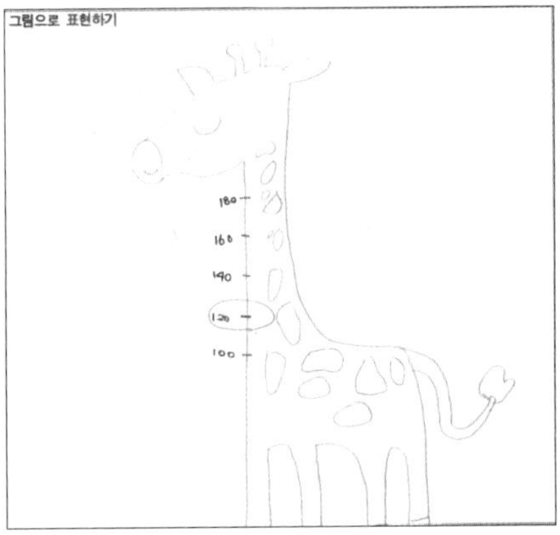

(2)

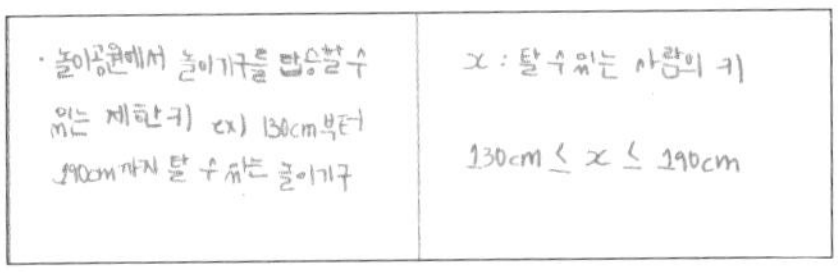

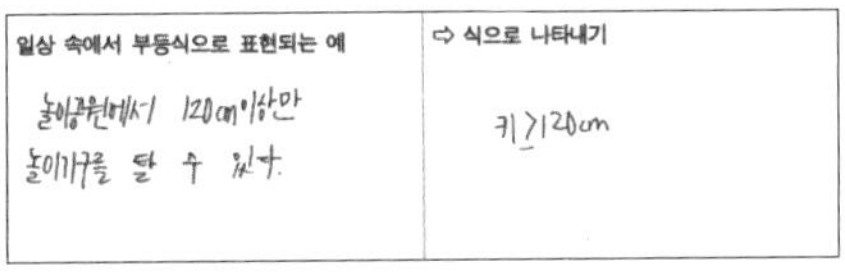

수업 노하우

• 1 에 제시된 것 이외에도 교통안전 표지 일람표의 규제 표지는 부등식을 이용하여 표현할 수 있는 것들이 많다. 일상 생활에서는 '제한'을 나타낼 때 주로 부등식을 많이 사용함도 발견할 수 있다. 자동차 표지판에 대해 잘 모른다면 다음과 같은 표지판을 보여주고 어떤 내용인지 유추해 보도록 할 수 있다.

• 문자를 사용해서 식으로 나타낸 것과 문자를 사용하지 않고 '(앞차와의 간격) $\geq$ 100 m'라고 쓴 것들을 비교하여 학생들이 어떤 것이 더 편한 것인지, 왜 문자를 사용하는 것이 더 나은 것인지에 대해 논의해 보도록 할 수 있다.

• [1] (2)에서 '50 km/시 $\leq v \leq$ 100 km/시'와 같은 연립부등식 표현은 어려울 수도 있지만 의미상 이해하고 넘어갈 수 있는 정도로 다룰 수도 있다.

• 학생들에게 다음과 같이 추가로 질문할 수 있다.

> 등식이 아닌 식들은 무엇이라고 부르면 좋을까요?

• [2] 에서 수업의 진행은 다음과 같이 할 수 있다.

(준비물 : 스케치북(또는 큰 종이) 2장, 색연필이나 싸인펜)

❶ 그림으로 표현한 후 각 모둠에서 2개의 그림을 선택한 후 그 그림을 스케치북에 그린다.

❷ 스케치북을 칠판이나 반 전체가 볼 수 있는 판에 붙인 후 친구들과 서로 그림을 보고 무슨 내용인지 맞춰 본다.

❸ 다른 모둠에서 만들어 놓은 그림을 보고 부등식으로 표현하여 맞게 식을 세웠는지 모둠에서 확인하고 공유한다.

• [2] (1)은 그 자리에서 바로 생각해 보라고 하면 생각이 잘 나지 않을 수 있다. 일차부등식 단원 들어가기 전 차시에 학생들에게 미리 일상 속에서 부등호를 사용하여 표현할 수 있는 내용들(또는 이상, 이하, 초과, 미만이라는 내용을 담고 있는 것)을 찾아오라고 하여 수업을 진행해도 좋다. (미리 예시를 찾아서 수업 시간에 보여줄 수도 있다.)

이를 보고 학생들이 부등식으로 나타낸 예다.

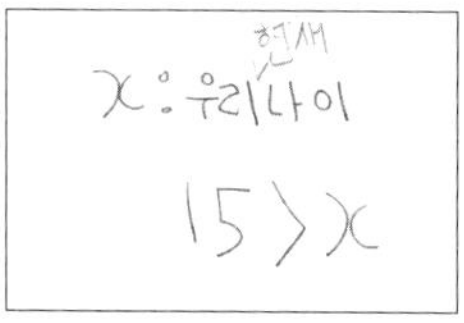

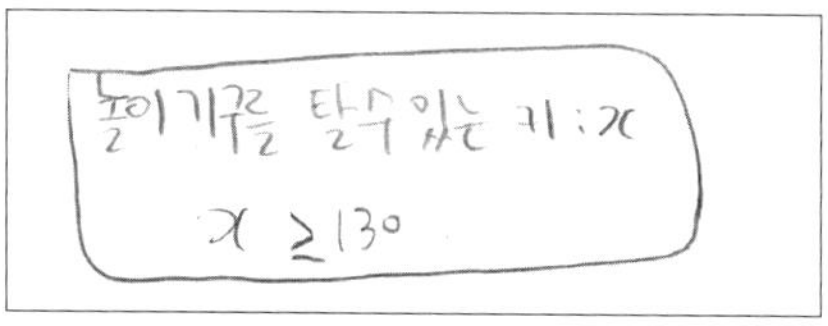

주의 학생들에게 문자를 사용한 부등식은 낯설 수 있음을 고려한다.

개념과 원리 탐구하기 2 _ 문자를 사용한 부등식의 뜻

교과서(상) 149쪽

탐구 활동 의도

- **탐구하기 2**의 예시는 **탐구하기 1**에서 실험에 참여한 학생들이 만들었던 여러 가지 문장을 그대로 이용하였다. 실제 학생들은 부등식 상황을 만들라고 했는데 방정식 상황을 만들기도 했다. 이 탐구활동은 각각의 상황을 문자를 이용한 식으로 만들도록 하되, 부등식과 방정식을 비교하며 부등식을 이해하게 하는 활동 이다.
- 부등호를 이용하여 (수 또는) 식의 대소 관계를 나타낸 식을 부등식으로 나타낼 수 있음을 발견할 수 있다. 주로 제한하는 범위가 있거나 비교를 하는 표현일 경우 부등식으로 표현할 수 있음을 이해하게 한다.

예상 답안

1 (1) ① x=(수학 점수), $\frac{80+90+75+x}{4} \geq 85$, 부등식이다.

② x=(한 아이의 몸무게), $60\times10+2x\geq660$, 부등식이다.

③ x=(집에서 교실까지 걸리는 총 시간(초)), $(820+240)\times0.8=x$, 방정식이다.

④ x=(한 문장을 읽는 데 걸리는 평균 시간(초)), $12x=36$, 방정식이다.

⑤ x=(1년에 큰 평균 키), $114+7x=156$, 방정식이다.

⑥ x=(한 끼에 먹는 숟가락 수), $0.5x\leq15$, 부등식이다.

⑦ x=(한 쪽을 읽는 데 걸리는 시간(시간)), $320x\leq3$, 부등식이다.

⇨ 부등식: ①, ②, ⑥, ⑦

학생 답안

$156-114=(15-8)x$ $7x=42$ ($x=6$)

$(156-114)\div7=x$, $7x=156-114$, $7x=42$

$0.5x<15$

$30x < 900$

$(x+80+90+75)\times\frac{1}{4}\geq85$ x=3회점수

$600+2x>660$ x=한아이의 몸무게

$0.8(820+240)=x$ x=걸린시간

$12x=36$ x=한 문장 읽는데 걸린초

$114+7x=156$ x=1년에 큰 키

$30x<900$ 15 x= 몇 숟가락

$320x\leq10800$ x= 한쪽 읽는데 걸린시간

(2)

나의 생각	모둠의 의견
• 무언가를 비교할 때 부등식으로 나타낼 수 있다. • 정확하게 '얼마이다'가 아니고 '얼마'를 기준으로 크거나, 작거나 하는 상황이다.	답을 한 가지로 정확하게 구할 수 있는 것은 방정식, 답이 범위로 주어지는 것은 부등식이다.

학생 답안

문제에 이상, 이하, 초과, 미만 이라는 말, 뜻이 들어가 있다

수업 노하우

• 학생들이 문장을 이해하는 것에 어려움을 겪을 수 있다. 문장의 뜻을 자신이 이해할 수 있는 문장으로 고쳐서 보다 분명한 표현으로 바꾸어 보게 할 수도 있다. 문장을 정확히 이해한 후 식을 세워 보도록 지도한다.

• x를 사용한 식을 세울 때 주어진 문장에서 x가 시간을 나타낼 경우 초, 분, 시간 중 x의 단위를 무엇으로 두고 식을 세우느냐에 따라 학생들마다 다른 식이 나올 수 있다.

• 1 에서 주어진 문장을 미지수를 이용한 식으로 만들지 않고 아래와 같이 계산으로 답만 구하는 학생도 있다. 이런 학생에게는 구하고자 하는 것을 x로 두고 식을 세울 수 있도록 지도하여 이 탐구에서는 답을 구하는 것이 목적이 아니라 식으로 상황을 표현하여 부등식과 방정식의 차이를 구별할 수 있는 것이 핵심임을 안내한다.

학생 답안

$\frac{36}{12}=3$ (초)

$156-114=42$(cm) $\frac{42}{7}=6$(cm)

$900\div30=30$(숟가락)

• 교과서에 제시된 여러 가지 예시는 학생 자신의 일상 생활과 관련이 적을 수도 있다. 여기서는 자신과 관련이 있는 상황을 만들어 보게 하는 것이 좋다. 택배를 보낼 때 무게에 따른 요금, 태풍의 풍속에 따른 분류 등 우리 주변에서 부등식으로 나타낼 수 있는 것들을 보다 다양하게 찾아보게 하여 부등식의 해가 '범위'로 나타날 수 있음을 충분히 경험할 수 있는 기회를 제공한다.

개념과 원리 탐구하기 3 _ 부등식과 그 해의 뜻

탐구 활동 의도

- 일차부등식의 해의 뜻을 직관적으로 이해하는 과정으로 실제 일차부등식의 해는 수직선에서 영역으로 나타나며, 어떤 수를 기준으로 그보다 큰 수 또는 그보다 작은 수들이 모두 해가 된다는 것을 발견하게 하는 과정이다.
- 미지수의 값에 따라 두 식의 대소가 달라지며, 주어진 부등식을 성립하게 하는 값이 해가 됨을 체험할 수 있다.
- 대입하여 해를 구해 보는 과정을 통해 부등식의 해의 개념을 이해한다.
- 부등식의 해를 구하는 것은 주어진 부등식을 만족하게 하는 값을 모두 찾는 것임을 깨닫게 할 수 있다. 또한 직접 대입하지 않고 해를 모두 구할 수 있는 방법까지 논의하여 추론하게 하는 활동이다.
- 해의 특징을 이용하여 부등식의 해를 구하는 자신만의 방법을 발견할 수 있도록 하면 부등식의 성질을 이용하여 해를 구하는 알고리즘의 의미를 이해할 수 있을 것이다.

예상 답안

1 (1) -2는 해가 되지 않는다.

-2를 대입하면 좌변은 $3\times(-2)+5=-1$, 우변은 $5\times(-2)+7=-3$이고 $-1>-3$이기 때문에 부등식 $3x+5\leq5x+7$를 만족하지 않으므로 해가 되지 않는다.

학생 답안

해가 아니다. $-6+5\leq-10+7$ -1이 더 크다. $-1\leq-3$	안 된다. x에 -2를 대입했을 때 $-1\leq-3$ 이라는 옳지 않은 식이 나온다.

(2)

〈1모둠〉	-2	-6	-3	$-\frac{3}{2}$	〈2모둠〉	2	$\frac{3}{2}$	-4	$-\frac{1}{2}$
〈3모둠〉	3.5	-7	-5	2.1	〈4모둠〉	-1	$\frac{11}{4}$	6	-5.7
〈5모둠〉	0.5	3	-1.1	0	〈6모둠〉	-0.9	-15	4	7
〈7모둠〉	10	8	$-\frac{5}{2}$	15	〈8모둠〉	$\frac{2}{3}$	-0.1	0.1	-9

(3)

-15	-9	-7	-6	-5.7	-5	-4	-3	$-\frac{5}{2}$	-2	$-\frac{3}{2}$
-1.1	-1	-0.9	$-\frac{1}{2}$	-0.1	0	0.1	0.5	$\frac{2}{3}$	$\frac{3}{2}$	2
2.1	$\frac{11}{4}$	3	3.5	4	6	7	8	10	15	

• 부등식의 해는 하나가 아니라 여러 개다.
• 부등식의 해는 범위로 표현된다.
• 하나의 수를 기준으로 해가 되는 부분이 정해져 있다.
• -1을 기준으로 해가 결정된다.
• -1 이상이면 해가 되고 -1 미만이면 해가 아니다.

학생 답안

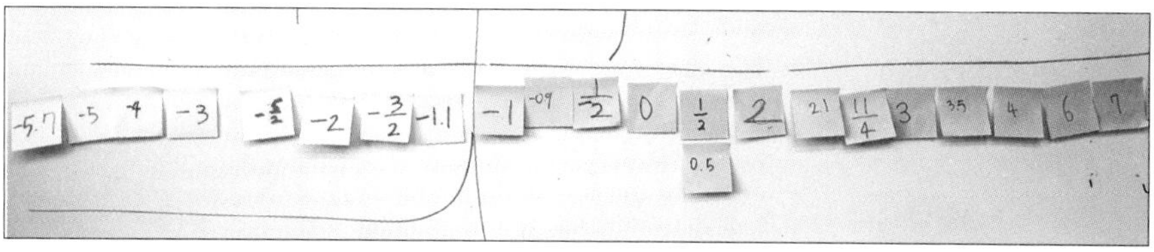

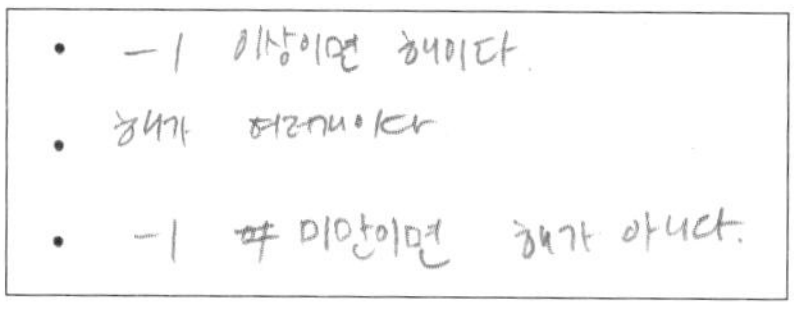

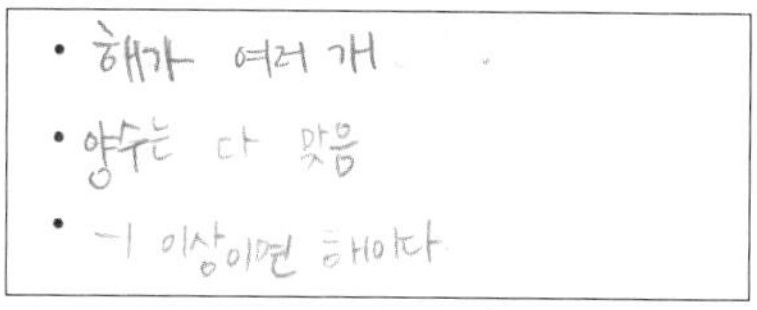

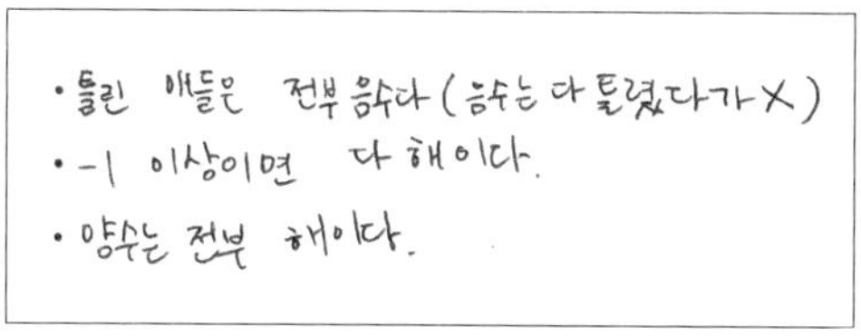

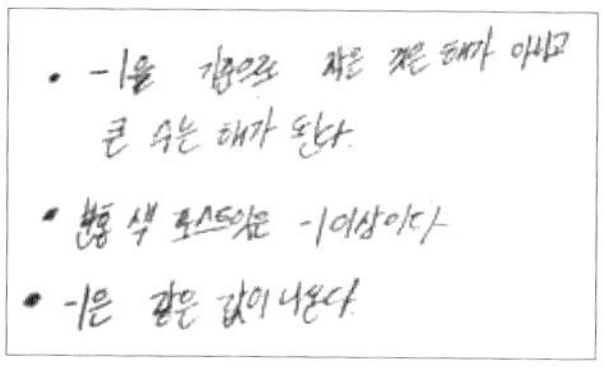

2 (1) 수 카드가 많아져도 -1을 기준으로 왼쪽에 있는 숫자들은 해가 되지 않고, 오른쪽에 있는 숫자들은 해가 된다.

학생 답안

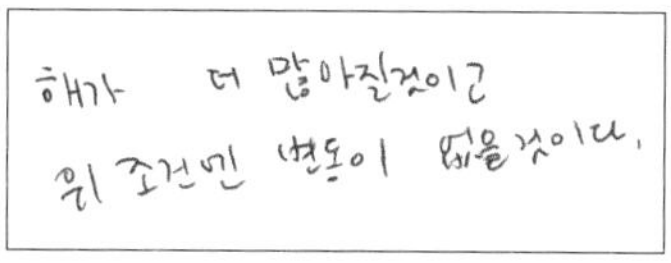

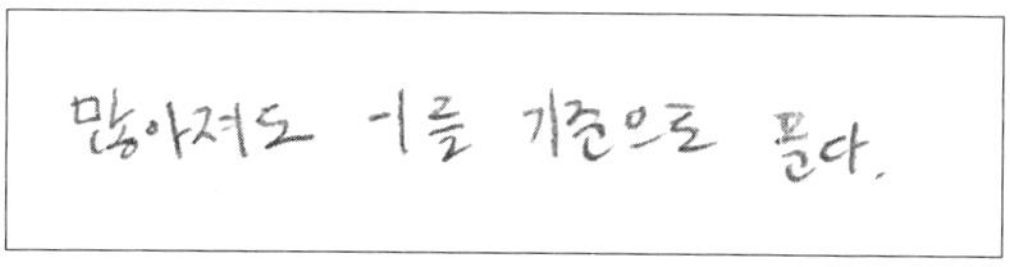

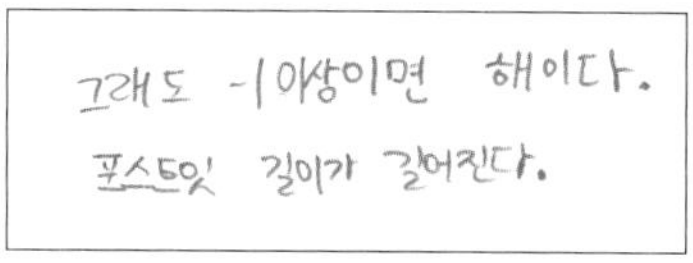

(2) 부등식의 양변이 같아지는 수를 하나 찾고, 그 수를 기준으로 다른 수 하나를 대입하여 성립하는 쪽은 모두 해가 된다.

• 여기서 -1보다 큰 0을 양변에 대입하면 부등식이 성립한다. 따라서 -1보다 큰 쪽은 모두 해가 되고, -1도 해가 되므로 해는 $x \geq -1$ 이라고 할 수 있다.
• 일차방정식의 해는 1개지만, 부등식의 해는 무수히 많다. 듬성듬성 있는 것이 아니라 몰려있고, 범위로 표현할 수 있다.

수업 노하우

• 1 에서는 대입하여 해를 구해보는 과정을 이해하고 해의 개념을 다시 한번 확인할 수 있다.
• 〈수업의 진행〉은 다음과 같이 할 수 있다.

① 각 모둠별로 모둠에 해당하는 숫자가 해가 되는지 되지 않는지 확인한 후 해가 되는 것은 분홍색 포스트잇에 숫자를 쓰고, 해가 되지 않는 숫자는 노란색 포스트잇에 기록한다. (계산이 목적은 아니므로 계산기를 사용해도 된다.)

② 칠판에 수직선을 크게 그려 놓고 학생들이 나와서 숫자들을 크기 순으로 붙여 보게 한다.

③ 모둠 수에 따라서 한 학생이 한 개의 숫자를 가지고 할 수 있도록 안내할 수 있다. 계산보다는 붙여진 상태를 보고 부등식의 해가 무엇인지 탐구할 시간을 확보하기 위해서다.

• [2]에서 수의 카드가 더 많을 때, 다시 대입을 이용하여 해를 찾을 것인지 다른 방법이 있는지를 비교하여 부등식의 해가 '$x \geq$ (수)'와 같은 꼴로 표현됨을 발견할 수 있도록 한다.

— 이때 기준이 되는 수는 방정식으로 두었을 때의 해, 즉 등호를 만족하는 수임을 학생들이 발견하기도 하였다. 다음과 같이 발문할 수도 있다.

> 일차부등식의 해가 일차방정식의 해와 다른 점은 무엇이 있을까요?

• 해를 수직선에 표현하는 방법은 다음 **탐구하기 3**에서 다루지만, 여기서 칠판에 해들이 붙은 상태를 보고 해를 표현하는 방법을 발견하도록 할 수도 있다.

> 부등식의 해는 수직선을 이용해서 어떻게 표현할 수 있을까요?

개념과 원리 탐구하기 4 _ 수직선을 이용한 부등식의 해의 표현

교과서(상) 153쪽

탐구 활동 의도

• 부등식의 해가 범위로 나타난다는 것을 이해하고 수직선에 표현하는 방법을 발견하게 한다.

• 초등학교에서 배운 초과, 미만, 이상, 이하의 뜻을 복습하고, 이를 미지수를 이용한 부등식으로 나타내어 수직선에 표현하게 할 수 있다. 이것은 중학교 1학년 '유리수의 대소 관계'에서 이를 다루는 교과서도 있으나 우리 교과서는 중학교 1, 2학년의 내용을 통합하여 2학년에서 다루기로 한 내용이다.

• 이상과 이하, 초과와 미만을 부등호로 나타내고, 이를 수직선에 나타내는 방법을 이해한다. 특히 [2]에서는 초과와 미만의 경우 그 수가 포함되지 않는다는 것을 주의하도록 한다.

예상 답안

[1] 부등식 $x>3$일 때는 x가 3을 포함하지 않고 3보다 큰 값이 모두 되고, $x \leq 3$일 때는 x의 값이 3을 포함하여 3보다 작은 값이 모두 된다. 즉, 이것을 다르게 나타내기 위해서 $x>3$일 때는 비어 있는 ○로 표현하여 수직선 위에 3보다 큰 수에 모두 표현되고, $x \leq 3$일 때는 3을 포함하기 때문에 3에 ●로 표현한 후 3보다 작은 값을 다 나타낸다.

[2] (1)

$x<3$, 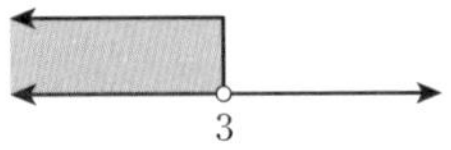

x가 될수 있는 값은 2, 1, 0 등이 있다.

(2)

$y \geq -\frac{3}{4}$,

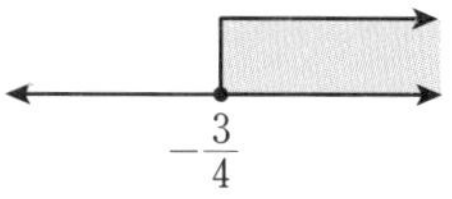

y가 될 수 있는 값은 0, 1, 2 등이 있다.

(3)

$0 < a \leq \frac{7}{3}$,

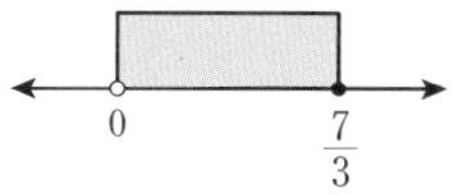

a가 될 수 있는 값은 0.5, 1, 2 등이 있다.

3 (1)

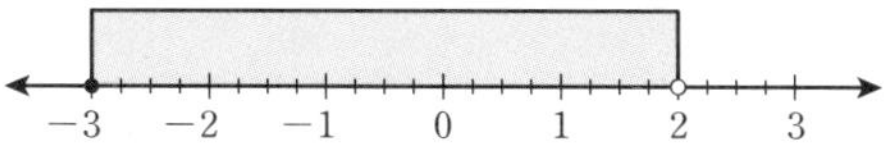

① $-3 \leq x < 2$ ② 1 ③ -3

수업 노하우

- 부등호 기호 ≥, ≤의 사용을 낯설어 하는 학생들이 있으므로 부등호의 표기법과 수직선에 표현하는 방법에 대해서 **탐구하기 1**을 통해 익숙해지는 시간을 가진다.
- 대부분은 학생들은 수직선에 부등식의 해를 표현하는 방법을 범위를 나타내는 연속적인 의미의 그림으로 자연스럽게 받아들여서 익숙하게 그리지만 다음과 같이 부등식에 해당하는 해를 이산적으로 표현한 학생도 있다. 이런 답이 나왔을 경우 부등식의 표현 방법에서 색칠이 의미하는 것이 무엇인지 질문하여 부등식의 해가 범위라는 사실을 스스로 발견할 수 있도록 지도한다. 이런 오답은 부등식의 해의 개념을 다시 돌아볼 수 있게 하는 계기가 되므로 역으로 수업 시간에 학생들에게 교사가 이런 경우를 제시하여 수정하는 과정을 통해 부등식의 개념을 명확히 정리해 줄 수도 있다.

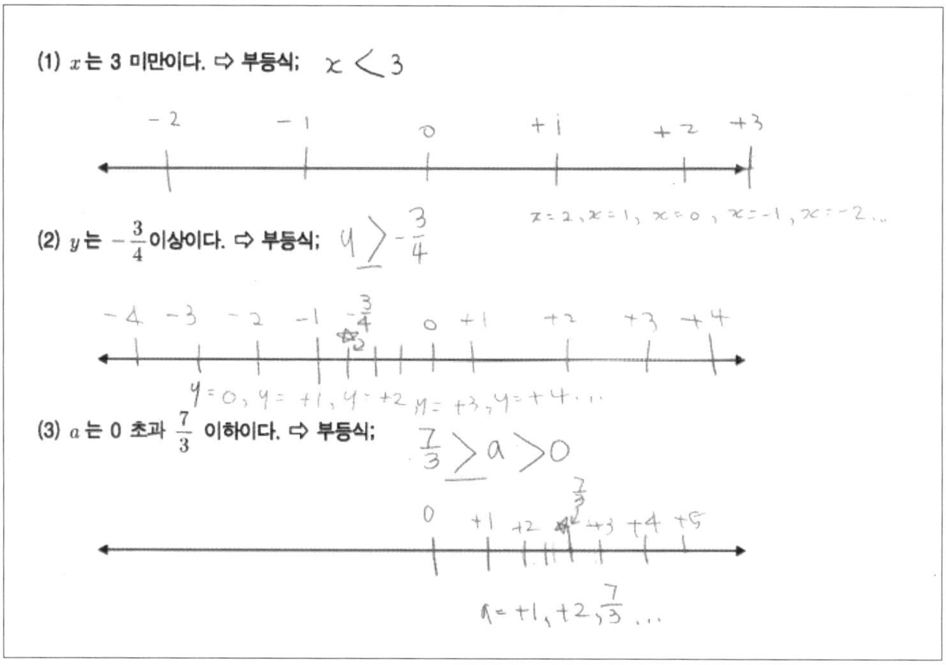

- [3]은 연립부등식의 형태로 볼 수도 있지만 중학교 1학년 일반 교과서에서는 '유리수의 대소 관계'에서 언급된다. 우리는 2학년 '부등식'에서 다루기로 하였다.
- 학생들 중 범위를 아래와 같이 표현한 경우도 있었다. 이렇게 표현했을 때 이 부등식을 만족하는 해를 찾아 보게 하고, 수직선에 표현한 그림과 찾은 해가 일치하는 질문을 던져 친구들과 논의하여 수정해 보도록 할 수 있다.

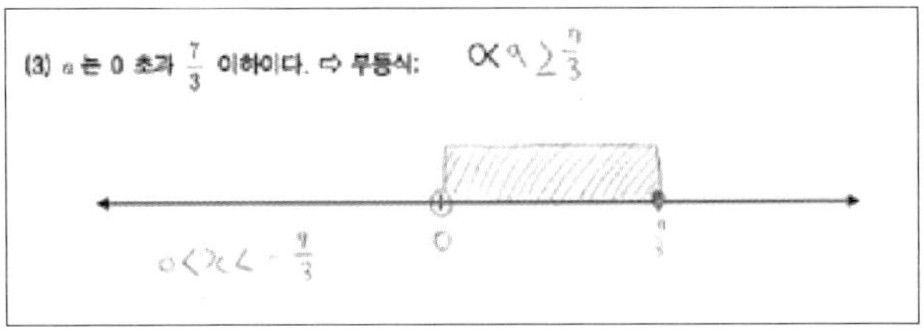
(3) a는 0 초과 $\frac{7}{3}$ 이하이다. ⇨ 부등식:

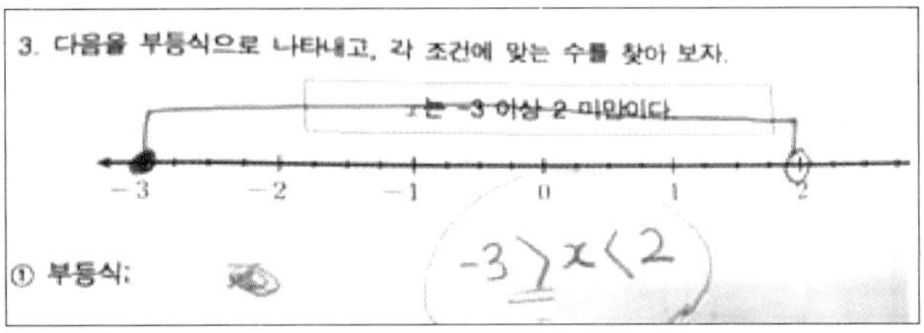
3. 다음을 부등식으로 나타내고, 각 조건에 맞는 수를 찾아 보자.

x는 -3 이상 2 미만이다

① 부등식: $-3 \geq x < 2$

개념과 원리 탐구하기 5 _ 그래프를 이용한 부등식의 풀이

교과서(상) 154쪽

탐구 활동 의도

- 부등식의 해를 부등식의 성질을 이용한 풀이로만 구하는 것이 아니라 그래프를 이용하여 기하학적인 방법으로도 구할 수 있음을 발견하는 활동이다.
- 1학년 그래프 단원에서 그래프를 해석하는 활동을 하였고, 2학년에서 일차함수의 그래프와 부등식의 해의 뜻을 연결해 볼 수 있다. 부등식을 알고리즘을 이용하여 기계적으로 풀어내는 것이 아니라 상황과 연계하여 입체적으로 해석할 수 있도록 하여 그 의미를 이해할 수 있도록 하는 것에 목적이 있다.
- 부등식의 해 또는 근을 구하는 다양한 방법에 대해 생각해 볼 수 있다.

예상 답안

[1] 소현이의 그래프는 파란색 ①, 소은이의 그래프는 빨간색 ②이다. 왜냐하면 소은이가 200 m 앞에서 출발했으므로 x가 0일 때 y의 값이 200인 것이 소은이의 그래프이기 때문이다.

학생 답안

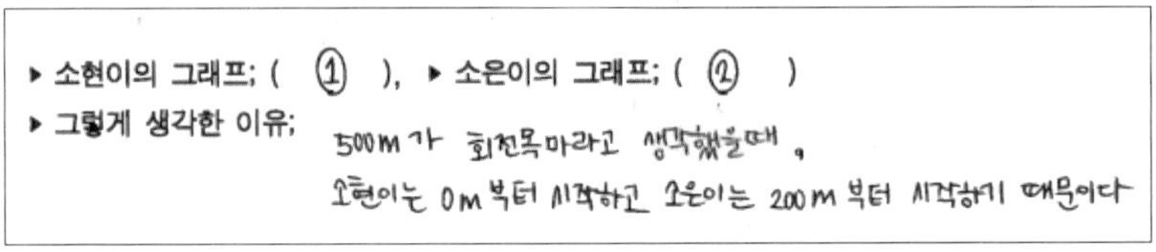
▸ 소현이의 그래프: (①), ▸ 소은이의 그래프: (②)

▸ 그렇게 생각한 이유: 500m가 회전목마라고 생각했을때, 소현이는 0m부터 시작하고 소은이는 200m부터 시작하기 때문이다

▶ 소현이의 그래프: (①), ▶ 소은이의 그래프: (②)
▶ 그렇게 생각한 이유: 소현이는 200m 앞서 걸고있었다는 것은 일차함수 식에서 y절편이 200인 것과 같기 때문이다

2 • 소현이가 소은이보다 더 빠르다.
• 시작할 때는 소은이가 앞에 있었지만 소현이가 더 빨리 달려서 소은이를 지나쳐서 먼저 회전목마에 도착했다.
• 그래프의 교점은 소현이와 소은이가 교차하는 지점이다.
• 소현이가 소은이보다 1분 빨리 도착했다.
• 소현이는 250 m/분, 소은이는 100 m/분의 일정한 속력으로 달렸다.

학생 답안

▶ 소현이가 더 일찍 도착했다
▶ 소현이가 더 빨리 달렸다
▶ 소은이가 더 앞에서 달리기 시작했다.

▶ 소현이가 빠르다 = 소은이가 더느리다
▶ 소은이는 200m 앞에서 시작
▶ 소현이의 속력은 250m/m, 소은이의 속력은 100m/m

· 소현이가 소은이보다 1분 더 빨리 도착했다
· 그래프의 교점부분은 소현이와 소은이가 만난 곳이다
· 소현이가 소은이보다 속력이 빠르다
1모둠

· 소현이가 더 빨리 도착했다.
· 그래프가 가파를수록 빨리 도착한다.
· 일정하게 달렸다.
· 소현이가 소은이를 추월한다.

3 (1) 소현이와 소은이가 만나는 시간을 구하는 것이다.

$250x=100x+200$, $5x=2x+4$, $5x-2x=4$, $3x=4$

따라서 $x=\frac{4}{3}$(분) 이므로 1분 20초만에 만난다.

(2) 소현이가 소은이보다 뒤에서 달리고 있을 때를 구하는 식이다.

x가 $\frac{4}{3}$(1분 20초)보다 작을 때 소현이가 뒤에서 달린다. 즉, 해는 $x<\frac{4}{3}$이다.

소현이가 소은이의 뒤를 따라가는 시간은 1분 20초 동안이다.

(3) 소현이가 소은이보다 앞에서 달릴 때를 구하는 식이다.

x가 $\frac{4}{3}$보다 클 때 소현이가 앞에서 달린다. 즉, 해는 $x>\frac{4}{3}$이다.

소현이는 1분 20초 이후로 소은이보다 앞에서 달린다.

학생 답안

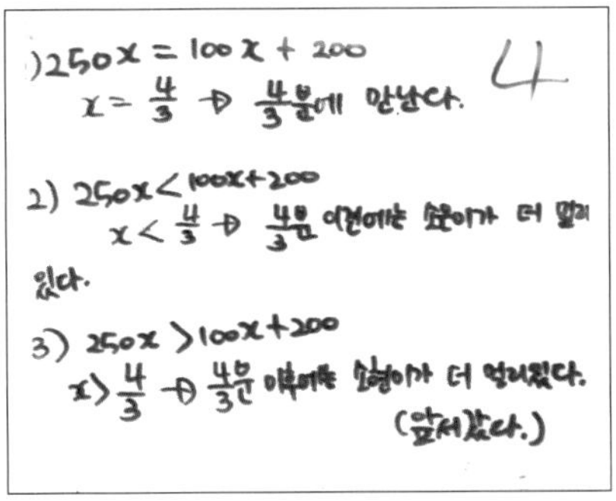
)250x = 100x + 200
x = 4/3 → 4/3분에 만난다. 4

2) 250x < 100x+200
x < 4/3 → 4/3분 이전에는 소은이가 더 멀리 있다.

3) 250x > 100x+200
x > 4/3 → 4/3분 이후에는 소현이가 더 멀어졌다. (앞서갔다.)

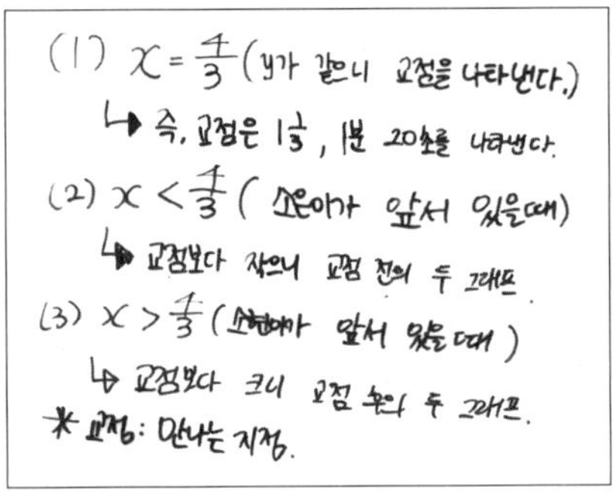
(1) x = 4/3 (y가 같으니 교점을 나타낸다.)
↳ 즉, 교점은 1⅓, 1분 20초를 나타낸다.
(2) x < 4/3 (소은이가 앞서 있을 때)
↳ 교점보다 작으니 교점 전의 두 그래프
(3) x > 4/3 (소현이가 앞서 있을 때)
↳ 교점보다 크니 교점 후의 두 그래프.
＊교점: 만나는 지점.

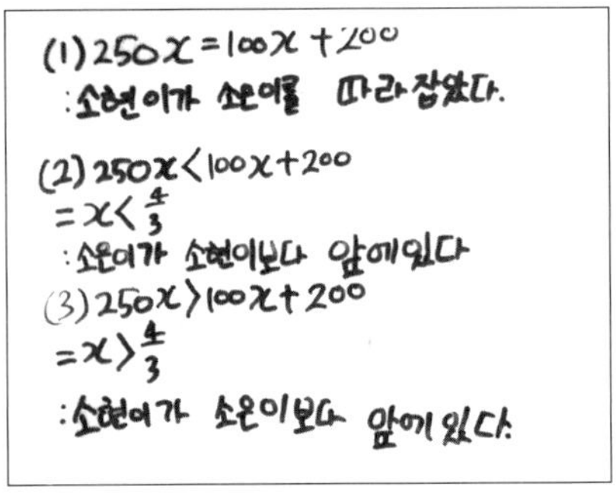
(1) 250x = 100x + 200
: 소현이가 소은이를 따라잡았다.
(2) 250x < 100x+200
= x < 4/3
: 소은이가 소현이보다 앞에 있다
(3) 250x > 100x + 200
= x > 4/3
: 소현이가 소은이보다 앞에 있다.

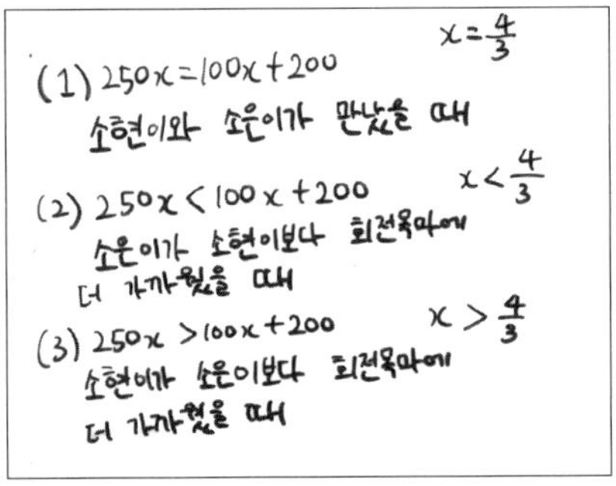
(1) 250x = 100x + 200 x = 4/3
소현이와 소은이가 만났을 때
(2) 250x < 100x + 200 x < 4/3
소은이가 소현이보다 회전목마에 더 가까웠을 때
(3) 250x > 100x + 200 x > 4/3
소현이가 소은이보다 회전목마에 더 가까웠을 때

학생들 중 다음과 같이 그래프의 번호를 이용하여 부등식으로 나타낸 경우도 있었다.

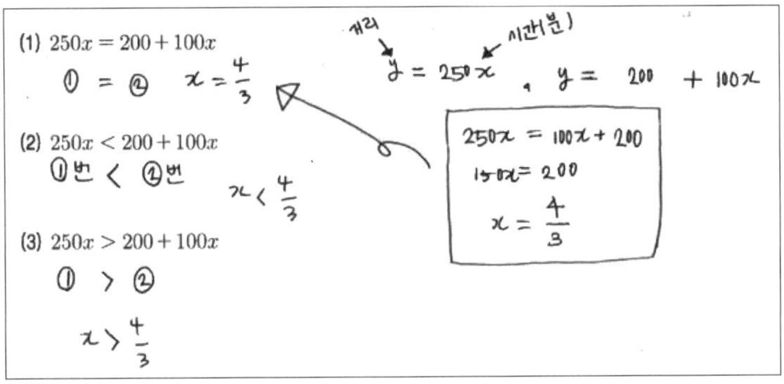
(1) $250x = 200 + 100x$
① = ② x = 4/3
(2) $250x < 200 + 100x$
①번 < ②번 x < 4/3
(3) $250x > 200 + 100x$
① > ②
x > 4/3
거리 시간(분)
y = 250x , y = 200 + 100x
250x = 100x + 200
150x = 200
x = 4/3

수업 노하우

- 2 에서는 아래와 같이 소현이와 소은이가 만나는 시간을 예상해서 적은 답이 많았다. 정확한 시간을 계산하는 것이 목적은 아니지만 만난 시간에 대한 답이 나왔을 경우 정확한 시간을 계산하는 방법은 무엇일지 질문하여 **탐구하기 3**과 연결할 수도 있다.

학생 답안

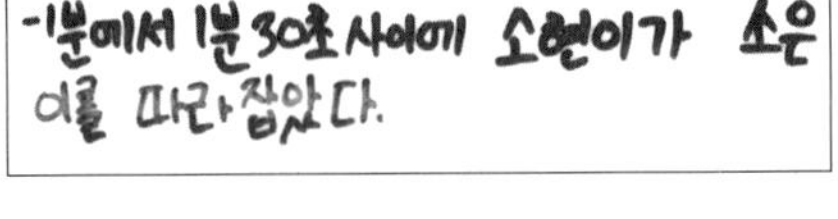
-1분에서 1분 30초 사이에 소현이가 소은이를 따라잡았다.

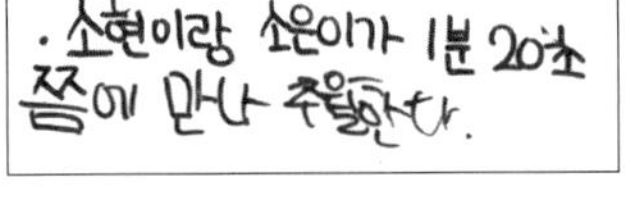
. 소현이랑 소은이가 1분 20초 쯤에 만나 주월한다.

- 2 에서 몇 몇 학생들은 그래프를 일차함수의 식을 이용하여 해석하기도 했다. 학생들이 y절편과 기울기를 알 수 있는 정보로 찾거나 각 그래프의 일차식을 구했다면 이 식을 이용하여 상황을 보다 구체적으로 설명하게 하면 3 으로의 접근이 보다 쉬워진다.

• [3]은 식과 그래프를 연결하여 볼 수 있어야 한다. 왜냐하면 식 자체만 보고서는 해석할 수 없기 때문이다. 교점을 기준으로 학생들이 y의 값을 비교해야 한다는 것을 발견할 수 있도록 발문할 수도 있다.

– 어떤 학생은 아래와 같이 부등식의 좌변과 우변에서 y가 생략된 것이라고 발표했다.

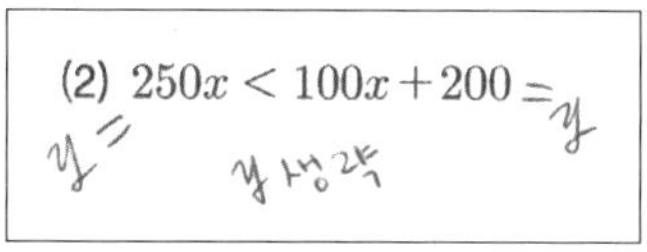

– 이 학생의 발언을 듣고 나서 학생들은 그래프를 교점을 중심으로 두 부분으로 나누어 볼 수 있다는 것으로 논의를 심화시켰다. 즉 교점을 기준으로 오른쪽 부분은 $y=250x$라는 그래프가 $y=100x+200$보다 더 위에 있다는 뜻, 이것을 식으로 표현하면 $250x>100x+200$ 이라고 설명을 해 냈다.

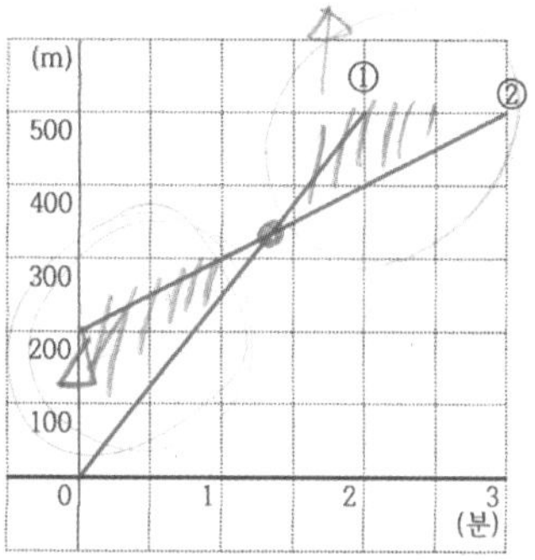

• 이 과제는 상황에 따라 수업 상황에서 다루지 않아도 된다.

주의 일차부등식을 풀이하는 방법을 배우지 않았으므로 [3](2), (3)의 경우는 (1)의 답과 그래프를 참고로 하여 답을 구하도록 안내한다. 부등식의 풀이가 목적이 아니라 그래프와 부등식을 연결 짓고 해의 의미를 탐구하게 하는 것이 목적이다.

/2/ 어, 방향이 바뀌네 (일차부등식의 성질과 풀이)

학습목표

1 게임과 수직선 표현을 이용하여 부등식의 성질을 탐구한다. 그리고 등식의 성질과 연결하여 부등식의 성질을 정리할 수 있다.
2 부등식의 성질을 이용하여 부등식을 푸는 알고리즘을 발명할 수 있다.
3 부등식의 해를 구하는 효율적인 방법을 모색하고, 방정식의 해를 구하는 알고리즘과 비교할 수 있다.
4 일상 생활과 관련된 문제를 부등식으로 표현하여 해결할 수 있다.

2015 개정 교육과정 성취기준

1 부등식과 그 해의 의미를 알고, 부등식의 성질을 이해한다.
2 일차부등식을 풀 수 있고, 이를 활용하여 문제를 해결할 수 있다.

교수 · 학습 방법 및 유의 사항

1 방정식과 부등식은 다양한 상황을 통해 도입하여 그 필요성을 인식하게 하고, 여러 가지 방법으로 풀어 보면서 더 나은 풀이 방법을 찾고 설명해 보게 한다.
2 방정식과 부등식을 활용하여 실생활 문제를 해결하고 그 유용성과 편리함을 인식하게 한다.
3 방정식과 부등식의 해가 문제 상황에 적합한지 확인하게 한다.

평가 방법 및 유의 사항

방정식과 부등식에 대한 지나치게 복잡한 활용 문제는 다루지 않는다.

핵심발문

부등식의 해를 구하는 효율적인 알고리즘은 무엇일까?

개념과 원리 탐구하기 6 _ 부등식의 성질

교과서(상) 155쪽

탐구 활동 의도

- 부등식에 수치를 더하거나(빼거나) 곱하는(나누는) 활동을 실제로 해 보게 하여 음수를 곱하거나 나눌 때 부등호 방향이 바뀐다는 것을 경험하고 발견하게 하기 위한 활동이다.
  또는 학생들이 보통 음수를 곱하거나 나눌 때 부등호 방향이 바뀐다고 들어온 경우가 많은데 이 활동은 실제로 그런가 하는 것을 느끼게 할 수 있다. 직접 느끼면서 왜 음수를 곱하면(또는 나누면) 부등호 방향이 바뀌는지 원리를 암기하는 것이 아니라 실제로 이해할 수 있다.

- 2 는 주사위 놀이를 통해 주어진 대소 관계가 변할 때와 변하지 않을 때가 언제인지 찾아보도록 한다.
- 3 (1)은 수직선을 이용하여 대소 관계가 달라지는 경우가 언제인지 왜인지 생각해 보는 활동이다.
- 3 (3)은 수치 관계가 아니라 문자가 들어간 식의 경우에도 앞에서 발견한 사실이 그대로 적용된다는 것을 등식의 성질과 연결하여 추론하는 과정이다. 이것은 부등식의 해를 효율적으로 구하는 알고리즘을 발명하는 **탐구하기 8**과 연결된다.

예상 답안

1 $-2<5$이고 $-2-(-1)=-1$, $5-(-1)=6$이므로 $-1<6$이다.
따라서 부등호 방향이 바뀌지 않으므로 점수를 얻을 수 없다.

2 학생들의 답은 다양할 수 있다.
– 음수를 곱하거나 나눌 때만 부등호 방향이 바뀐다.
– 양수는 더하거나 빼거나 곱하거나 나눌 때 부호가 바뀌지 않는다.
– 음수와 곱하기, 나누기의 기호가 많이 나와야 이길 수 있다.

학생 답안

부등식에서 음수를 곱하거나 나누면 부등호의 방향이 바뀐다
부등식에서 어떤 수를 더하거나 빼도 부등호 방향이 바뀌지 않는다.

× ÷ 음수 → 부등호 방향이 바뀐다
+ − < 양수 / 음수 → 부등호 방향이 같다

<카드 2>
1 Ⓠ 2

주사위 결과	계산결과	점수
-3 . ×	(1) 1 × (-3) Ⓠ 2 × (-3)	1
1 . −	(2) 1 − 1 Ⓠ 2 − 1	0
3 . −	(3) 1 − 3 Ⓠ 2 − 3	0
-2 . ×	(4) 1 × (−2) Ⓠ 2 × (−2)	1
1 . ÷	(5) 1 ÷ 1 Ⓠ 2 ÷ 1	0
점수 합계		2

<카드 1>
-2 Ⓠ 3

주사위 결과	계산결과	점수
÷ . 2	(1) −2÷2=−1 Ⓠ 3÷2=3/2	0점
− . 2	(2) −2−2=−4 Ⓠ 3−2=1	0점
+ . 1	(3) −2+1=−1 Ⓠ 3+1=4	0점
× . 2	(4) −2×2=−4 ○ 3×2=6	0점
× . −3	(5) −2×−3=6 ○ 3×−3=−9	1점
점수 합계	1점	

3 (1) ①

$2 \boxed{<} 4$

$2\times2 \boxed{<} 4\times2$

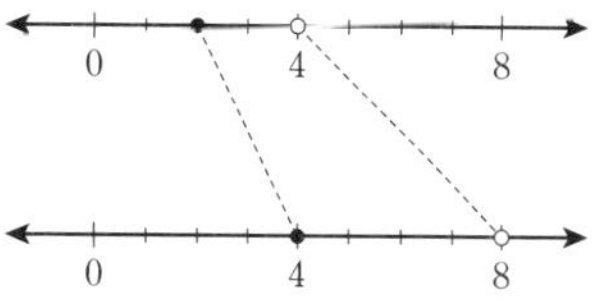

②

$2 \boxed{<} 4$

$2\div2 \boxed{<} 4\div2$

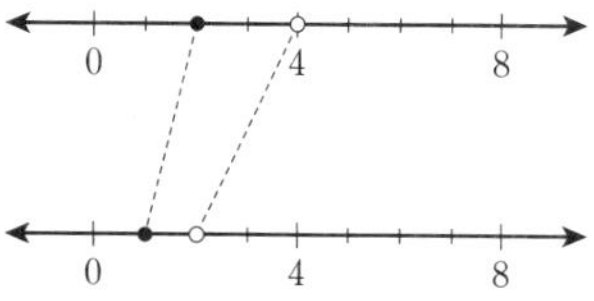

③ 2 $<$ 4

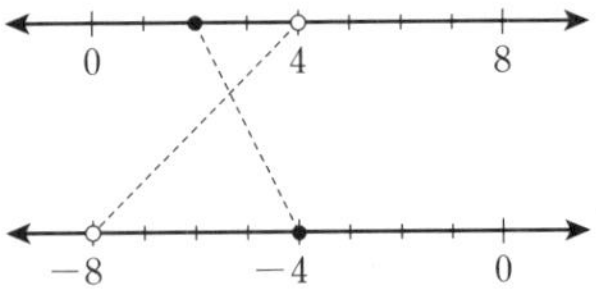

$2\times(-2)$ $>$ $4\times(-2)$

④ 2 $<$ 4

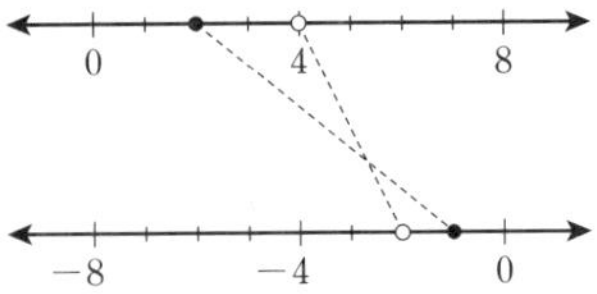

$2\div(-2)$ $>$ $4\div(-2)$

(2)

나의 생각	모둠의 의견
부등식에서 양변에 어떤 수를 더하거나 빼도 방향은 바뀌지 않는다. 부등식에서 음수를 곱하거나 나누면 부등호 방향이 바뀐다.	부등식에서 +, − 연산을 할 때는 양변에 더하거나 빼는 수가 양수이건 음수이건 상관없이 부등호 방향은 바뀌지 않는다. 부등식에서 ×, ÷ 연산을 할 때는 양변에 곱하거나 나누는 수가 음수일 때만 부등호 방향이 바뀐다. 부등식에서 양변에 음수를 곱하면 원래 컸던 쪽의 값이 더 작아진다. 왜냐하면 음수는 절댓값이 클수록 더 작기 때문이다.

학생 답안

· 부등호의 방향이 바뀐다 [① ×, 음수일 때 ② ÷, 음수일 때

음수나 양수나 더하거나 빼도 부등호의 방향이 바뀌지 않는다.
양수를 곱하거나 나누면 부등호의 방향이 바뀌지 않지만 음수를 곱하거나 나누면 부등호의 방향이 바뀐다.

(3) 다음과 같이 정리할 수 있다.

① 부등식의 양변에 같은 수를 더하여도 부등호의 방향은 바뀌지 않는다

$a<b$이면 $a+c<b+c$

② 부등식의 양변에서 같은 수를 빼도 부등호의 방향은 바뀌지 않는다.

$a<b$이면 $a-c<b-c$

③ 부등식의 양변에 같은 양수를 곱하여도 부등호의 방향은 바뀌지 않는다.

$a<b$이면 $ac<bc$ (단, $c>0$)

④ 부등식 양변을 같은 양수로 나누어도 부등호의 방향은 바뀌지 않는다.

$a<b$이면 $\frac{a}{c}<\frac{b}{c}$ (단, $c>0$)

⑤ 부등식의 양변에 같은 음수를 곱하면 부등호의 방향이 바뀐다.

$a<b$이면 $ac>bc$(단, $c<0$)

⑥ 부등식 양변을 같은 음수로 나누면 부등호의 방향이 바뀐다.

$a<b$이면 $\frac{a}{c}>\frac{b}{c}$ (단, $c<0$)

학생 답안

- 부등식의 양변에 같은 양수를 더하거나 빼거나 곱하고 나눠도. 부등호의 방향이 바뀌지 않는다

  $a+c<b+c$, $a\times c<b\times c$

  $a-c<b-c$, $a\div c<b\div c$

- 부등식의 양변에 같은 음수를 더하거나 빼도 부등호의 방향이 바뀌지 않는다.

  $a+(-c)<b+(-c)$

  $a-(-c)<b-(-c)$

- 부등식의 양변에 같은 음수를 곱하거나 나누면 부등호의 방향이 바뀐다

  $a<b \rightarrow a\times(-c)>b\times(-c)$

  $a<b \rightarrow a\div(-c)>b\div(-c)$

- 6 -

수업 노하우

- 주사위 게임을 통해 자신이 뽑은 카드의 숫자와 상관없이 음수를 곱하거나 나누는 연산을 할 때, 부등호의 방향이 바뀐다는 것을 직접 경험하게 한다.
- 주사위 게임을 진행하는 방법을 아래와 같이 변형해서도 가능하다.
  〈수업 진행〉은 다음과 같이 할 수 있다.
  ① -3, -2, -1, 0, 1, 2가 쓰여진 주사위 1개와 사칙연산($+$, $-$, $\times$, $\div$)을 반드시 1개 이상씩 써 넣은 주사위 1개를 만든다.
  ② 각 사람이 주사위를 던져서 나온 수와 연산 기호를 모둠원 4명이 동시에 자기 게임판에 적는다.
  ③ 각자 자기 게임판에 있는 수와 계산하여 답을 적고 부등호의 방향을 확인한다. 방향이 바뀔 때만 점수를 1점 얻는다. (결국 모둠원끼리 얻는 점수는 모두 같다.)
  ④ 그 다음 사람으로 순서가 넘어간다.
- 이렇게 게임을 진행하는 목적은 친구들이 돌아가면서 던지는 주사위 결과에 대해, 각자 연산한 결과 값은 다르지만 부등호의 방향의 변화는 네 명이 모두 같음을 느끼게 하는데 있다. 특히 음수를 곱하거나 나눌 때 부등호 방향이 바뀐다는 것을 실제로 직접 계산하도록 하여 느끼게 하는 것이 중요하다.

주의 사항

주사위는 교사가 미리 만들어도 되고, 학생들이 직접 만들어 보도록 해도 좋다.

개념과 원리 탐구하기 7 _ 일차부등식의 뜻과 풀이

교과서(상) 160쪽

탐구 활동 의도

- 앞에서는 해를 직접 대입하여 부등식의 해를 구했으나, 이번 과제를 통해 부등식의 성질을 이용하여 부등식의 해를 구하는 방법을 학습한다.
- 부등식의 성질을 이용하여 식을 간단히 할 수 있다. 또 이를 이용하여 일차부등식인지 아닌지 판단할 수 있다.
- 해가 $x>2$가 되는 일차부등식을 여러 가지 만들어 보는 과정에서 부등식의 성질에 보다 익숙해 질 수 있도록 하였다.

예상 답안

1 (1) $4x \leq -2$ ⇨ $x \leq -\frac{1}{2}$ ⇨

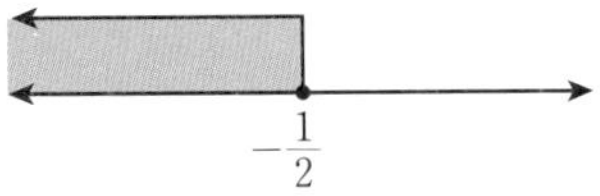

$4x \leq -2$에서 양변을 4로 나누어도 부등호의 방향이 변하지 않기 때문에 위와 같이 결과가 나온다.

(2) $-2x>-4$ ⇨ $x<2$ ⇨

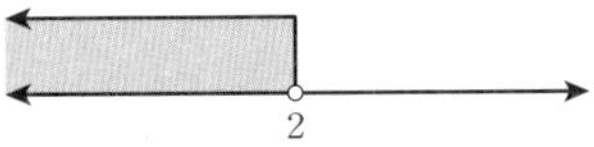

$-2x>-4$에서 양변을 -2로 나누면 부등호의 방향이 바뀌기 때문에 $x<2$가 된다.

2 학생들의 답은 다양할 수 있다.

(1) $2x>4$, 부등식 $x>2$의 양변에 2를 곱했다.

(2) $-x<-2$, 부등식 $x>2$의 양변에 -1을 곱했다.

3 가영이와 주원이 모두 틀렸다.

가영이는 양변을 -3으로 나누어서 부등식을 풀었다. 부등식은 등식과 다르게 음수로 나누면 부등호의 방향이 바뀌는데 가영이는 부등호의 방향을 그대로 두었기 때문에 틀렸다.

주원이는 -3을 이항해서 $+3$으로 나누었다고 하였지만 이항은 항을 옮기는 개념이지 문자 앞의 숫자인 계수를 옮기는 것이 아니다. 나누는 것이 이항이 아니기 때문에 주원이의 풀이도 틀렸다.

양변을 -3으로 나누어 바르게 계산하면 '$x \leq -3$'이라는 해가 나온다.

수업 노하우

- 1은 앞의 탐구활동을 통해 주어진 부등식의 해가 '$x \leq$(수)'의 꼴로 나온다는 것을 예상할 수 있다. (1)의 경우에는 양변을 4로 나누고 (2)의 경우에는 양변을 -2로 나누는 이유부터 생각해 보게 할 필요가 있다.
- 2에서 학생들이 다음과 같은 오류를 범할 수 있다. 두 부등식의 해가 같은지, 다른지 구해보고 비교할 수도 있고, 어떤 부등식의 성질을 이용했는지를 물어서 오류를 찾을 수도 있다.

$3x>6$ $\quad$ $-3x<6$

• [2]에서 '부등식의 부호를 변하도록 만들 수 있다.'고 표현한 학생들이 있었다. 부등식의 부호라는 것이 무엇이라고 생각하는지를 물어볼 필요가 있다. 음수를 곱할 때 부등호의 방향이 바뀐다는 것을 형식적으로 이해하지 않도록 이런 학생들의 표현을 많이 찾아서 함께 수정하는 시간을 가져도 좋다.

> 성질은 : 양쪽에 수를 곱해서 그 부등식의 부호를 변하도록 만들수가 있다.
> 같은수를 더해도 부등식의 부호는 바뀌지 않는다.

개념과 원리 탐구하기 8 _ 일차부등식과 일차방정식의 풀이

교과서(상) 161쪽

탐구 활동 의도

- 지금까지 탐구한 일차부등식의 풀이를 방정식의 풀이와 연결하여 알고리즘화하는 것이 목적이다.
- 일차방정식과 일차부등식의 풀이 과정을 비교하여 무엇이 다르고 무엇이 같은지 생각해 보도록 하며 부등식의 성질이 실제적으로 부등식의 풀이 과정에 어떻게 적용되는지 알게 한다.

예상 답안

[1] (1) 신영이의 방법은 옳다.

방정식으로 해를 구하고, $x=-1$을 기준으로 부등식의 해의 특징을 이용하여 해가 되는 방향을 찾았다. -1보다 큰 수인 0을 대입하여 부등식의 방향을 찾아 -1 이상인 범위는 모두 해가 된다는 설명을 했다. 마지막으로 이 해를 다시 부등식으로 나타냈다.

(2) 윤혜의 방법은 옳다.

$5x$를 좌변으로 이항하고 $+5$를 우변으로 이항하여 식을 간단히 정리한 후 $-2x \leq -2$에서 -2로 양변을 나눌 때 부등호 방향을 바꿨다. 즉 해는 '$x \geq -1$'가 된다.

[2]
- 일차부등식은 일차방정식과 달리 음수를 곱하거나 나눌 때 부등호의 방향이 바뀐다.
- 일차부등식과 일차방정식 모두 이항을 할 수 있다.

> 일차방정식과 일차부등식의 풀이방법이 이항하고 동류항끼리 계산하고 계수를 없애는 것 까지는 동일하지만, 일차부등식은 부등식의 양변을 같은 음수로 나누거나 곱해줄 때 부등호의 방향이 바뀐다

수업 노하우

• [1]은 일차방정식과 일차부등식의 풀이를 연결시키는 활동으로 방정식과 부등식을 구분하기보다는 식의 특징을 이용하여 해를 구할 수 있도록 안내한다.

- 1 에서 둘 다 옳은 풀이 방법을 준 이유는 풀이 과정 중 틀린 부분에 집중하기보다는 일차방정식의 풀이 방법과 부등식의 풀이 방법을 비교하여 해를 구하는 원리에 더 집중하도록 하기 위함이다.
- 2 에서 학생들의 답은 다양할 수 있다. 다음과 같이 표현한 학생들이 있었다. 이와 같은 표현을 한 학생들의 비정형적인 표현을 수업 중에 찾았다면 다음과 같이 상황에 따라 발문해 볼 수 있다.

> · 마지막단계에서 부등호의 방향이 바뀐다는 점

⇨ '마지막 단계가 어디인가요?', '왜 부등호의 방향이 바뀌나요?'

> 일차방정식은 미지수의 해가 수로 나타남
> 일차부등식은 x의 범위로 나타남 (?)
> x계수가 음수 부등호 방향이 바뀐다.

⇨ '일차방정식과 일차부등식의 해의 개수의 차이가 해의 표현과 어떤 관계가 있을까요?'

> 등식, 일차방정식의 공통점은 같은 수를 더하거나 빼거나 같은 양수를 곱하거나 나누어도 식은 성립한다.
> 차이점은 일차방정식에 음수를 곱하거나 나누어도 식이 성립하는데 부등식은 성립하지 않는다.

⇨ '식이 성립한다.' 또는 '부등식이 성립하지 않는다.'의 뜻이 무엇인가요?

- 이런 과정을 통해 부등식의 성질을 이용하여 부등식의 해를 구할 때 그 성질을 암기하는 것이 아니라 원리를 이해할 수 있게 진행한다. 지금까지 꾸준히 부등식의 의미를 여러 각도에서 다룬 이유이기도 하다.

개념과 원리 탐구하기 9 _ 일차부등식의 활용

교과서(상) 162쪽

탐구 활동 의도

- 일상 생활 속에서 접하는 다양한 상황을 부등식으로 표현할 수 있으며, 부등식의 성질을 이용하여 문제를 해결할 수 있다.

예상 답안

1 (1) 14명일 때 입장권 총 금액은

$14\times30{,}000=420{,}000$(원)

이다. 그러나 20명으로 단체입장권을 구입하면

$25{,}000\times20=500{,}000$(원)

으로 14명일 때는 각자 표를 구매하는 것이 유리하다.

학생 답안

14명이 개인표 1장씩 샀을때 420000원이 드는데
20명 단체 할인표를 사면 500000원이 들기 때문에
개인표가 유리하다.

이 경우에 개인권을 사는게 더 유리하다.
이유는 개인 14장을 사면 $14\times30000=420000$원이고
단체권은 사면 $20\times250000=500000$원으로 개인이 더 싸다.

(2) x명이 더 왔다고 하면 개인 입장권 가격은

$420{,}000+30{,}000\times x$(원)

이다. 단체 입장권 구입이 유리하려면 부등식

$420{,}000+30{,}000x>500{,}000$

이 성립해야 한다.

$30000x>80000$

$x>\dfrac{8}{3}$

즉, 3명 이상이 오면 단체 입장권을 구입하는 것이 유리하다.

다음과 같이 계산할 수도 있다.

1명이 더 온 경우 개인별로 입장권을 구입하였을 때 총 금액은

$15\times30{,}000=450{,}000$(원)

2명이 더 온 경우 개인별로 입장권을 구입하였을 때 총 금액은

$16\times30{,}000=480{,}000$(원)

3명이 더 온 경우 개인별로 입장권을 구입하였을 때 총 금액은

$17\times30{,}000=510{,}000$(원)

총 인원수가 17명이 되면 표를 조금(3장) 버리더라도 단체 입장권을 구매하는 것이 전체적으로 유리하다.

학생 답안

$30000x+420000\le500000$

$30000x\le500000-420000$

$30000x\le80000$ (지움)

$3x\le8$

$x\le\dfrac{8}{3}$

뒤늦게 온 친구들이 2명 이하일때는 $(14+2)\times30000=480000$원
으로 더 개인권이 더 유리하지만 뒤늦게 온 친구들이
3명 이상일때는 $(14+3)\times30000=510000$원으로 단체권이
유리하다.

수업 노하우

• 아래와 같이 부등식을 이용하지 않고 1 (2)를 푼 친구들이 많았다.

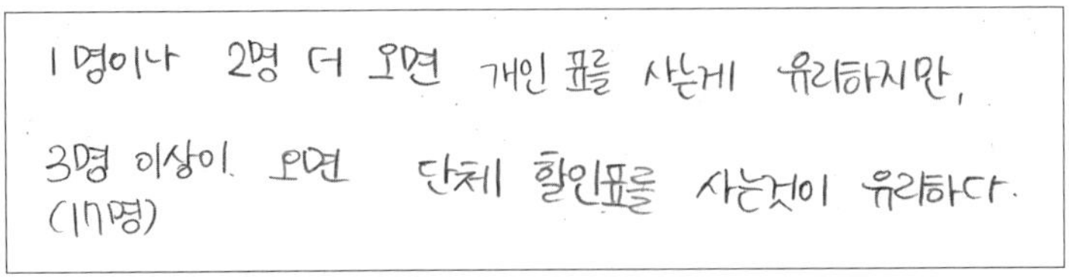

이렇게 답을 구한 학생들에게 다음과 같이 추가로 질문할 수 있다.

> 이런 문제를 식으로 세운다면 어떻게 될까요?

• 문제를 이미 해결한 후 뒤늦게 답만 부등식으로 표현한 학생도 있었다. 부등식의 해가 이렇게 나왔다면 원래의 부등식은 무엇이고 어떤 풀이 과정을 거쳐서 이런 해가 나왔을지 추측하도록 질문을 하여 오류를 수정하도록 돕는다.

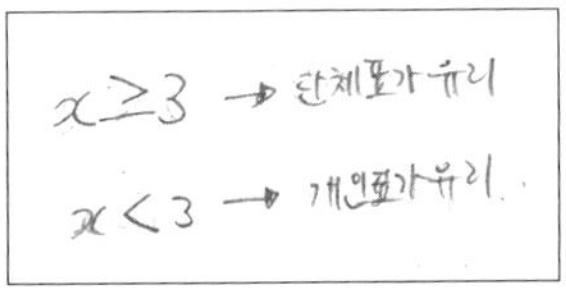

주의 꼭 식을 세우지 않아도 답을 구할 수 있으므로 문제의 의미를 이해하도록 돕는다.

게임하며 탐구하기 10_ 일차부등식의 풀이

교과서(상) 163쪽

탐구 활동 의도

- 게임을 이용하여 일차부등식의 풀이를 연습하는 활동이다.

(1) $3x+5>-1$ $3x>-1-5$ $3x>-6$ $x>-2$ 해 $x>-2$	(2) $7x-4\le-4$ $7x\le-4+4$ $7x\le0$ $x\le0$ 해 $x\le0$	(3) $3x-2>7x+2$ $3x-7x>2+2$ $-4x>4$ $x<-1$ 해 $x<-1$	(4) $2-6x\le-4x-2$ $-6x+4x\le-2-2$ $-2x\le-4$ $x\ge2$ 해 $x\ge2$
(5) $-2x-5<9$ $-2x<9+5$ $-2x<14$ $x>-7$ 해 $x>-7$	(6) $-4x+11\ge-9$ $-4x\ge-9-11$ $-4x\ge-20$ $x\le5$ 해 $x\le5$	(7) $\frac{x-7}{3}\le\frac{1}{2}x-3$ $6\left(\frac{x-7}{3}\right)\le6\left(\frac{1}{2}x-3\right)$ $2x-14\le3x-18$ $2x-3x\le-18+14$ $-x\le-4$ $x\ge4$ 해 $x\ge4$	(8) $\frac{x}{2}+\frac{x}{3}<1$ $6\left(\frac{x}{2}+\frac{x}{3}\right)<6$ $3x+2x<6$ $5x<6$ $x<\frac{6}{5}$ 해 $x<\frac{6}{5}$
(9) $2x<3x+2$ $2x-3x<-2$ $-x<2$ $x>-2$ 해 $x>-2$	(10) $1>1+2x$ $-2x>1-1$ $-2x>0$ $x<0$ 해 $x<0$	(11) $0.3x<0.1x+0.8$ $3x<x+8$ $3x-x<8$ $2x<8$ $x<4$ 해 $x<4$	(12) $0.5(x-2)\ge0.7x+1.2$ $5(x-2)\ge7x+12$ $5x-10\ge7x+12$ $5x-7x\ge12+10$ $-2x\ge22$ $x\le-11$ 해 $x\le-11$
(13) $3x-1\le2x-2$ $3x-2x\le-2+1$ $x\le-1$ 해 $x\le-1$	(14) $2x+7\ge-2x-1$ $2x+2x\ge-1-7$ $4x\ge-8$ $x\ge-2$ 해 $x\ge-2$	(15) $3(x-1)\le5(x-2)+9$ $3x-3\le5x-10+9$ $3x-5x\le-10+9+3$ $-2x\le2$ $x\ge-1$ 해 $x\ge-1$	(16) $8-2(x+3)\le3x+2$ $8-2x-6\le3x+2$ $-2x+2\le3x+2$ $-2x-3x\le2-2$ $-5x\le0$ $x\ge0$ 해 $x\ge0$

수업 노하우

- 다음을 참고하여 수업 전에 〈문제 카드〉와 〈답안 카드〉를 준비한다.
- (준비물) 문제 카드 (16개), 답안 카드 (16개), 네임펜 4가지 색

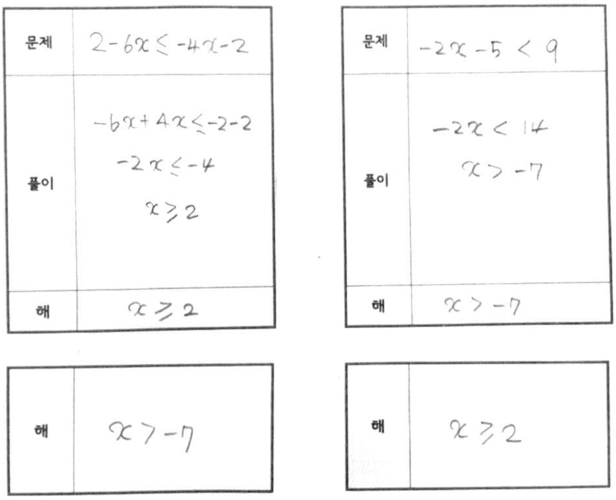

① 문제 카드는 문제가 적혀 있는 것으로 만든다.
② 답안 카드는 비어 있게 하여 문제 카드와 동일한 색으로 뒤가 비치지 않는 종이를 골라 잘라 나누어 준다. (코팅을 해도 된다.)
③ 각 모둠별로 문제 카드와 내가 고른 답안 카드, 네임펜 4개를 분배한다.

- 학생들이 문제를 고를 때 수준이 다른 친구들이 자신의 수준에 맞는 문제를 고를 수 있도록 안내한다.
- 옆 모둠이 완성한 카드로 진행하면서 옆 모둠이 해를 잘못 구한 것은 없는지 확인하도록 한다.
- 학생들의 문제 해결 수준이 낮은 경우에는 복잡한 문제를 제외하고 좀 더 간단한 문제들로 구성하거나 답안 카드에 답이 있는 것을 제공하여 학생들이 풀어 본 후 답을 맞추어 보고 게임으로 즐거움을 느끼도록 진행한다.
- 학생들의 방정식을 푸는 수준이 높을 경우에는 비어 있는 문제 카드를 제공하여 학생들 스스로 자신의 문제를 만들어 볼 수 있도록 지도한다.
- 카드 뒤집기 게임이 아닌 16개의 판을 이용하여 빙고 게임으로 진행해도 된다.

탐구 되돌아보기 예상 답안

교과서(상) 165~169쪽

1 개념과 원리 탐구하기 1

이 프로그램은 15세 미만은 볼 수 없다는 뜻이다.
x(세)를 프로그램을 볼 수 있는 나이라고 하면
$x \geq 15$

2 개념과 원리 탐구하기 3

$1200x + 500 \times 2 < 5000$, $1200x + 1000 < 5000$
이 식은 미지수가 1개인 일차부등식이 된다.
좌변은 $1200x + 1000$이고 우변은 5000이다.
이 부등식의 해(근)는 $x = 0, 1, 2, 3$이 된다.

3 개념과 원리 탐구하기 4

(1) 문장 : x는 2 초과다. 식 : $x > 2$

(2)

a는 3 이상이다.	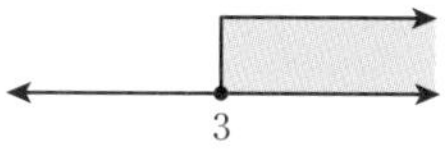
a는 3 이하이다.	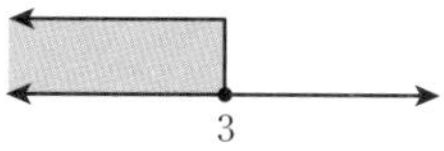
a는 1 초과다.	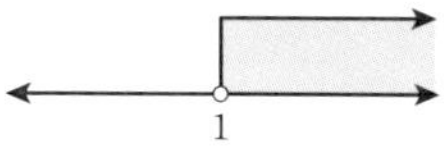
a는 1 미만이다.	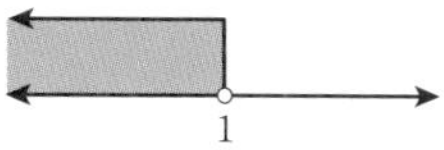

4 개념과 원리 탐구하기 6

(1) $<$ (2) $<$ (3) $<$ (4) $>$ (5) $<$
(6) 비교할 수 없다.

5 개념과 원리 탐구하기 6

$a < b$이고 $\frac{b}{a} < 0$이므로 a는 음수, b는 양수임을 알 수 있다. 그리고 $ac > 0$이므로 c도 음수이다.
$|a| < |c|$이고 음수일 때는 절댓값이 큰 수가 더 작으므로 a보다 c가 더 작다.
그러므로 $c < a < b$가 된다.

6 개념과 원리 탐구하기 7

이항을 하는 과정은 일차방정식과 같지만 양변을 음수로 나누는 과정에서는 일차방정식과 다르게 부등식은 부호의 방향이 바뀐다는 차이점이 있다.
$-x + 4 > 3x - 4$
$-x - 3x > -4 - 4$
$-4x > -8$, $x < 2$

7 개념과 원리 탐구하기 10

바르게 계산하면
$2 - 6x \leq -4x - 2$
$-6x + 4x \leq -2 - 2$
$-2x \leq -4$
$x \geq 2$
이어야 하는데 지훈의 답안 카드는 부등호의 방향이 반대인 것을 보니 음수로 나눌 때 부등호 방향을 바꾸지 않았다.

8 개념과 원리 탐구하기 9

사진의 장수를 x라고 하면
$3000 + 100x < 120x$
이다. 이를 계산하면 $x > 150$이므로 사진이 151장 이상일 때는 회원가입을 하는게 유리하다.

학생 답안

3000 + 100x < 120x   x : 사진 장 수
사진이 151장 이상일 때 회비를 내고 가입하는 것이 낫다
151장 이상
100x + 3000 < 120x
20x < 3000
2x > 300
x > 150

학생 답안 1

2018년 11월 24일 날씨 : 11월인데 눈이 내렸다. 이런것도 지구온난화의 영향 때문인걸까

제목 : 지옥의 대기시간

내용 : 오늘 환장의 나라 네버랜드로 친구들과 함께 놀러갔다. 놀이동산은 롯데세계만 많이 가 봤지 네버랜드는 처음이라 설렘 반, 기대 반의 마음으로 입장해서 제일 인기가 많아 보이는 부등부등 익스프레스를 타려고 딱 줄을 섰는데, 갑자기 화면에 문제가 뜨더니 이 문제를 푸는 순서대로 탑승한다는 방송이 흘러나왔다. 문제에선 부등호가 들어있는 식이 나왔는데, 「부등식의 해가 $x<6$이고, 그 식이 $ax+3>0$일 때, 상수 a의 값은?」 이 문제였다.

$ax>-3 \Rightarrow x<6$ (부등호방향 change ⇒ $a<0$)

$x<\frac{-3}{a} \Rightarrow x<6$ ($\frac{-3}{a}=6$)

$\therefore a=-\frac{1}{2}$

이므로 $a=-\frac{1}{2}$이었고, 나와 친구들은 이 문제를 31등으로 풀어 살짝 아쉽지만 그래도 빨리 탈 수 있어서 좋았고, 이런 방법이 신선해서 재미있었던 것 같다.

<그림으로 표현하기>

<풀이과정>

$ax+3>0$의 해가 $x<6$

$ax>-3$이 $x<6$이 된다는 것은 $a<0$ (부등호방향이 바뀌었으니까)

이고, $x<\frac{-3}{a}$이 $x<6$이라는 것이므로 $\frac{-3}{a}=6 \Rightarrow a=-\frac{1}{2}$가 된다.

학생 답안 2

20 18년 12월 31일 날씨 : 맑음

제목 : 그래서 무슨소리야!?

내용 : 오늘은 놀이동산에 갔다. 시험이 끝나고 크리스마스를 기념해서 친구들이랑 갔는데 큰 문제에 빠졌다. 단체로 롤러코스터를 타려는 도중, 친구들의 키가 다 달라서 다 같이 탈 수 있을까 조건을 찾아보니 160보다 커야하고 ~~180보다~~ 이거나 작아야 한다라고 되었었다. 이게 무슨 소리지? * A,B,C,D 중 누가 탈수 있을거나?

<그림으로 표현하기>

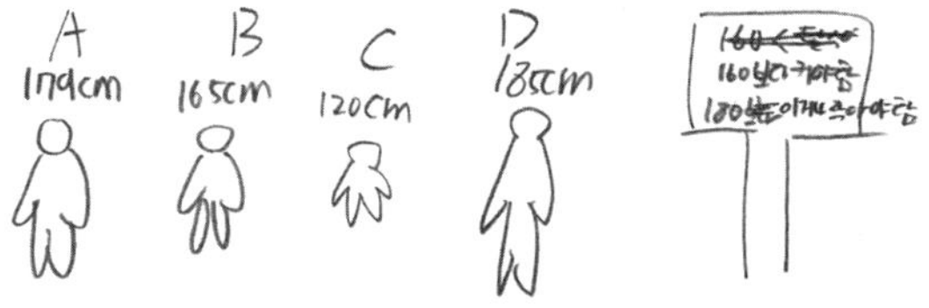

<풀이과정>

160보다 커야함 180이거나 작아야함

$160<x$ $160 < x \leq 180$

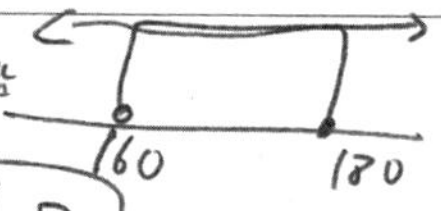

A, B

학생 답안 3

2019 년 7 월 19 일 날씨 : 내생일인데 아무도 몰라줄것같은 날씨...

제목 : 일기 (일어나서 기지개피면 키큰데요...)

내용 : 민준이는 놀이공원에서 제일 무서운 놀이기구를 지금까지 54 번 타봤고 소현이는 12 번밖에 타보지 못했다. 앞으로 놀이동산에 올때마다 민준이는 무서운 놀이기구를 3번씩 타고, 소현이는 6번씩 타기로 했다면, 놀이동산에 몇번을 더 와야 소현이가 더 많이 탄게 될까?

<그림으로 표현하기>

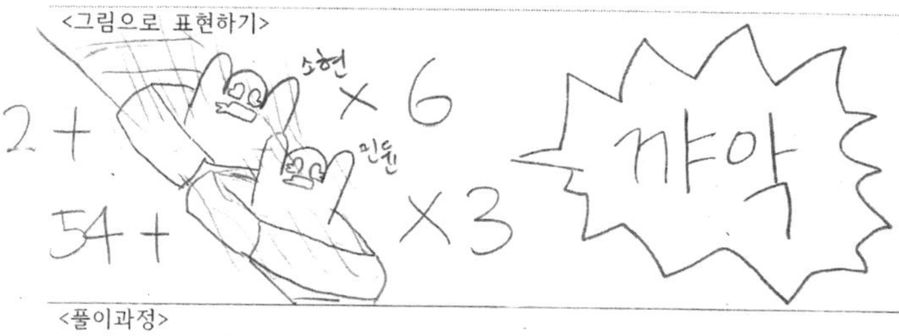

<풀이과정>

$54+3x<12+6x$

↳ $-3x<-42$ → $x>14$ ⇒ 15번온 후부터

÷-3 ÷-3

개념과 원리 연결하기 예상 답안

교과서(상) 170~171쪽

1

나의 첫 생각

부등식의 성질에서 배웠다.
양변에 양수를 곱하거나 나눌 때는 부등호의 방향이 바뀌지 않지만, 양변에 음수를 곱하거나 나눌 때는 부등호의 방향이 바뀐다.
그런데 부등식의 양변에 음수를 더하거나 뺄 때는 부등호의 방향이 바뀌지 않는다.

다른 친구들의 생각

(지수) 예를 들어, 부등식 $2<3$의 양변에 5를 곱하면 $2\times5=10$, $3\times5=15$이고, $10<15$이므로 부등호의 방향이 바뀌지 않지만, 양변에 -5를 곱하면
$2\times(-5)=-10$, $3\times(-5)=-15$이고,
$-10>-15$이므로 부등호의 방향이 바뀐다.
이와 같이 부등식의 양변에 음수를 곱하면 부등호의 방향이 바뀐다.
(형철) 부등식의 양변에 음수를 곱할 때만 바뀌는 것이 아니라 음수로 나눌 때도 부등호의 방향이 바뀐다.

정리된 나의 생각

수직선 위에서 절댓값을 생각하면 양수끼리는 절댓값이 큰 수가 크지만, 음수끼리는 절댓값이 큰 수가 작다는 것과 연결하여 생각하면 부등호의 방향이 바뀌는 이유를 설명할 수 있다.
(1) a, b가 같은 부호인 경우 $a<b$이면 $-a>-b$ (수직선 생각)
(2) a, b가 다른 부호인 경우 $a<b$이면 $a<0<b$이므로 $-a>0>-b$

2 (1)

일차부등식의 뜻

부등식에서 우변에 있는 항을 좌변으로 이항하여 정리한 식이 다음 중 어느 하나의 꼴로 변형되는 부등식을 일차부등식이라고 한다.
(일차식)>0, (일차식)<0, (일차식)≥0,
(일차식)≤0

①	부등식의 양변에 같은 수를 더하거나 빼도 부등호의 방향은 바뀌지 않는다.	$a<b$이면 $a+c<b+c$, $a-c<b-c$
②	부등식의 양변에 같은 양수를 곱하거나 같은 양수로 나누어도 부등호의 방향은 바뀌지 않는다.	$a<b$, $c>0$이면 $ac<bc$, $\frac{a}{c}<\frac{b}{c}$
③	부등식의 양변에 같은 음수를 곱하거나 같은 음수로 나누면 부등호의 방향이 바뀐다.	$a<b$, $c<0$이면 $ac>bc$, $\frac{a}{c}>\frac{b}{c}$

(2)

일차부등식과 관련 개념 사이의 연결성

- 두 수 x, y를 비교할 때
  $x<y$: x가 y보다 작다. → x가 y 미만이다.
  $x\leq y$: x가 y보다 작거나 같다. → x가 y 이하다.
  $x\geq y$: x가 y보다 크거나 같다. → x가 y 이상이다.
  $x>y$: x가 y보다 크다. → x가 y를 초과한다.
- 문자와 차수가 각각 서로 같은 항을 동류항이라고 하며, 방정식이나 부등식을 풀 때는 동류항끼리 모아서 정리하면 보다 쉽게 해를 구할 수 있다.
- 양변이 등호($=$)로 연결된 식을 등식, 부등호($<$, $>$, $\leq$, $\geq$)로 연결된 식을 부등식이라고 한다.
- 등식의 성질은 양변에 같은 수를 더하거나 빼거나 곱하거나 나눠도 등식은 성립한다는 것인데, 부등식의 성질과 차이는 양변을 음수로 곱하거나 나눌 때, 부등호의 방향이 바뀐다는 점이다.
- 일차방정식은 (일차식)$=0$과 같이 등호로 연결된 등식인데, 일차부등식은 등호 대신 부등호가 들어간 식이다.

학생 답안 1

나의 첫 생각

ex) $-3x > 9$ 라고 하면 x에 해당하는 값은 음수여야한다.

$x>-3$ $x<-3$

$x > -3$ 이라고 하면 x값이 양수가 될 수도 있다.

$x<-3$ 이라고 하면 x값이 모두 음수가 되므로

부등호방향이 바뀌어야한다

정리된 나의 생각

음수는 양수와 달리 숫자의 크기가 정 반대이다.

$(-1>-9,\ 1<9.)$

그렇기 때문에 음수를 곱하면 수의 크기가 달라지는 것이라 생각한다.

학생 답안 2

나의 첫 생각

$x > y$ $(x, y > 0)$ 라면 $|x|>|y|$ 이다

여기에 -를 곱하게되면 $-x$, $-y$ 인데 $|x|>|y|$ 인데

음수는 절댓값이 클게 더 작은 수이기 때문에 반대로 바뀌는 것이다

정리된 나의 생각

$x < -3$ 이런 부등식을 보자.

해는

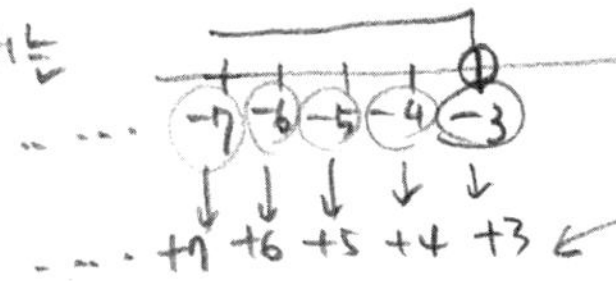

여기서 만약 $-x$의 범위가 궁금하다면 이렇게 될 것이다.

즉 $-x > +3$ 가 된다.

학생 답안 3

친구의 생각 1

예를 들어 a > 0 이 있었는데 여기다 양변에 음수 (-1)을 곱하면 양수였던 a가 -a, 즉 음수가 되므로 -a 는 0보다 작아져서 -a < 0

반대로 b < 0 이 있는데 여기다 -1을 곱하면 -b는 양수가 되므로 -b > 0 이 된다.

→ 양변에 음수를 곱하면 수(문자)의 부호가 바뀌면서 절댓값은 같고 부호만 달라져서 수직선 상에서 좌우가 반전된다.

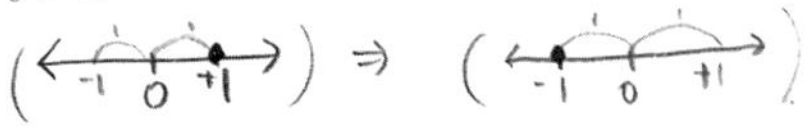

그래서 부등호 방향도 반대로 된다.

친구의 생각 2

실수는 크게 +부호인 양수와 -부호인 음수로 나뉜다. 이때 부등호 라는 것은 수직선상에 실수를 표현했을 때 그 숫자들의 대소 관계를 비교한 것이다. 수직선의 오른쪽 일수록 더 큰 수인데, 음수를 곱하면 가운데의 0을 기준으로 양수이면 좌로, 음수이면 우로 이동하게 된다. 음수는 절댓값이 클수록 더 작아지고, 양수는 절댓값이 클수록 더 커지기 때문에 기존 결과 보다 정반대의 대소 관계가 일어나 부등호의 방향이 바뀌게 된다.

2 (1) 개념과 원리 연결하기 예상 답안

학생 답안 1

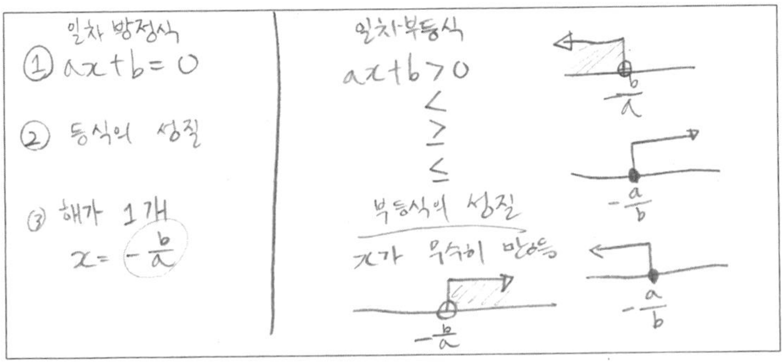

학생 답안 2

$>$, $<$, $\geq$, $\leq$ 처럼 부등호가 있는 일차식.

$a > b$ a는 b 초과 (a는 b보다 크다)
$a < b$ a는 b 미만 (a는 b보다 작다)
$a \geq b$ a는 b 이상 (a는 b보다 크거나 같다, a는 b보다 작지 않다)
$a \leq b$ a는 b 이하 (a는 b보다 작거나 같다, a는 b보다 크지 않다)

학생 답안 3

일차부등식의 뜻: 부등호($>$, $<$, $\geq$, $\leq$)를 사용해 수 또는 식의 대소 관계를 나타낸 일차식

일차부등식의 성질: 1. 같은 수를 더하거나 빼도 부등호 방향은 바뀌지 않는다.
2. 같은 양수를 곱하거나 나눠도 부등호 방향은 바뀌지 않는다.
3. 같은 음수를 곱하거나 나누면 부등호 방향이 바뀐다.

학생 답안 4

미지수의 차수가 1인 부등식
-를 곱하면 부등호가 바뀐다
부등식을 푼다는 것은 미지수의 범위를 구하는 것이다

2 (2) 개념과 원리 연결하기 예상 답안

학생 답안 1

〈일차부등식과 연결된 개념〉	〈일차부등식과 관련 개념 사이의 연관성〉
* 이상, 이하, 초과, 미만 * 동류항 정리 * 등식과 부등식 * 등식의 성질 * 일차(방정)식	3이상, 3이하, 3초과, 3미만 ⇓ ($x \geq 3$, $x \leq 3$, $x > 3$, $x < 3$) 이것을 문자 x를 이용해서 부등식으로 바꿀수있음 부등식에도 문자가 들어갈수 있다. 그러면 그게 일차부등식이다. 그리고 방정식도 문자가 들어가지만 방정식은 해가 1개 부등식은 해가 엄청 많다.

학생 답안 2

〈일차부등식과 연결된 개념〉	〈일차부등식과 관련 개념 사이의 연관성〉
* 이상, 이하, 초과, 미만 * 동류항 정리 * 등식과 부등식 * 등식의 성질 * 일차(방정)식	〈등식과 부등식〉 공통◍ 등식○ 부등식● ◍ 일차방정식 ○ 등식의 정리 ◍ 동류항 정리 ● 이상 이하 미만 초과

학생 답안 3

〈일차부등식과 연결된 개념〉	〈일차부등식과 관련 개념 사이의 연관성〉
* 이상, 이하, 초과, 미만 * 동류항 정리 * 등식과 부등식 * 등식의 성질 * 일차(방정)식	이상 : $a \geq b$ (a가 b이상) 이하 : $a \leq b$ (a가 b이하) 초과 : $a > b$ (a가 b초과) 미만 : $a < b$ (a가 b미만) 동류항 정리 : 미지수가 같거나 상수항끼리는 더하거나 빼줄수 있다. 일차부등식에서도 이용가능하다 등식의 성질 : 부등식에서도 이용하게 이용할수있다 같은 수를 +, −, ×, ÷ 해도 부등식은 성립한다. 단 −를 ×, ÷ 때 부등호의 방향은 바뀐다.

수학 학습원리 완성하기 예상 답안

교과서(상) 172~173쪽

학생 답안 1

내가 선택한 문제 | 탐구하기 6

드림이는 −2와 5가 있는 카드를 골랐습니다. 또 주사위를 굴려서 '−'와 '−1'이 나왔습니다. 드림이는 점수를 얻을 수 있을지 계산해 보자.

나의 깨달음

[나의 성찰 ①]

(보기) $-2<5$

(보기)에 있는 식은 양변에 등식의 성질을 적용하여 양변에 똑같이 계산하는 문제였다. 일학년때의 등식에서는 같은수를 곱하고, 빼고, 나누고, 더해도 등식이 변하지 않았는데 이번 부등식을 하면서 음수로 나누고, 곱할 때에는 부호가 바뀐다는 것을 알게 되었습니다.

$-2 \div -2 > 5 \div -2$

$-2 \times -2 > 5 \times -2$

<수학 학습원리>

⑤ 여러가지 수학 개념 연결하기

학생 답안 2

내가 선택한 문제 | 탐구하기 6

(1) ①~④도 [보기]와 같이 수직선을 이용해 표현해 보자.

나의 깨달음

부등식에서는 왜 음수를 곱하면 부등호 방향이 바뀌는지 생각해본적이 없다. 그냥 외웠다. 이 활동을 하면서 이유가 있다는 것을 알게 되었다.

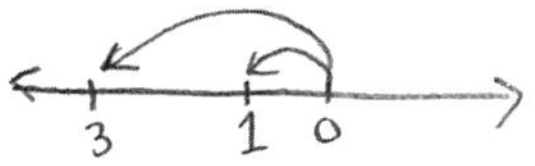

음수는 절댓값이 클수록 작은 수라는 원칙

그 원칙이 숨어있었다 !!

학생 답안 3

내가 선택한 문제 | 탐구하기 6

[보기]는 신중이가 주사위 게임에서 나온 결과를 수직선으로 나타내어 대소 관계를 비교한 것입니다.

(1) ①~④도 [보기]와 같이 수직선을 이용해서 표현해 보자.

나의 깨달음

[나의 성찰 ①]

· 등식의 성질 적용(곱셈, 나눗셈)

곱셈: $-2\times10 < 5\times10$

$-2\times(-10) > 5\times(-10)$

나눗셈: $\frac{-2}{10} < \frac{5}{10}$

$\frac{-2}{-10} > \frac{5}{-10}$

~~$-2x-5<9$~~

부등식에도 등식의 성질을 적용하여 풀어보았더니 부등식에 음수인 수를 곱하거나 나누면 부등호 방향이 바뀌게 된다는 걸 알게 되었다.

추가적으로 $-2x-5<9$라는 일차부등식을 풀어 내려올 때 $-2x<14$까지 내려오면 나는 항상 일차방정식을 풀던 습관 때문에 $x<-7$이라고 적었다. 하지만 이 개념을 배운 후 이것이 답이 아니라는 걸 알았다. $-2x<14$에서 x를 구할 때는 음수의 나누기를 해야해서 $\frac{-2}{-2}x > \frac{14}{-2}$ = $x > -7$로 부등식이 바뀌어야 한다는 걸 알았다.

<수학 학습원리>

2. 관찰하는 습관을 통해 규칙성 표현하기

STAGE 6

삼각형을 새롭게 보자
– 삼각형의 성질

1 무엇이 무엇이 똑같을까

/1/ 삼각형으로 논리 만들기

2 삼각형과 딱 맞는 원

/1/ 삼각형을 품는 가장 작은 원
/2/ 삼각형 안의 가장 큰 원

이 단원의 핵심 지도 방향

기존 교과서에서 '삼각형의 성질' 단원은 다음과 같이 구성되어 있습니다.

(1) 성질 학습 ⇨ (2) 예제를 통한 성질 증명 ⇨ (3) 유제를 통한 성질 적용 문제 풀이

이러한 구성 자체는 연역적인 사고 체계를 따르는 것으로 수학적 논리로는 문제가 없지만, 학습자의 입장에서는 각 성질에 대한 내면의 심리적인 동의 과정이 생략되어 있으며, 사고하고 고민을 할 수 있는 여지가 없습니다. 끈질기게 따라가면 이해할 수도 있지만 발견의 배경이나 원리는 모두 생략하고 결론만을 제시하니 학생들에게는 느닷없어서 무척이나 낯설고 어렵게 느껴집니다. 결국 도형 학습은 지겨운 단원으로 성질을 암기하여 각의 크기와 변의 길이 구하는 문제 풀이만을 연습하게 됩니다.

이 단원에서는 이런 부분을 보완하고자 삼각형의 성질을 매개로 학생들이 이러한 성질을 탐구해 가는 '자신의 논리를 만들어가는 과정'에 초점을 둘 것입니다. 이등변삼각형의 성질, 삼각형의 외심과 내심은 모두 다음 과정에 따라 수업을 진행하는 것을 권장합니다.

(1) 관찰을 통해 명제 만들기, 또는 아는 내용을 이용하여 명제 만들기
(2) 발견한 사실을 여러 가지 방법으로 정당화하기

특히 여기서는 명제가 무엇인가를 아는 것뿐만 아니라 (2)의 과정을 심도 있게 다룹니다. 조건문 $p \longrightarrow q$에서 가정 p를 이용하여 결론 q를 설명해 내는 과정을 연습해 볼 수 있도록 합니다. 학생들은 '논리적인 설명 경험'이 아직 부족하여 주어진 가정이나 이미 습득한 사실에서 출발하여 결론을 설명해내야 함을 내적으로 받아들이지 못하고 결론을 중간에 이용하는 혼란을 겪습니다. 그래서 이 단원에서는 주어진 가정에서 출발하여 결론을 설명하는 과정이 무엇인지를 화살표 긋기, 종이 접기, 공학적 도구의 이용 등 여러 가지 측면에서 지속적으로 경험할 수 있도록 하고 있습니다. 이 단원이 언뜻 보면 초등학교에서 학습한 삼각형의 성질을 반복 학습하는 것처럼 보이지만, 증명의 과정을 그림으로 제시하고, 연결선을 표시하는 것도 이런 맥락입니다. 기존 교과서에서 사용하는 언어보다 수월하게 학생들이 논증을 경험할 수 있도록 하였습니다. 논증의 '다양화'라는 차원에서 자신의 논증을 만들어 보는 것에 초점을 두었습니다. 학생들은 도형의 성질을 자기 주도적으로 발견할 때, 그것을 정당화하려는 내적인 동기를 가지게 됩니다.

수업의 진도보다 학생들의 사고 과정을 살피며 의견을 펼칠 수 있도록 과제의 수를 줄였고, 논리적 연결성에 집중할 수 있도록 각의 크기와 변의 길이를 구하는 문제는 거의 제시하지 않았습니다.

1 무엇이 무엇이 똑같을까 (이등변삼각형)

단원 지도 계획

/ 1 / 삼각형으로 논리 만들기 (이등변삼각형의 성질)

1차시	**개념과 원리 탐구하기 1** 이등변삼각형의 성질 추측하기
2차시	**개념과 원리 탐구하기 2** 이등변삼각형의 성질 정당화하기
3차시	**개념과 원리 탐구하기 3** 이등변삼각형의 성질 **개념과 원리 탐구하기 4** 직각삼각형의 합동 조건
4차시	탐구 되돌아보기

• 교과서 각 소단원마다 제시된 **탐구 되돌아보기**는 **개념과 원리 탐구하기**와 연계하여 수업 시간 내 또는 수업 시간 이후 복습으로 활용할 수 있습니다.

/1/ 삼각형으로 논리 만들기 (이등변삼각형의 성질)

학습목표

1 이등변삼각형과 부등변삼각형을 대비시키는 실험과 관찰을 통하여 이등변삼각형만이 가지는 성질을 발견할 수 있다.
2 이등변삼각형의 성질을 정당화하는 논리적인 연결 관계를 이해하고 의사소통할 수 있다.
3 이등변삼각형의 성질을 토대로 직각삼각형의 합동 조건을 이해하고 설명할 수 있다.
4 이등변삼각형의 성질을 이용하여 간단한 문제를 해결할 수 있다.

2015 개정 교육과정 성취기준

이등변삼각형의 성질을 이해하고 설명할 수 있다.

교수 · 학습 방법 및 유의 사항

1 공학적 도구나 다양한 교구를 이용하여 도형을 그리거나 만들어 보는 활동을 통해 도형의 성질을 추론하고 토론할 수 있게 한다.
2 도형의 성질을 이해하고 설명하는 활동은 관찰이나 실험을 통해 확인하기, 사례나 근거를 제시하며 설명하기, 유사성에 근거하여 추론하기, 연역적으로 논증하기 등과 같은 다양한 정당화 방법을 학생 수준에 맞게 활용할 수 있다.

평가 방법 및 유의 사항

정확한 용어와 기호의 사용, 복잡한 형식 논리 규칙의 이용을 요구하는 연역적 정당화 문제는 다루지 않는다.

핵심발문

이등변삼각형에만 있는 성질은 무엇이며 어떻게 설명할 수 있을까?

개념과 원리 탐구하기 1 _ 이등변삼각형의 성질 추측하기

교과서(하) 13쪽

탐구 활동 의도

- 이 활동은 이등변삼각형과 이등변삼각형이 아닌 두 삼각형을 비교하는 과정을 통해서 이등변삼각형만이 가지는 특성을 추론하고자 한 것이다. 이등변삼각형의 주요한 속성은 '대칭성'이다. 이등변삼각형이 아닌 삼각형과의 비교를 이용하여 이 속성이 잘 드러나도록 하였다.
- 대칭이 되도록 보조선을 긋는 방법은 여러 가지가 있을 수 있다. [1]은 꼭지각의 이등분선으로 얻을 수 있는 성질을 발견하기 위한 것이다.

- [2]는 중선으로 얻을 수 있는 성질을 발견하기 위한 것이다.
- [3]은 이등변삼각형의 여러 가지 성질을 모둠 활동을 통해 정리한다.
- 대칭성의 관점에서 어떤 보조선을 긋더라도 보조선의 좌우로 만들어지는 두 삼각형이 합동이라는 같은 명제를 추측할 수도 있다. 다만 이를 구분한 것은 가정에서 출발하여 결론으로 도달하는 과정에서 형식논리에서의 가정을 명확히 하기 위해서였다.
- 여기서 선을 그리는 활동은 꼭 자와 각도기를 사용하여 정확히 할 필요는 없으며, 손으로 대충 그려도 상관없다. 정확하게 그리는 것이 논증에 방해가 될 수 있다.

예상 답안

[1]

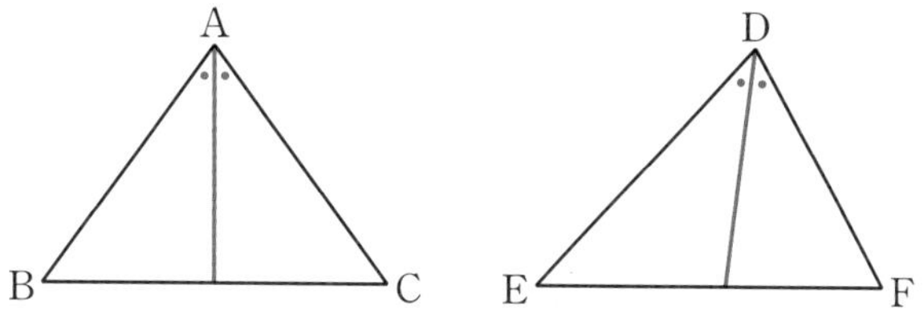

[2]

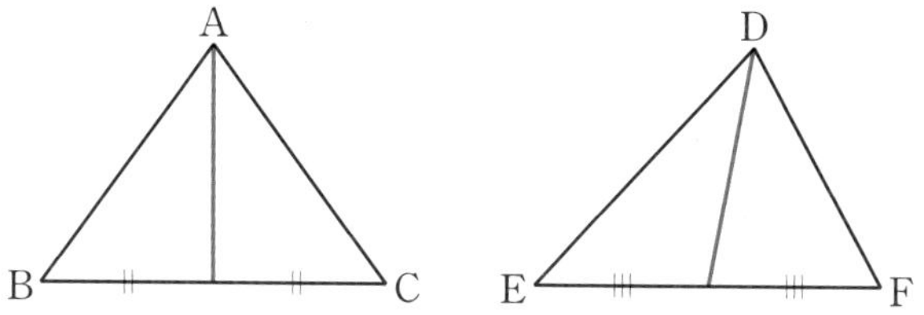

[3] 학생들의 답은 다양할 수 있다.

나의 생각	모둠의 의견
• 이등변삼각형의 꼭지각의 이등분선은 밑변의 중점을 지난다. • 이등변삼각형의 꼭지각에서 대변에 내린 중선으로 만들어지는 두 삼각형은 합동이다. • 이등변삼각형의 두 밑각의 크기는 같다.	• 이등변삼각형의 꼭지각의 이등분선은 밑변을 수직이등분한다. • 이등변삼각형의 꼭지각에서 대변에 내린 중선은 꼭지각을 이등분한다. • 이등변삼각형의 두 밑각의 크기는 같다.

- 위의 예시 답안 이외에도 꼭지각의 이등분선과 중선이 같음을 제시하기도 했다.

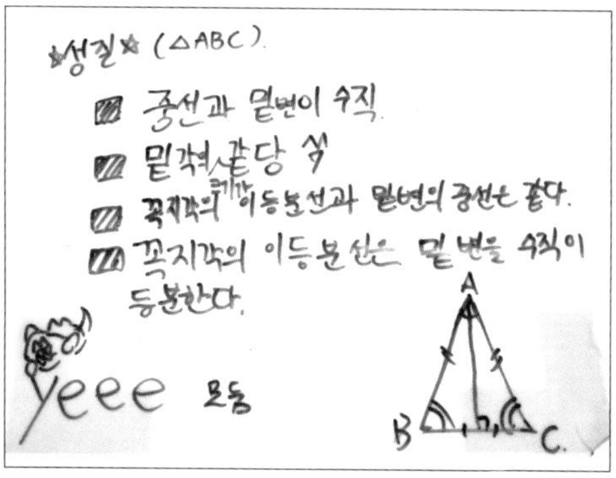

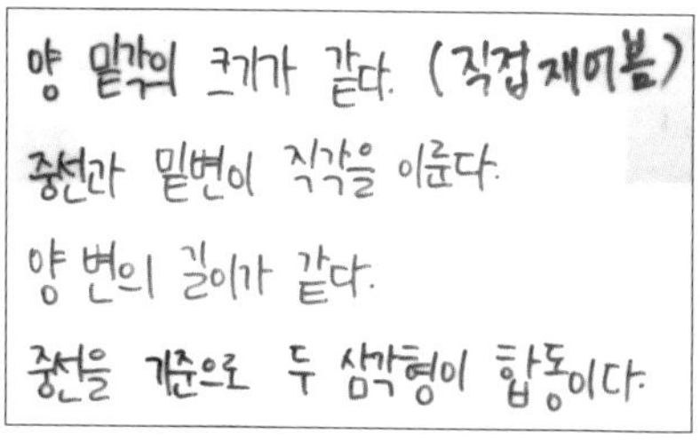

수업 노하우

- 이 탐구활동은 이등변삼각형의 성질을 추측하고 정당화의 과정을 가기 위한 동기를 유발하는 역할에 충실하면 된다. 정당화의 과정은 **탐구하기 2** 이후에 이루어진다.
  그러나 수업에서 다음과 같이 각의 이등분선, 중선으로 나눌 때 양쪽에 생기는 두 삼각형이 '합동'이라는 것을 설명하는 경우도 있다.

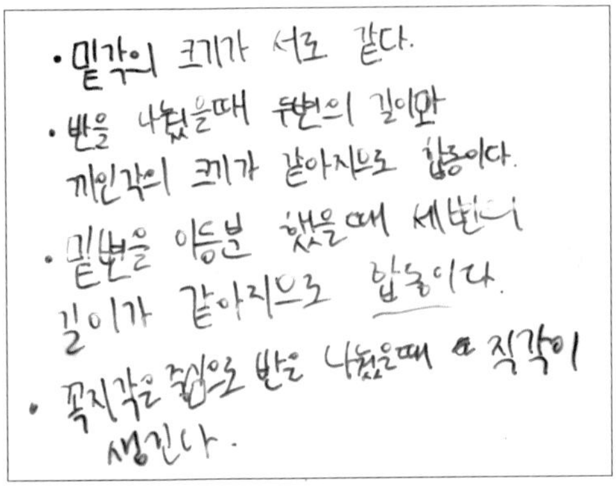
• 밑각의 크기가 서로 같다.
• 반을 나눴을때 두변의 길이와 끼인각의 크기가 같아지므로 합동이다.
• 밑변을 이등분 했을때 세변의 길이가 같아지므로 합동이다.
• 꼭지각을 중심으로 반을 나눴을때 직각이 생긴다.

- 이등변삼각형이 아닌 삼각형을 함께 제시하여 똑같은 활동을 하면 이등변삼각형의 고유한 성질이 잘 드러난다. 이등변삼각형이 아닌 경우에는 성립하지 않지만 이등변삼각형이기 때문에 성립하는 특성을 찾도록 수업을 진행한다.
- [3]에서 이등변삼각형이 가지는 특성은 예시된 것보다 더 다양하게 거론될 수 있다. 제시된 각각의 특성을 가볍게 여기지 말고 하나하나 따져 보아야 아이디어를 낸 학생의 기여가 드러난다.
- 이등변삼각형을 두 개로 나누는 선은 **탐구하기 1**에 제시된 두 가지 방법 이외에도 다음과 같은 방법이 더 있을 수 있다.

[방법 3] 꼭지각에서 밑변에 수선의 발을 내린다.

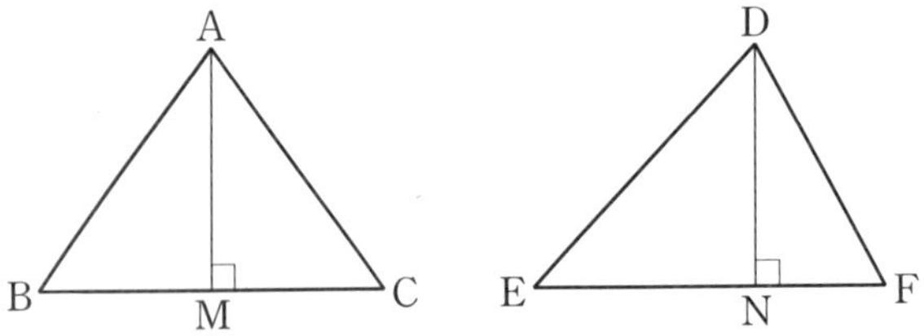

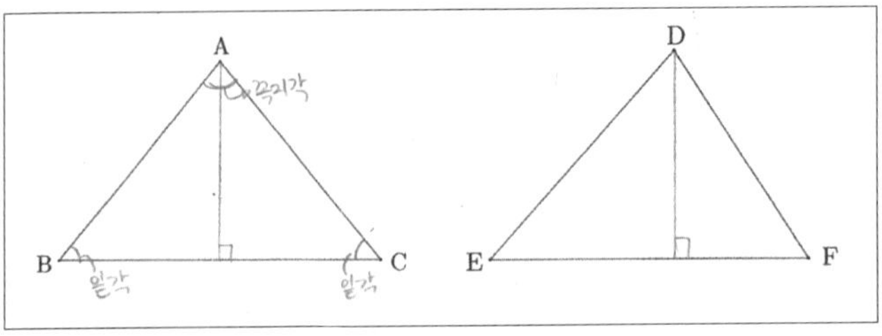

방법 4 밑변의 수직이등분선을 그린다.

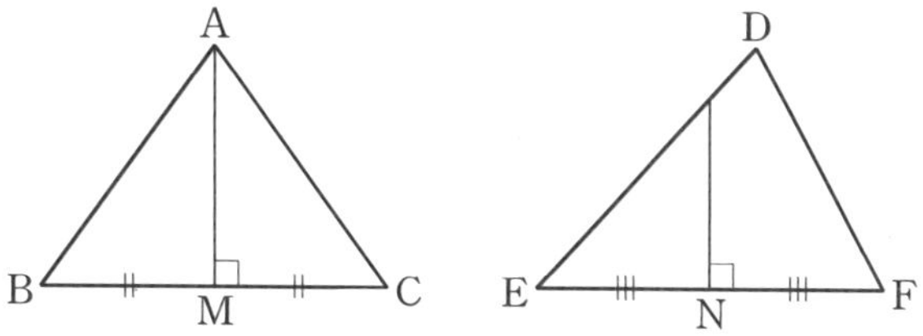

• 다음 학생은 밑변의 수직이등분선을 그어 각의 크기와 선분들의 길이를 측정했다. 이등변삼각형의 성질을 추측하고 설명까지 했음을 알 수 있다.

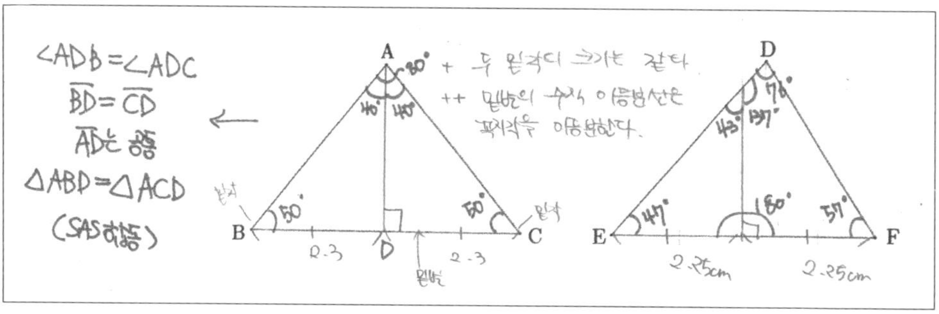

방법 3 은 직각삼각형의 합동 조건을 아직 배우지 않았으므로 삼각형의 합동 조건으로 설명할 수 있도록 한다. 따라서 1, 2 로부터 알게 된 '이등변삼각형은 두 밑각의 크기가 같다.'는 성질을 사용하여 △ABM≡△ACM(ASA합동)임을 발견할 수 있다.

• 학생들이 실제로 위와 같은 경우를 발견하기도 했다.
'밑변의 수직이등분선을 그었을 때 점 A를 지난다.'
'점 A에서 변 BC에 수선을 그리면 나누어진 두 삼각형이 합동이다.'
등 여러 가지 의견이 있었다.

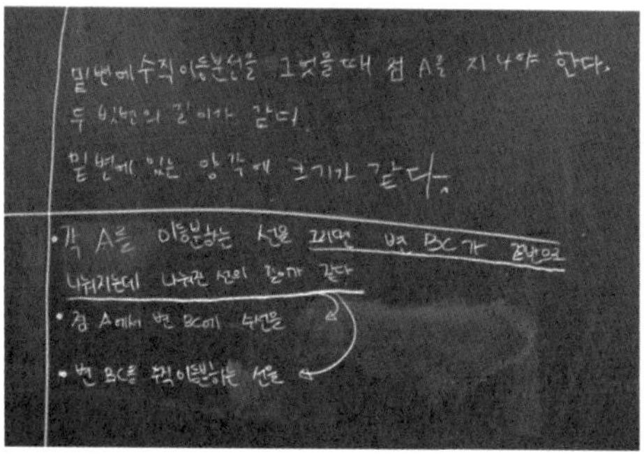

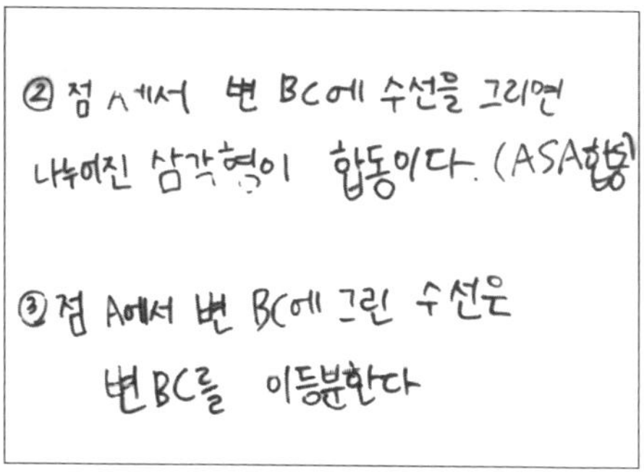

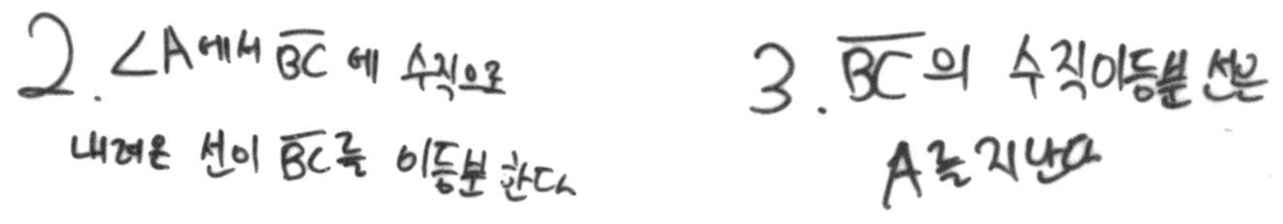

• 이등변삼각형의 성질을 다양하게 추측해 보는 과정은 이후 학습에 대한 동기를 유발할 수 있다. 그리고 학생들이 함께 발견한 내용은 기존 교과서의 형식적 표현을 넘어 다음과 같이 다양했다.

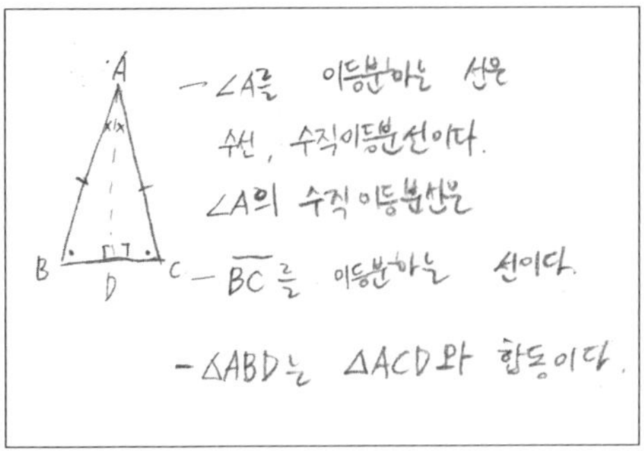

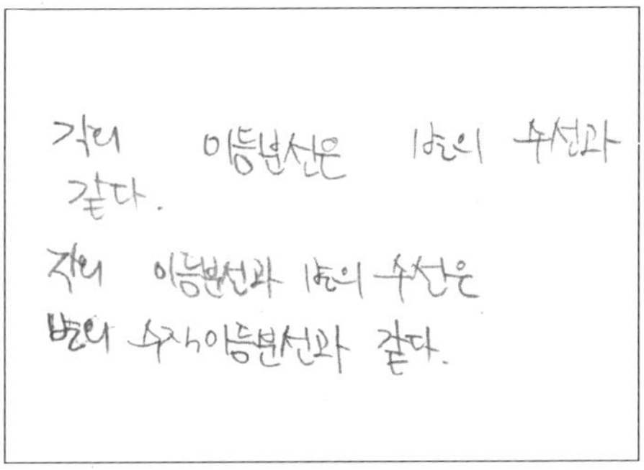

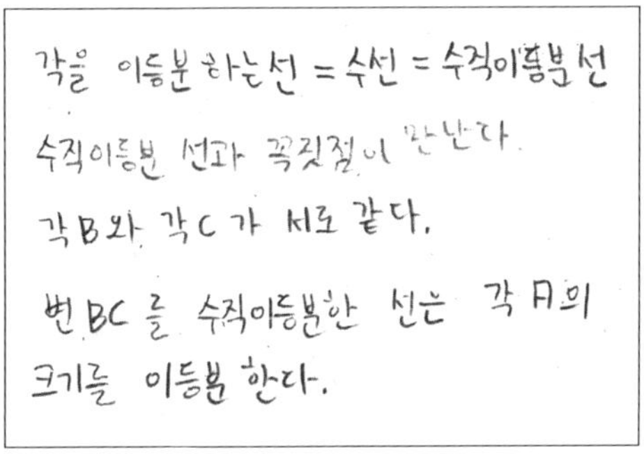

• 학생들은 발견한 성질을 그림으로의 표현, 기호적 표현, 서술적 표현 등 자기만의 방법으로 나타냈다. 표현 방법의 차이를 이해할 수 있도록 다루어 볼 수 있다.

• 다음 학생은 ①은 말로 설명, ②와 ③은 말과 기호를 섞어서 내용을 정리했다.

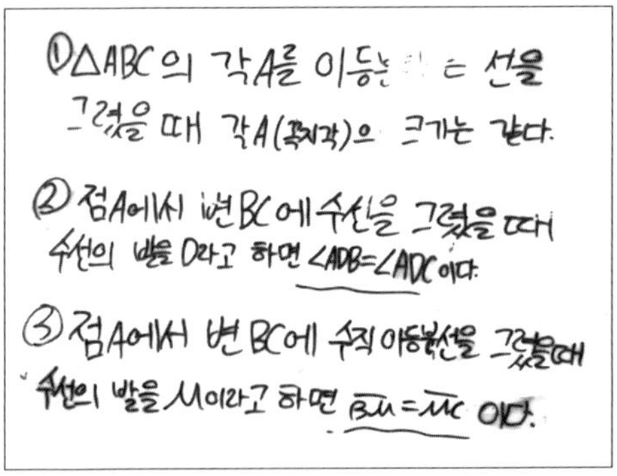

• 다음 학생은 그림, 기호, 서술적 표현을 모두 사용하여 의견을 나타냈다.

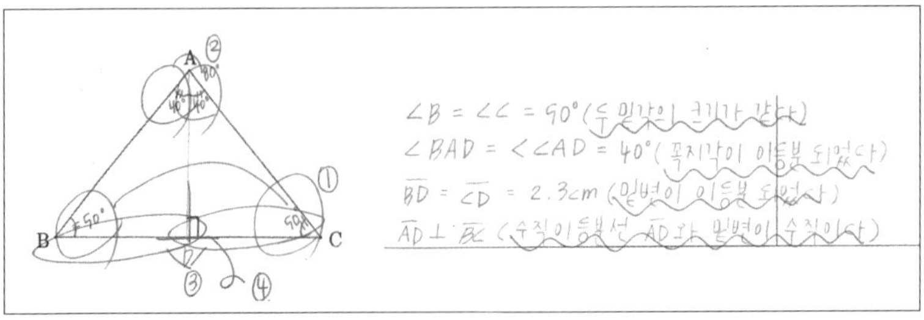

• 서술할 때, 아는 것을 제대로 표현하지 못하는 경우가 있다. 예를 들어 삼각형을 이등분한다는 표현도 있는데 오답이라고 생각하지 않고, 이런 경우 이등변삼각형의 대칭성을 탐구할 수 있도록 모둠 내에서 이 표현이 무슨 뜻인지를 다시 발문할 수 있다.

① 각에서 내린 이등분선은 삼각형을 이등분한다.
한

수업 연구

학생들의 다양한 반응에 대한 교사의 대처

- (3)과 같이 열린 발문에 대한 반응은 다양하다. 30명 정도의 아이들이 집중해서 아이디어를 낸다면 상상할 수 없는 돌발적인 반응이 반드시 나온다. 이런 반응에 대한 교사의 대응이 미온적이거나 무시하는 듯한 인상을 주면 아이들은 정해진 정답만이 환영받는다는 교실의 사회문화를 형성하게 된다. 이런 사회문화는 이후에 상상력을 발휘하려는 의욕을 꺾게 되어 수업에 대한 참여를 막는 원인을 제공하게 된다.
  이등변삼각형의 성질과 같이 기존의 교과서에 이미 전형적으로 주어져 있는 두 가지 성질만 중요시 여기고 다른 반응이나 아이디어에 대한 가치를 무시하게 되면 수학에 대한 부정적인 인식으로 나타나게 되어 수학을 싫어할 수 있다.
- '이등변삼각형에서 밑변의 수직이등분선을 그었을 때 꼭짓점 A를 지난다.'는 것은 각 반마다 추측해 내었다. 다만 증명이 귀류법이라 교과서에서 다루지는 않는데, 이런 아이디어가 사장되지 않고, 추측으로서 의미가 있을 수 있도록 수업에서 다룰 수 있다.

수업 연구

개념 이해의 보색대비(complementary contrast)론

수학 개념은 그 정의만 가르쳐도 학생들을 이해시킬 수 있다. 그런데 그 정의가 아닌 것을 대비시키면 오히려 정의가 명확하게 드러난다. 이것은 미술에서 보색 대비 효과와 비슷하다. 보색 대비는 색상이 정반대되는 보색끼리 배색되었을 경우, 각각의 색의 색상이 더욱 뚜렷해지며 채도가 높아져 보이는 현상을 말한다.
일차함수가 직선이 된다는 것은 직선이 아닌 경우를 대비시킬 때 더 명확해진다. 일차함수가 일차식으로 나타난다는 것은 일차식이 아닌 이차식이나 삼차식 또는 유리식을 대비시켜야 일차식이 더욱 명확해진다.

개념과 원리 탐구하기 2 _ 이등변삼각형의 성질 정당화하기

교과서(하) 14쪽

탐구 활동 의도

- 이 과제는 **탐구하기 1**의 추측에 대한 정당화 작업을 진행하는 것이다.
- [1]은 **탐구하기 1** [1]에 대한 정당화 작업으로 이등변삼각형이 아닌 다양한 삼각형을 제시함으로써 이등변삼각형의 대칭성이 두드러지도록 한 보색 대비 효과를 준 것이다. '똑바로'의 의미를 수학적으로 표현하는 과정에서 결론을 이해할 수 있도록 하였다.
- [2](1)은 **탐구하기 1**의 [1]과 [2]를 동시에 비교하여 연결함으로써 이등변삼각형의 대칭성의 의미를 수학적으로 표현하게 한 것이다. 또 '보조선을 어떻게 그리는지' 그 가정에 따라 같은 결론이 나올 수도 있다는 접근의 다양성을 느끼게 하려는 것이다.
- [2](2)는 '이등변삼각형은 두 밑각의 크기가 같다.'는 명제의 역에 대한 정당화 과정을 다루고 있다. 일부러 밑각을 위로 가게 하여 학생들이 꼭지각에 보조선을 그릴 수 있도록 하였다. 이와 같이 여러 측면에서 이등변삼각형의 꼭짓점에 대한 대칭성의 의미를 발견하고, 정당화하도록 한 것이다.

참고

명제와 그 역

[명제] 참과 거짓을 판별할 수 있는 문장이나 식을 명제라고 한다.

[역] 명제 'p이면 q이다.'에 대하여 'q이면 p이다.'를 처음 명제의 역이라고 한다.

예상 답안

[1] (1) 이등변삼각형의 꼭지각의 이등분선은 밑변을 수직이등분한다.

(2) (1)의 주장은 옳다.

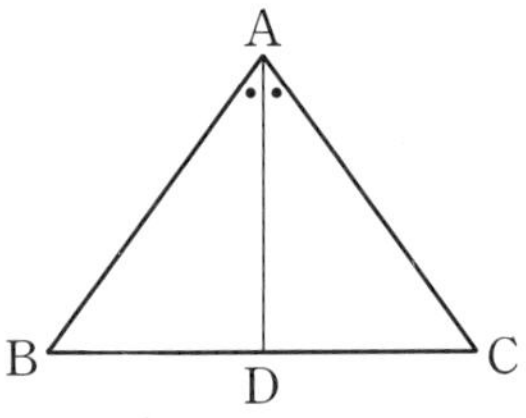

꼭지각의 이등분선이 밑변과 만나는 점을 D라고 하면

$\overline{AB}=\overline{AC}$,

$\overline{AD}=\overline{AD}$(공통인 변),

$\angle BAD=\angle CAD$

이므로 $\triangle ABD \equiv \triangle ACD$(SAS 합동)이다.

그러므로 $\overline{BD}=\overline{CD}$, $\angle B=\angle C$, $\angle BDA=\angle CDA$가 성립한다.

그런데 $\angle BDA=\angle CDA$이고 $\angle BDA+\angle CDA=180°$이므로

$\angle BDA=\angle CDA=90°$다.

즉, 이등변삼각형의 꼭지각의 이등분선은 밑변을 수직이등분한다.

학생 답안

• 다음과 같이 설명할 수도 있다.

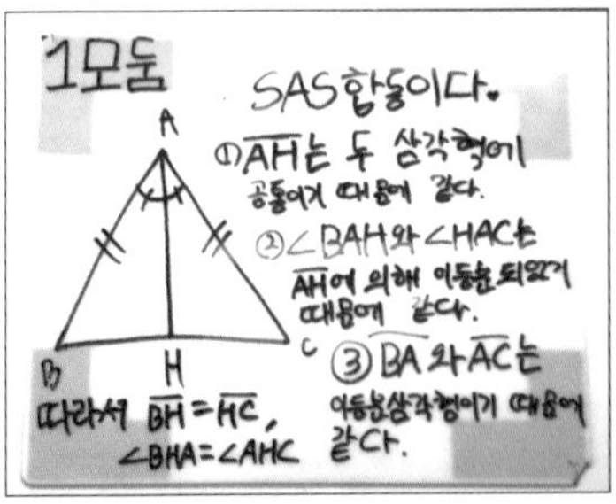

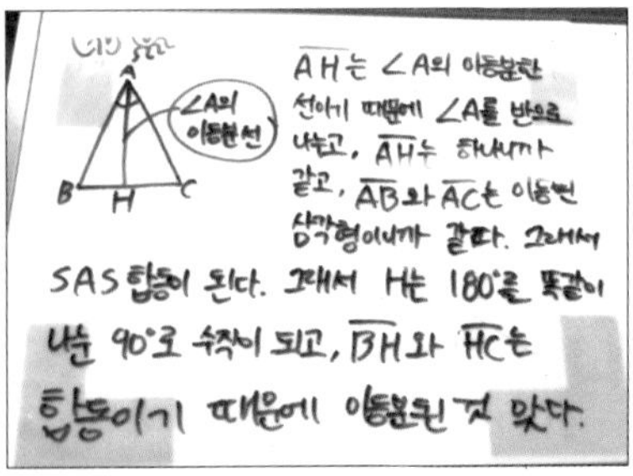

2 (1) 이등변삼각형은 항상 두 밑각의 크기가 똑같다고 말할 수 있다.

① 꼭지각을 이등분한 경우 두 삼각형은 SAS 합동이다.

② 중선을 그린 경우 두 삼각형은 SSS 합동이다.

그러므로 $\angle B = \angle C$가 성립한다. 즉, 이등변삼각형은 항상 두 밑각의 크기가 같다.

(2) 그림과 같이 삼각형 ABC의 각 A의 이등분선이 변 BC와 만나는 점을 D라고 하자.

$\triangle ACD$, $\triangle ABD$에서 $\angle C = \angle B$, $\angle CAD = \angle BAD$이므로 삼각형에서 두 각의 크기가 같다. 따라서 나머지 한 각 $\angle ADC$와 $\angle ADB$의 크기도 같다.

그리고 $\overline{AD} = \overline{AD}$(공통인 변)이므로

$\triangle ABD \equiv \triangle ACD$(ASA 합동)이다.

따라서 $\overline{AB} = \overline{AC}$가 성립하므로 $\triangle ABC$는 이등변삼각형이다.

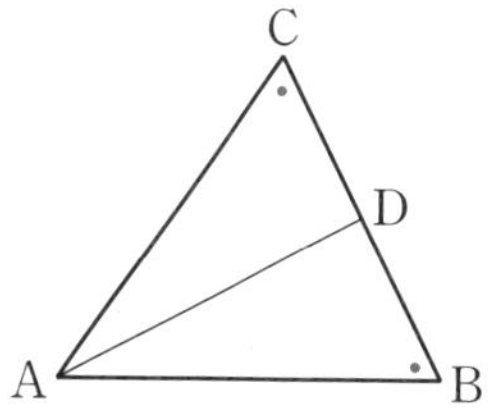

학생 답안

• 학생들은 '가정'이라는 용어를 사용하지 않았지만 그 의미는 알고 있음을 확인할 수 있다. 왼쪽 사진에서는 '이미 같으니'와 오른쪽 사진에서는 '왜냐하면'이라는 표현을 사용하여 논리적으로 설명했다.

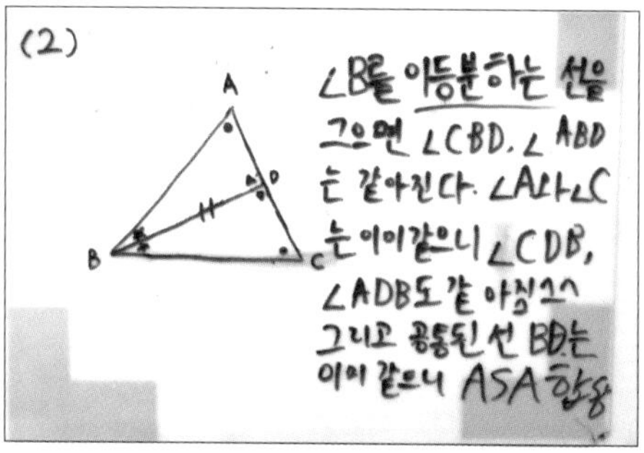

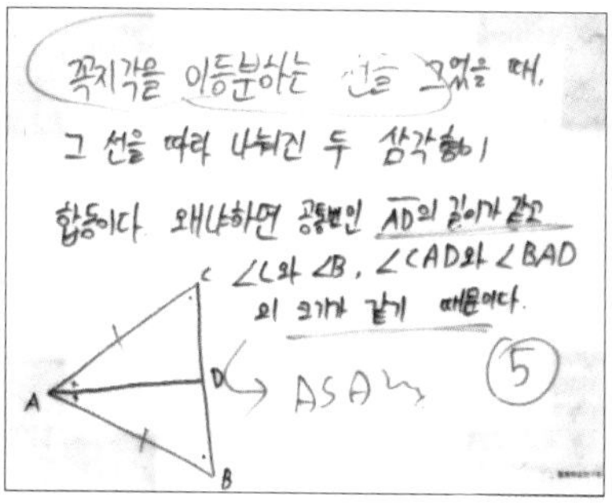

수업 노하우

• 1 (1)에서 '수학적으로 정확하게'라는 표현은 핵심역량 중 하나인 의사소통 능력과 관계가 있다. '똑바로'라는 표현보다는 '수직이등분한다.'라는 표현이 정확하다는 것은 듣는 사람에게 전달하는 정보의 정확성에 있어서 차이가 있음을 뜻한다. 수학 용어가 때로는 일상 용어와 달라서 익숙하지 않은 것은 있지만 정확하게 정의되지 않은 일상 용어를 사용하다 보면 서로 생각하는 것이 달라서 분쟁이 일어나는 경험을 할 수 있다. 수학에서 왜 용어를 정의하는지를 깨닫게 할 수 있다.

• 1 (1)에서는 명제의 표현만 정확하게 하는 것으로 넘어가고 본격적인 정당화는 1 (2)를 통해서 진행한다. 1 (1)에서 정당화로 가는 경우가 있다면 바로 1 (2)로 넘어가는 것이 흐름상 적당하다. 학생들이 처음에는 '수직'으로 내려온다고 표현하였다. 수직 외에도 어떤 것을 찾을 수 있는지 발문할 수 있다.

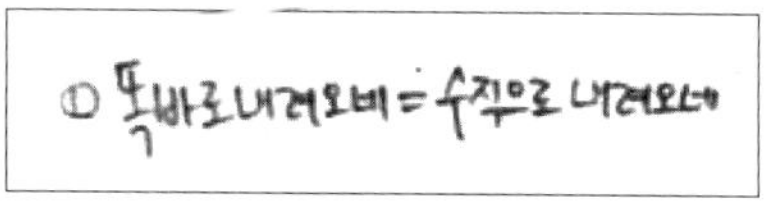

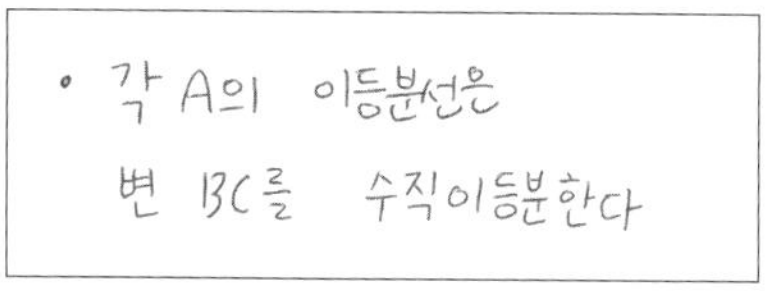

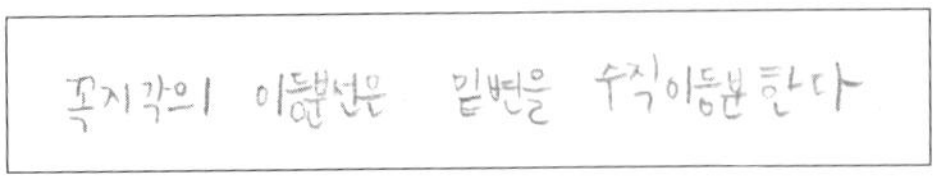

- [2] (2)에서 옆으로 누운 이등변삼각형은 전형적이지 않은 그림이다. 전형적인 그림을 보면 이전의 기억과 경험을 되살리려고 노력한다. 어떤 상황에서도 추론 능력을 발휘할 수 있도록 하기 위해서는 학생들에게 다소 생소한 그림을 제시하는 것이 효과적이다.
- 정당화 과정에서 중요한 것은 학생들의 접근 '과정'이다. 다음은 다소 부족한 예지만 학생들이 논의하여 이를 보완해 갈 수 있도록 할 수 있다. 학생들이 '다 했다!'며 손 놓고 있지 않도록 격려한다.
- [2] (2)에서 삼각형의 두 밑각의 크기가 같으면 두 변의 길이가 같은 이등변삼각형임을 설명하기 위해 두 변을 각각 포함하는 두 삼각형을 잡아야 하는데 꼭지각의 이등분선을 긋거나 꼭짓점에서 밑변에 수선을 긋는 방법도 가능하다. 또한 밑변의 중점과 꼭짓점을 잇는 중선을 이용하는 것도 가능하므로 학생들이 이등변삼각형임을 설명하기 위해 자유롭게 사고할 수 있도록 하고 다양한 접근 방법에 대해 논의할 수 있도록 한다.
- 두 모둠의 결과는 모두 이등변삼각형을 전형적인 방향으로 돌려서 설명했다. [그림 1]과 [그림 2]는 실제 측정해 보았다고 설명했고, [그림 3]은 그럴 것 같다고 설명했다.

[그림 1]

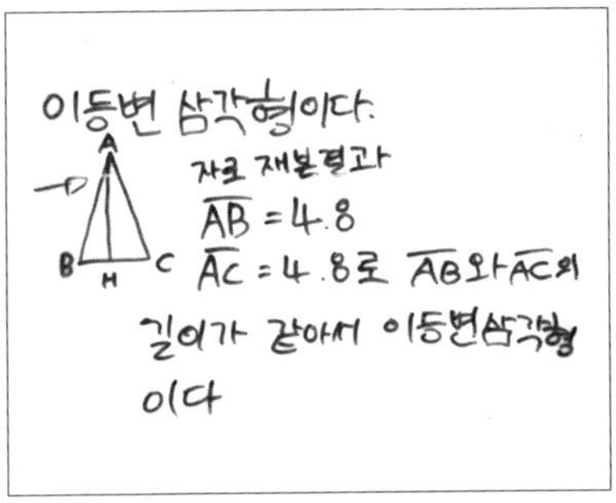

[그림 2]

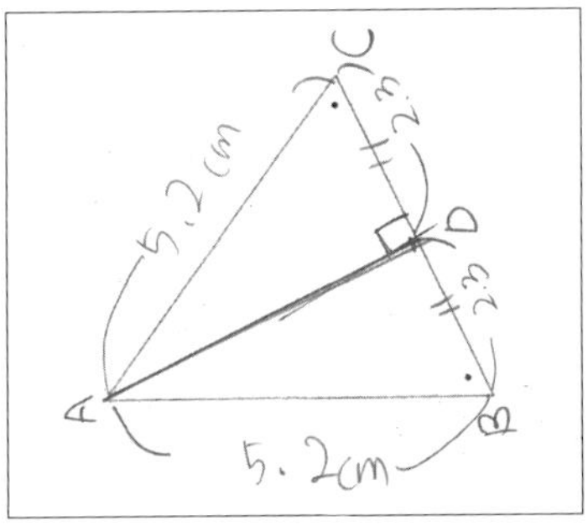

[그림 3]

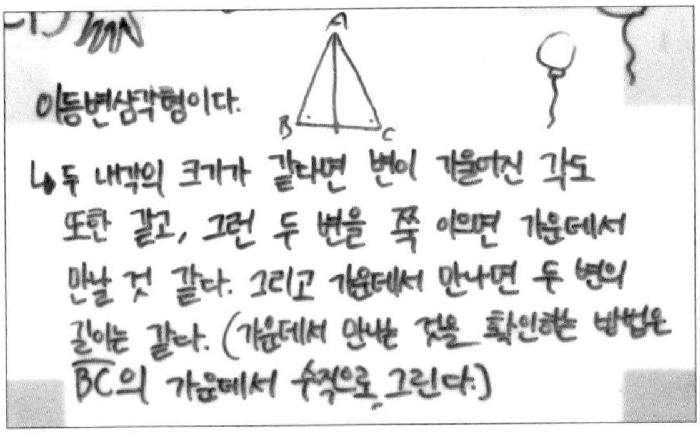

- [2]에서 나온 학생들의 여러 가지 예를 살펴보자. 학생들은 꼭지각의 이등분선, 꼭지각에서 밑변에 수선을 내리는 등 여러 가지 보조선을 사용했다. 또 편리한 설명을 위해 삼각형의 각 점에 이름을 붙였다.
  다만 다음과 같이 다소 부족한 논리가 있었으며, 이를 전체적으로 모둠에서 논의하여 수정해 보는 것도 유의미한 활동이 될 수 있다.

— 각의 이등분선을 그렸는데, 가정에 표현하지 않음.

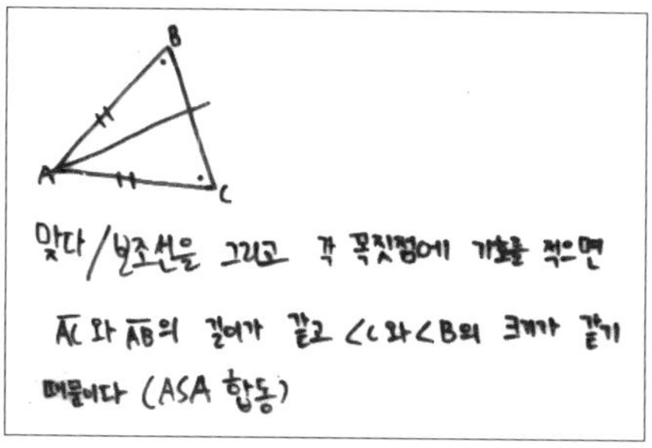

— 각의 이등분선을 보조선으로 그렸는데, 각의 이등분선과 수선의 조건을 동시에 사용함. 무엇을 가정한 것인지 불분명함.

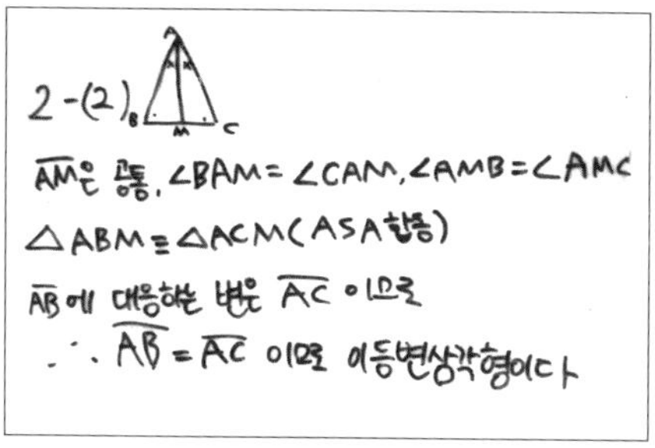

— 수선을 그려 설명함.

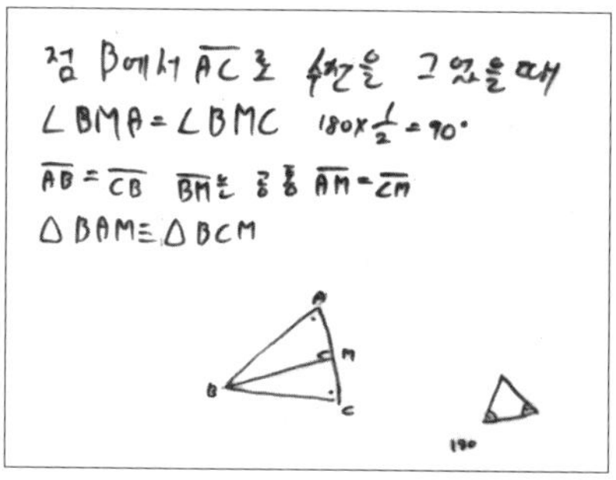

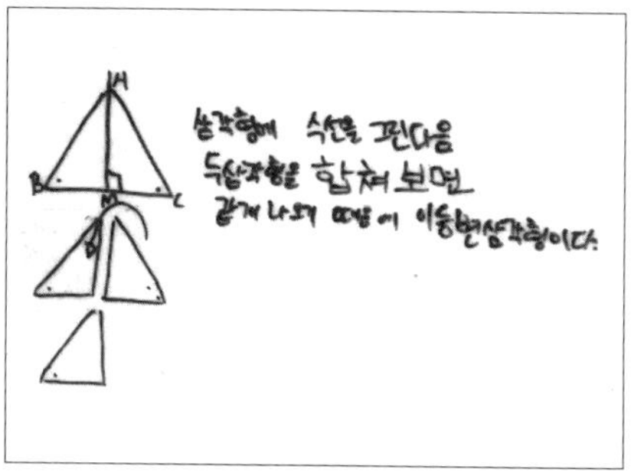

— 밑변의 수직이등분선이 꼭짓점을 지난다는 것을 전제한 증명도 있었다. 이는 귀류법으로 증명해야 하지만 이를 전제하면 다음과 같은 설명이 가능하다.

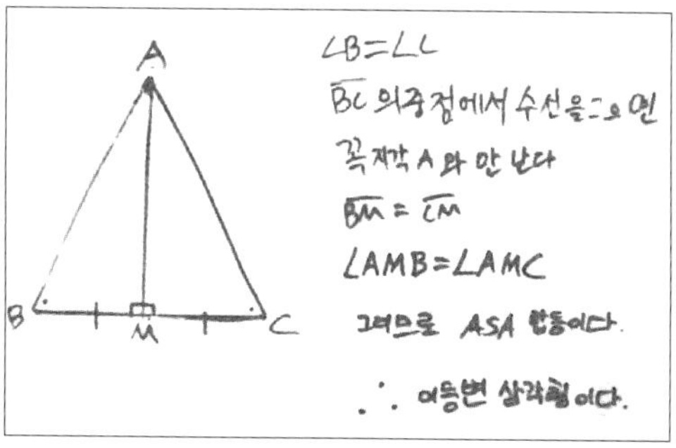

개념과 원리 탐구하기 3 _ 이등변삼각형의 성질

교과서(하) 16쪽

탐구 활동 의도

- **탐구하기 1**과 **탐구하기 2**에서 정리한 이등변삼각형의 성질에 관한 정당화 과정의 논리적 연결성을 그림으로 파악하도록 하는 과제다.
- 이 과제는 다음에 진행될 평행사변형의 성질을 추론하는 복잡한 논리적 연결성을 위한 준비로서 이등변삼각형의 성질을 추론하는 논리적 연결성을 경험하고자 하는 것이다.
- 발견한 명제를 정당화하기 위해, 가정에서 출발하여 결론까지 논리적으로 설명할 때, 결론을 내가 이미 경험적으로 알고 있더라도 설명 과정에서는 사용하면 안된다는 수학에서의 논리적 설명 규칙에 점차로 익숙해지게 하는 과정이다.

예상 답안

1 (1) 논리적인 연결성을 그림에 나타내면 다음과 같다. (자세한 설명은 학생 예시를 참고)

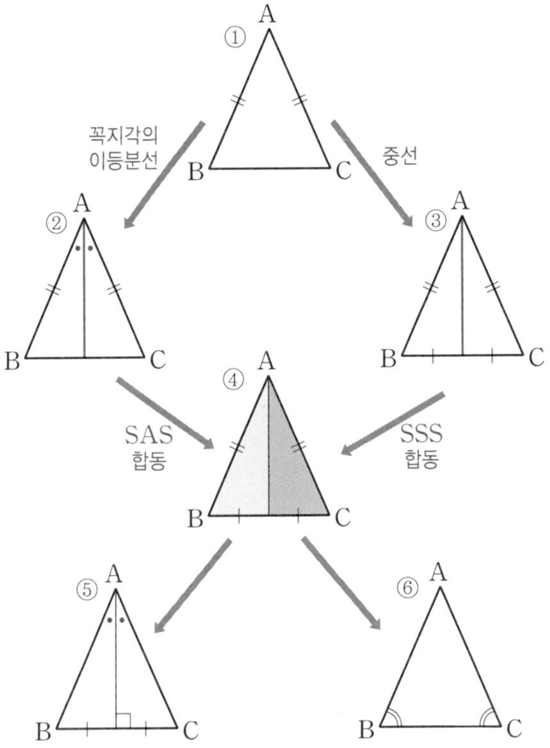

꼭지각의 이등분선이 밑변을 수직이등분한다.

∠B=∠C
두 밑각의 크기가 서로 같다.

• 다음은 SAS 합동, SSS 합동임을 구체적으로 설명한 학생들의 예다.

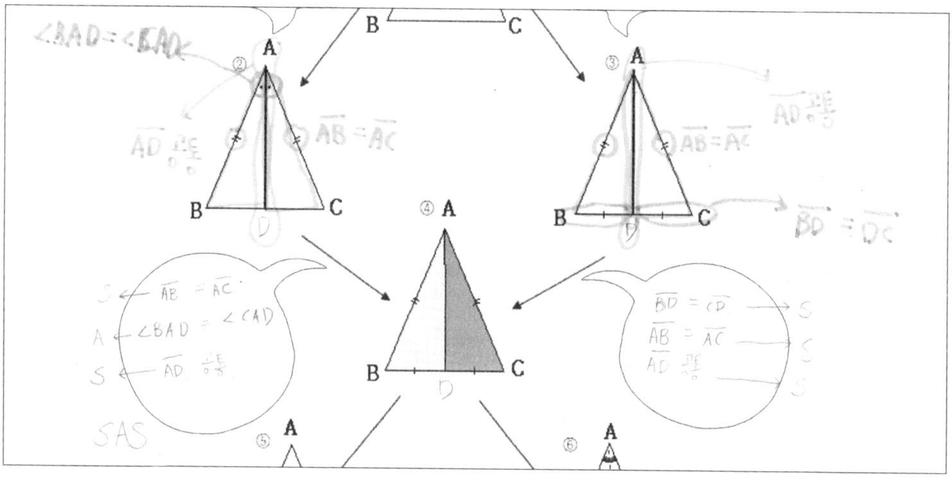

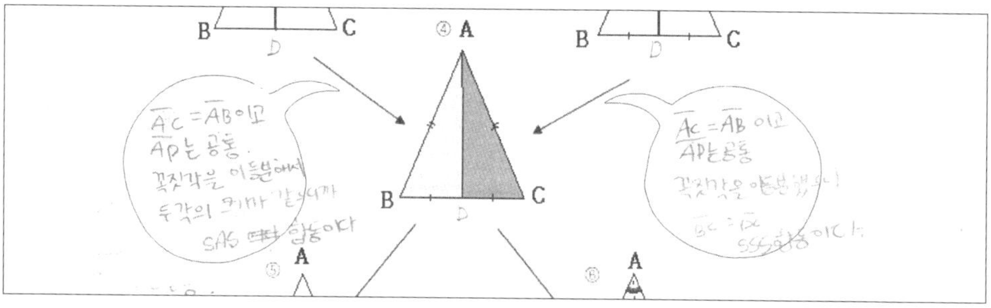

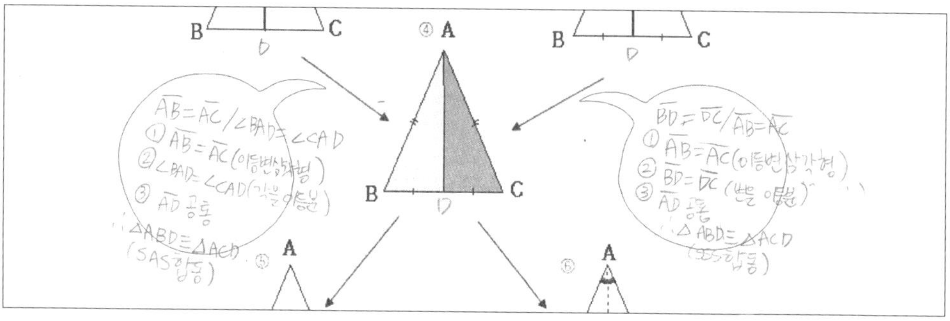

수업 노하우

• 반복되는 느낌의 과제지만 학생들에게 결론보다는 논리적으로 어떻게 연결되는지 화살표 방향에 따라 설명할 수 있게 한다. $p \longrightarrow q$라는 표현은 사용하지 않지만 앞의 내용을 이용하여 다음 단계로 넘어가는 것을 연습하는 활동이다.

- 다음과 같이 직관적으로 설명한 학생의 답변을 들어 보자. 이런 학생들이 많을수록 좋다. 설명을 들으며 논리 과정을 보완하도록 할 수 있다.

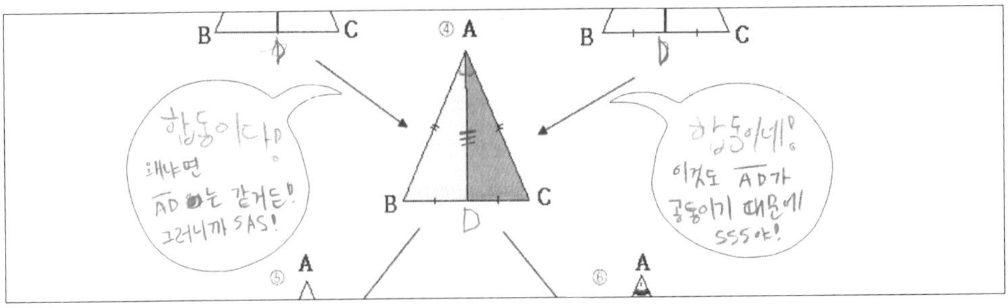

- 두 삼각형이 합동이므로 얻어질 수 있는 결론은 과제에서 주어진 두 가지 외에 더 다양할 수 있다.
  - 어떤 학생들은 이등변삼각형에서 꼭지각의 이등분선, 수선, 중선, 수직이등분선이 모두 같은 선이라고 주장했고, 이에 대해 다음과 같은 결론이 가능하다고 제시하였다.

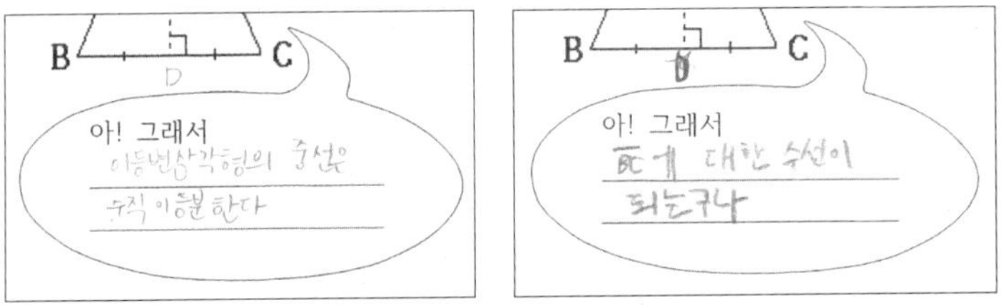

- 논리적 연결성의 순서가 ①→②→④→⑤, ①→③→④→⑥의 두 가지만 있는 것은 아니다. ①→②→④→⑥, ①→③→④→⑤도 가능함을 발견할 수 있다.
- 자기가 알고 있더라도 청자를 고려하여 청자가 이해할 수 있는 언어와 표현으로 설명하는 것이 중요하며, 학생들이 입을 열 수 있는 수업 분위기를 조성할 필요가 있다.
- 정당화의 과정은 이미 앞선 탐구활동에서 진행된 사항이므로 여기서는 근거 제시에 대해서는 가볍게 넘어가고, 대신 논리적인 연결 관계를 명확하게 만들어내는 것이 집중한다. 가정이 무엇이고, 결론이 무엇인지를 밝히는 것에 초점을 둔다.
- 평행사변형의 성질에 대한 추론은 중학교 전 과정에서 가장 복잡한 부분이다. 보다 간단한 이등변삼각형의 성질을 추론하는 과정을 정교화하는 과정을 통해서 평행사변형에 대한 준비 성격으로 진행한다.
- 꼭지각의 이등분선이든 중선이든 결론은 중복될 수 있다. 즉, 중선을 그려도 밑변이 수직이등분되며 꼭지각을 이등분한다는 결론이 나올 수 있다.

참고 설명하는 학습, 표현하는 학습

학생들의 학습에 대한 자신감을 키우기 위해서는 메타인지 능력의 향상이 필요하다. 메타인지 능력은 자기 자신의 인지 능력에 대한 또 다른 눈을 말하며, 자기가 제대로 알고 있는지, 막히는 부분이 어디인지, 잘 모르는 것이 무엇인지를 파악하는 능력이다.

메타인지 능력을 키우는 가장 좋은 방법은 설명하고 표현하게 하는 것이다. 말로 설명하면 자기가 어느 정도 알고 있는지를 파악하는 것이 용이하며, 특히 설명을 하게 되면 논리적인 인과 관계가 명확해지는 장점이 있다.

그러므로 이등변삼각형이나 평행사변형 등의 성질을 추론하는 복잡한 논리 관계, 인과 관계의 학습에서는 설명하는 과정이 수업에서 가장 중요하므로 가급적 많은 학생들이 설명에 참여하도록 시간을 배려해야 한다.

개념과 원리 탐구하기 4 _ 직각삼각형의 합동 조건

교과서(하) 17쪽

탐구 활동 의도

- 이 과제는 이등변삼각형의 성질을 이용하여 직각삼각형의 합동 조건을 설명하는 것이 목적이다.
- [1]은 직각삼각형의 합동 중 RHA(빗변의 길이가 같은 두 직각삼각형의 직각이 아닌 한 각의 크기가 같을 때) 합동 조건을 설명하는 것이다.
- [2]는 직각삼각형의 합동 중 RHS(빗변의 길이가 같은 두 직각삼각형의 빗변이 아닌 한 변의 길이가 같을 때) 합동 조건을 설명하는 것이다. RHS 합동 조건은 학생들이 직접 발견하기 어려운 부분이 있어서 두 학생의 대화를 넣어 간접적인 경험을 공유하도록 하였다.

예상 답안

[1] 두 삼각형 ABC, DEF에서 두 각의 크기가 같으므로 나머지 한 각의 크기도 같아서 세 각의 크기가 각각 같다. 그리고 $\overline{AB}=\overline{DE}$이므로

$\triangle ABC \equiv \triangle DEF$ (ASA 합동)

학생 답안

- 다음과 같이 삼각형의 세 내각의 크기의 합이 180°임을 사용하여 설명한 답안도 있다.

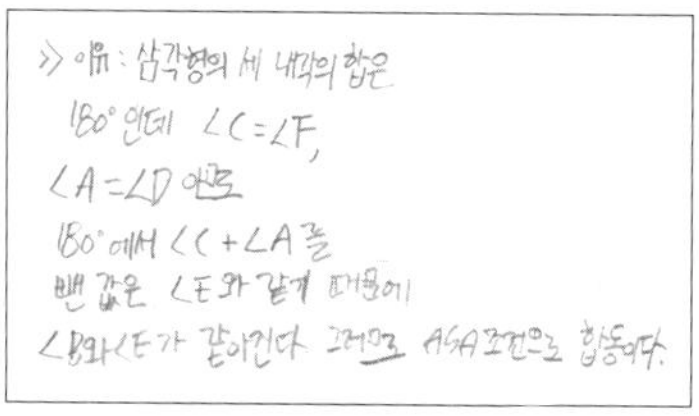

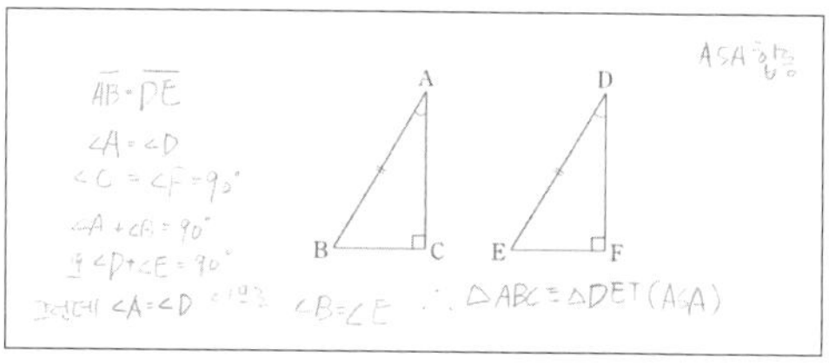

[2] 두 삼각형은 합동이다.

$\angle C=90^\circ$인 $\triangle ABC$와 $\angle F=90^\circ$인 $\triangle DEF$에서 다음이 성립한다고 하자.

$\overline{AB}=\overline{DE}$, ······ ①

$\overline{AC}=\overline{DF}$

$\triangle DEF$를 뒤집어 길이가 같은 변 AC와 변 DF가 겹쳐지도록 놓으면 다음이 성립한다.

$\angle ACB+\angle ACE=90^\circ+90^\circ=180^\circ$

이에 따라 세 점 B, C, E가 한 직선 위에 있으므로 $\triangle ABE$가 만들어진다.

이때 $\triangle ABE$에서 $\overline{AB}=\overline{AE}$이므로 $\triangle ABE$는 이등변삼각형이다. 그러므로 다음이 성립한다.

$\angle B=\angle E$ ······ ②

①과 ②에 의해 두 직각삼각형에서 빗변의 길이와 한 예각의 크기가 각각 같으므로([1]에 따라)

$\triangle ABC \equiv \triangle DEF$

[다른 풀이] $\triangle ABE$는 이등변삼각형이므로

$\angle B=\angle E$(두 밑각의 크기가 같다.)

그러므로 꼭지각의 크기도 같다. 즉, $\angle BAC=\angle EDF$가 성립한다.

이 각을 낀 두 변의 길이가 각각 서로 같으므로 $\triangle ABC \equiv \triangle DEF$(SAS 합동)이다.

[3] 직각삼각형의 합동 조건은 두 가지로 정리할 수 있다.

① 빗변의 길이가 같은 두 직각삼각형에서 직각이 아닌 한 각의 크기가 같으면 두 직각삼각형은 서로 합동이다. (RHA 합동)

② 빗변의 길이가 같은 두 직각삼각형에서 빗변이 아닌 한 변의 길이가 같으면 두 직각삼각형은 서로 합동이다. (RHS 합동)

수업 노하우

• [1]에서 다음과 같이 ASA 합동의 근거를 잘못 사용한 풀이도 나올 수 있다.

>> 이유: ∠C=∠F, ∠A=∠D
각 2개가 같고
$\overline{AB}$ = $\overline{DE}$ 변이 같으므로
ASA 조건으로 합동이 된다.

• [2]는 그대로 밝히기 어렵기 때문에 한 직각삼각형을 회전시켜 붙여서 이등변삼각형을 만드는 방법을 사용한다. 학생들이 이런 아이디어를 발견해 내기는 어려우므로 대화를 통해 안내했다.

• [2]에서 다음과 같이 설명이 논리적으로 꼬일 수도 있다. 이 경우 처음부터 다시 생각해 보라고 하기보다 학생이 쓴 중간 과정을 수정 또는 보완할 수 있도록 발문해 본다.

삼각형을 합치면 이등변 삼각형이고, 옆의 그림은 이등변 삼각형의 성질에 따라 ∠BAC와 ∠CAE가 같고
∠ACB와 ∠ACE는 90°로 같다. 그리고 ∠BAC와 ∠CAE는
같기 때문에 두 삼각형은 합동이라고 할 수
있다.

— 이등변삼각형의 성질에 따라 ∠BAC와 ∠EAC가 왜 같을까?
— 두 각 ∠BAC와 ∠EAC가 같으면 왜 합동이 될까?

• 직각삼각형의 합동 조건은 교육과정에서 명시적으로 취급하는 것은 아니지만 다른 과제에 사용되기 때문에 다루었다. 일반적인 삼각형의 합동 조건으로 설명하기에 충분한 경우 직각삼각형의 합동 조건은 가급적 사용하지 않는 것이 바람직하다.

• 직각삼각형의 합동 조건 중 RHA 합동 조건은 일반적인 삼각형의 ASA 합동 조건으로 충분하기 때문에 꼭 필요한 것은 아니지만 RHS 합동 조건은 일반적인 삼각형의 합동 조건으로 설명되지 않기 때문에 여기서 가르쳐야 한다고 판단하였다. 특히 중학교 3학년 과정에서 다룰 원의 성질에 관한 추론에서 RHS 합동 조건을 사용해야 하는 경우가 있다.

• RHA 합동 조건, RHS 합동 조건이라는 용어는 사용하지 않더라도 직각삼각형에서는 한 내각이 직각이므로 한 예각의 크기를 알면 다른 한 내각의 크기를 구할 수 있다는 성질이 있음을 추가로 논의해 볼 수 있다.

• [1] / 2 /의 **탐구하기 8**에서 각의 이등분선에 있는 한 점에서 각의 두 변에 내린 수선의 길이가 같음을 증명할 때 직각삼각형의 합동 조건을 이용하여 설명할 수 있다.

탐구 되돌아보기 예상 답안

교과서(하) 18~23쪽

1 개념과 원리 탐구하기 1

(1) 작도 과정은 다음과 같다.

① 자를 이용하여 적당한 크기의 각을 그린다.

② 컴퍼스를 각의 꼭짓점에 대고 각의 변보다 짧은 길이의 반지름을 가지는 원의 일부를 두 변과 만나게 그린다.

③ 원이 두 변과 만나는 점을 이어서 만들어지는 삼각형이 이등변삼각형이다.

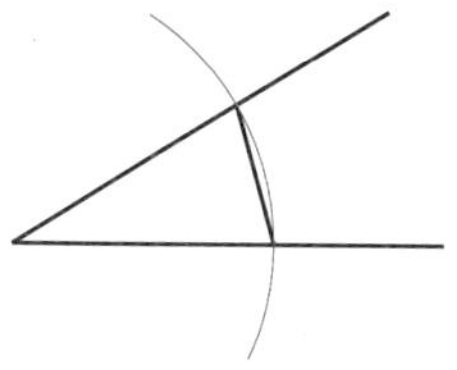

(2) 작도 과정은 다음과 같다.

① 선분의 양 끝점 B, C에서 반지름의 길이가 선분의 절반보다 큰 원을 각각 그린다.

② 두 원이 만나는 두 점을 이은 직선이 선분 BC의 수직이등분선이다.

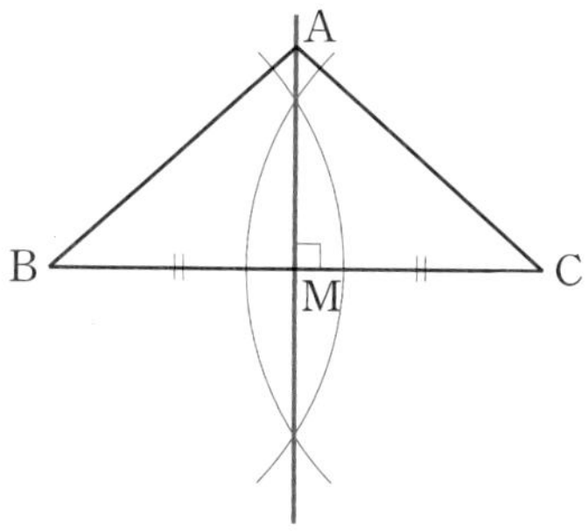

수직이등분선 위의 한 점 A와 선분의 양 끝점을 이어 만든 삼각형 ABC는 이등변삼각형이다.

왜냐하면 △ABM과 △ACM에서

$\overline{BM}=\overline{CM}$, ∠BMA=∠CMA

(수직이등분선)

$\overline{AM}=\overline{AM}$ (공통)

이므로 △ABM≡△ACM (SAS 합동)

따라서 $\overline{AB}=\overline{AC}$이므로 삼각형 ABC는 이등변삼각형이다.

2 개념과 원리 탐구하기 2

(1) 세령이의 설명은 옳다.

(2) 희원이의 설명은 옳지 않다.

희원이가 SAS 합동 조건으로 설명하고 있는데 두 변 사이에 끼인 각이 두 밑각이다.

지금 필요한 설명은 이등변삼각형의 두 밑각이 같다는 것을 보이는 것인데, 결론적으로 보여야 할 것을 이용하고 있으므로 희원이의 설명은 옳지 않다.

어떤 것이 사실임을 설명하려면 그것을 이용하지 않고 주어진 조건을 이용해야 한다.

희원이는 두 삼각형의 세 변의 길이가 각각 같음을 이용하여 SSS 합동으로 두 밑각의 크기가 같음을 설명해야 한다.

3 개념과 원리 탐구하기 3

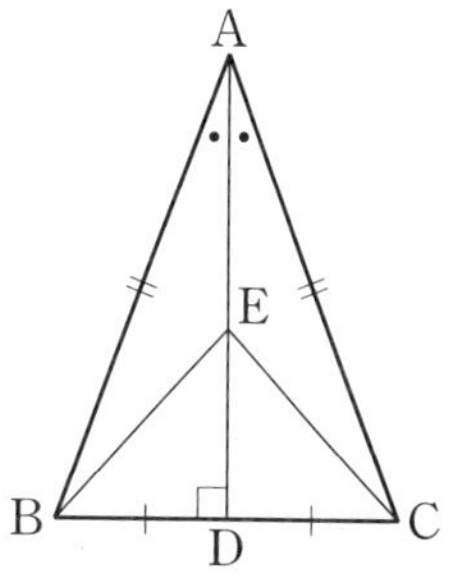

△ABC와 △EBC가 이등변삼각형이다.

이등변삼각형 ABC의 꼭지각의 이등분선은 밑변 BC를 수직이등분한다.

그러므로 직선 AD는 선분 BC의 수직이등분선이고, 점 E는 수직이등분선 위의 한 점이다.

수직이등분선의 성질에 의하여 점 E에서 양 끝점 B, C에 이르는 거리가 같으므로 $\overline{EB}=\overline{EC}$, 즉 △EBC는 이등변삼각형이다.

참고

학생들 중에는 $\overline{AE}=\overline{BE}=\overline{CE}$인 것으로 생각하여 △EAB나 △ECA도 이등변삼각형이라고 주장할 수 있다. 하지만 눈짐작으로 길이가 같다고 하는 판단은 논리적으로 인정할 수 없음을 가르칠 기회로 삼을 수 있다.

4 개념과 원리 탐구하기 3

(1) 이등변삼각형은 △ABC, △ABD, △BCD가 있다.

$\angle B = \angle C = 72°$이므로

$\angle ABD = \angle DBC = \frac{1}{2}\angle C = 36°$

$\angle BDC = 180° - (\angle BDC + \angle BCD)$
$= 180° - (36° + 72°)$
$= 72°$

따라서 두 밑각의 크기가 36°로 같은 △ABD와 두 밑각의 크기가 72°로 같은 △BCD가 이등변삼각형이다.

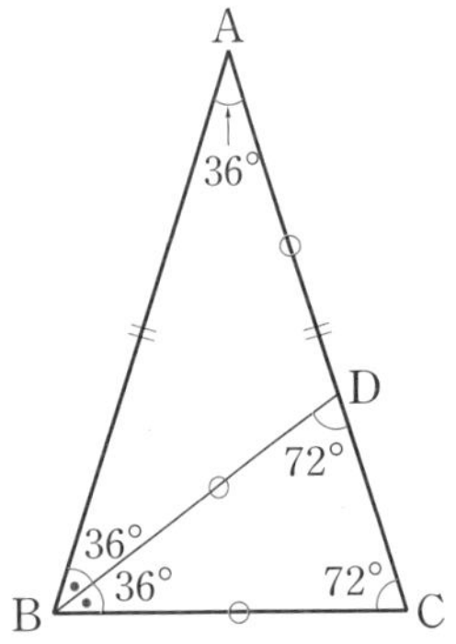

학생 답안

여러 가지 각의 크기를 다음과 같이 자세히 설명할 수 있다.

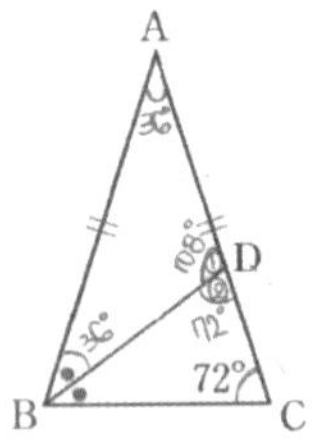

∠A = 180 − 72 − 72
= 36°

∠A와 ∠B가 같으므로 △ABC는 이등변 삼각형이 된다.

∠DD = 180 − 36 − 36
= 108°

∠D② = 180° − D①
= 180° − 108°
= 72°

∠D②와 ∠C가 같으므로 △BCD는 이등변 삼각형이 된다.

(2)

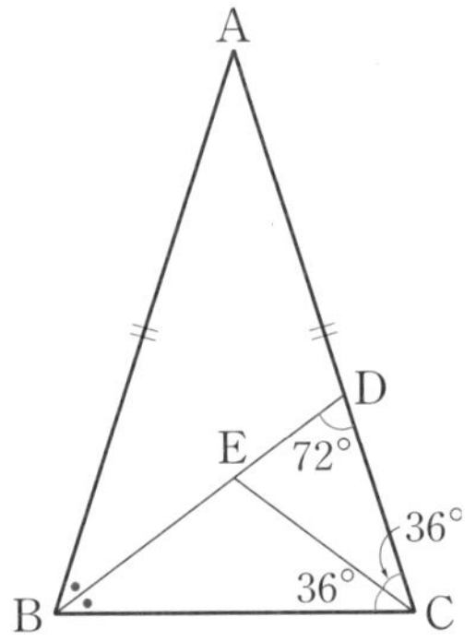

△BCD에서 ∠C의 이등분선과 선분 BD가 만나는 점을 E라고 하면 △BCE는 밑각의 크기가 36°로 같아서 이등변삼각형이고, △CDE는 밑각의 크기가 72°로 같아서 이등변삼각형이다.

∠C의 이등분선을 다음 작도법을 이용하여 그린다.

〈각의 이등분선 작도법〉

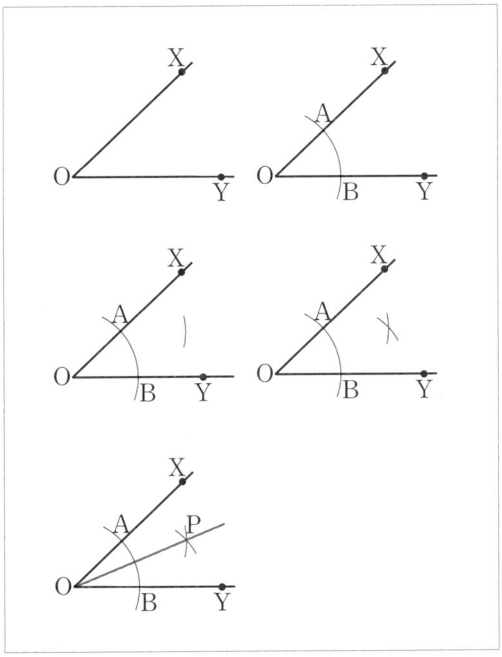

참고

두 밑각이 72°인 이등변삼각형에서 반복하여 △ABC 안에 이등변삼각형을 만들어나갈 수 있고, 그림과 같이 각 이등변삼각형에서 등변을 반지름으로 하는 원호를 그려 나가면 나선을 그릴 수 있다.

5 개념과 원리 탐구하기 3

(1) P에서 두 점 A와 B까지의 거리는 같다. 마찬가지로 Q에서 두 점 A와 B까지의 거리는 같고, R에서 두 점 A와 B까지의 거리도 같다.

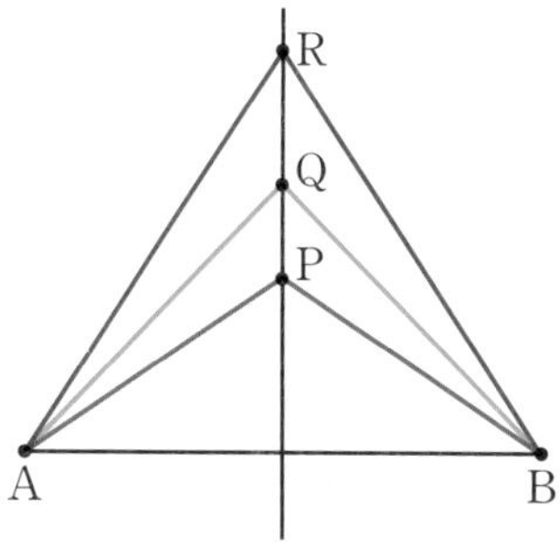

(2) 선분 AB의 수직이등분선 위의 모든 점은 두 점 A, B로부터 같은 거리에 있다.

왜냐하면 다음과 같이 수직이등분선 위에 임의로 점 C를 잡으면 직각삼각형 ACM과 직각삼각형 BCM이 밑변의 길이와 높이가 같으며 그 두 변이 직각을 끼고 있는 합동인 삼각형이 되기 때문이다.

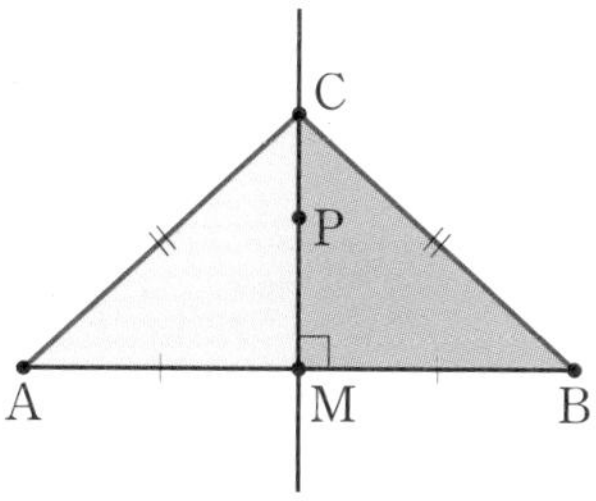

(3) 원 C에서 생각하면 선분 AB는 원의 현이므로

$\overline{CA}=\overline{CB}$(반지름)

그러므로 △CAB는 이등변삼각형이다.

선분 AB는 원 O의 지름이므로 $\overline{OA}=\overline{OB}$

그러므로 선분 CO는 △CAB의 중선이다.

그러므로 △CAO≡△CBO(SSS 합동)이다.

∠AOC=∠BOC이고

∠AOC+∠BOC=180°이므로

∠AOC=∠BOC=90°

그러므로 원의 중심을 이은 직선은 선분 AB의 수직이등분선이다.

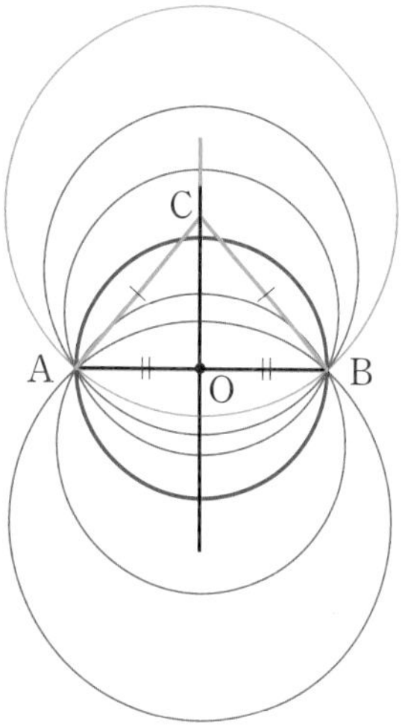

6 개념과 원리 탐구하기 4

(1) 상균: 옳지 않다. 왜냐하면 직각이 아닌 다른 두 내각의 크기가 각각 같은 직각삼각형은 세 내각의 크기가 모두 같지만 서로 합동이라고 할 수는 없다.

다음 두 직각삼각형은 세 내각의 크기가 모두 같지만 합동이 아니다.

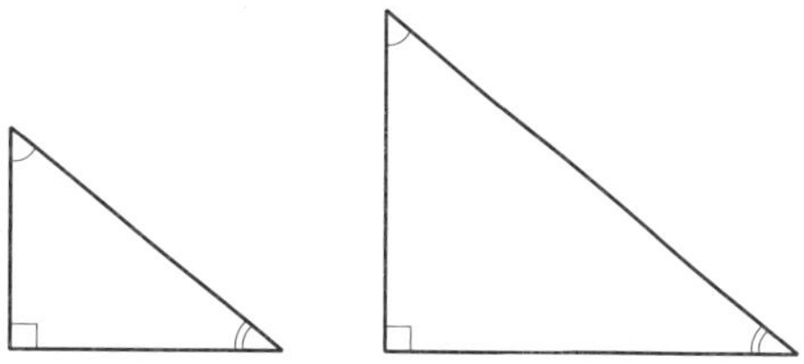

(2) 주은: 옳지 않다. 왜냐하면 한 변의 길이만 같아서는 두 직각삼각형이 서로 합동이라고 할 수 없기 때문이다.

다음 두 직각삼각형은 빗변의 길이가 같지만 합동이 아니다.

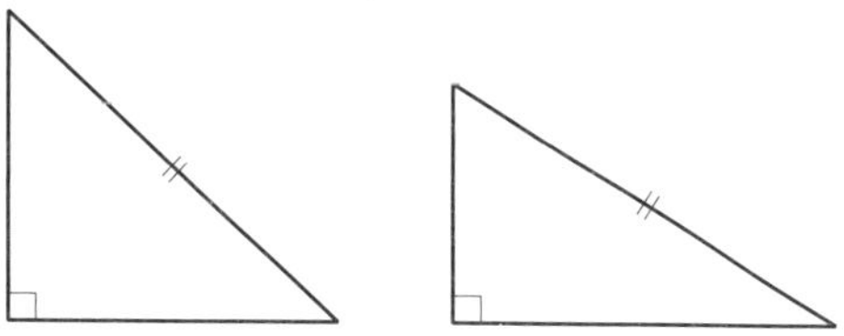

(3) 성진: 옳다. 왜냐하면 이등변삼각형에서 밑변의 수직이등분선으로 나누어 만든 두 직각삼각형은 빗변의 길이와 다른 한 변의 길이 또는 다른 한 각의 크기가 각각 같으므로 서로 합동이기 때문이다.

학생 답안 1

제목: 새로 만난 친구.

오늘 길에 가다가 이등변 삼각형이라는 귀엽고 깜찍한 꼬맹이를 보았어
그 애는 삼각형 중에 내가 제일 좋아하는 삼각형이라 친해지고 파
그 애 옆으로 다가갔지 "안녕?" 내가 인사를 하니 이등변 삼각형은 수줍게 나에게 다가왔어
어찌나 귀여웠는지, 나는 많은 이등변 삼각형을 만나봤어서
이등변 삼각형들이 어떠한 말들을 좋아하는지 잘 알았어. 그래서 이번에 만난
이등변 삼각형에게 "너는 수직이등분선으로 나누었을때 너같이 이쁜 애가
한명 더 나오네??" 라고 말했어. 이등변 삼각형은 내가 생각했던 반응을 보였어.
그러면서 자신을 수직이등분해서 두명으로 만들었지. 그리곤 나에게 환한
미소로 "나는 각의 이등분선으로도 나눌수 있지롱" 이라면서 각이 이등분한 모습
또한 보여주었지. 나는 한 이등변삼각형의 꼭지각에게 다가가서 "네 상둥이는
어디있니?" 라고 물어보았다. 꼭지각은 "저기요.." 라고 대답했어.
나는 항상 이등변 삼각형들을 볼때마다 꼭지각들의 크기가 같다는 것이 항상 신기했어.
이등변 삼각형은 내가 좋았는지 나를 보고 따라오라고 했어. 그렇게 나는
이등변 삼각형과의 탐험이 시작되었어.

학생 답안 2

제목: 이등변삼각형의 연설

엄청 유명한 연설이 있었습니다. 이글은 그 연설의
일부분입니다.
"여러분! 이등변 삼각형은 이등분 했을때 합동이 되는
삼각형이에요. 물론 꼭지각을 이등분 하거나 밑변을.
이등분 해야 되요. 이정도는 기본으로 아시죠?
수선은 밑변에 90°로 떨어지는 선이고요.
수직 이등분선은 90°로 떨어져서 이등분 시키는 선이고,
각의 이등분선은 각을 이등분하는 선이랍니다."
이 연설도 전설이 되어 삼각지에 아직까지도
전시되어 있답니다.

-End-

2 삼각형과 딱 맞는 원 (삼각형의 외심과 내심)

단원 지도 계획

/ 1 / 삼각형을 품는 가장 작은 원

1차시	개념과 원리 탐구하기 1 — 외심의 뜻과 성질
2차시	개념과 원리 탐구하기 2 — 외심의 성질과 존재성 증명
3차시	개념과 원리 탐구하기 3 — 외심의 위치

/ 2 / 삼각형 안의 가장 큰 원

4차시	개념과 원리 탐구하기 4 — 내심의 뜻과 성질
5차시	개념과 원리 탐구하기 5 — 내심과 내접원
6차시	개념과 원리 탐구하기 6 — 내심의 성질

7차시	탐구 되돌아보기
8차시	개념과 원리 연결하기
9차시	수학 학습원리 완성하기

- 교과서 각 단원마다 제시된 탐구 되돌아보기는 개념과 원리 탐구하기 활동과 연계하여 수업 시간 내 또는 수업 시간 이후 복습으로 활용할 수 있습니다.

/1/ 삼각형을 품는 가장 작은 원 (삼각형의 외심)

학습목표

1 선분의 수직이등분선의 성질과 연결하여 삼각형의 외심의 개념을 발견하고 그 이유를 설명할 수 있다. 또 외접원의 반지름을 찾아 외접원을 옳게 그릴 수 있다.
2 외심의 위치가 삼각형의 모양에 따라 달라짐을 실험을 통해 발견할 수 있다.
3 공학적 도구를 통하여 외심의 존재와 성질을 확인할 수 있다.

2015 개정 교육과정 성취기준

삼각형의 외심의 성질을 이해하고 설명할 수 있다.

교수 · 학습 방법 및 유의 사항

1 공학적 도구나 다양한 교구를 이용하여 도형을 그리거나 만들어 보는 활동을 통해 도형의 성질을 추론하고 토론할 수 있게 한다.
2 도형의 성질을 이해하고 설명하는 활동은 관찰이나 실험을 통해 확인하기, 사례나 근거를 제시하며 설명하기, 유사성에 근거하여 추론하기, 연역적으로 논증하기 등과 같은 다양한 정당화 방법을 학생 수준에 맞게 활용할 수 있다.

평가 방법 및 유의 사항

정확한 용어와 기호의 사용, 복잡한 형식 논리 규칙의 이용을 요구하는 연역적 정당화 문제는 다루지 않는다.

핵심발문

삼각형의 외심은 어떻게 찾을 수 있을까?
삼각형의 세 변의 수직이등분선이 반드시 한 점에서 만날까?

개념과 원리 탐구하기 1 _ 외심의 뜻과 성질

교과서(하) 25쪽

탐구 활동 의도

- 이 과제는 삼각형의 외심과 외접원의 존재에 관한 추측에서 시작하여 정확하게 그리는 방법까지를 완성하는 것이다. [1] **탐구 되돌아보기 5**와 연결된다.
- [1](1)에서는 외심의 대략적인 위치를 추측하고, 그 위치 조건으로부터 외심과 세 꼭짓점 사이의 관계를 생각해 내도록 하기 위함이다. 이 활동을 통해 외심의 뜻을 이해할 수 있다. '거리'라는 단서를 넣은 것은 실험수업에서 논의가 모아지지 않았기 때문이다.

- [1](2)에서는 선분의 수직이등분선의 성질을 연결하여 외심의 성질을 정확하게 구성하도록 한다.
- 결국 외심이 삼각형의 세 변의 수직이등분선의 교점이라는 것을 이끌어내는 것은 선분의 수직이등분선의 성질과 외접원의 중심인 외심이 갖춰야 할 조건이 서로 연결되는 지점을 찾는 것이고, 그것이 이 탐구활동에서 발견해야 할 핵심적인 개념이다.

예상 답안

[1] (1) 여러 가지 다양한 반응이 나올 수 있다.
다음 그림과 같이 중심만 찍고 그 중심에서 각 꼭짓점에 이르는 거리가 같다는 설명을 하는 경우나 원까지 그리고 설명을 하는 경우도 있을 수 있다.

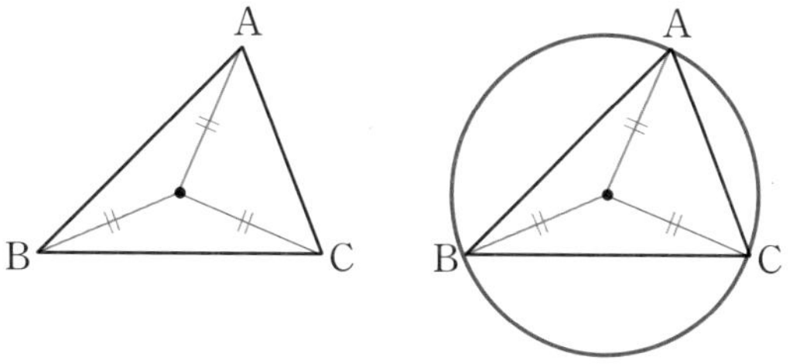

학생 답안

점A,점B,점C와 이르는 거리가 같은 점이 원의중심이라고 생각한다.

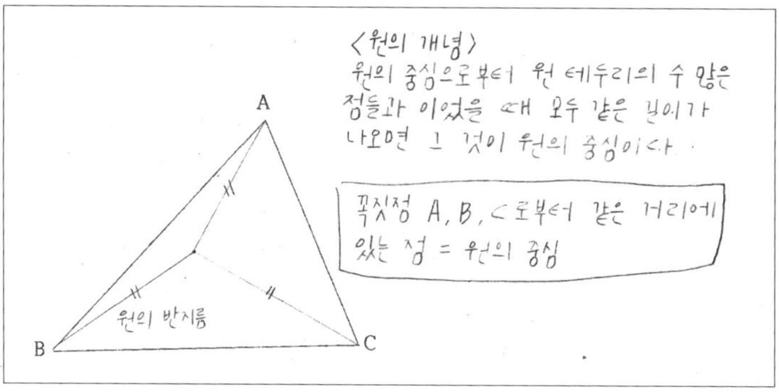

(2)

나의 생각	모둠의 의견
• 자를 이용하여 세 꼭짓점으로부터 같은 거리에 있는 점을 찾으면 된다. • 중심이 될 만한 위치에 점을 찍고 컴퍼스를 이용하여 원을 그려 봐서 원이 정확하게 세 꼭짓점을 지나지 않으면 적당히 위치를 옮겨가며 원을 그려서 최대한 정확한 위치를 찾는다.	삼각형의 한 변을 기준으로 볼 때 원의 중심에서 변의 양 끝점에 이르는 거리가 같으므로 선분의 수직이등분선의 성질과 연결하면 원의 중심은 각 변의 수직이등분선 위에 있으므로 그 교점이 외심이 된다.

학생 답안

아래와 같이 그림으로 그려 설명할 수도 있다.

<나의 생각>	<모둠에서 논의한 의견>
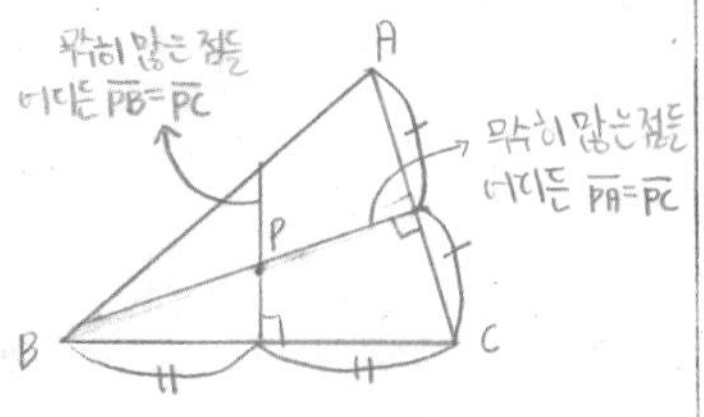	$\overline{AC}$의 수직이등분선 위에있는 임의의 점P에서 선분의 양끝점인 점A와 점C까지의 길이는 같으므로 $\overline{PA}=\overline{PC}$ 이다. $\overline{BC}$의 수직이등분선 과 $\overline{AC}$의 수직이등분선의 교점는 세꼭짓점과의 거리가 모두 같으므로 원의 중심이다 ∴ 두 수직이등분선의 교점 : 원의 중심 (외심의 위치)

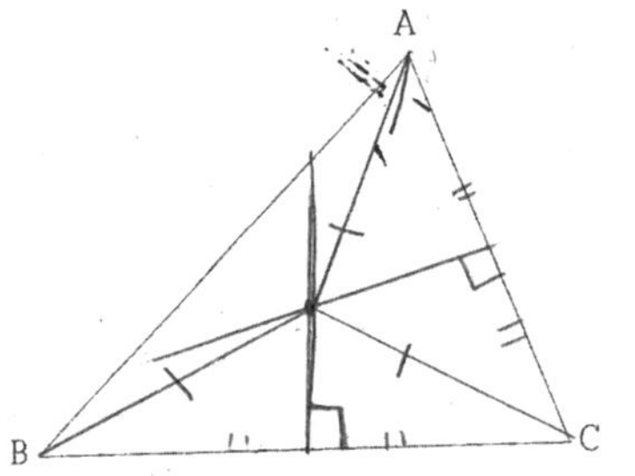

수직이등분선의 성질은 선분을 수직이등분한 선 중 임의에 점을 하나 찍으면 그 점의 거리가 같다 인데 $\overline{AC}$, $\overline{AB}$의 수직이등분선을 그리면 만나는 점이 원의 중심이라고 생각한다

2 (1) 부록 161쪽의 각 삼각형을 오려내자. 다음의 순서로 접어 외심을 찾을 수 있다.

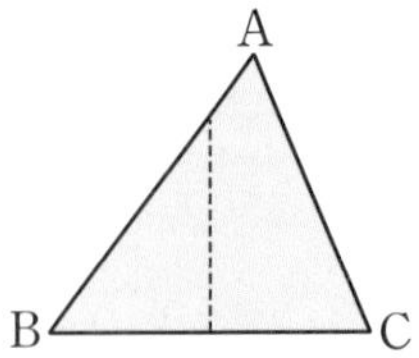	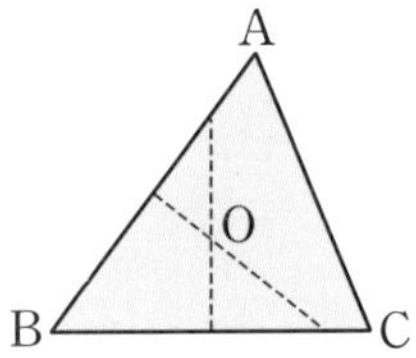	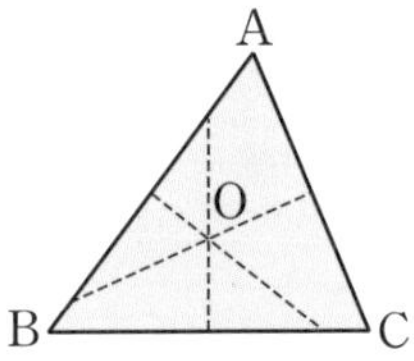
두 꼭짓점 B와 C가 겹치도록 접은 후 펼친다.	두 꼭짓점 A와 B가 겹치도록 접은 후 펼친다. 이때 두 접은 선의 교점을 O라고 하자.	두 꼭짓점 C와 A가 겹치도록 접은 후 펼친다.

① 예각삼각형　　② 직각삼각형　　③ 둔각삼각형

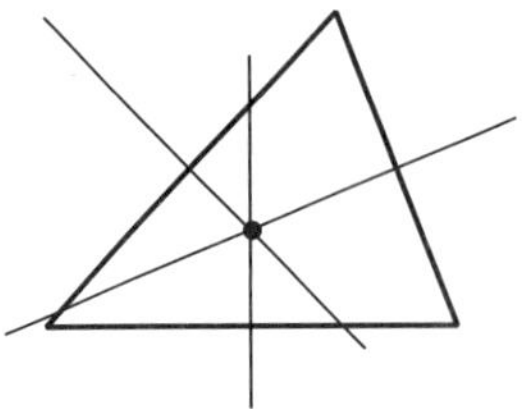

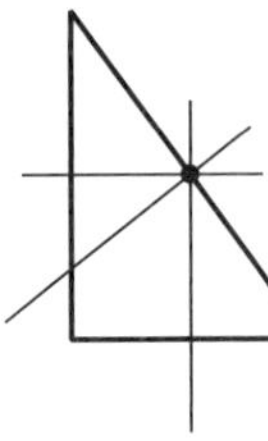

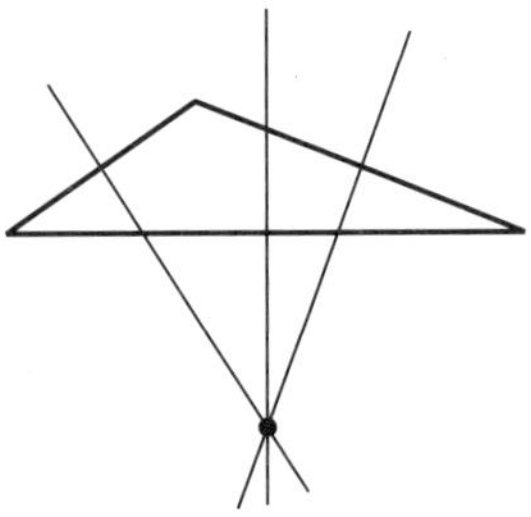

(2) 종이 접기로 찾은 외심을 이용하여 컴퍼스로 원을 그린다.

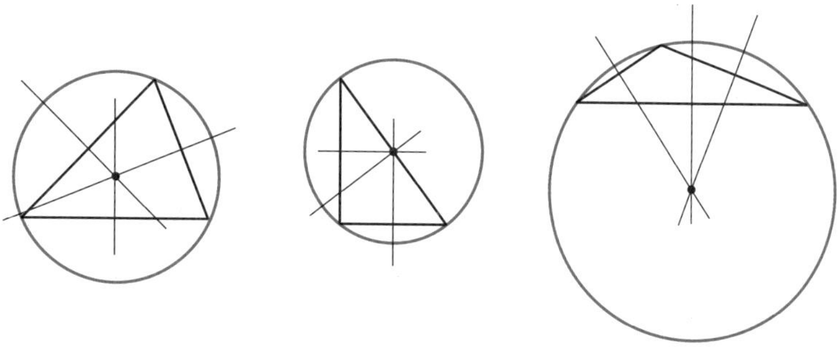

학생 답안

삼각형의 모양에 따라 다양할 수 있으며 둔각삼각형의 경우에는 삼각형을 책에 붙인 후 연장선을 그려야 찾을 수 있다.

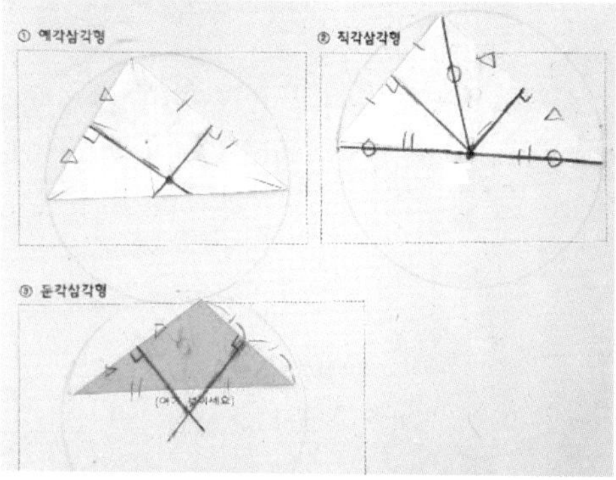

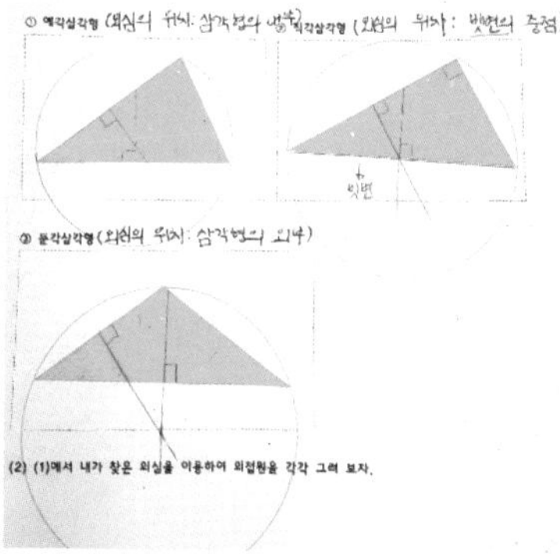

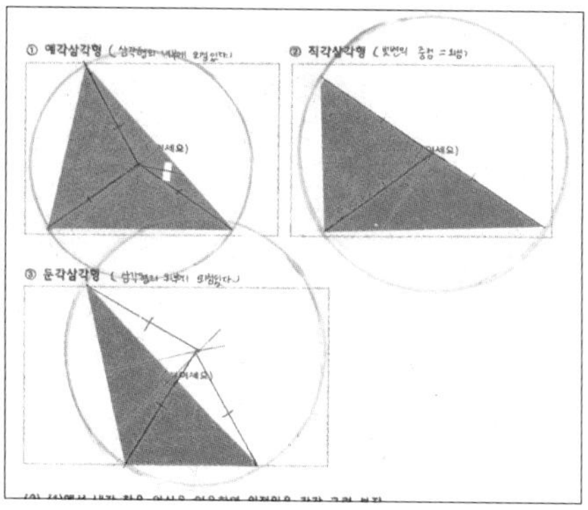

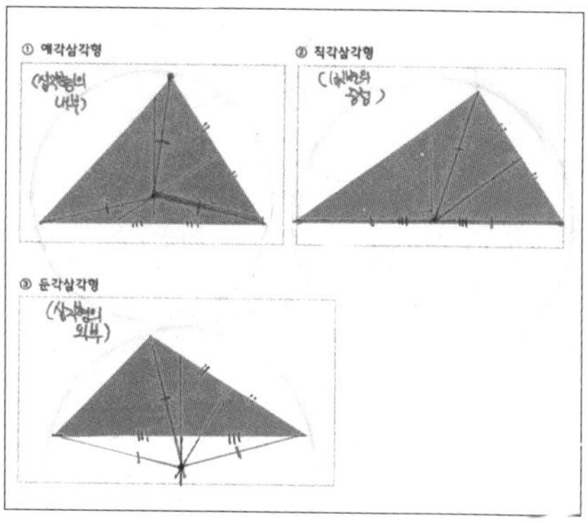

수업 노하우

- [1](1)에서 삼각형의 외심의 위치가 삼각형의 세 꼭짓점으로부터 같은 거리에 있다는 관계를 설명하게 한다면, 각 변으로 볼 때 외심에서 각 변의 양 끝점에 이르는 거리가 같음을 인식하는 것이 핵심이다. (2)에서는 이를 이용하여 변으로 볼 때 외심의 위치는 변의 수직이등분선 위에 존재한다는 사실을 추론해 내야 한다.
- (2)에서 쉽게 학생들이 추론하지 못할 수도 있다. 이때는 두 꼭짓점에서 같은 거리, 세 꼭짓점에서 같은 거리에 있는 점들로 확장해가면서 생각해 보게 할 수 있다.

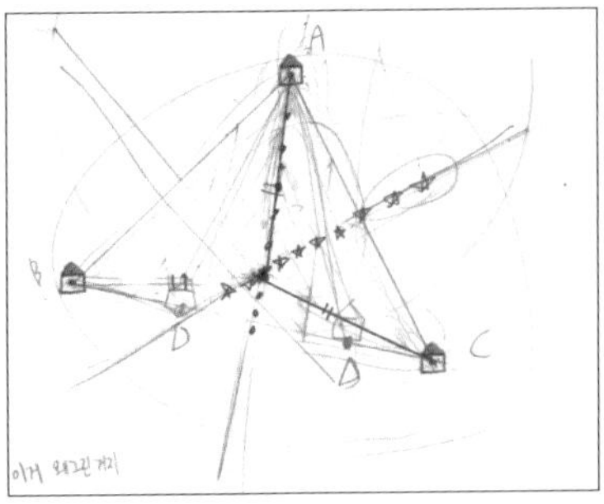

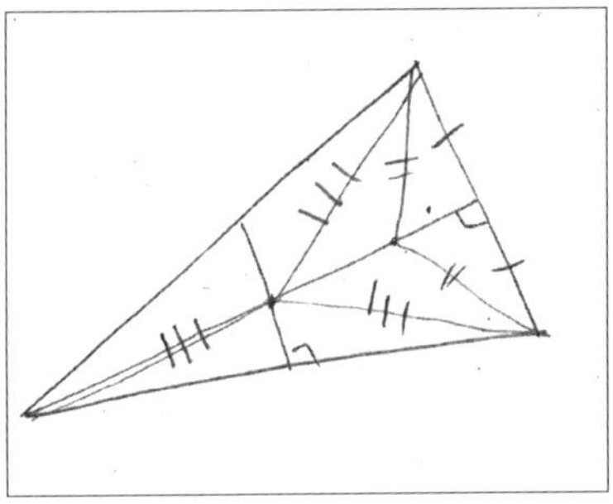

- 삼각형이 아니라 세 점에 이르는 거리가 모두 같은 점으로 접근할 수도 있다. 삼각형의 외접원으로 도입할 것인가, 세 점에 이르는 거리가 모두 같은 점으로 도입할 것인가는 교사의 판단에 맡긴다. 다음은 초기에 우리 교과서에 있었는데 외접원의 중심이라는 뜻에 집중하기 위해 뺀 과제다.

국제구호단체에서 아프리카 어느 지역에 우물을 파 주려고 합니다. 다음을 함께 탐구해 보자.

(1) 다음 그림과 같이 두 집이 모두 공평하게 우물을 이용하려면 어디가 좋을지 가능한 우물의 위치를 작도를 이용하여 모두 표시하고 그렇게 생각한 이유를 써보자.

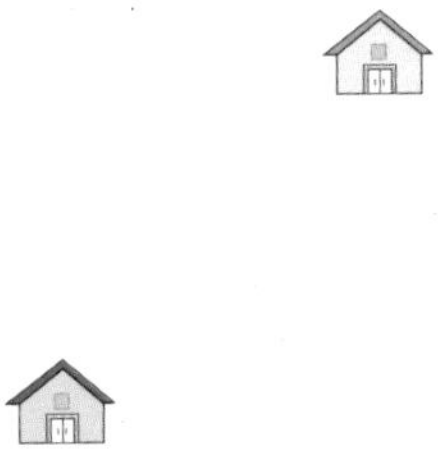

(2) 다음 그림과 같이 세 집이 모두 공평하게 우물을 이용하려면 어디가 좋을지 가능한 우물의 위치를 표시하고 그렇게 생각한 이유를 써보자.

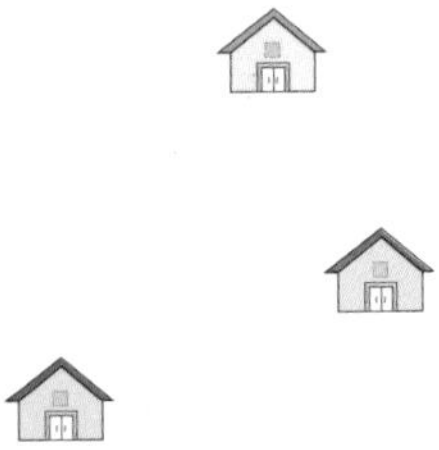

- [2]는 〈부록 1〉에 각 종류의 삼각형을 바로 오려서 사용할 수 있게 제공하였으나 교사의 지도안에 따라 학생들이 예각 · 직각 · 둔각삼각형을 만들어서 찾을 수 있도록 할 수 있다.
- 학생들이 외심은 [1]에서 탐구했으므로 잘 찾는다. 그런데 외접원을 그리는 것을 생각보다 어려워했다. 이때, 무엇이 외접원의 반지름인지를 생각해 볼 수 있도록 하는 것이 필요하다.

[그림 1]

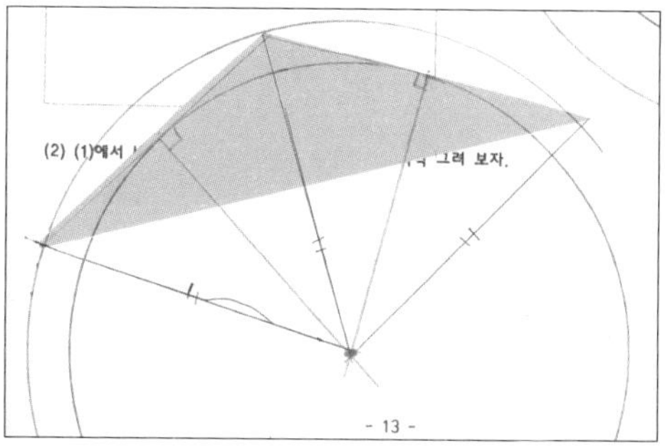

[그림 2]

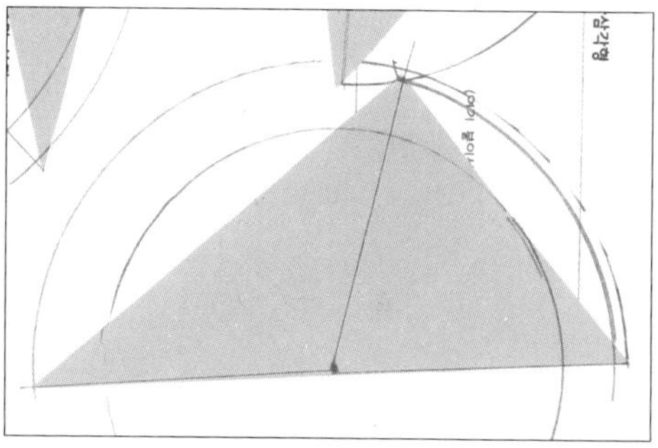

- [그림 1]은 둔각삼각형인데 이등변삼각형 비슷하게 그려서 학생이 처음에는 변까지의 거리(접은 선)를 반지름으로 잡아 그렸다. [그림 2]에서는 가까운 변까지의 거리(접은 선)를 반지름으로 하는 원을 그렸음을 알 수 있다. 이때 학생들과 어떻게 그린 것인지 논의하여 외접원의 반지름을 찾도록 수업을 진행한다. 이와 관련된 과제로 **탐구 되돌아보기 3**을 연계하여 다룰 수 있다.
- 아래 그림과 같이 접은 수직이등분선과 세 꼭짓점에 이르는 거리를 표시해 보도록 할 수 있다. 그리고 학생들이 어렴풋이 둔각삼각형의 외심은 삼각형의 외부에 있음을 발견하였다.

(1)

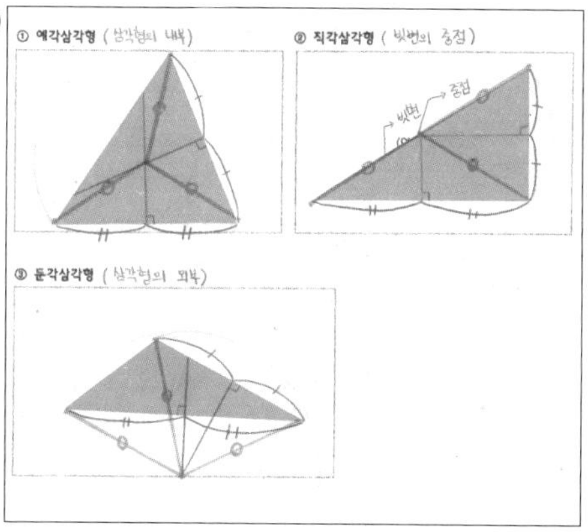

(2)

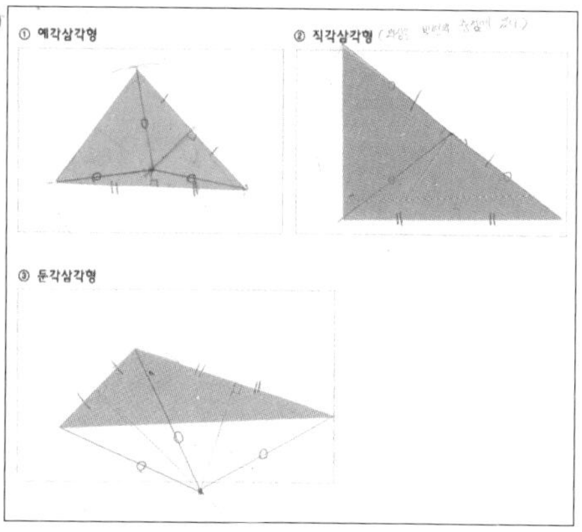

- 종이 접기를 이용하여 삼각형의 외심을 찾을 때, 둔각삼각형은 삼각형의 내부에 존재하지 않으므로 당황하거나 어려움을 겪는 학생들이 있다. 이럴 경우, 어떻게 할 수 있을지 발문하고 모둠에서 논의하여 연장선을 그어 찾을 수 있도록 안내한다. 이와 관련된 과제로 **탐구 되돌아보기 4**를 연계하여 다룰 수 있다.

개념과 원리 탐구하기 2 _ 외심의 성질과 존재성 증명

교과서(하) 28쪽

탐구 활동 의도

- [1]은 외심에서 상당히 어려운 부분인 세 변의 수직이등분선, 즉 세 직선이 한 점에서 반드시 만나는가를 추측해 보고 직접 확인해 보고, 설명해 보는 과제다.
- **탐구하기 1**에서 많은 학생들은 특별히 설명해 주지 않았는데도 두 변의 수직이등분선의 교점으로 외심을 찾았다. 여기서는 그렇게 활동한 것이 정당한가, 과연 세 변의 수직이등분선이 한 점에서 만나는가를 탐구하는 것이 목적이다.
- [2]는 모든 삼각형에 외심이 있는가, 즉 모든 삼각형에 외접원이 존재하는가를 묻는 질문이다. 또한 **탐구하기 1**에서 간접적으로 추측한 내용을 보다 정확하게 설명해 보는 과제다.
- [3](1)은 삼각형만 주고 외접원의 반지름을 찾아 다시 한번 그려 보며 외심의 뜻을 복습하는 활동이다.
- [3](2)는 세 변의 수직이등분선, 세 꼭짓점에 이르는 선분을 표시하고, 외심에 관련한 성질을 발견하고 이유를 설명하는 활동이다.

예상 답안

[1] 선분 AB의 수직이등분선도 점 O를 지나는지를 판단하는 것은 삼각형의 합동 조건을 이용한다.
그림과 같이 두 수직이등분선의 교점 O에서 남은 변 AB에 내린 수선의 발을 D라고 하면
$\triangle OAD \equiv \triangle OBD$(RHS 합동)
그러므로 $\overline{AD} = \overline{BD}$, 즉 D는 선분 AB의 중점이다.
따라서 선분 AB의 수직이등분선도 교점 O를 지난다.

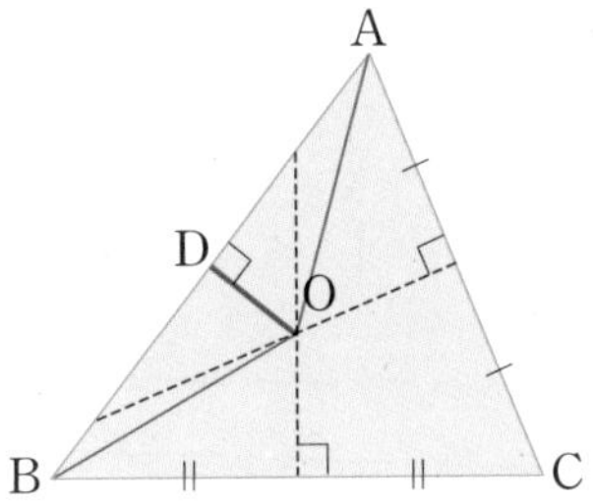

다른 풀이는 수업노하우에 있습니다.

학생 답안

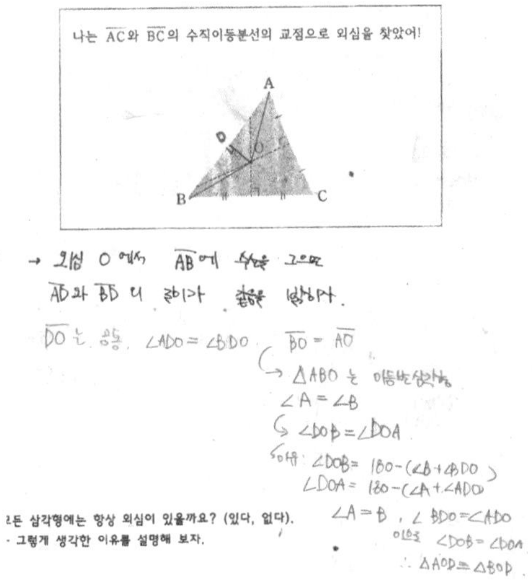

2 모든 삼각형에는 항상 외심이 있다.

1이 그 이유를 설명하고 있다.

예각삼각형이 아닌 직각삼각형이나 둔각삼각형의 경우도 똑같은 성질이 성립한다.

3 (1)

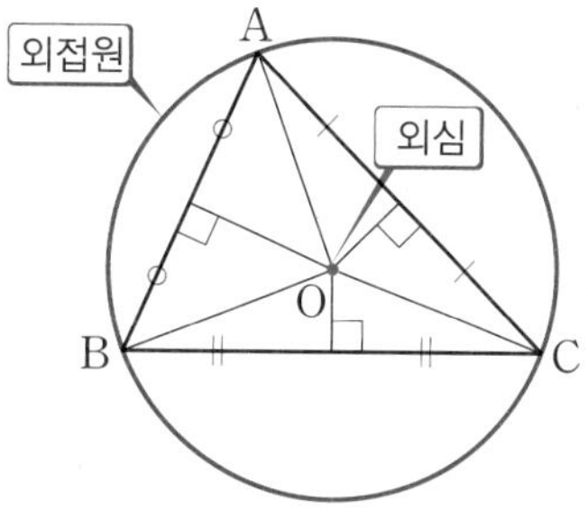

학생 답안

학생들의 답은 다양할 수 있다.

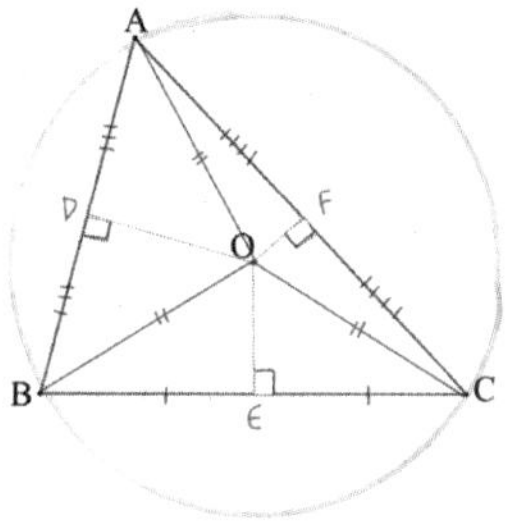

이등변삼각형은 밑변의 두 각의 크기가 같다.

(2)

나의 생각	모둠의 의견
• 외심에서 삼각형의 세 꼭짓점에 이르는 거리는 같다. • 외심에서 삼각형의 한 꼭짓점까지의 거리를 반지름으로 하는 원을 그리면 이 원은 다른 두 꼭짓점을 지난다.	• 삼각형의 세 변의 수직이등분선은 한 점에서 만난다. • 삼각형의 외심의 위치는 삼각형의 모양에 따라 다르다. 예각삼각형의 외심은 삼각형의 내부에, 직각삼각형의 외심은 빗변의 중점에, 둔각삼각형의 외심은 삼각형의 외부에 있다.

학생 답안

<나의 생각>	<모둠에서 논의한 의견>
• 외심은 세 변의 수직이등분선의 교점이다. • 외심은 세 꼭짓점으로부터 같은 거리에 있는 점이다. • 삼각형 한 꼭짓점으로부터 외심까지 있는 선은 원의 반지름이다.	• 세 변의 수직이등분선은 한 점에서 만난다. • 세 개의 이등변 삼각형이 생긴다. • △OAB, △OBC, △OAC와 같이 3개의 이등변 삼각형이 생긴다 • △OBE와 △OEC / △OCF와 △OFA / △OAD와 △ODB 서로 SSS, SAS, ASA 합동이다. •

- 외심으로부터 삼각형의 (세) 꼭지점까지의 거리는 외접원의 반지름으로 길이가 같다

- 세 변의 수직이등분선의 교점은 외심이다.

- 두 변의 수직이등분선의 교점만으로도 외심을 찾을 수 있다

- 세 꼭짓점으로부터 같은 거리에 있는 선분 $\overline{AO}$, $\overline{CO}$, $\overline{BO}$는 △ABC의 외접원의 반지름 역할을 함.
- 점 O는 △ABC 각 변의 수직이등분선의 교점임.
- $\angle OAD = \angle OBD$, $\angle OBE = \angle OCE$, $\angle OAF = \angle OCF$

- 생기는 이등변삼각형을 수직이등분선으로 나누면 두 삼각형은 합동이다.

수업 노하우

- [1] (1)의 설명, 즉 세 변의 수직이등분선이 한 점에서 만난다는 것을 설명하는 것은 쉽지 않다.
- 수직이등분선의 성질로 접근하기 이전에 학생들은 다양한 방법으로 의견을 제시했다.
  - 실제로 직접 작도하여 확인했다.

나는 $\overline{AC}$와 $\overline{BC}$의 수직이등분선의 교점으로 외심을 찾았어!

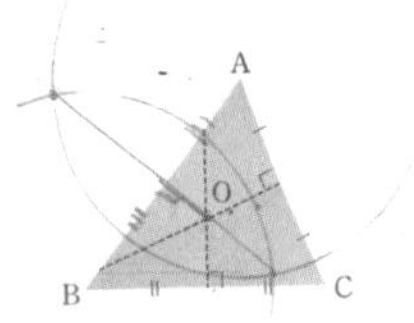

지난다
컴퍼스를 이용해 수직이등분선을 찾아서 그려봤는데 교점 O를 지났다

- 기존의 경험만이 근거가 된다. 이 경우에 학생들은 이유를 설명해야 한다고 생각하지 못한다.

2. 모든 삼각형에는 항상 외심이 있을까요? (있다, 없다).
   - 그렇게 생각한 이유를 설명해 보자.

외심이 없는 삼각형을 본적이 없어서

2. 모든 삼각형에는 항상 외심이 있을까요? (있다, 없다).
   - 그렇게 생각한 이유를 설명해 보자.

3점을 하찬이 집, 현지 집, 규림이 집 이라고 하면 중심 지점이 있어야 한다. 예를 들어 도서관이 이 3 집의 중심 지점이 될 수 있다. 이 3집이 3 점으로 바뀌면 삼각형에는 항상 외심이 있다는 것을 증명 할 수 있다

• 학생들이 왜 논증해야 하는지 생각하지 못할 경우 「수학, 철학에 미치다.(장우석 씀)」과 같이 책에 언급된 문구, 착시 이야기 등으로 동기를 유발할 수도 있다.

> 도형은 시각에 의존한다. 즉 인간의 감각에 의존하기 때문에 착각(오류)을 불러일으킬 소지가 있다. 감각보다는 논리에 의존해야 한다.

• 한 학생은 예상답안에 제시된 방법인 삼각형의 합동이 아닌 수직이등분선을 이용하여 다음과 같이 설명하기도 했다.

① 두 변의 수직이등분선의 교점에서 세 꼭짓점에 이르는 거리는 같다.

② ①에 의해 이 점에서 나머지 변에 수선을 그리면, 양 끝점에서 같은 거리에 있는 점이므로 정의에 따라 그 변의 수직이등분선 위에 있다.

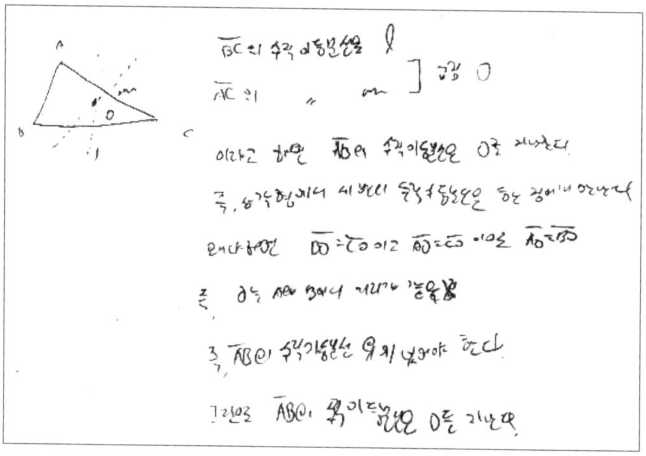

$\overline{BC}$의 수직이등분선을 l
$\overline{AC}$의 〃 m] 교점 O
이라고 하면 $\overline{AB}$의 수직이등분선은 O를 지난다
즉, 삼각형에서 세 변의 수직이등분선은 한 점에서 만난다
왜냐하면 $\overline{BO}=\overline{CO}$이고 $\overline{AO}=\overline{CO}$ 이므로 $\overline{AO}=\overline{BO}$
즉, O는 A와 B에서 거리가 같으므로
즉, $\overline{AB}$의 수직이등분선 위에 있어야 한다
그러므로 $\overline{AB}$의 수직이등분선은 O를 지난다.

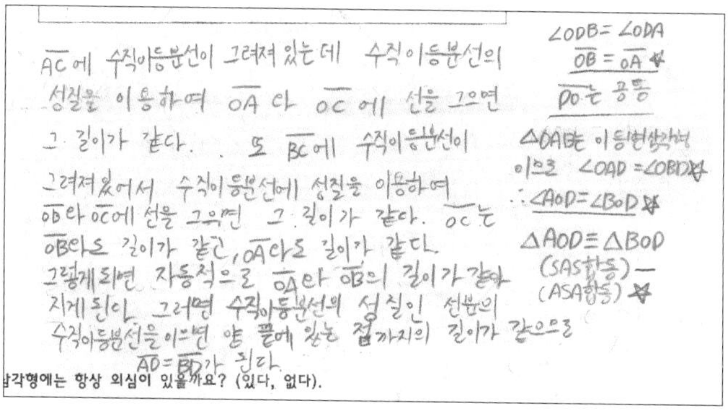

$\overline{AC}$에 수직이등분선이 그려져 있는데 수직이등분선의 성질을 이용하여 $\overline{OA}$와 $\overline{OC}$에 선을 그으면 그 길이가 같다. 또 $\overline{BC}$에 수직이등분선이 그려져 있어서 수직이등분선의 성질을 이용하여 $\overline{OB}$와 $\overline{OC}$에 선을 그으면 그 길이가 같다. $\overline{OC}$는 $\overline{OB}$와도 길이가 같고, $\overline{OA}$와도 길이가 같다. 그렇게 되면 자동적으로 $\overline{OA}$와 $\overline{OB}$의 길이가 같아지게 된다. 그러면 수직이등분선의 성질인 선분의 수직이등분선을 이으면 양 끝에 있는 점까지의 길이가 같으므로 $\overline{AD}=\overline{BD}$가 된다.

$\angle ODB=\angle ODA$
$\overline{OB}=\overline{OA}$
$\overline{DO}$는 공통
$\triangle OAB$는 이등변삼각형이므로 $\angle OAD=\angle OBD$
$\therefore \angle AOD=\angle BOD$
$\triangle AOD\equiv\triangle BOD$
(SAS합동)
(ASA합동)

삼각형에는 항상 외심이 있을까요? (있다, 없다).

— 이등변삼각형의 성질로 설명하기도 했다.

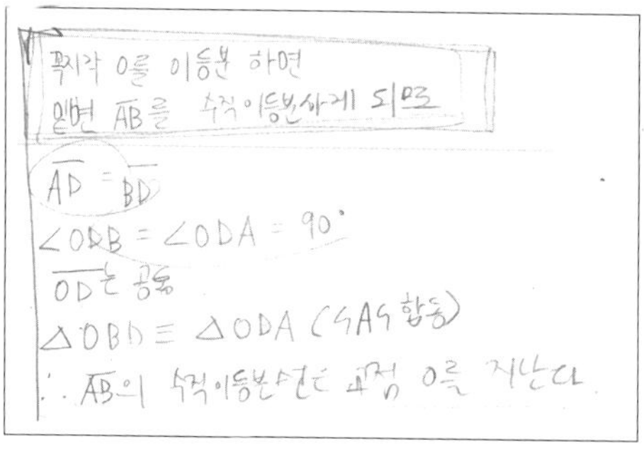

꼭지각 O를 이등분 하면
밑변 $\overline{AB}$를 수직이등분하게 되므로
$\overline{AD}=\overline{BD}$
$\angle ODB=\angle ODA=90°$
$\overline{OD}$는 공통
$\triangle OBD\equiv\triangle ODA$ (SAS 합동)
$\therefore \overline{AB}$의 수직이등분선은 교점 O를 지난다

- 이와 같이 교과서에서 전형적으로 다루는 이외의 성질이 나올 때는 그것을 무시하지 않고 보다 적극적으로 정당화 과정을 밟아 나가면 학생들의 수업 참여를 도울 수 있다.
- [2] (2)의 개별활동과 모둠활동을 통하여 다양한 성질이 나열될 것인데, 학생들이 추측해낸 성질 각각에 대한 옳고 그름을 직관적으로 판단해 보게 할 수 있다. 그리고 모둠 활동을 통해 이중 옳다고 생각하는 성질에 대해서는 하나하나 정당화 과정을 만들어내도록 독려한다.
- [3] 을 통해서 외심에 관계된 여러 가지 성질이 모두 종합되도록 한다. 다음은 학생들이 조건을 모두 그림에 옮겨 그리고, 그림으로 설명한 예다.

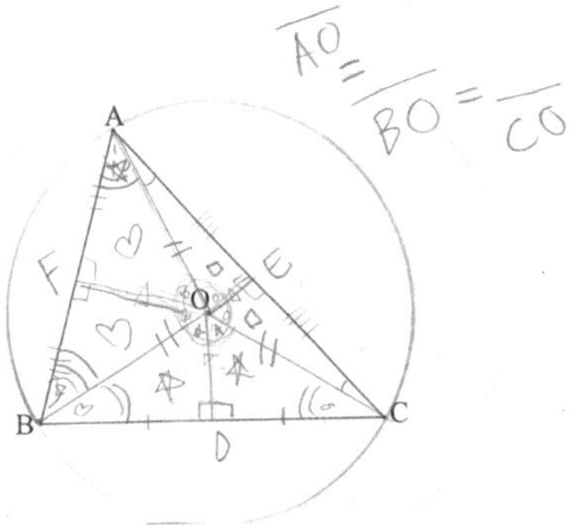

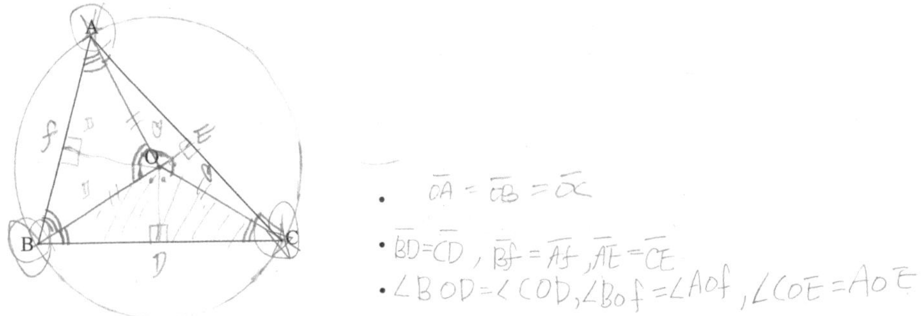

- 지속적으로 추측과 정당화의 과정을 경험하게 하면 학생들이 왜 그런지를 설명하는 것에 즐거움을 느낌을 발견할 수 있다. 학생들의 논증의 과정을 세밀하게 수업의 장면에서 의미있게 다룰 필요가 있다.

수업 연구

국소적 조직화의 원리

수학의 논리적 흐름은 공리와 공준을 포함하여 정의에서 출발하여 여러 명제를 차례로 증명해 가는 과정이다. 그러나 학생들은 수학의 논리적 조직력이 수학 교사에 비해 현저하게 떨어지기 때문에 프로이덴탈은 전체적인 논리적 체계를 요구하기보다 국소적으로 조직화하는 과정으로 논리적 연결성, 설명하는 능력, 의사소통 능력을 배양해야 한다고 했다.

만약 외심의 성질, 즉 세 변의 수직이등분선이 한 점에서 만난다는 것을 설명할 때 선분의 수직이등분선의 성질이 필요한데, 그런 논리적 연결을 기대하기 어려운 학생이 많다는 것이다. 그럴 경우에는 필요한 수학적 사실을 제공하고 그것을 이용하여 국소적으로 연결하는 것만 요구하는 것이 학습의 효율성 면에서 필요하다는 것이다. 이것을 국소적 조직화의 원리라고 한다.

개념과 원리 탐구하기 3 _ 외심의 위치

교과서(하) 30쪽

탐구 활동 의도

- **탐구하기 1**에서는 수직이등분선을 접어 외심을 찾는 활동을 했었다. 그 활동과 연결하여 원에 내접하는 삼각형을 다양하게 그려서 그 위치를 추론해 보는 과제다.
- [2]는 공학적 도구인 지오지브라를 이용하여 외심을 작도하고 외접원까지 그리는 활동을 한다. 삼각형은 그 모양이 어떠하든지 항상 외심이 존재함을 확인할 수 있다. 공학적 도구나 구체적 조작활동을 통해 직관적으로 이해하도록 하는 것이 목적이다.

예상 답안

[1] (1) 모양과 크기가 다양한 삼각형을 각자 그릴 수 있다.

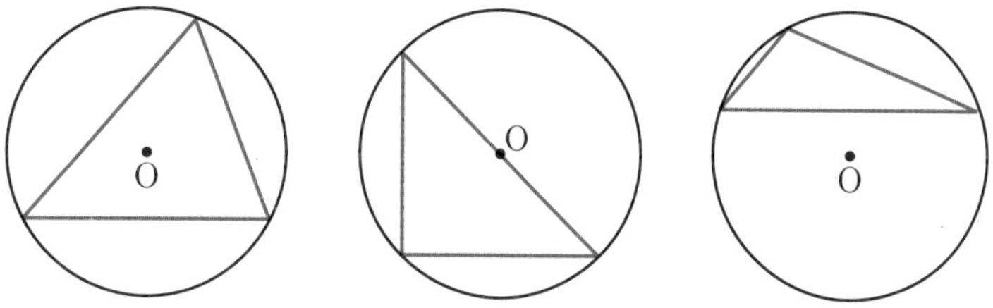

학생 답안

꼭 자를 이용하여 그리지 않아도 된다. 학생들마다 삼각형의 모양은 다를 수 있다. 단, 직각삼각형은 삼각자 또는 각도기를 이용하여 그릴 수 있다.

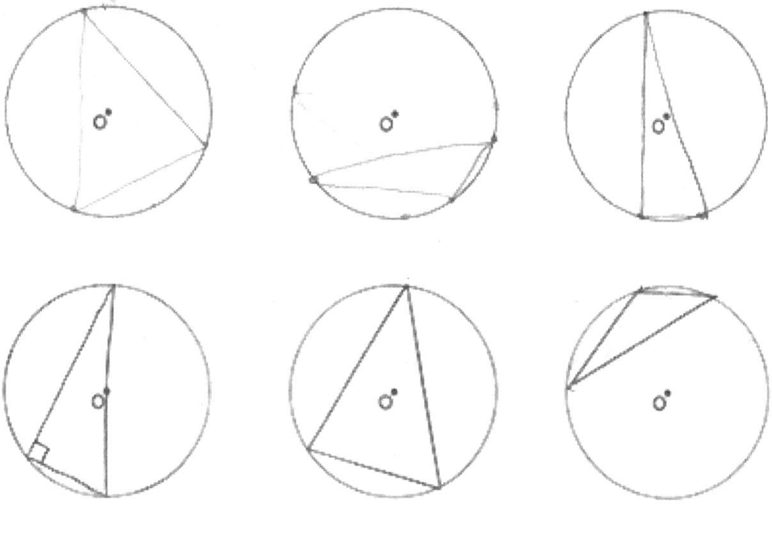

(2) 예각삼각형, 직각삼각형, 둔각삼각형의 외심의 위치는 각각 삼각형의 내부, 빗변의 중점, 삼각형의 외부에 있다.

2 지오지브라를 이용하여 활동한다. 여러 가지 삼각형에 대해서 탐구해 볼 수 있다.

[예각삼각형의 예]

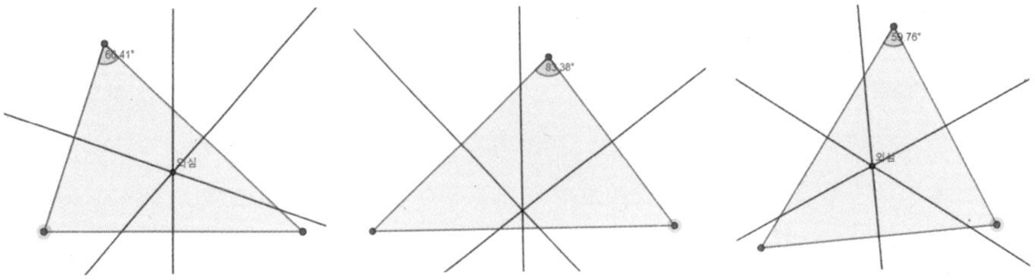

[직각삼각형의 예]

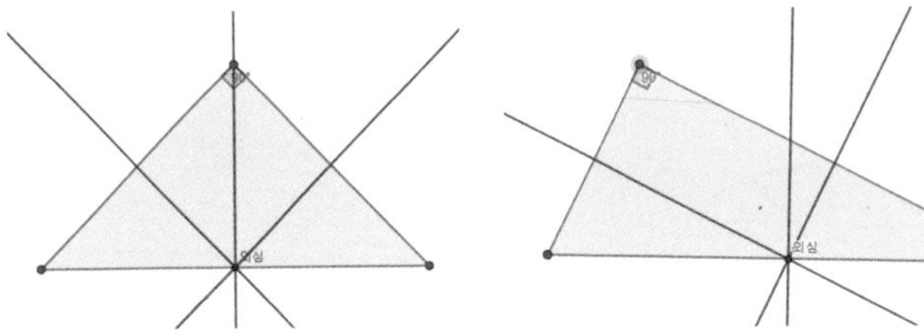

[둔각삼각형의 예]

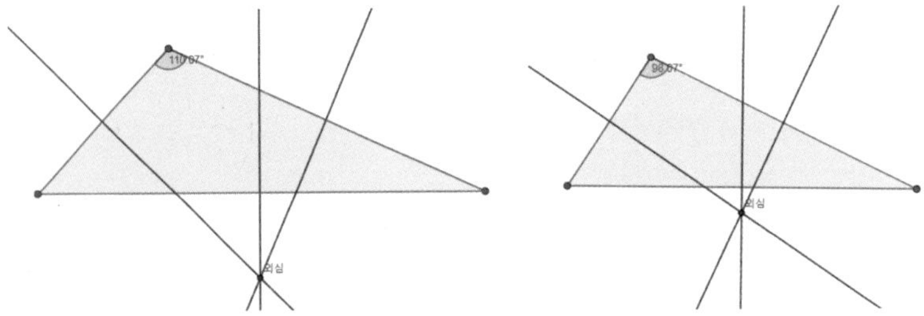

수업 노하우

- 예각삼각형을 그린다고 한 각을 너무 작게 그리다 보면 외심이 삼각형의 내부를 벗어날 수 있다. 이런 과정을 통해 자연스럽게 둔각삼각형이 그려졌음을 의식하게 하고, 둔각삼각형의 외심이 삼각형의 외부에 있음을 경험하게 한다.
- 모둠 활동을 통해 학생들이 서로 삼각형을 다르게 그렸지만 공통적으로 성립하는 외심의 위치에 관련된 성질을 추론해 볼 수 있도록 할 수 있다.
- 직각삼각형의 경우 외심이 빗변의 중점에 위치한다는 것을 **탐구하기 1**에서도 막연하게 추측했었다. 여기서는 공학적 도구를 사용하여 여러 가지 다양한 경우를 통해 직관적으로 이해할 수 있다. 이에 대한 증명은 **STAGE 8**에서 닮음의 성질을 배운 후 **탐구 되돌아보기**에서 정당화할 수 있다.
- 지오지브라는 동적 기하 소프트웨어다. 즉 꼭짓점을 이리저리 움직여(drag) 삼각형의 모양을 다양하게 바꿔가면서 외심의 위치를 관찰하는 과정에서 1에서 추측한 결과가 사실임을 확인할 수 있다. 이외에도 알지오매스(http://algeomath.kr/)를 이용할 수 있다.

 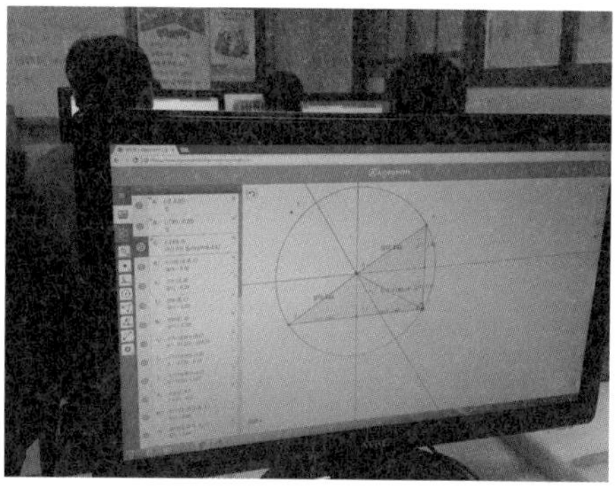

참고

• 지오지브라(GeoGebra)

지오지브라는 기하, 대수, 미적분, 통계, 이산수학, 3차원 기하를 쉽게 다룰 수 있는 무료 교육용 수학 소프트웨어다. GSP 등 대부분의 프로그램은 유료이기 때문에 프로그램을 구입하지 않으면 학교에서 수업에 사용하거나 개인적으로도 사용하는 것이 금지되어 있다. 지오지브라는 자바로 작성된 오픈소스 소프트웨어고, 현재 코드의 많은 부분이 HTML5로 전환되어 있다. 지오지브라의 이름은 지오(geometry;기하)와 지브라(Algebra;대수)의 합성어로 동적 기하 소프트웨어(DGS-Dynamic Geometry Software)와 컴퓨터 대수 시스템(CAS-Computer Algebra System)을 결합한 소프트웨어라는 의미를 담고 있다. 따라서 지오지브라는 다양한 수학 영역의 대상을 다룰 수 있는 동적 수학 소프트웨어(DMS-Dynamic Mathematics Software)라고 볼 수 있다.

• 알지오매스(AlgeoMath)

알지오매스는 별도의 설치 없이 이용가능한 웹기반 서비스로 최신 웹 브라우저 환경에 최적화되어 있다. 알지오매스 역시 오픈 소스이며 우리나라 수학과 교육 과정에 최적회되어 있다. 이 이름은 Algebra의 Al(알), Geometry의 Geo(지오), Mathematics의 Math(매스)의 합성어다.

/ 2 / 삼각형 안의 가장 큰 원 (삼각형의 내심)

학습목표

1 각의 이등분선의 성질과 연결하여 삼각형의 내심의 개념을 발견하고 그 이유를 설명할 수 있다.

2 내접원의 반지름을 정확히 잡아 내접원을 바르게 그릴 수 있다.

3 내심의 존재와 성질을 설명할 수 있다.

2015 개정 교육과정 성취기준

삼각형의 내심의 성질을 이해하고 설명할 수 있다.

교수 · 학습 방법 및 유의 사항

1 공학적 도구나 다양한 교구를 이용하여 도형을 그리거나 만들어 보는 활동을 통해 도형의 성질을 추론하고 토론할 수 있게 한다.

2 도형의 성질을 이해하고 설명하는 활동은 관찰이나 실험을 통해 확인하기, 사례나 근거를 제시하며 설명하기, 유사성에 근거하여 추론하기, 연역적으로 논증하기 등과 같은 다양한 정당화 방법을 학생 수준에 맞게 활용할 수 있다.

평가 방법 및 유의 사항

정확한 용어와 기호의 사용, 복잡한 형식 논리 규칙의 이용을 요구하는 연역적 정당화 문제는 다루지 않는다.

핵심발문

삼각형의 내심은 어떻게 찾을 수 있을까?

삼각형의 세 내각의 이등분선은 반드시 한 점에서 만날까?

개념과 원리 탐구하기 4 _ 내심의 뜻과 성질

교과서(하) 34쪽

탐구 활동 의도

- 이 탐구활동은 **탐구하기 1**에서 했던 외심의 접근 방법과 비슷하게 구성하였다.
- 이 과제는 삼각형의 내심과 내접원의 존재에 관한 추측에서 시작하여 정확하게 그리는 방법까지를 완성하는 것이다.
- 1에서는 내심의 대략적인 위치를 추측하고, 그 위치 조건으로부터 내심과 삼각형의 세 변 사이의 관계를 생각해내기 위함이다. 이 활동을 통해 내심의 정의를 이해할 수 있다.

• 2 에서는 각의 이등분선의 성질을 연결하여 내심이 각의 이등분선의 교점임을 발견하게 하기 위함이다.

• 결국 내심의 위치가 삼각형의 세 내각의 이등분선의 교점이라는 것을 이끌어내는 것은 각의 이등분선의 성질과 내접원의 중심인 내심이 갖춰야 할 조건이 서로 연결되는 지점을 찾는 것이고, 그것이 이 탐구활동에서 발견해야 할 핵심적인 개념이다.

예상 답안

1 여러 가지 다양한 반응이 나올 수 있다.
다음 그림과 같이 중심만 찍고 그 중심에서 삼각형의 세 변에 이르는 거리가 같다는 설명을 하는 경우나 원까지 그리고 설명을 하는 경우도 있을 수 있다.

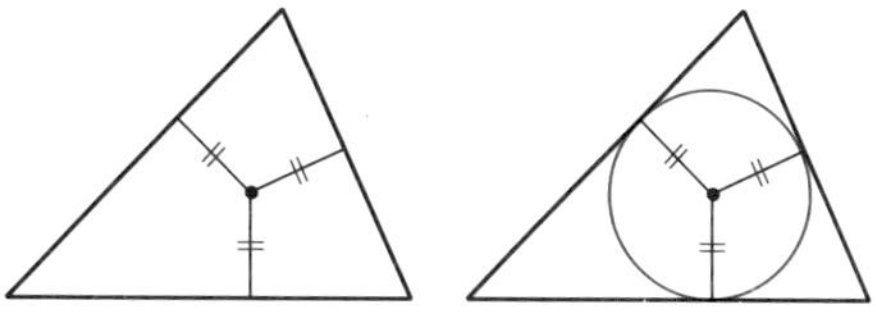

학생 답안

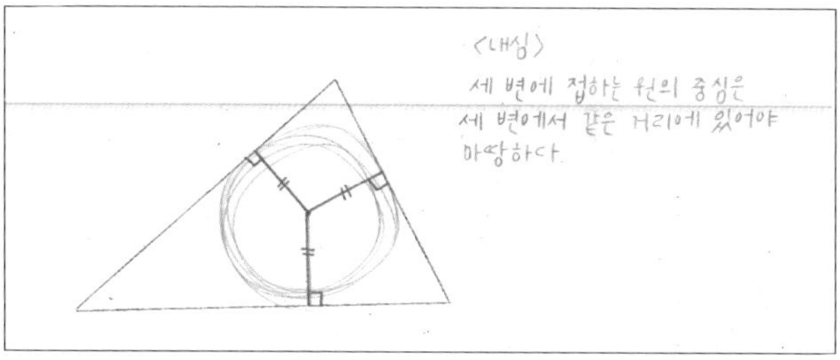

2 ① 동엽이의 주장은 옳다.
$\triangle$ABP와 $\triangle$ACP에서 대응하는 세 각의 크기가 각각 같고 $\overline{AP}$가 공통이므로
$\triangle ABP \equiv \triangle ACP$(ASA 합동)
그러므로 $\overline{PB}=\overline{PC}$다.

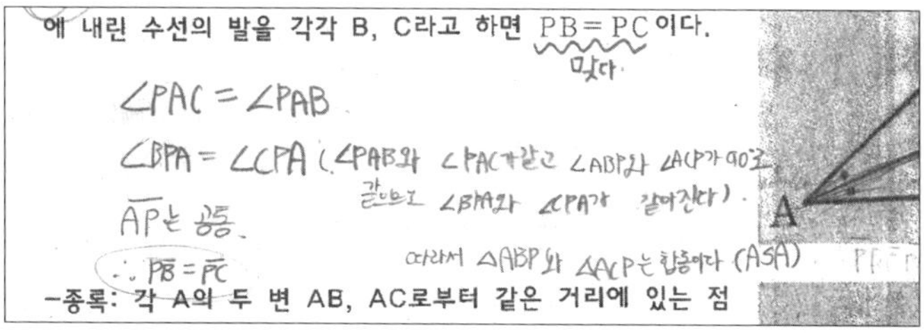

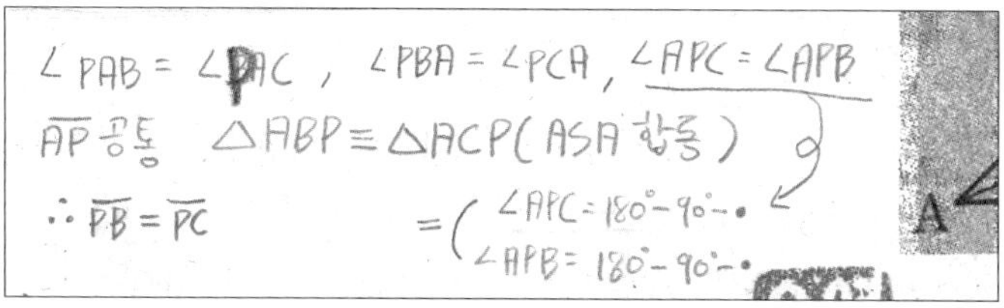

② 종록이의 주장도 옳다.

△ABP와 △ACP는 모두 빗변의 길이가 같은 직각삼각형이고, 빗변이 아닌 한 변의 길이가 같으므로($\overline{PB}=\overline{PC}$) △ABP≡△ACP(RHS 합동)다.

그러므로 ∠BAP=∠CAP다. 즉, 점 P는 각 A의 이등분선 위에 있다.

3

나의 생각	모둠의 의견
• 자를 이용하여 세 변에서 같은 거리에 있는 점을 찾으면 된다. • 중심이 될 만한 위치에 점을 찍고 컴퍼스를 이용하여 원을 그려 봐서 원이 정확하게 세 변에 동시에 접하지 않으면 적당히 위치를 옮겨가며 원을 그려서 최대한 정확한 위치를 찾는다.	삼각형의 한 꼭짓점을 기준으로 볼 때 원의 중심에서 양변에 이르는 거리가 같으므로 각의 이등분선의 성질과 연결하면, 원의 중심은 세 내각의 이등분선 위에 있으므로, 그 교점이 내심이 된다.

수업 노하우

• 1 에서는 내접원을 정확하게 작도하는 것이 아니다. 아래 학생처럼 삼각형 안에 접하는 원을 대략적으로 그려 봄으로써 세 변에 이르는 거리가 같다는 아이디어를 떠올리는 정도로 다룬다.

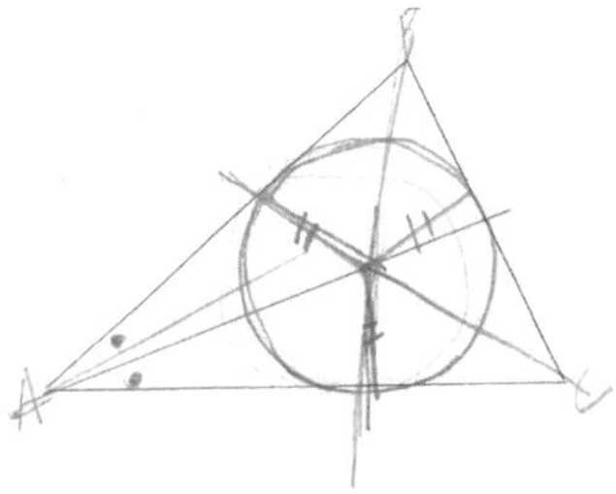

• 이때, 직관적으로 내심의 위치를 잡는 경우 등 정확한 위치를 잡는 것으로만 생각을 제한하기보다는 다양한 사고가 드러날 수 있도록 수업의 사회문화를 형성한다. 그리고 꼭 정답은 아니더라도 새로운 아이디어에 대해서는 무시하지 않고 전체적으로 공유하여 토론으로 정리하는 것이 필요하다.

• 2 는 세 변에 이르는 거리가 같기 위해서는 각의 이등분선을 그려야 함을 학생들이 발견하면 좋지만, 실제로 그것이 어려우므로 추가한 과제다. 각의 이등분선의 성질을 복습하고 이를 내심에 논리적으로 연결하는 것에 주안점을 두었다.

• 2 가 3 의 힌트가 되는 것이 꺼려진다면 수업에서 빼도 좋다. 다만 수업에서는 모든 모둠이 각의 이등분선과 내심을 찾는 것을 연결하지는 못할 수 있다. 한두 모둠에서 각의 이등분선을 연결하는 데 성공한다면 적당히 모둠 활동을 중단하고 전체 공유 활동 과정을 거친다. 성공한 모둠의 설명을 통하여 각의 이등분선의 성질과 내심을 연결할 수 있도록 한다.

개념과 원리 탐구하기 5 _ 내심과 내접원

교과서(하) 36쪽

탐구 활동 의도

- 1 은 내심을 작도(또는 종이 접기 등)로 찾은 상태에서 내접원을 그릴 때, 내접원의 반지름을 잘못 찾는 오개념을 깨우치기 위한 과제다. 세 내각의 이등분선으로 내심을 찾지만 내접원은 세 변에 이르는 거리를 찾아 이를 반지름으로 그릴 수 있음을 발견하게 할 수 있다.
- 2 는 외심과 마찬가지로 세 종류의 삼각형 각각에 대하여 내심의 위치가 어디에 있을 지를 탐색함으로써 외심과의 구별성을 파악하도록 한 것이다. 특히 직접적으로 내접원을 여러번 그려 봄으로써 그 의미를 분명하게 이해할 수 있다.
- 2 (3)은 내접원이 생기는 이유에 대한 정당화 활동이다. 중학교 1학년 과정에서 다룬 '점과 직선 사이의 거리' 개념과 연결된다.

예상 답안

1 (1) [태훈이의 주장대로 그린 원]

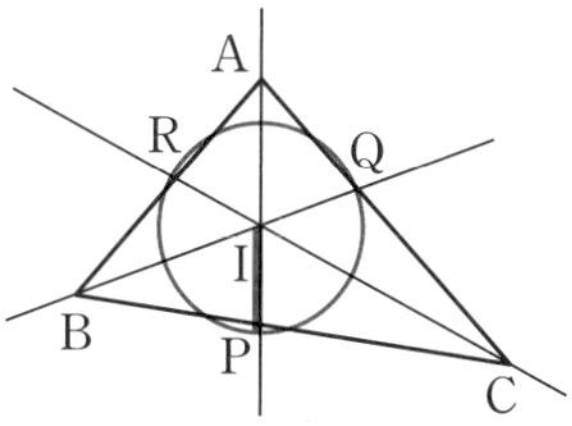

[택진이의 주장대로 그린 원]

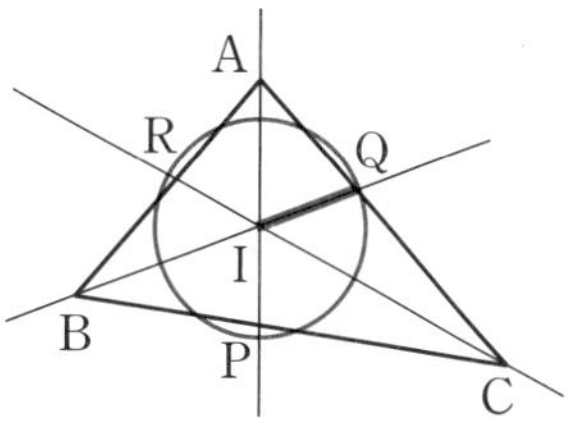

(2)

나의 생각	모둠의 의견
택진이의 주장이 옳은 것 같다. $\overline{IQ}$를 반지름으로 하는 원을 그리면 삼각형 ABC에 내접할 것 같다.	둘 다 옳지 않다. 점 P와 Q는 각의 이등분선이 대변과 만나는 점이다. 그러므로 $\overline{IP}$나 $\overline{IQ}$를 반지름으로 하는 원을 그리면 이 원의 일부는 삼각형 외부로 나가며 세 변 중 어느 하나와도 접하지 않는다. 내접원을 그리려면 내심에서 세 변에 수선의 발을 내려 그 점까지의 거리를 반지름으로 하는 원을 그려야 한다.

2 (1) 부록 161쪽의 각 삼각형을 오려내자. 다음 순서로 접어 내심을 찾을 수 있다.

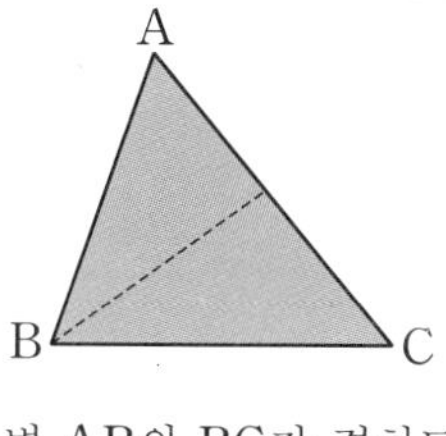	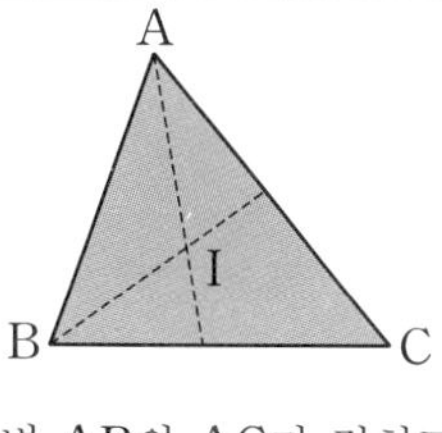	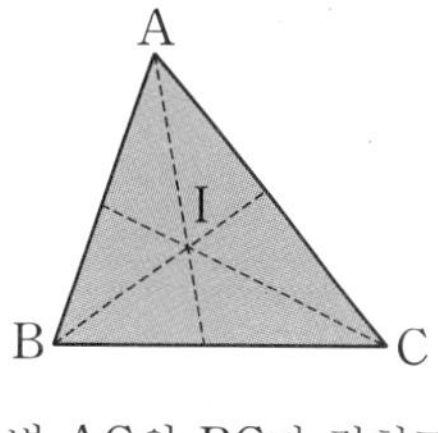
두 변 AB와 BC가 겹치도록 접은 후 펼친다.	두 변 AB와 AC가 겹치도록 접은 후 펼친다. 이때 두 접은 선의 교점을 I라고 하자.	두 변 AC와 BC가 겹치도록 접은 후 펼친다.

세 내각의 이등분선을 그려야 하므로 각 꼭짓점을 중심으로 각의 양변이 서로 만나도록 접으면 다음과 같이 이등분선이 나타난다.

① 예각삼각형　　② 직각삼각형　　③ 둔각삼각형

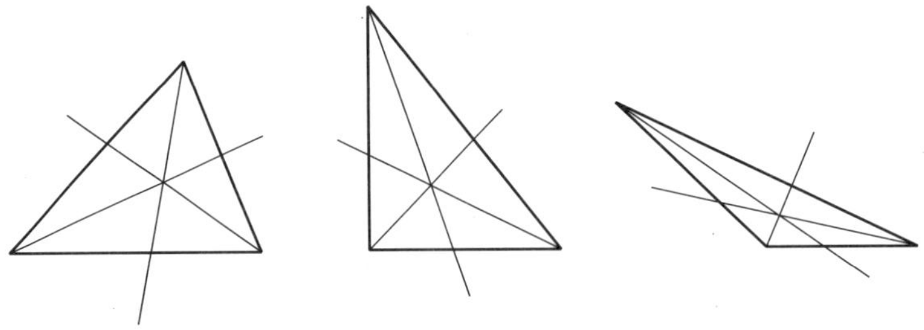

(2) 내심에서 각 변의 수선의 발을 내리면 그 점까지의 거리가 내접원이 반지름의 길이다.

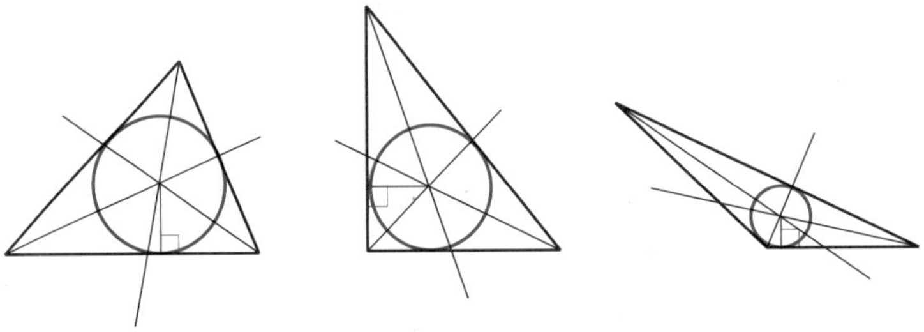

학생 답안

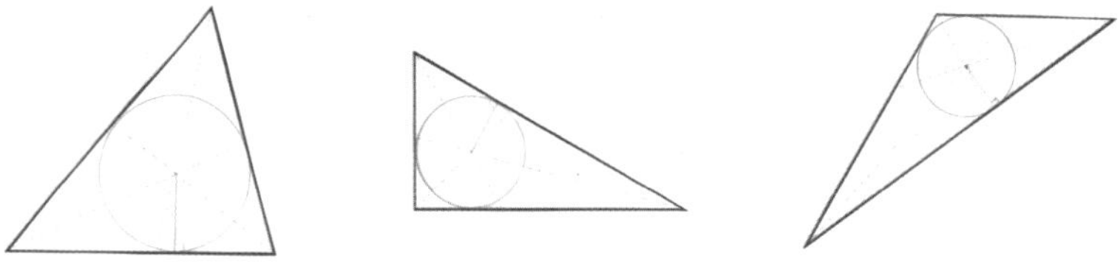

(3) 각의 이등분선의 성질, 즉 각의 이등분선 위의 한 점에서 각의 양변에 이르는 거리는 같다는 것을 이용하여 설명할 수 있다.

∠A의 이등분선 위의 한 점 I에서 두 변 AB, AC에 내린 수선의 발이 각각 F, E이므로 $\overline{IE}=\overline{IF}$가 성립한다.

마찬가지로 ∠B의 이등분선 위의 한 점 I에서 두 변 BA, BC에 내린 수선의 발이 각각 F, D이므로 $\overline{ID}=\overline{IF}$가 성립한다.

그러므로 $\overline{ID}=\overline{IE}=\overline{IF}$가 성립하고, 이것이 내접원의 반지름의 길이가 된다.

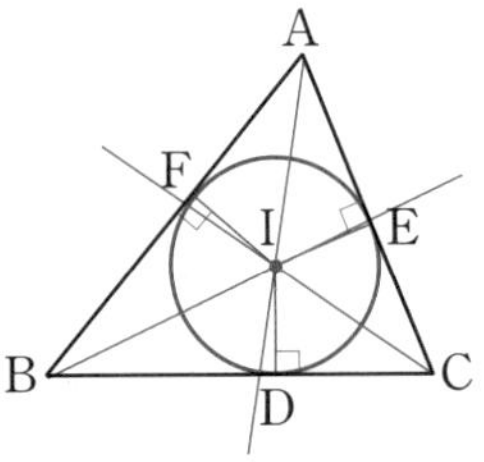

학생 답안

각의 이등분선의 성질을 이용하면 각의 이등분선 위에 임의의 점에서 각 두변 까지의 거리가 같아지기 때문에 $\overline{ID}=\overline{IE}=\overline{IF}$가 된다.

> ∠A와 ∠B에서 각 이등분선을 내려. 각 이등분선 위에 임의의 점에서 각의 두 변까지 거리는 같다는 각 이등분선의 성질을 바탕으로 각의 두 변이 같다는 건 곧 그것이 내접원의 반지름이다. $\overline{ID}=\overline{IE}$
> 나머지 한 변은 내접원의 의미에 따라 세 변이 접하므로 $\overline{IF}$도 반지름으로
> $\overline{ID}=\overline{IE}=\overline{IF}$이다.

수업 노하우

- [1]에서 학생들이 내심을 찾는 데는 비교적 성공적이라 할지라도 내접원을 그리는 데는 실패하고 있었다. [1]을 새로 추가하기 전에는 학생들이 내심을 찾은 뒤, 각의 이등분선과 삼각형의 세 변이 만나는 점을 반지름으로 잡아 작도하는 경우가 많았다. 그래서 반지름이 어디인지 먼저 생각해 볼 기회를 제공하기 위해 이러한 과제를 만들었다.
- 다음과 같이 내접원의 반지름을 찾아 실제로 내접원을 그려보게 하자. 아는 것 같지만 내접원의 반지름을 어떻게 찾을지 고민하는 과정에서 내심의 뜻과 성질을 명확히 이해하게 할 수 있다.

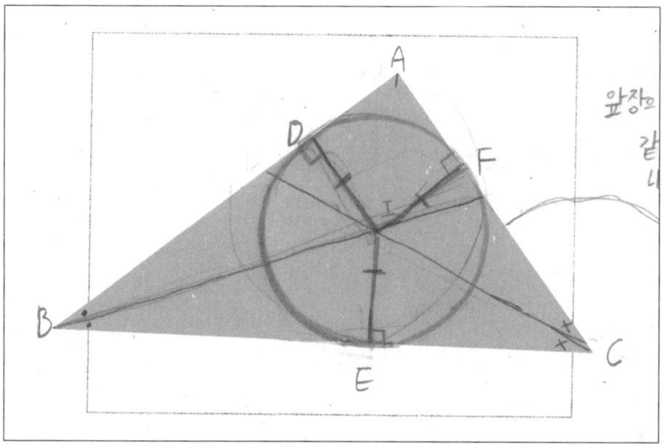

- 학생들의 의견은 여러 가지로 나타났다. 각 의견을 듣고 모둠활동에서 재논의하여 한 가지로 결정하도록 발문할 수 있다.
  - 둘 다 맞았다고 한 경우; 실제 그려 보고 둘다 적당히 내접원을 그릴 수 있고 약간의 차이는 그리는 과정에서 생길 수 있는 오차라고 생각했다.
  - 둘 중 한 사람만 맞았다고 한 경우; 주로 택진이의 주장이 맞다고 하는 경우가 많았다. 이 경우의 학생들은 내접원의 반지름을 $\overline{IP}$, $\overline{IQ}$, $\overline{IR}$ 중 적당한 것 하나를 선택하면 된다고 생각했다.

> $\overline{IP}$는 살짝 올다
>
> $\overline{IQ}$로 그려할거 같다

— 둘 다 틀렸다고 한 경우: 내접원의 반지름을 찾기 위해 세 변 중 한 변에 수선을 내려야 한다고 주장했다.

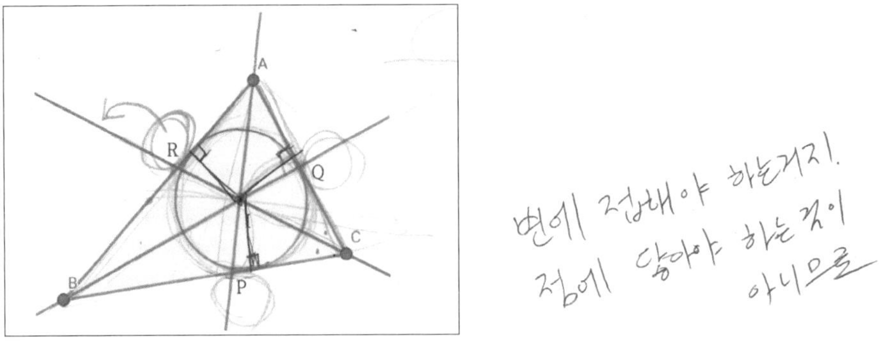

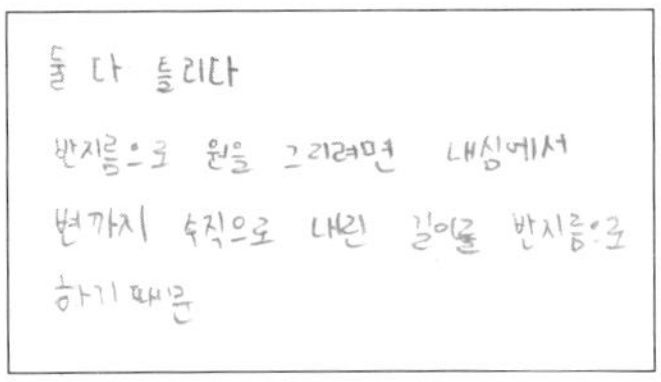

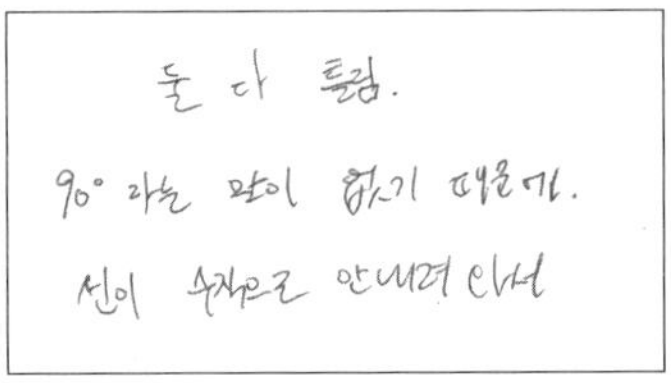

- 두 학생의 주장에 대하여 학생들은 둘 중 하나는 맞다고 생각하는 경향을 보이는 것을 역으로 이용하기 위해 두 학생 모두 틀린 주장을 제시한 것이다. 둘 다 틀릴 수 있음을 보여주는 것은 둘 중 하나를 선택해야 하는 상황과 많이 다르다. 선택지가 많아질수록 고민의 폭이 깊어지며, 이런 깊이 있는 사고를 하게 만드는 것이 수학교육의 중요한 목표가 될 수 있다.
- [1]에서 제시한 삼각형은 육안으로는 이등변삼각형에 가깝게 보이기 때문에 각 B의 이등분선과 변 AC가 수직으로 만나는 것으로 보일 수 있다. 육안으로 보이는 것을 수학적 사실로 여기는 학생들이 의외로 많음을 기대하고, 이것을 수학적으로 가르칠 기회로 삼는 것은 교사의 지혜다.
- [2]에서 외심의 위치와 비교하여 학생들은 내심의 위치도 삼각형의 모양에 따라 다르지 않을까 하는 생각을 할 수 있어서 일단 모든 삼각형에 대해서 다 조사하도록 했다.
- 이등변삼각형은 각의 이등분선이 변 AC의 수선이 될 수도 있다. 이 경우 이등변삼각형의 성질과 연결하여 논의를 해볼 수 있다.

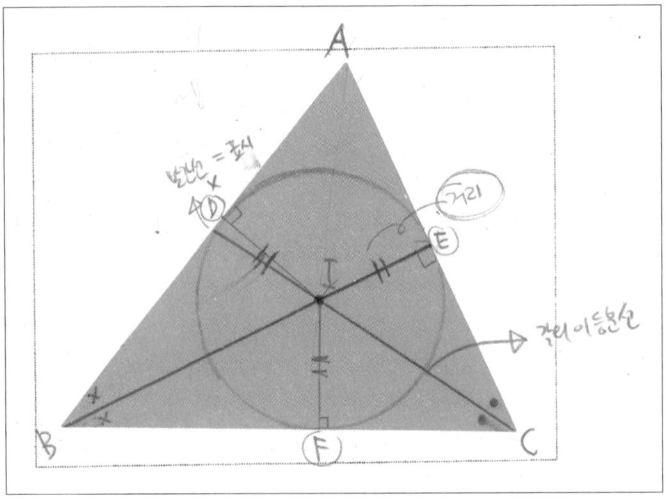

- 기존 교과서에서는 외심에 대해서만 집중적으로 세 가지 모양의 삼각형에 대해서 조사하도록 활동을 제공하지만 내심에 대해서는 아예 조사하지 않는 것이 대부분이다. 이렇게 학습한 학생들에게 내심의 위치에 대한 질문을 던지면 당황하면서 여러 가지 답변을 할 가능성이 높다.

수업 연구

오류나 실수를 허용 또는 이용하는 수업 문화

수학 수업에서 수학 개념에 대한 이해를 촉진하는 중요한 요소 중 하나로 교실의 사회문화가 있다. 수업을 운영하는 교사와 학생 사이에 형성되는 사회문화는 주로 3월부터 시작되는 학기 초에 결정되며, 이때 결정된 사회문화는 1년 동안 거의 변함없이 유지된다. 그러므로 교사는 수업의 운영 규칙, 수업의 운영 방식, 학생의 질문 방식, 교사의 질문에 대응하는 학생의 자세, 모둠활동에서 토론의 규칙, 전체 공유활동 방법 등 수업 시간에 일어날 수 있는 모든 일에 대하여 어떤 규칙을 만들게 되는 데 이런 모든 것을 수업의 사회문화라고 한다.

수업에서는 학생들에게 오류나 실수가 나타나기 마련인데 이런 오류나 실수를 잘못 처리하면 해당 학생에게 상처를 주기 쉽고, 이런 것을 계기로 수학을 싫어하거나 수업에 참여하지 않고 점점 멀어지기도 한다.

반면 오류나 실수가 가지는 아이디어의 창의성과 그 실수로 인해서 벌어지는 토론 등 수업에 기여하는 바가 많도록 수업을 운영하는 것은 오히려 활발한 토론과 의사 소통을 유발하는 성공적인 수업이 될 수 있다. 이 탐구활동에서도 다른 학생의 예를 들어 실수나 오류를 제시하여 본인들이 하게 될지도 모르는 실수를 경험하도록 배려했다.

실수를 스스로 경험하면 다시는 그런 실수를 할 가능성은 대폭 줄어든다.

개념과 원리 탐구하기 6 _ 내심의 성질

교과서(하) 38쪽

탐구 활동 의도

- [1](1)은 삼각형만 주고 내접원의 반지름을 찾아 다시 한번 그려 보며 내심의 뜻을 복습하는 활동이다.
- [1](2)는 세 내각의 이등분선과 세 변에 이르는 선분을 표시하여 내심에 관련한 성질을 발견해 보고 이유를 설명하는 활동이다.
- 이전의 다양한 탐구활동을 통해 경험한 것을 정리하여 내심에 대한 생각을 확고하게 하고 외심과 내심을 비교하여 이해할 수 있도록 하기 위함이다.

예상 답안

[1] (1) 삼각형 ABC의 세 내각의 이등분선을 그리면 이들은 한 점 I에서 만나며 이것이 내심이다.
I에서 각 변에 내린 수선의 발을 D, E, F라고 하면 $\overline{ID}=\overline{IE}=\overline{IF}$이므로 이들을 반지름으로 하는 원을 그리면 내접원이 만들어진다.

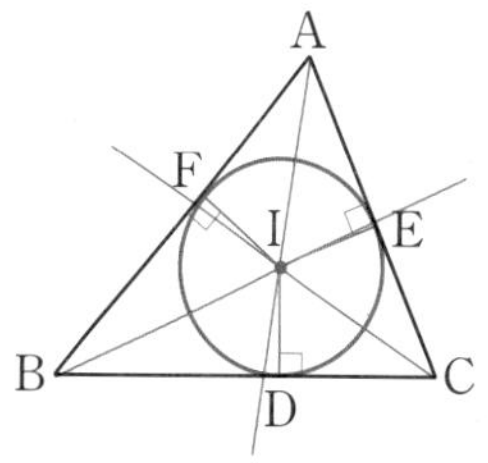

학생 답안

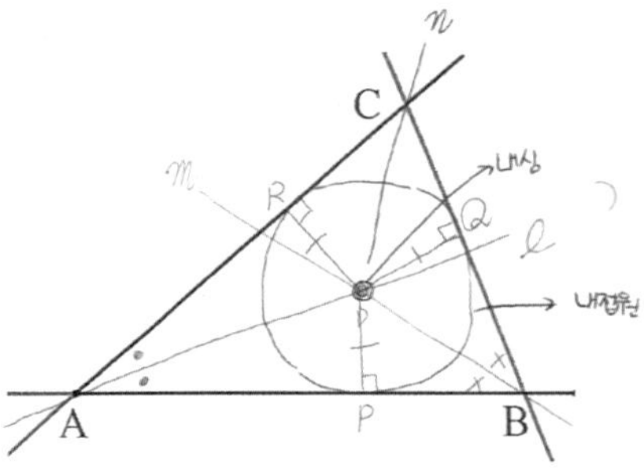

(2)

나의 생각	모둠의 의견
• 내심에서 삼각형의 세 변에 이르는 거리는 같다. • 내심에서 삼각형의 한 변까지의 거리를 반지름으로 하는 원을 그리면 이 원은 다른 두 변에 접한다.	• 삼각형의 세 내각의 이등분선은 한 점에서 만난다. • 삼각형의 내심은 삼각형의 모양에 관계없이 항상 삼각형의 내부에 있다. • $\triangle AFI \equiv \triangle AEI$, $\triangle BFI \equiv \triangle BDI$, $\triangle CDI \equiv \triangle CEI$

학생 답안

l : $\angle A$의 이등분선 → $\overline{AB}$와 $\overline{AC}$에 이르는 거리 같다.
m : $\angle B$의 이등분선 → $\overline{AB}$와 $\overline{BC}$에 이르는 거리 같다.

• $\triangle IDB \equiv \triangle IEB$, $\triangle AFI \equiv \triangle ADI$, $\triangle CFI \equiv \triangle CEI$

• 내접원의 반지름이 같다.
$\overline{ID} = \overline{IE} = \overline{IF}$

• 삼각형의 세 각의 이등분선의 교점이 내심이다.
$\angle DAI = \angle FAI$
$\angle EBI = \angle DBI$
$\angle ECI = \angle FCI$

수업 노하우

• 1 (1)에서는 보조선을 이용하여 합동인 삼각형을 찾고 내심과 관련된 여러 가지 사실을 스스로 찾아 정리하도록 한다.

• 1 (2)에서는 내심에 대한 다양한 성질을 발견하도록 격려하고, 각 그룹의 의견을 전체 공유 활동을 통해 깔끔하게 정리하는 과정을 진행하는 것이 교사의 중요한 역할이다. 교사는 자기 생각보다 아이들의 생각으로부터 나온 것들의 소중함을 깨닫고 아이들에게 지식의 소유권을 넘겨주는 역할에 충실하면 된다.

• 이 탐구활동을 마무리 할 때까지도 내접원을 그리는 것에 어려움을 겪었다. 학생들이 발견한 내용과 옳은 것과 옳지 않은 것을 찾아보도록 하면서 내심과 내접원의 개념을 분명하게 이해하게 할 수 있다.

1. 내접원의 반지름을 다시 표시해 볼까요?
2. 두 각의 이등분선만으로도 내심을 구할 수 있나요?
3. ∠ ∘ + ∠ • + ∠ × 는 왜 90°인가요?
4. 어떤 삼각형끼리 합동인가요? 왜 합동이라고 생각하나요?

• 위 경우에서 학생들은 다음과 같이 설명했다.
 – 모든 삼각형에서 두 각의 이등분선은 항상 한 점에서 만나고, 그 점에서 세 변에 이르는 거리가 같아진다고 설명했다.

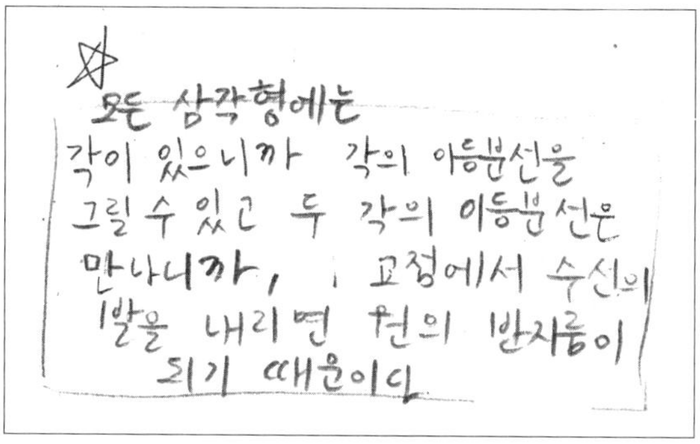

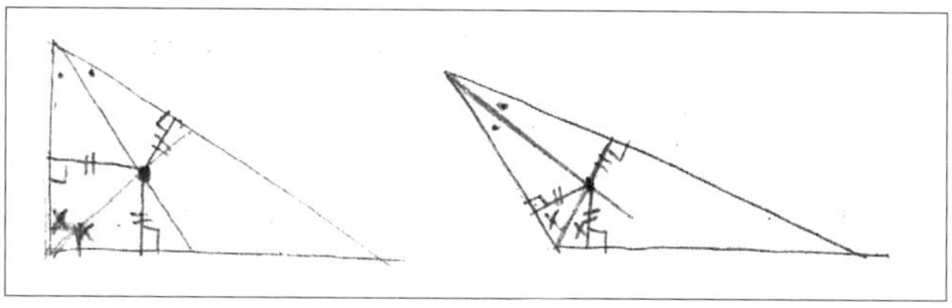

-주어진 삼각형이 예각삼각형이므로 직각삼각형, 둔각삼각형의 경우를 예로 들어 설명했다.

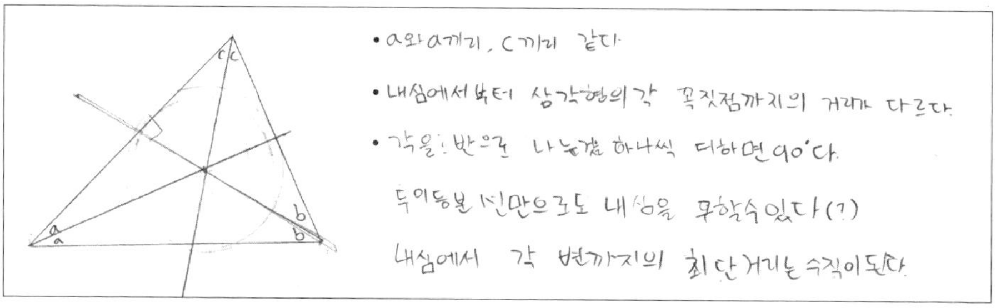

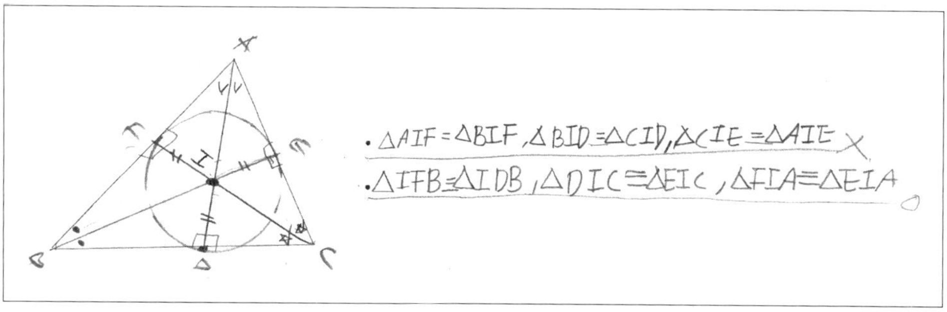

• 다음 과제는 삼각형의 내심이 유일한가에 대한 것을 탐구하는 것이다. 세 내각의 이등분선이 한 점에서 만남을 발견하도록 하기 위함이었지만 실제로 실험학교에서 수업을 한 결과 귀류법이 아니면 논리적인 설명이 어려우므로 탐구 과제에서는 제외하였다. 수업 중에 이 사실에 대한 의미있는 고민을 하는 정도로 가볍게 다룰 수도 있다. 반면 이 문제에 대한 학생들의 반응은 다양할 수 있다. 흔한 과제가 아니므로 오히려 다양한 반응을 기대할 수 있다.

1. 다음 물음을 함께 탐구해 보자.

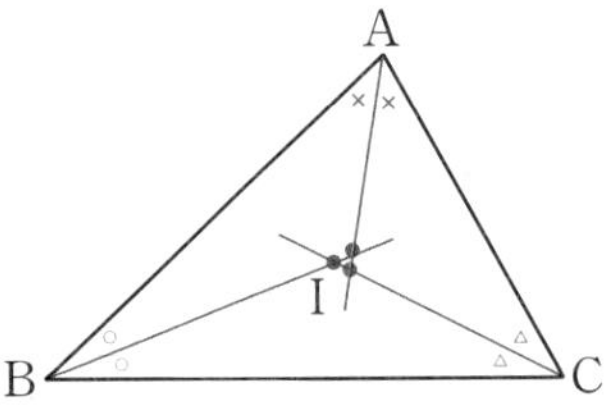

(1) 삼각형 ABC에 대한 위의 그림이 무엇을 표현한 것인지 써보자.

(2) 이 그림과 같은 경우가 있을 수 있는지 없는지 판단하고, 그렇게 생각한 이유를 써보자.

[예상 답안]

1.(1) 삼각형 ABC의 세 내각의 이등분선을 그렸는데 이들이 한 점에서 만나지 않는다는 것을 그린 것이다.

(2) 있을 수 없다.

(이유) 먼저 두 내각 ∠B, ∠C의 이등분선의 교점 I에서 각 변에 이르는 거리가 같으므로 왼쪽 그림과 같이 내접원이 생기고 이때 내접원의 반지름은 빨간 선분이다.

∠A의 이등분선이 I를 지나지 않는다면 ∠C의 이등분선과 I가 아닌 J에서 만나게 될 것이다.

그러면 J에서도 세 변에 이르는 거리가 같아야 하는데 그림에서 보는 바대로 J에서 변 AB에 이르는 거리는 내접원 I의 반지름의 길이보다 길고, J에서 변 CA에 이르는 거리는 내접원 I의 반지름의 길이보다 짧다. 그러므로 점 J를 중심으로 하는 내접원은 생길 수 없다.

그래서 ∠A의 이등분선은 점 I를 지날 수밖에 없다.

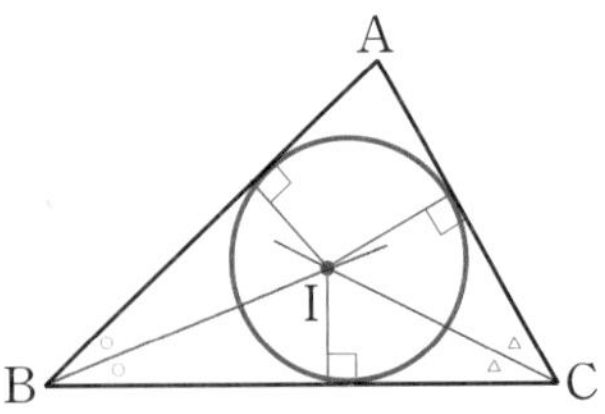

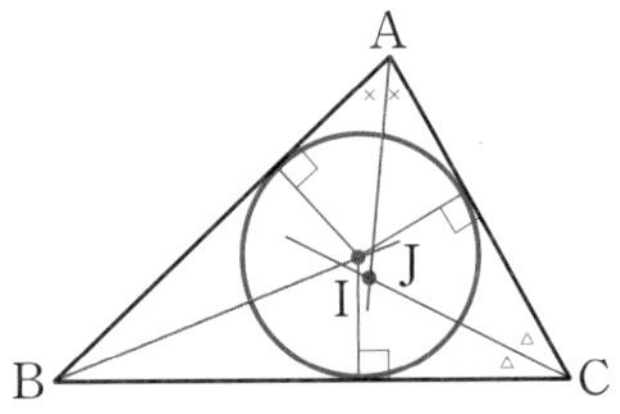

탐구 되돌아보기 예상 답안

교과서(하) 39~43쪽

1 개념과 원리 탐구하기 1, 3

'삼각지대 한가운데'라고 하는 것은 유격수와 좌익수, 중견수가 가장 접근하기 어려운 곳이다. 그러므로 그 곳은 세 선수의 위치에서 같은 거리에 있는 점이어야 하는데 삼각형에서는 이런 성질을 가진 점이 외심이다.
외심은 삼각형 ABC의 각 변의 수직이등분의 교점이므로 두 변 BC와 CA의 수직이등분의 교점을 찾으면 점 D가 된다. 점 D에 떨어지는 공이 바가지 안타가 될 확률이 가장 높다.

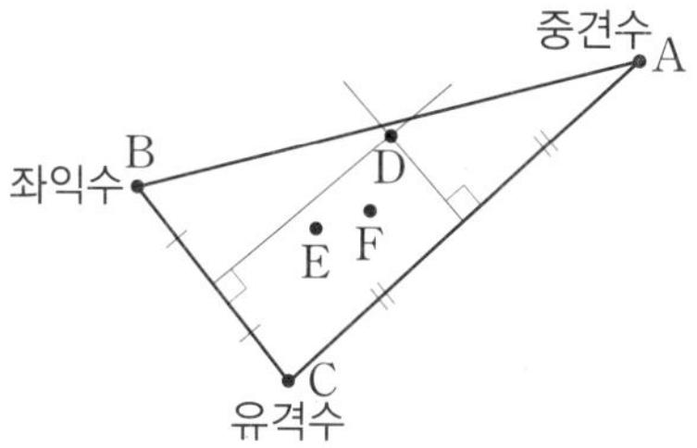

2 개념과 원리 탐구하기 5

염소가 도로에 나가지 않고 안전하게 최대한 많은 풀을 뜯어 먹으려면 줄을 맨 말뚝을 풀밭의 한 가운데 세워야 한다. 이때 세 도로에서 같은 거리에 있는 지점에 말뚝을 매고, 줄의 길이를 그 지점에서 도로에 나가지 않는 지점까지로 하면 염소가 도로로 나가 차에 치일 위험성을 막을 수 있다. 세 도로에서 같은 거리에 있는 지점은 풀밭을 이루는 삼각형의 내심이다. 즉 말뚝의 위치는 풀밭을 이루는 삼각형의 세 내각의 이등분선의 교점인 내심이 된다.

3 개념과 원리 탐구하기 1, 5

은세: 외접원은 삼각형의 각 변의 수직이등분선의 교점에서 삼각형의 한 꼭짓점에 이르는 거리를 반지름으로 하는 원을 그려야 하는데 은세는 삼각형의 각 변의 수직이등분선의 교점에서 한 변까지의 거리를 반지름으로 하는 원을 그렸기 때문에 외접원을 옳게 그리지 못했다.

수림: 내접원은 삼각형의 세 내각의 이등분선의 교점에서 삼각형의 변에 수선의 발을 내려서 그 거리를 반지름으로 하는 원을 그려야 하는데 수림이는 삼각형의 세 내각의 이등분선의 교점에서 각의 이등분선이 한 변과 만나는 점까지를 반지름으로 하는 원을 그렸기 때문에 내접원을 옳게 그리지 못했다.

[옳게 그린 예]

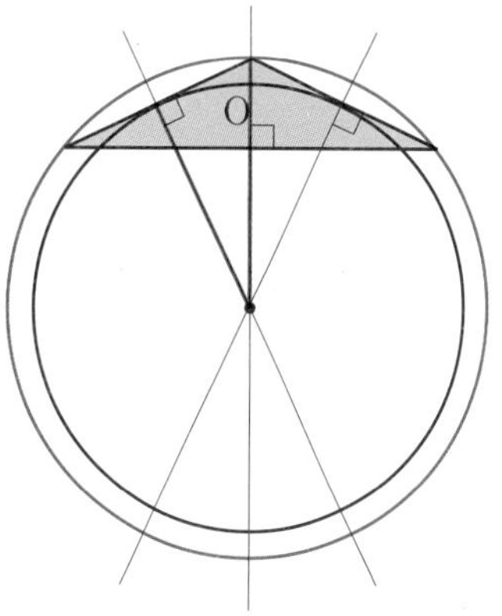

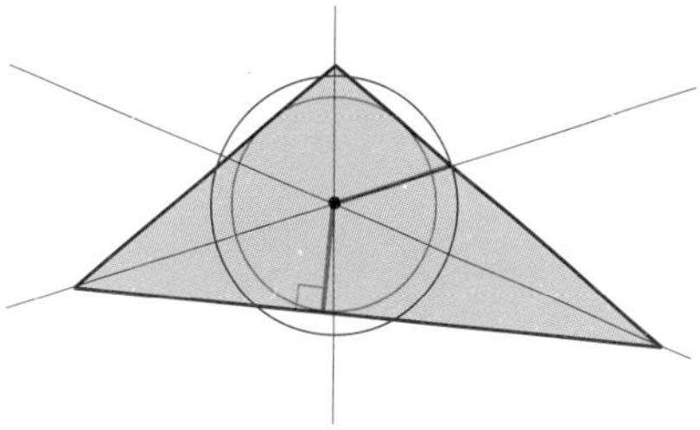

4 개념과 원리 탐구하기 1, 3

둔각삼각형의 외심은 삼각형의 외부에 있기 때문에 은정이가 세 수직이등분선을 접었을 때는 교점이 보이지 않는다. 하지만 각 변의 수직이등분선을 연장하면 삼각형의 외부에 교점이 생기고 이 점이 외심이다. 이 교점에서 꼭짓점까지의 거리를 반지름으로 하는 원을 그리면 이 원이 둔각삼각형의 외접원이 된다.

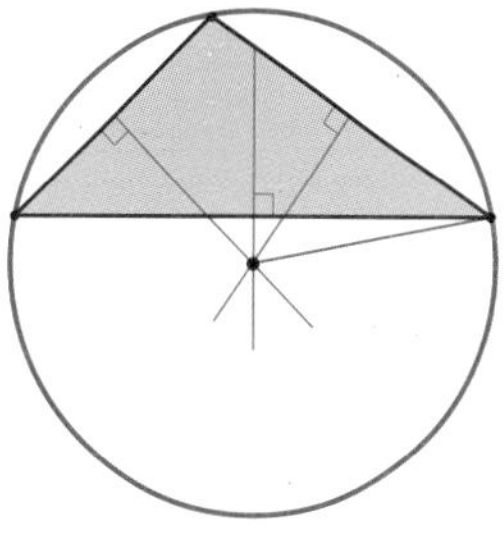

5 개념과 원리 탐구하기 1, 3

$\overline{OA}=\overline{OC}$이므로 $\triangle OCA$는 이등변삼각형이다.

$\angle OAC=\angle ACO=30°$

$\angle OAB$와 $\angle OAC$의 크기의 합이 직각$(90°)$이므로

$\angle OAB=60°$, $\angle OAC=30°$

직각삼각형의 외심은 빗변의 중점 O에 있으므로 삼각형 OAB는 $\overline{OA}=\overline{OB}$인 이등변삼각형이다.

$\angle OBA=\angle OAB=60°$이므로 구하는

$\angle BOA=180°-120°=60°$이다.

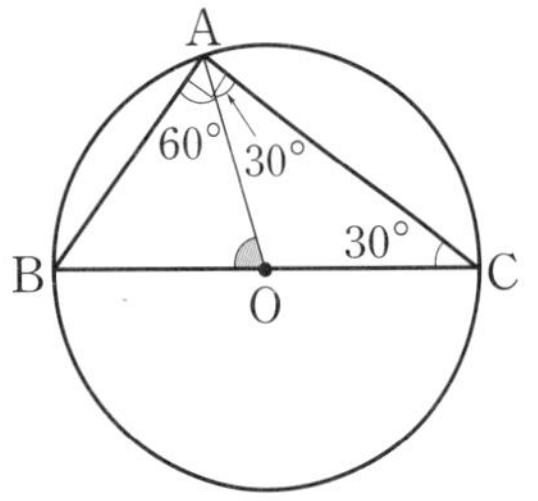

6 개념과 원리 탐구하기 2

(1) 그림에 표시하면 다음과 같다.

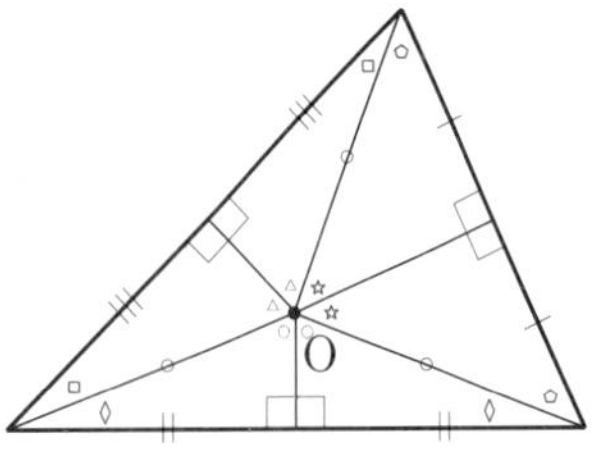

(2) 각 삼각형 중 합동인 삼각형을 같은 색으로 칠하면 다음과 같다.

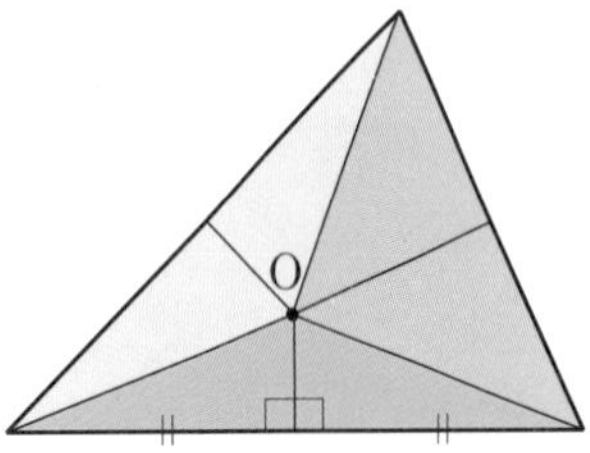

같은 색을 칠한 두 삼각형은 대응하는 두 변의 길이가 같고, 그 끼인 각이 직각으로 같으므로 SAS 합동이다.

7 개념과 원리 탐구하기 6

(1) 그림에 표시하면 다음과 같다.

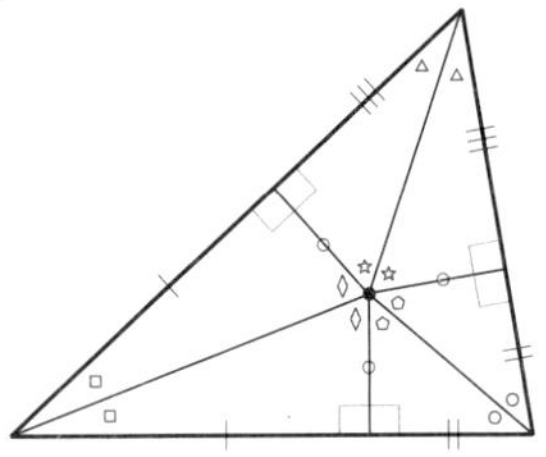

(2) 각 삼각형 중 합동인 삼각형을 같은 색으로 칠하면 다음과 같다.

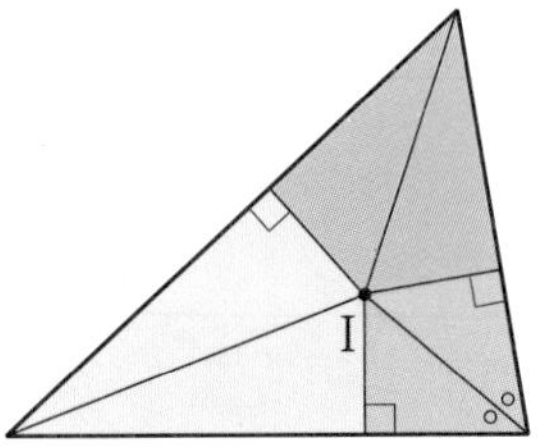

같은 색을 칠한 두 삼각형은 대응하는 두 각의 크기가 같으므로 세 각의 크기가 모두 같은 것이고, 한 변이 공통으로 같으므로 ASA 합동이다.

8 개념과 원리 탐구하기 2

(1) 삼각형의 외심은 각 꼭짓점에서 외심까지의 길이가 반지름으로 모두 같다. 외심에서 각 꼭짓점을 이은 선분과 삼각형의 각 변으로 이루어진 삼각형은 이등변삼각형 성질에 의해 양 끝 각의 크기가 같다.

따라서 주어진 세 각의 크기의 합은 90°다.

따라서 $25°+47°+\angle x=90°$, $\angle x=18°$이다.

(2) $\angle OAC+40°+16°=90°$, $\angle OAC=34°$

$\triangle AOC$는 이등변삼각형이기 때문에

$\angle x=180°-(34°+34°)=112°$

이다.

9 개념과 원리 탐구하기 6

(1) 삼각형의 내심은 세 내각의 이등분선의 교점이므로 주어진 세 각의 크기의 합은 90°다.

따라서 $20°+30°+\angle x=90°$, $\angle x=40°$이다.

(2) 아래쪽 삼각형에서 $\angle x$를 제외한 두 각의 크기는 바로 이웃한 각의 크기와 같으므로

$\angle x=180°-(30°+40°)=110°$

학생 답안 1

이 편지는 삼각형나라의 보물이 숨겨진 장소를 알려주는 암호 편지 입니다. 내심과 외심에 대한 내용만 안다면 풀수 있습니다. 우선 큰 외톨이나무로 가서 이편지를 읽으세요

암호 힌트 1

1. 외톨이나무에서 5m 떨어진 곳에 파란색 돌멩이를 찾기!
2. 파란돌과 꽃밭의 빨간꽃과 집을 이어 삼각형 만들기!
3. 만든 삼각형의 외심 찾기!
4. 만든 삼각형의 내심 찾기!
5. 외심과 내심을 직선을 이어서 그 한가운데가 보물!

<정답>

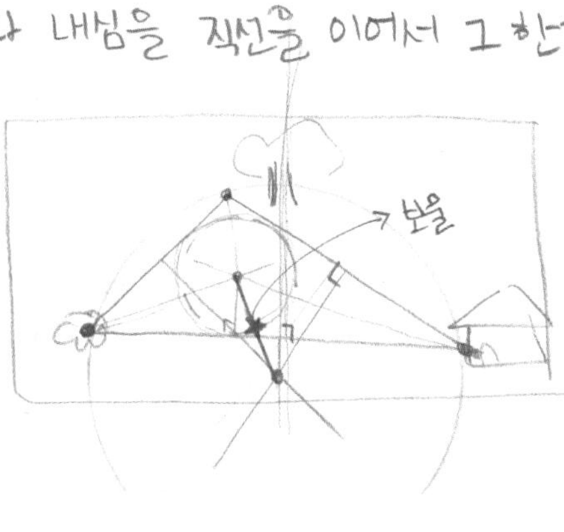

학생 답안 2

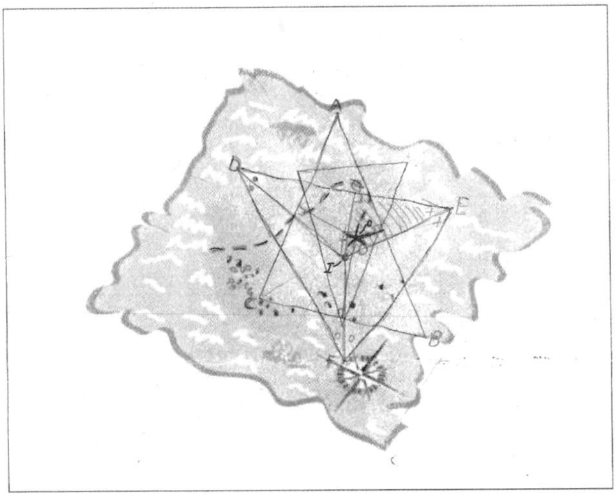

<암호편지>

② * 보물은 △ABC의 외심에 있다.

① * 보물은 △IGE 안에있다

<암호해독>

② * △ABC의 외심을 찾으려면 수직이등분선을 그려야한다. D.

① * 일단 △DEF의 내심을 찾는다. 내심은 각의이등분선을 2개 그어서 찾고, 내심에서각변에 수선을내린다. 이때 $\overline{DE}$에내린 발을 G라고 하면 △IGE는 ▨다.

학생 답안 3

이 지도는 평행사변형 모양의 보물지도! 다.
보물이 숨겨진 위치는 이 편지를 풀면 알수있다.
$\overline{DB}$와 $\overline{AB}$의 수직이등분선의 교점을
P, △ABD의 내심을 Q, △BDC의 외심을
J라고 했을때 점C에서
△PQJ의 내심과 같은거리에 떨어져있는
$\overline{BC}$위의 한 점에 보물이 묻혀있다. 잘 찾아보도록!

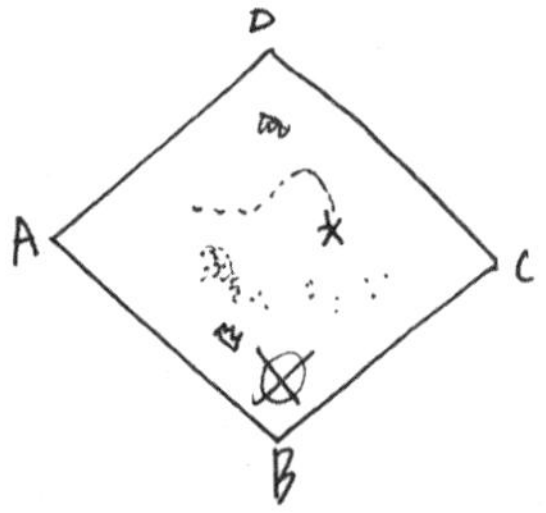

(하하하!)
(괴도 - 가을)

개념과 원리 연결하기 예상 답안

교과서(하) 44~45쪽

1

나의 첫 생각

같은 점일 것 같다.
왜냐하면 외심은 변의 수직이등분선이고, 내심은 각의 이등분선인데….
이등변삼각형은 그림에서 보는 바대로 각의 이등분선이 밑변을 수직이등분한다고 배웠으므로 그 점이 그 점일 것 같다.

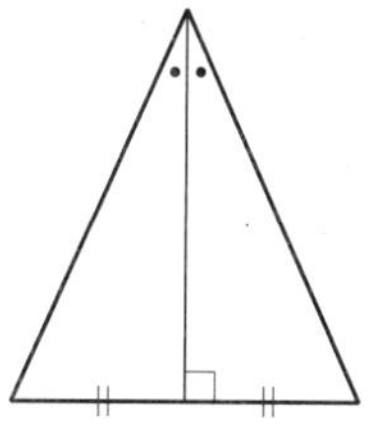

다른 친구들의 생각

다른 점이다.
삼각형의 내심은 세 내각의 이등분선(파란색)의 교점이므로 그림의 아래쪽에 있는 점이다.
삼각형의 외심은 세 변의 수직이등분선(빨간색)의 교점이므로 그림의 위쪽에 있는 점이다.
두 점이 서로 같다고 할 수는 없다.

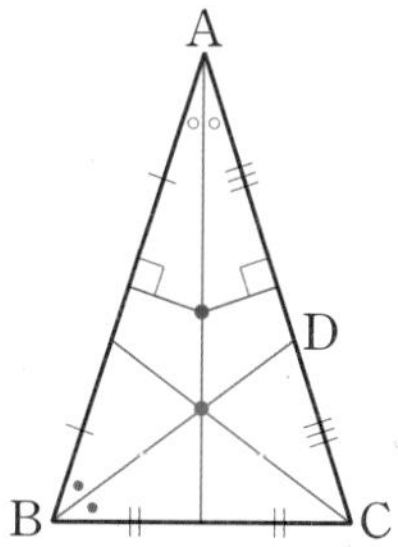

정리된 나의 생각

이등변삼각형의 각의 이등분선이 밑변을 수직이등분한다는 것은 꼭지각의 경우만 해당하는 것이고, 나머지 두 각과 그 대변의 경우는 아니다.
그림에서 보는 바대로 두 밑각의 이등분선은 대변의 수직이등분선과 일치하지 않으므로 내심과 외심의 위치는 다르다.
다만, 이등변삼각형의 경우 다른 삼각형과 달리 외심과 내심이 꼭지각의 이등분선 위에 나란히 놓이게 되는 특징이 있다.

2 (1)

외심과 내심의 뜻, 성질 등을 모두 정리해 봅시다.

① 외심의 뜻: 삼각형의 세 변의 수직이등분선의 교점으로 외접원의 중심이 된다.
② 외심의 성질
  – 삼각형의 세 변의 수직이등분선은 한 점에서 만난다.
  – 외심에서 삼각형의 세 꼭짓점에 이르는 거리는 모두 같다.
③ 내심의 뜻: 삼각형의 세 각의 이등분선의 교점으로 내접원의 중심이 된다.
④ 내심의 성질
  – 삼각형의 세 각의 이등분선은 한 점에서 만난다.
  – 내심에서 삼각형의 세 변에 이르는 거리는 모두 같다.

(2)

관련 개념 사이의 연결성

- 삼각형은 변의 길이에 따라 정삼각형, 이등변삼각형 등으로 분류하며, 각의 크기에 따라 예각삼각형, 직각삼각형, 둔각삼각형으로 분류한다. 삼각형의 내심과 외심의 위치는 삼각형의 모양에 따라 차이가 있다.
- 삼각형의 합동 조건은 SSS, SAS, ASA의 세 가지가 있는데 내심과 외심의 성질을 설명하는 과정에서 자주 사용된다.
- 이등변삼각형의 성질 중 꼭지각의 이등분선이 밑변을 수직이등분하는 성질은 내심, 외심과 밀접한 관계가 있다.

학생 답안 1

나의 첫 생각

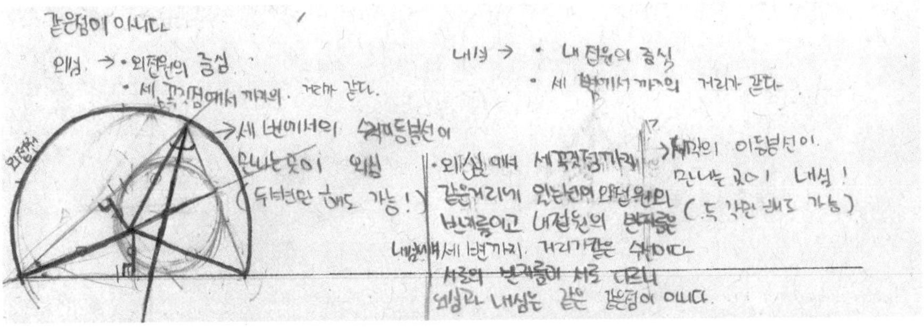

정리된 나의 생각

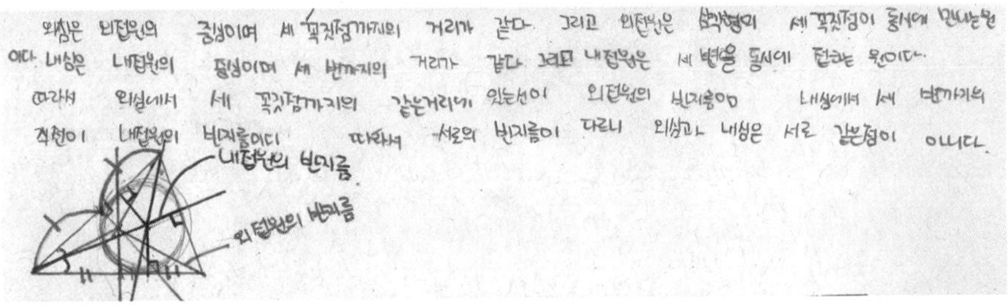

학생 답안 2

나의 첫 생각

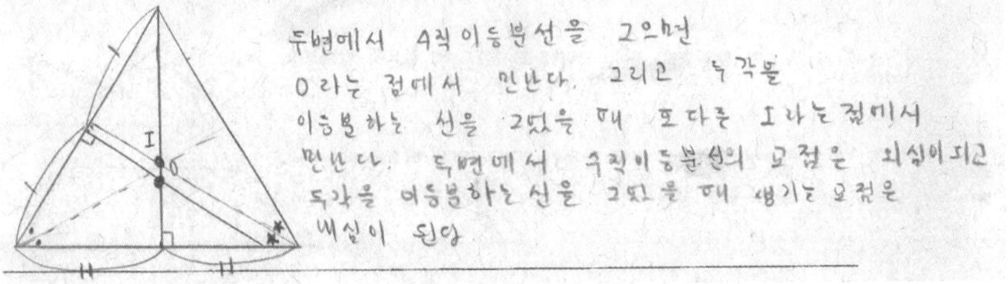

정리된 나의 생각

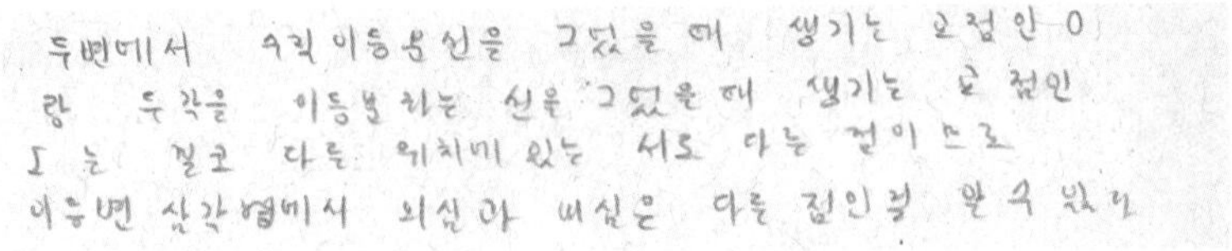

학생 답안 3

다른 친구들의 생각 1

전 같은 점이 아니라고 생각합니다 내심과 외심을 같은 이등변 삼각형에서 찾았을 때

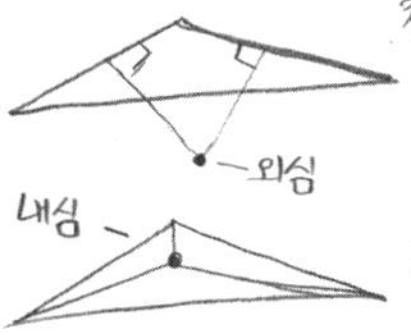

변의 중점에 수직이등분선을 그어서 찾은 외심은 삼각형 밖에 있고

각 꼭지점의 이등분선을 그어서 찾은 내심은 삼각형 안에 위치해 있습니다. 그렇기에 같은 점이 아닙니다.

다른 친구들의 생각 2

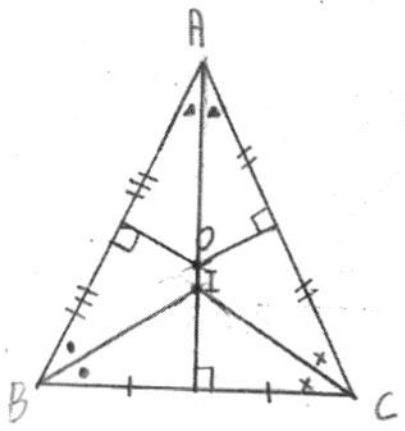

외심은 세 꼭짓점으로 부터 같은 거리에 있고 내심은 세변으로 부터 같은 거리에 있다. 외심을 위치를 찾는 방법은 세 변의 수직 이등분선의 교점의 위치에 있고, 내심의 위치를 찾는 방법은 세 각의 이등분선의 교점의 위치이다. 따라서 외심과 내심의 위치가 다르므로 같은 점이 아니다.

다른 친구들의 생각 3

같은 점이 아니다.

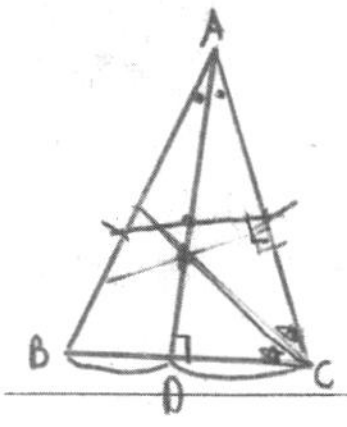

내심의 위치를 구하기 위해서는 각의 이등분선을 그어야 하고 외심을 구하기 위해서는 변의 수직이등분선을 그어야 한다. $\overline{BC}$의 수직이등분선을 그으면 ∠A가 이등분 된다. (이등변 삼각형은 밑변에 수직이등분선을 그으면 꼭지각이 둘로 나뉘어지기 때문에) 그러면 $\overline{AD}$는 각의 이등분선이기도 하고 수직이등분선이기도 한다. 그러면 $\overline{AC}$의 수직이등분선을 그리고 ∠C의 이등분선을 그으면 두개의 위치가 다른 걸 알 수 있다.

학생 답안 1

(1) 외심과 내심의 뜻, 성질 등을 모두 정리해 봅시다.

외심의 뜻 : 외접원의 중심
내심의 뜻: 내접원의 중심
외심의 원의 중심 표시: 세 꼭짓점으로부터 이은 선분의 길이가 모두 같아야 원의 중심이 된다.
내심의 원의 중심 표시 : 원의 중심은 세변으로부터 거리가 같은 곳에 있어야 마땅하다.

외심의 성질: 예각삼각형은 원의 중심이 삼각형 안쪽에 위치
직각 〃 빗면에 중심이 위치
둔각 〃 삼각형 밖에 위치

(2) 이전에 배운 개념이나 알고 있던 개념 중에 이등변삼각형, 삼각형의 외심과 내심과 관계가 있는 것은 무엇일까요? 두 개념 사이에 연관성을 정리해 보고 모둠의 정리도 모아봅시다.

〈연결된 개념〉	〈관련 개념 사이의 연관성〉
• 여러 가지 삼각형(정삼각형, 이등변삼각형, 예각삼각형, 직각삼각형, 둔각삼각형) • 삼각형의 합동 조건 • 삼각형의 세 내각의 합 • 이등변삼각형의 성질 • 각의 이등분선의 성질 • 외심이 표시 되는 곳 • 내심이 표시되는 곳	*외심* • 여러가지 삼각형 • 삼각형 합동의 조건 • 이등변 삼각형의 성질 • 외심이 표시되는 곳 • 삼각형 세 내각의 합 *내심* • 각의 이등분선의 성질 • 내심이 표시되는 곳

학생 답안 2

외심 : 세 꼭짓점으로부터 같은 거리의 점
→ 각 변의 수직이등분선의 교점

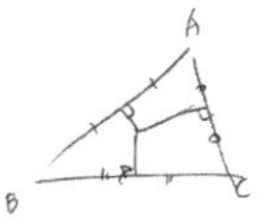

두 점과 같은 거리에 있는 점은 수직이등분선 위에 있다

내심 : 세 변으로부터 같은 거리의 점
→ 각각의 각의 이등분선의 교점

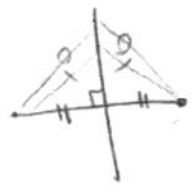

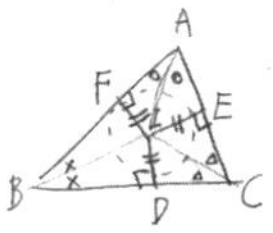

$\overline{ID} = \overline{IE} = \overline{IF}$

$\triangle AFI \equiv \triangle AEI$ (RHS 합동)

$\therefore \angle FAI = \angle EAI$

마찬가지로 $\angle FBI = \angle DBI$. $\angle DCI = \angle ECI$

각의 이등분선 위의 점과
두 직선 사이의 거리가 같다.

학생 답안 3

1. 내심

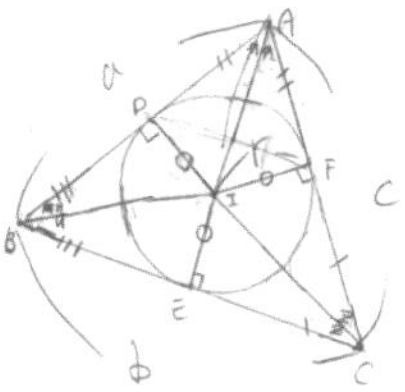

$\angle x + \angle y + \angle z = 90°$

$\angle BIC = 90° + \frac{1}{2}\angle A$

$\triangle ABC = \frac{1}{2}(a+b+c)r$

2 외심

예각삼각형)

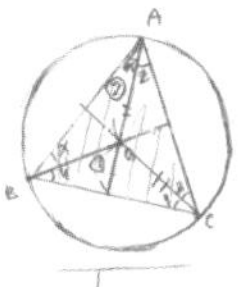

직각삼각형)

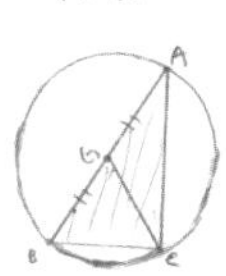

둔각삼각형)

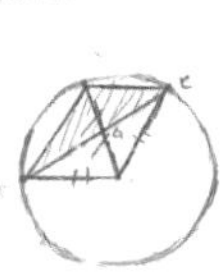

↳ $\angle x + \angle y + \angle z = 90°$

$\angle BGC = 2\angle A$

032 ▮

외심)

⊕ 삼각형에서 외각이등분선이 만나는점이 원의중심이거나
각각내접의

=>

내심)

수학 학습원리 완성하기 예상 답안

교과서(하) 46~47쪽

학생 답안 1

내가 선택한 문제

10P.

1. 하진이는 $\triangle ABC$의 외심 O를 다음과 같이 찾았다
$\overline{AB}$의 수직이등분선도 교점 O를 지나는지 판단하고 설명해보자.

나의 깨달음

나는 $\overline{AC}$와 $\overline{BC}$의 수직이등분선의 교점으로 외심을 찾았어!

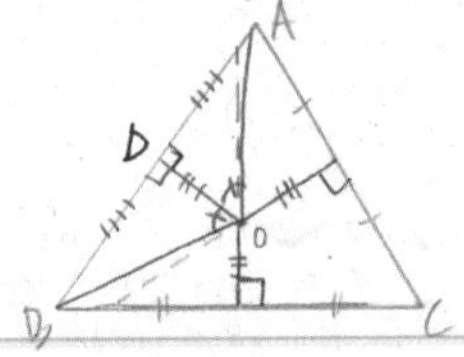

이 문제를 처음 봤을 때 가장 먼저 생각난 것은 외심의 성질이다. (세 변의 수직이등분선의 교점이다.)

이것에 대해서 먼저 확신을 얻었고 정말로 그것이 맞는지 논증을 할 때

꼭지각 O을 이등분 하면(이등변삼각형의 성질)
밑변 $\overline{AB}$를 수직이등분하게 되므로 (외심의 성질)

$\overline{AB} = \overline{BD}$

$\angle ODB = \angle ODA = 90°$

$\overline{OD}$는 공통

$\triangle OBD \equiv \triangle ODA$ (SAS합동)

$\therefore$ $\overline{AD}$의 수직이등분선은 교점 O를 지난다.

지금까지 배운 도형들의 성질만 다 안다면 충분히 문제를 풀 수 있다는 걸 깨달았다.

수학 학습원리

5. 여러가지 수학개념 연결하기
~~1. 흥미있는 때~~
2. 관찰하는 습관을 통해 규칙성 표현하기

학생 답안 2

내가 선택한 문제

p.17 탐구되돌아보기 —

4. 오른쪽 그림은 두 점 A와 B를 동시에 지나는 원들을 작도한 그림이다.
다음 물음을 함께 탐구해보자

(1) 각 원의 중심을 이으면 한 직선이 되는지 판단하고, 그렇게 생각한 이유를 써 보자

(2) (1)에서 만약 직선이 된다면, 그 직선은 선분 AB에 대해 어떤 선인지 추측하고, 그렇게 생각한 이유를 써보자.

나의 깨달음

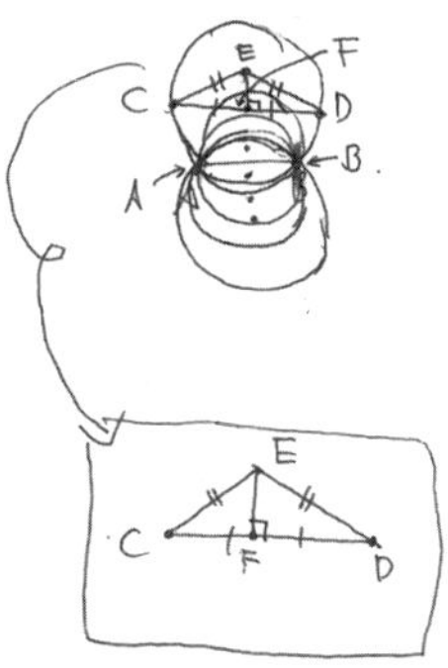

· 두 점을 동시에 지나는 각 원의 중심을 이으면 직선이 된다.
$\overline{AB}$와 평행하여 원의 중심(점F)을 지나도록 $\overline{CD}$를 긋는다. 원의 중심을 한 꼭짓점(점E)으로 하여 $\overline{CD}$가 밑변이 되도록 이등변삼각형을 그린다. $\overline{CD}$는 원의 중심을 지나므로 $\overline{CD}$는 이등분된다. $\overline{CD}$가 지나는 원의 중심에서 선분을 그으면 $\overline{CD}$는 이등분되고, $\overline{CD}$에 수직인 선이므로 $\overline{CD}$에 수직이등분선이 그어지게 된다. 이 선은 꼭짓점인 점E를 지난다.
$\overline{EF} \perp \overline{CD}$, $\overline{CD} // \overline{AB}$ 이므로 $\overline{EF} \perp \overline{AB}$ 이다. 다른 원의 중심들 또한 이와 같은 방법을 이용하면 $\overline{AB}$와 수직이등분선이 된다.
∴ 각 원의 중심을 이으면 한 직선이 된다.

· 두 점을 동시에 지나는 각 원의 중심을 이으면 두 점을 이은 선분이 수직이등분된다.

수학 학습원리

2. 관찰하는 습관을 통해 규칙성 표현하기.
3. 수학적 추론을 통해 자신의 생각 정리하기.
5. 여러가지 수학 개념 연결하기.

학생 답안 3

내가 선택한 문제

이등변삼각형은 두변의 길이가 같은 삼각형이라고 할 때, 다음 그림과 같은 삼각형이 이등변 삼각형인지 판단하고 그 이유를 적어보자.

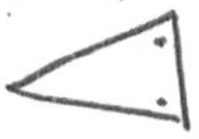

나의 깨달음

난 처음에 이등변삼각형임을 판단할때 삼각형에 수직이등분선 표시를 했다.

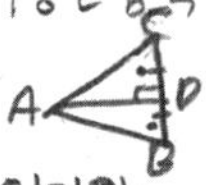

하지만 이렇게 되면 ∠C = ∠B, $\overline{BD}$ = $\overline{CD}$ 가 되지만 A를 정확하게 이등분하는지 모른다는걸 알게됐고,

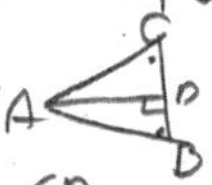

이 표시가 맞는 표시라는 걸 알게 되었다. 왜냐하면 ∠B = ∠C 고, ∠ADB = ∠ADC다. 이렇게 되면 ∠BAD와 ∠CAD의 크기는 자동적으로 같아지기 때문에 된다는걸 알았다.

수학 학습원리

3. 수학적 추론을 통해 자신의 생각 정리하기

STAGE 7

사각형을 새롭게 보자

– 사각형의 성질

이 단원의 핵심 지도 방향

기존 교과서에서 '사각형의 성질' 단원은 다음과 같이 구성되어 있습니다.

(1) 성질 학습 → (2) 예제를 통한 성질 증명 → (3) 유제를 통한 성질 적용 문제 풀이

이러한 구성 자체는 연역적인 사고 체계를 따르는 것으로 수학적 논리로는 문제가 없지만, 학습자의 입장에서는 각 성질에 대한 내면의 심리적인 동의 과정이 생략되어 있으며, 사고하고 고민을 할 수 있는 여지가 부족합니다. 끈질기게 따라가면 이해할 수도 있지만 발견의 배경이나 원리는 모두 생략하고 결론만을 제시하니 학생들에게는 느닷없어서 무척이나 낯설고 어렵게 느껴집니다. 결국 도형 학습은 매우 지겨운 단원으로 성질을 암기하여 각의 크기와 변의 길이 구하는 문제 풀이만을 연습하게 됩니다.

이 단원에서는 이런 부분을 보완하고자 사각형의 성질을 매개로 학생들이 이러한 성질을 탐구해 가는 '자신만의 논리를 만들어가는 과정'에 초점을 둘 것입니다. 사다리꼴, 평행사변형, 직사각형, 마름모, 정사각형 모두 다음의 과정에 따라 수업이 진행되는 것을 권장합니다.

(1) 관찰을 통해 또는 아는 내용을 이용하여 명제 만들기
(2) 발견한 사실을 여러 가지 방법으로 정당화 하기

특히 여기서는 명제가 무엇인가를 아는 것뿐만 아니라 (2)의 과정을 심도 있게 다룹니다. 조건문 $p \longrightarrow q$에서 가정 p를 이용하여 결론 q를 설명해 내는 과정을 연습해 볼 수 있도록 하고 있습니다. 학생들은 '논리적인 설명 경험'이 아직 부족하여 주어진 가정이나 이미 습득한 사실에서 출발하여 결론을 설명해내야 함을 내적으로 받아들이지 못하고 결론을 중간에 이용하는 혼동을 자주 일으킵니다. 그래서 이 단원에서는 주어진 가정에서 출발하여 결론을 설명하는 과정이 무엇인지를 여러 가지 측면에서 지속적으로 경험할 수 있도록 하고 있습니다. 이 단원이 언뜻 보면 초등학교에서 학습한 사각형의 성질을 반복 학습하는 것처럼 보이지만, 형식적인 '논증'을 처음으로 경험해 본다는 것이 중요한 차이라고 볼 수 있습니다. 증명의 과정을 그림으로 제시하고, 연결선을 표시하는 것도 이런 맥락입니다. 기존 교과서에서 사용하는 언어보다 수월하게 학생들이 논증을 경험할 수 있도록 하였습니다. 학생들은 도형의 성질을 자기 주도적으로 발견할 때, 그것을 정당화하려는 내적인 동기를 가지게 됩니다.
수업의 진도보다 학생들의 사고 과정을 살피며 의견을 펼칠 수 있도록 과제의 수를 줄였고, 논리적 연결성에 집중할 수 있도록 각의 크기와 변의 길이 구하는 문제는 거의 제시하지 않았습니다.

1 평행선으로 만든 사각형 (평행사변형)

단원 지도 계획

/ 1 / 사각형으로 논리 만들기

1차시	**개념과 원리 탐구하기 1** 여러 가지 사각형 **개념과 원리 탐구하기 2** 평행사변형의 성질
2차시	**개념과 원리 탐구하기 3** 평행사변의 성질과 평행사변형이 되는 조건
3차시	**개념과 원리 탐구하기 4** 평행사변형의 활용
4차시	**탐구 되돌아보기**

• 교과서 각 소단원마다 제시된 **탐구 되돌아보기**는 **개념과 원리 탐구하기**와 연계하여 수업 시간 내 또는 수업 시간 이후 복습으로 활용할 수 있습니다.

/ 1 / 사각형으로 논리 만들기 (평행사변형의 성질)

학습목표

1 관찰과 실험을 통하여 평행사변형의 성질을 추측할 수 있다.

2 평행사변형의 정의로부터 논리적인 연결성을 이용하여 평행사변형의 여러 가지 성질을 설명할 수 있다.

3 관찰과 실험을 통하여 사각형이 평행사변형이 되는 조건을 발견하고 이를 논리적으로 설명할 수 있다.

4 사각형이 평행사변형이 되는 조건을 이용하여 여러 가지 문제를 해결할 수 있다.

2015 개정 교육과정 성취기준

사각형의 성질을 이해하고 설명할 수 있다.

교수 · 학습 방법 및 유의 사항

1 사각형의 성질은 대각선에 관한 성질을 위주로 다룬다.

2 공학적 도구나 다양한 교구를 이용하여 도형을 그리거나 만들어 보는 활동을 통해 도형의 성질을 추론하고 토론할 수 있게 한다.

3 도형의 성질을 이해하고 설명하는 활동은 관찰이나 실험을 통해 확인하기, 사례나 근거를 제시하며 설명하기, 유사성에 근거하여 추론하기, 연역적으로 논증하기 등과 같은 다양한 정당화 방법을 학생 수준에 맞게 활용할 수 있다.

평가 방법 및 유의 사항

정확한 용어와 기호의 사용, 복잡한 형식 논리 규칙의 이용을 요구하는 연역적 정당화 문제는 다루지 않는다.

핵심발문

평행사변형의 성질을 설명하는 논리적 연결성을 구성할 수 있는가?

개념과 원리 탐구하기 1 _ 여러 가지 사각형

교과서(하) 51쪽

탐구 활동 의도

- 이 과제는 초등학교에서 배운 사각형의 정의를 확인하는 활동으로 사각형의 성질을 학습해갈 수 있는 기초 활동이다.
- 사각형을 그릴 때, 학생들이 사각형의 정의에 따라 다양한 사각형을 그릴 수 있도록 한다. 또한 자, 컴퍼스, 각도기 등을 이용하여 각 사각형의 정의에 맞는 사각형을 그릴 수 있도록 하고, 정의에 맞는 사각형이 한 가지 모양이 아닐 수 있음을 알게 한다.

예상 답안

1 (1) 사다리꼴 : 한 쌍의 대변이 평행한 사각형

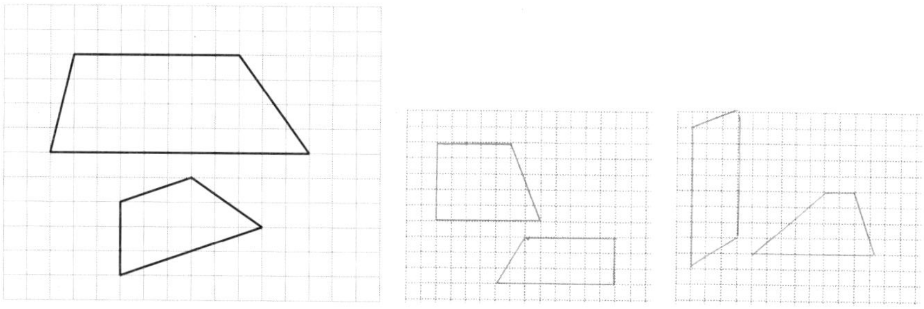

(2) 평행사변형 : 두 쌍의 대변이 각각 평행한 사각형

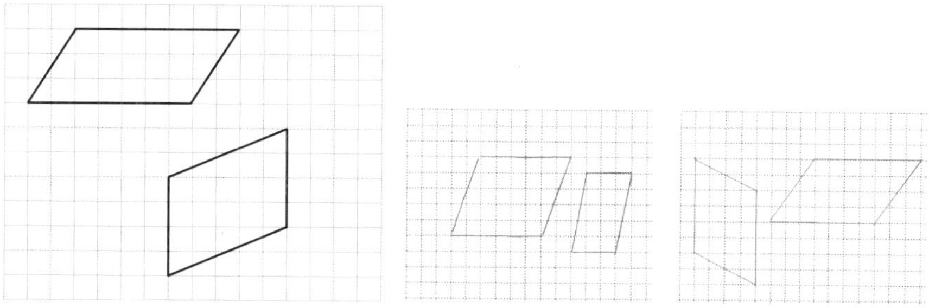

(3) 마름모 : 네 변의 길이가 같은 사각형

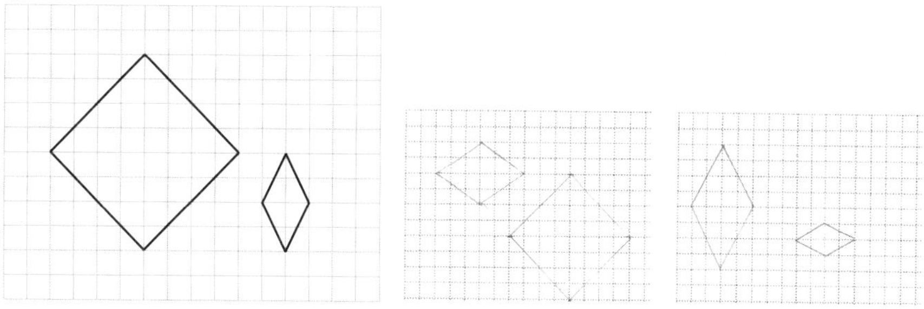

(4) 직사각형 : 네 각의 크기가 같은 사각형

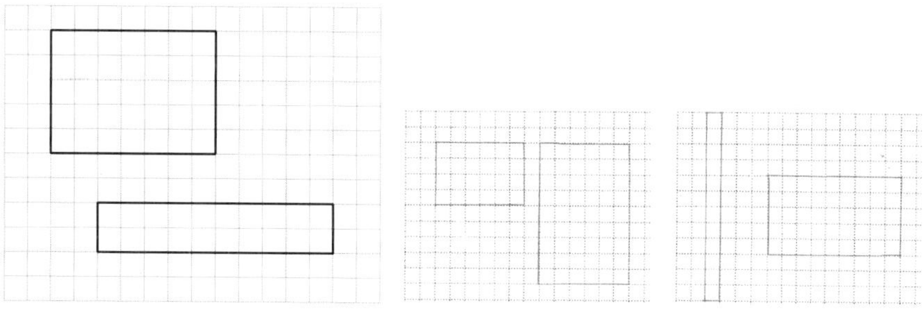

(5) 정사각형 : 네 변의 길이가 같고 네 각의 크기가 같은 사각형

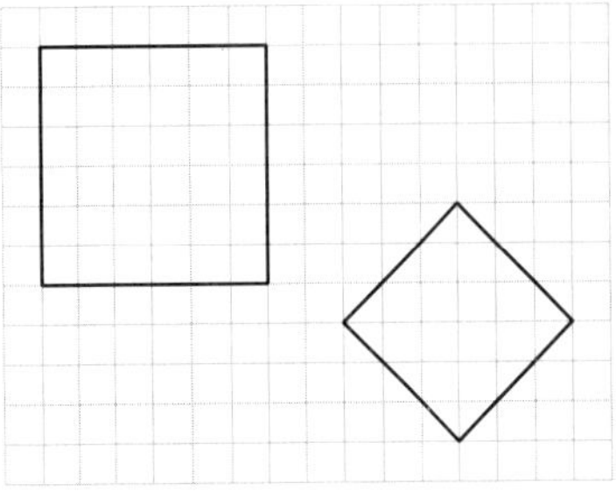

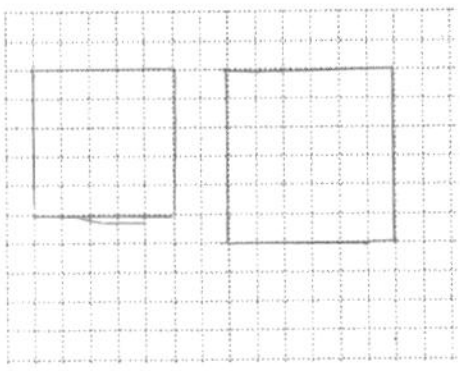

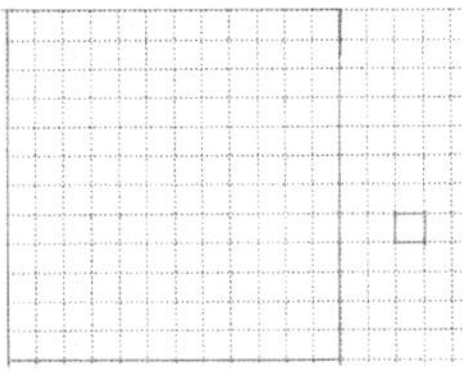

수업 노하우

- 이 활동은 아직 각각의 사각형을 연결하는 단계는 아니므로 사각형별로 독립적으로 정의하고 모양도 독립적으로 그리도록 유도한다.
- 모눈종이의 격자점을 가급적 이용하되 필요에 따라서는 격자점에 꼭짓점이 놓이지 않은 경우도 허용하는 수업문화가 필요하다.
- 전형적이고 반듯한 모양에 비추어 창의적이고 다양한 표현을 공유하는 것을 놓치지 않도록 점검을 통해서 골라 전체 공유한다.
- 다음 그림과 같이 모두 같은 사각형을 그린 학생도 있었다. 이 경우 이렇게 그린 이유를 설명하게 함으로써 앞으로 탐구하게 될 사각형 사이의 관계에 대한 호기심을 유발할 수 있다.

학생 답안

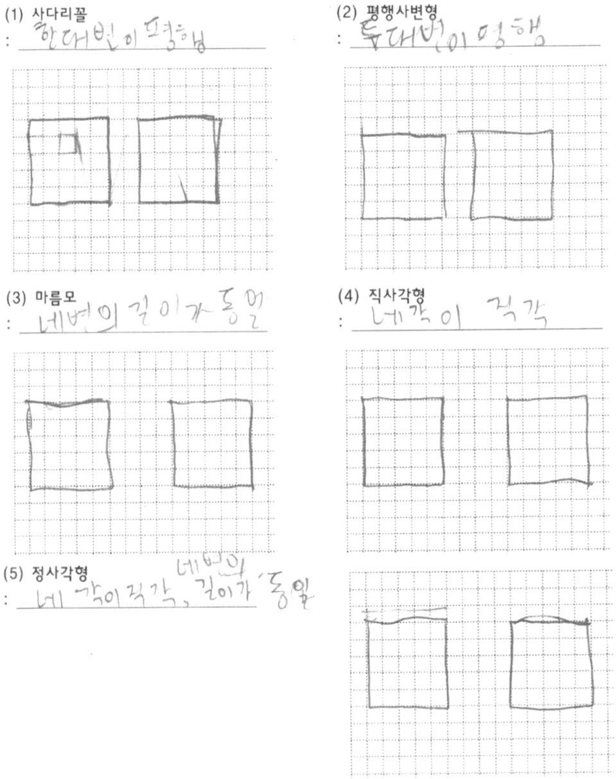

- 모둠활동을 통해 조건에 맞는 사각형의 모양이 다양함을 서로 비교하고 이해하도록 할 수 있다.

개념과 원리 탐구하기 2 _ 평행사변형의 성질

교과서(하) 52쪽

탐구 활동 의도

- 이 과제는 평행사변형의 성질을 추론하는 활동이다.
- 초등학교에서 두 쌍의 대변의 길이가 각각 같고, 두 쌍의 대각의 크기가 각각 같다는 평행사변형의 성질을 학습했지만 대각선의 성질은 중학교에서 처음 학습하는 것이므로 발견할 수 없을 수도 있어서 [1] (2)에서 대각선이라는 용어를 사용하도록 했다.
- [2]는 **탐구하기 3**의 논리적인 연결성을 만들어보는 과제를 고려하여 평행사변형의 성질을 미리 그림과 문장으로 나타내어 보도록 하는 준비 과정이다. [1]에서 말로 찾은 성질을 그림으로 표현하고, 그림을 보고 어떤 뜻인지 이해할 수 있도록 하였다.
- [2]에서 평행사변형의 정의와 성질을 구분하기 위해 정의는 예시로 제시하였다.

예상 답안

[1] (1) 평행사변형인 것은 ❷, ❹, ❺이다.
❶, ❸은 평행하지 않은 대변이 있으므로 평행사변형이 아니다.
(2) 다양한 답이 나올 수 있다.

나의 의견	모둠의 정리
• 마주보는 변이 서로 평행하다. • 마주보는 변의 길이가 서로 같다. • 마주보는 각의 크기가 같다.	• 두 쌍의 대변의 길이가 각각 같다. • 두 쌍의 대각의 크기가 각각 같다. • 대각선이 서로 다른 것을 이등분한다. • 대각선이 서로 중점에서 만난다. • 대각선으로 나눠지는 두 삼각형은 서로 합동이다. • 같은 쪽에 있는 두 각의 크기의 합은 180°이다.

[2] ❷ 두 쌍의 대변의 길이가 각각 같다. 또는 $\overline{AD}=\overline{BC}$, $\overline{AB}=\overline{DC}$
❸ $\triangle CDA$
❹ 두 쌍의 대각의 크기가 각각 같다. 또는 $\angle A=\angle C$, $\angle B=\angle D$
❺ 180
❻ $\triangle ABO \equiv \triangle CDO$, $\triangle ADO \equiv \triangle CBO$
❼ 대각선이 서로 다른 것을 이등분한다. 또는 $\overline{AO}=\overline{CO}$, $\overline{BO}=\overline{DO}$

학생 답안

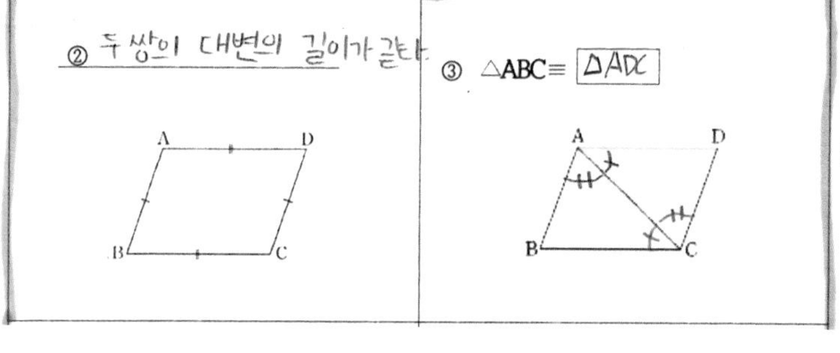

학생 답안

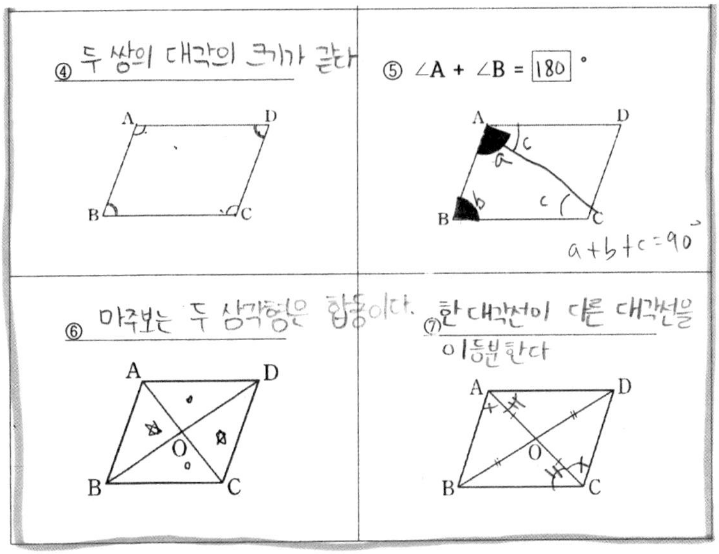

수업 노하우

- [1]에서 학생들이 가능하면 많은 특징을 찾아볼 수 있도록 한다.
- 평행사변형의 대각선의 성질, 즉 대각선이 서로 다른 것을 이등분하는 것을 발견하지 못하는 경우는 대각선의 교점이 격자점이므로 아래와 같이 대각선을 각각 그려 보면서 격자점 사이의 가로와 세로의 칸 수를 세어 길이가 같음을 파악하도록 도움을 줄 수 있다.

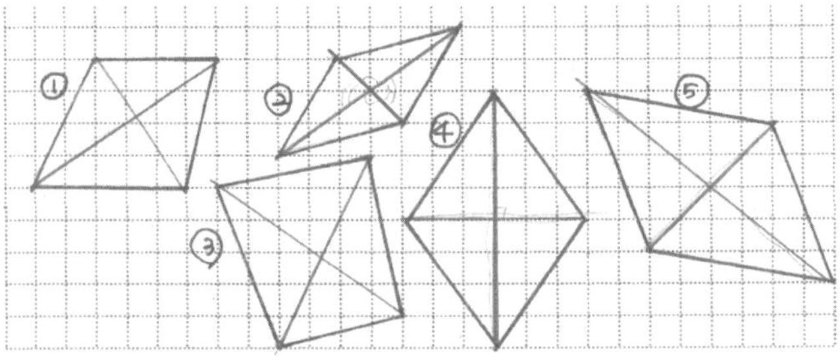

- [1](1)에서는 평행사변형의 정의를, [1](2)에서는 평행사변형의 성질을 구별하여 묻는 질문임을 깨닫도록 한다. 그러므로 [1](2)에 마주보는 두 쌍의 대변이 각각 평행하다는 평행사변형의 정의가 아닌 성질을 쓰도록 안내한다.
- [1](2)에서 한 개의 평행사변형에서 찾은 특징을 확인해 보지 않고 공통 특징이라고 대충적는 학생도 있다. 이럴 경우 다음과 같이 발문한다.

> 나머지 평행사변형에서도 찾은 그 특징이 성립할지 설명해 보세요.

- 평행사변형에 대각선을 하나 그어 만들어지는 두 삼각형이 서로 합동이 되는 것과 대각선 2개를 모두 그어 만들어지는 네 삼각형 사이의 합동 관계를 파악하는 것도 평행사변형의 성질로 인정하는 것이 필요하다.
- 동측내각의 합이 180°가 되는 것은 중 1 평행선의 성질과 연결된다.
- 평행사변형에서 많이 쓰이는 평행선의 성질과 평행선이 되는 조건을 복습해 보며 논리 연습을 할 수도 있다. 다음 ⓐ와 ⓑ의 전후 관계를 이해하고, ⓐ와 ⓑ가 같은 명제가 아님을 이해할 수 있도록 하는 것이

필요하다.

> ⓐ 평행선이 다른 직선과 만날 때, 동위각의 크기와 엇각의 크기가 각각 같다.
> ⓑ 동위각과 엇각의 크기가 각각 같으면 두 직선은 평행이다. (평행선이 되는 조건)

- 다음은 학생들이 1 (1)평행사변형을 찾은 방법의 예이다.
  - 두 쌍의 대변이 평행함을 설명하기 위해 '기울기' 개념을 주로 이용했다.

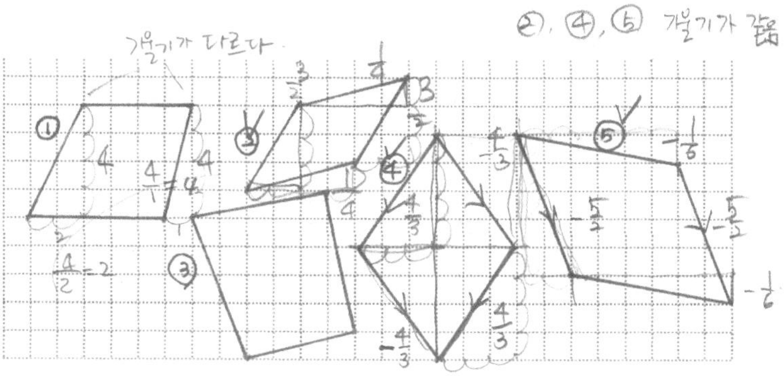

- 다음은 학생들이 2 평행사변형의 특징을 여러 가지 방법으로 찾은 예이다.
  - 모눈의 눈금을 이용하여 두 쌍의 대변의 길이가 같음을 설명함.

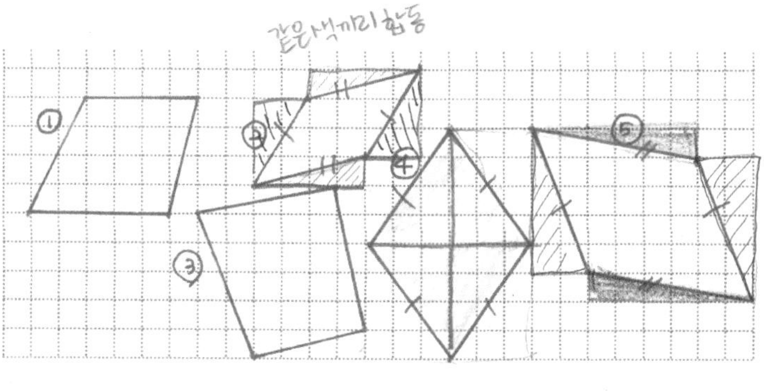

  - 모눈의 눈금과 평행이라는 성질을 이용하여 두 대각선이 서로 다른 것을 이등분하는 것을 설명함.

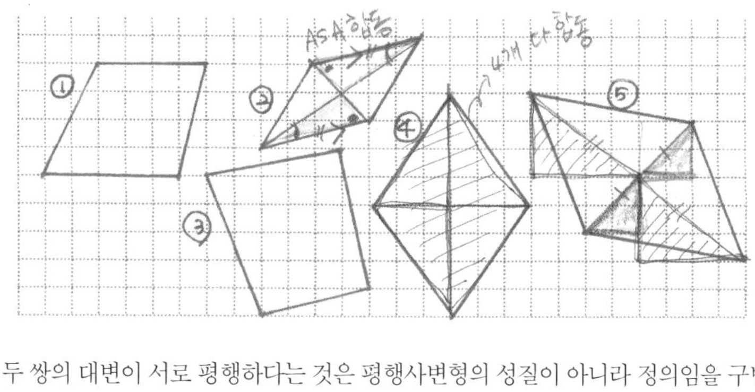

- 2 에서 두 쌍의 대변이 서로 평행하다는 것은 평행사변형의 성질이 아니라 정의임을 구별할 수 있도록 지도한다. 2 의 활동은 이후 **탐구하기 3의** 출발점이 됨을 암시할 수 있다.

개념과 원리 탐구하기 3 _ 평행사변형의 성질과 평행사변형이 되는 조건

교과서(하) 54쪽

탐구 활동 의도

- [1]은 **탐구하기 2**에서 추측했던 평행사변형의 성질을 논리적으로 추론하는 과정을 경험하는 과제이다.
- 평행사변형의 정의인 '두 쌍의 대변이 각각 평행하다.'에서 출발하여 중간 과정을 그림으로 제시하여 이를 화살표로 연결해 가며 설명할 수 있도록 하였다. STAGE 6의 [1] 이등변삼각형 **탐구하기 3**을 참고로 하면 도움이 될 것이다.
- [1]에서 ❶ ⇨ ❸ ⇨ ❷를 예시로 제공한 것은 학생들에게 이런 탐구활동이 생소하고, 논리적인 연결성을 파악하는 것이 쉽지 않은 부분이 있어 논리적인 조직에 도움이 되도록 하기 위함이다.
- [2]는 [1]의 역으로 평행사변형이 되는 조건을 탐구하는 것이다.
- [1], [2] 모두 논리적인 연결성에 초점을 두며, 어떤 성질이 있는지 어떻게 설명할 수 있는지, 어떻게 연결되는지를 찾아내도록 하는 것이 목적이다.
- '주어진 조건(가정)'과 '보여야 할 결과(결론)'를 한 눈에 알아볼 수 있도록 주어진 조건은 위에, 보여야 할 결과들을 아래에 배치하였다. 출발점에서 도착점까지 갈 때 각각의 그림을 꼭 한 번씩만 사용할 필요는 없다.

예상 답안

[1] (1) 다양한 연결 관계가 나올 수 있다.

❶ ⇨ ❺ ⇨ ❹, ❶ ⇨ ❸ ⇨ ❹, ❶ ⇨ ❻ ⇨ ❹

❶ ⇨ ❻ ⇨ ❷ ⇨ ❼

학생 답안

❶에서 출발하여 목적한 번호까지 가는 방법은 다양할 수 있다.

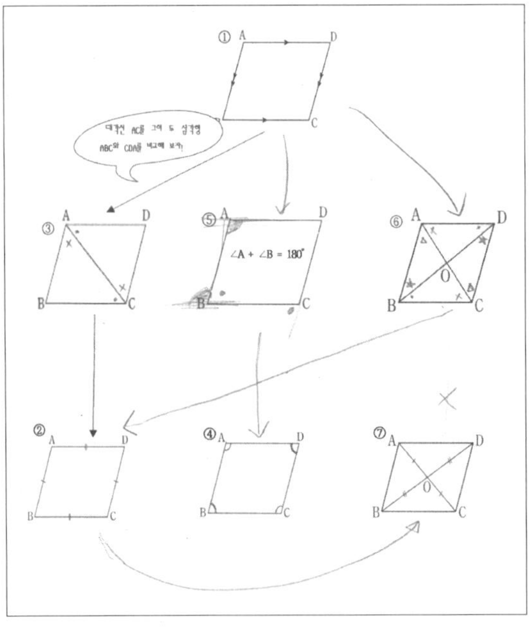

❸에서 ❷와 ❹를 연결할 수도 있다. ❷에서 ❼로 바로 갈 수도 있고, ❻을 거쳐서 갈 수도 있다.

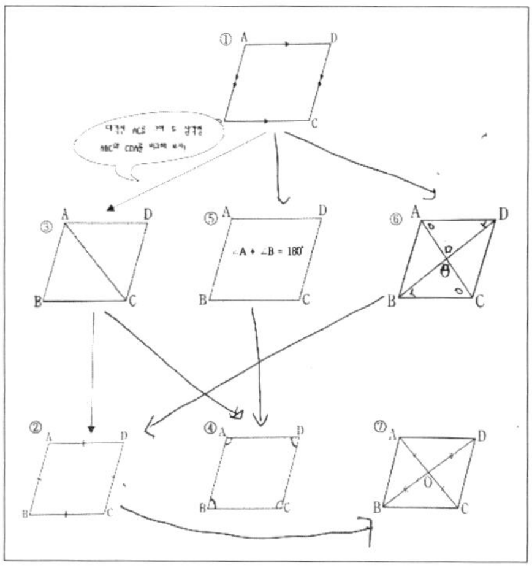

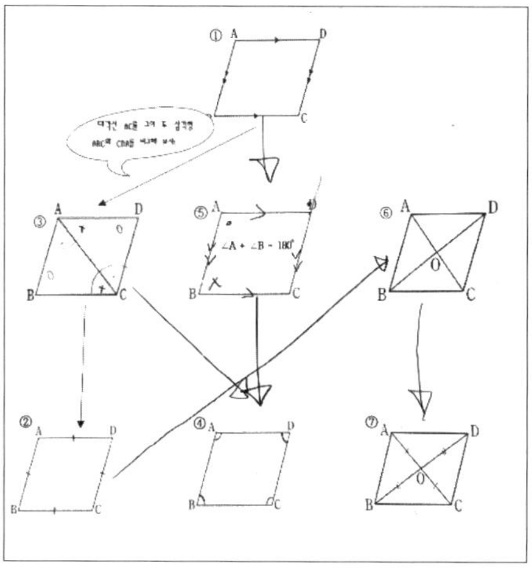

(2)

출발	논리적인 연결 과정	도착	설 명
❶	⇨ ❺ ⇨	❹	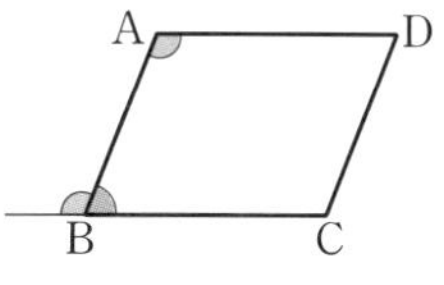 두 쌍의 대변이 각각 평행하니까 파란색 엇각이 서로 같아. 그래서 $\angle A+\angle B=180^\circ$이고, 마찬가지로 $\angle B+\angle C=180^\circ$이므로 $\angle A=\angle C$, $\angle B=\angle D$가 성립해. 따라서 대응하는 각의 크기가 각각 같다고 할 수 있어.
❶	⇨ ❻ ⇨	❼	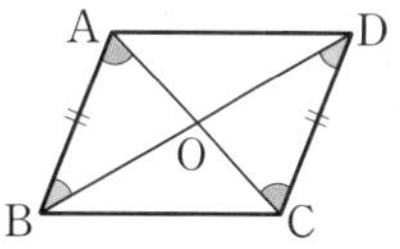 대변이 평행하니까 같은 색끼리 엇각으로 각각 같고 ❷에서 대변 AB, CD의 길이가 같아. $\triangle ABO\equiv\triangle CDO$(ASA 합동)이지. 따라서 대각선이 서로 다른 것을 이등분한다고 할 수 있어.

학생 답안	주어진 예시 외의 다양한 방법이 가능하다. – 각의 크기를 점(•)과 곱표(×)로 나타내어 설명 과정이 간단하다.

①	→ ⑥ →	④	엇각을 모두 각에 표시하면, $\angle A = \bullet + \blacktriangle$ $\angle B = \blacktriangle + \times$ $\angle C = \bullet + \blacktriangle$ $\angle D = \times + \blacktriangle$ $\therefore \angle A = \angle C$, $\angle B = \angle D$ 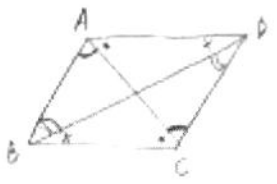  마주보는 두 쌍의 각의 크기가 같다는 것을 알 수 있다
①	→ ⑥ → ② →	⑦	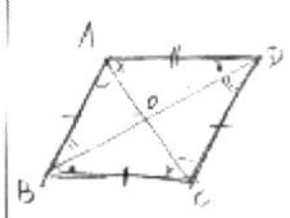 ⑥: 두 각이 같은 두 쌍의 삼각형이 나온다. ②: 평행사변형에서 대변의 길이는 같다 → $\triangle AOD \equiv \triangle COB$ (ASA) $\triangle AOB \equiv \triangle COD$ (ASA) $\therefore \overline{AO} = \overline{CO}$ $\overline{BO} = \overline{DO}$
①	→ ③ →	④	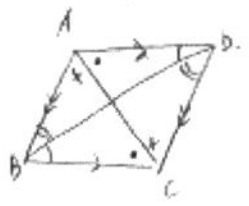 $\angle A = \bullet + \times$ $\angle D = \blacktriangle + \blacktriangle$ $\angle C = \bullet + \times$ $\angle B = \blacktriangle + \blacktriangle$ $\therefore \angle A = \angle C$ $\therefore \angle D = \angle B$

– 이유를 말로 서술할 수도 있으며 각과 선분의 기호를 이용하여 나타낼 수도 있다.
설명의 순서에 따라 ❶ ⇨ ❻ ⇨ ❷ ⇨ ❼, ❶ ⇨ ❷ ⇨ ❻ ⇨ ❼ 모두 가능하다.

①	→ 6 → 2 →	⑦	엇각끼리는 각의 크기가 같으므로 서로 마주보는 위치에 있는 삼각형과 각의 크기가 같음을 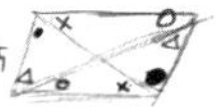 알 수 있다. 또, 마주보는 두변의 길이가 같으므로 마주보는 두삼각형은 합동이라는 것을 알수 있고, 합동한
			두삼각형은 변의 길이가 같으므로 평행사변형의 대각선을 이등분하면 길이가 같음을 알수있다.

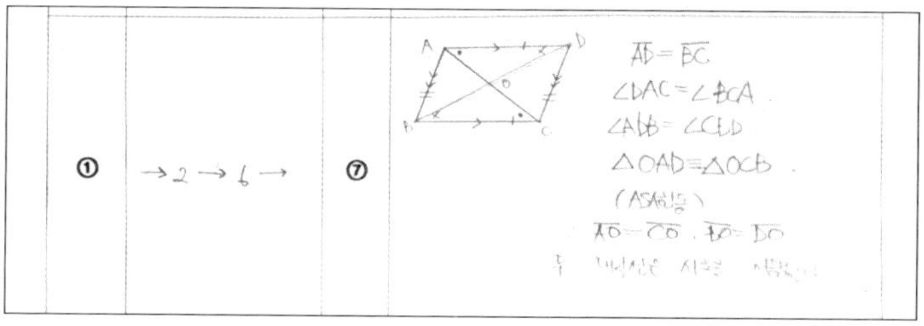

—❶에서 ❹로 가는 과정도 다음과 같이 다양할 수 있다.

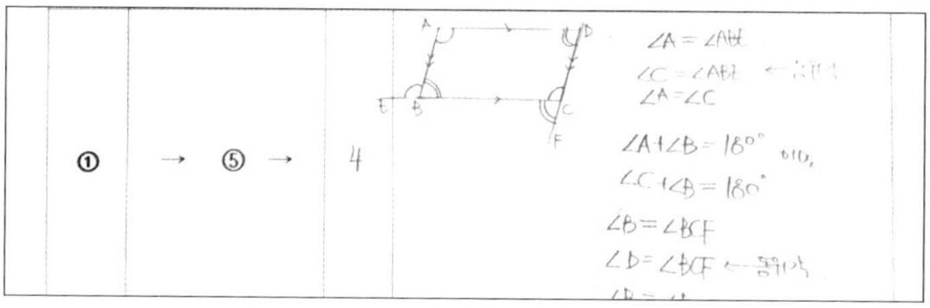

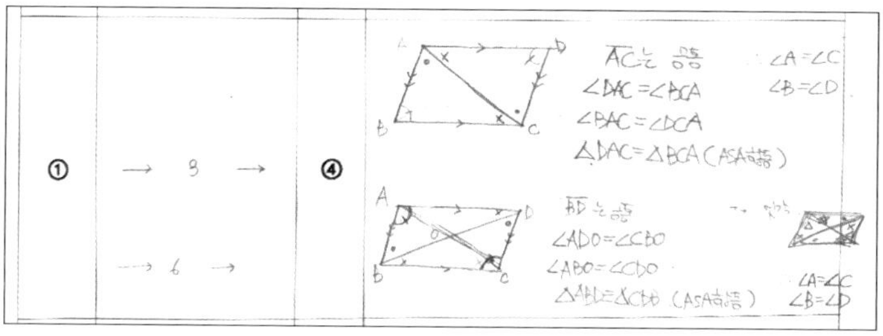

2 (1) 다양한 연결 관계가 나올 수 있다.

❹ ⇨ ❺ ⇨ ❶, ❼ ⇨ ❻ ⇨ ❶, ❽ ⇨ ❸ ⇨ ❶

학생 답안

각 번호에서 출발하여 ❶번까지 가는 방법은 다양할 수 있다.

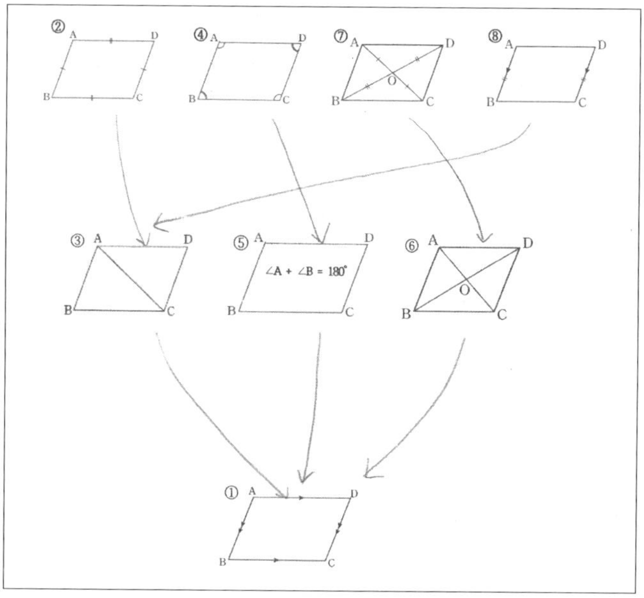

학생 답안

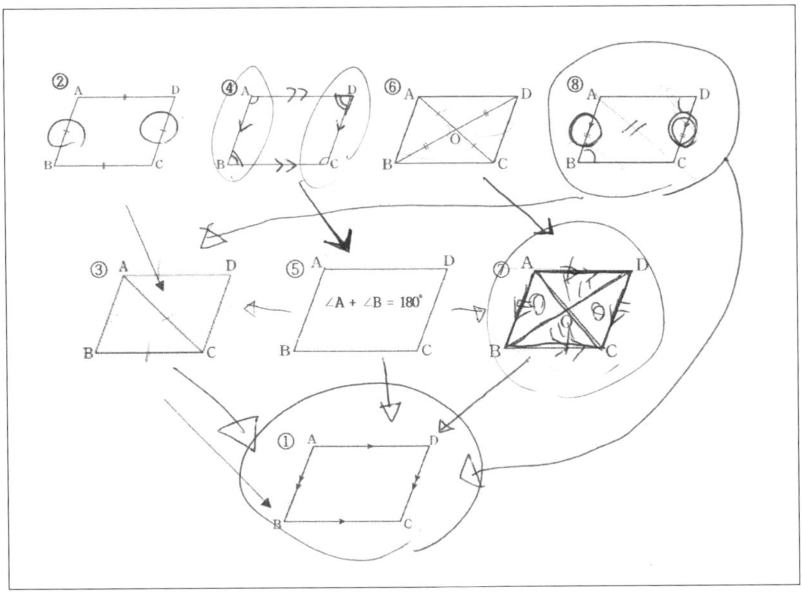

(2)

출발	논리적인 연결 과정	도착	설명
❹	⇨ ❺ ⇨	❶	두 쌍의 대각의 크기가 같으므로 $\angle A + \angle B = 180°$가 성립. $\angle A = \angle CBE$이므로 대변 AD, BC가 평행이고, 마찬가지로 대변 AB, CD도 평행이므로 대변끼리 평행해. 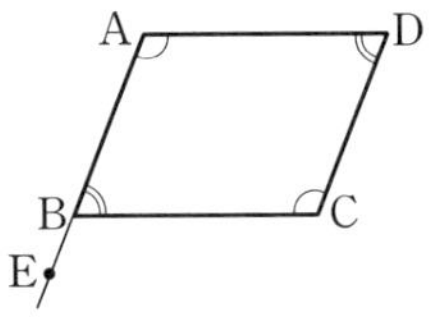
❼	⇨ ❻ ⇨	❶	맞꼭지각의 크기가 같으므로 두 삼각형 ABO, CDO가 SAS 합동이야. 그래서 $\angle OAB = \angle OCD$ 그러므로 대변 AB, CD도 평행이고, 마찬가지로 대변 AD, BC도 평행이므로 대변끼리 평행해. 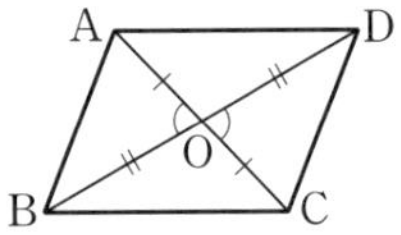
❽	⇨ ❸ ⇨	❶	대각선 AC를 그으면 두 삼각형 ABC, CDA는 SAS합동이야. 그러면 $\angle BCA = \angle DAC$이므로 대변 AD, BC가 서로 평행하지!! 그래서 평행사변형이야. 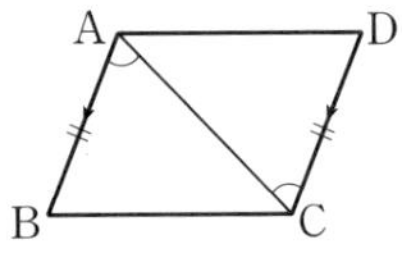

3 　1과 2는 서로 반대로 연결된다.

1은 평행사변형의 정의에서 출발하여 평행사변형이 가지는 여러 가지 성질을 논리적으로 설명하는 것이다.

2는 반대로 평행사변형이 되는 조건을 제시하고 논리적으로 평행사변형임을 설명하는 과제다.

수업 노하우

- 이 수업은 교사와 학생 모두에게 낯설 수 있다. 교사가 해설을 보고 어떤 과제인지 분명하게 인지하고 수업해야 한다.
- 각 과제에서 논리적인 연결성은 다양할 수 있으며 그 설명이 정확하면 된다. 성질 자체보다 어떻게 설명할 수 있는가에 초점을 둔다.
- [1]에서 학생들은 '❼ 두 대각선이 서로 다른 것을 이등분한다.'에 어떻게 도착할 것인지 많이 고민했다. ❼로 가기 위해서는 '❷ 두 쌍의 대변의 길이가 각각 같다.'는 성질을 이용해야 한다.

[경우 1] 예시 답안과 같이 ❶ ⇨ ❻ ⇨ ❷ ⇨ ❼

[경우 2] ❶ ⇨ ❸ ⇨ ❷ ⇨ ❻ ⇨ ❼

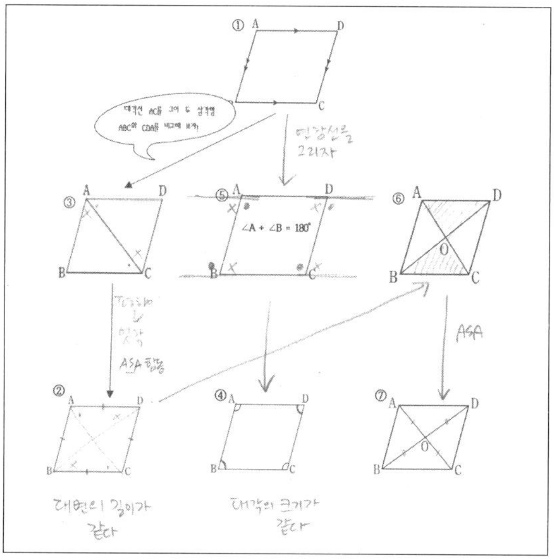

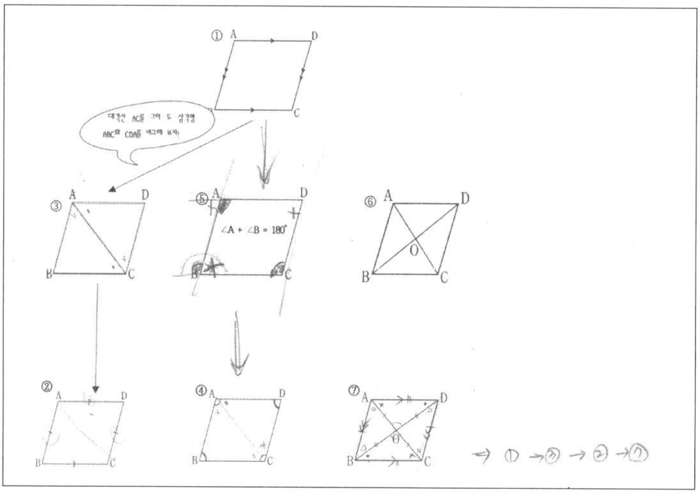

– 학생들이 화살표로 연결한 후 왜 그렇게 생각하는지를 논의하여 모둠에서 정리하고 [1](2)를 완성하게 할 수 있다.

- [2]는 ❼과 ❽에서 각각 출발하여 ❶로 가는 방법 역시 학생들이 많이 고민하는 것을 볼 수 있었다.

예상 답안

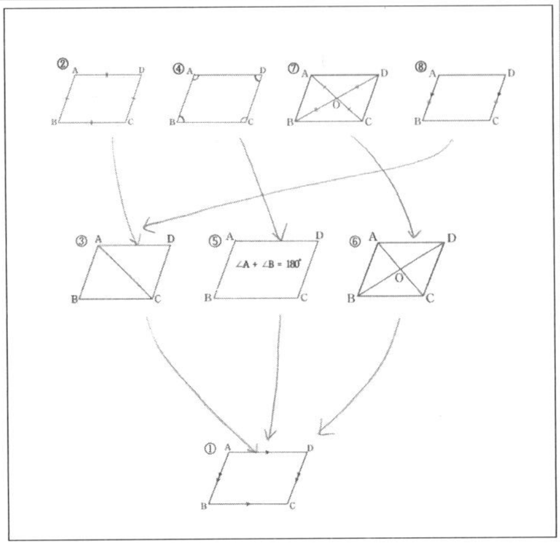

- ❼ ⇨ ❻ ⇨ ❶ : 두 삼각형이 합동이면 대응각의 크기가 같으므로 평행선의 성질의 역을 이용하여 ❶을 설명함.
- ❽ ⇨ ❸ ⇨ ❶ : 아래 그림을 이용하여 두 삼각형이 합동임을 설명함.

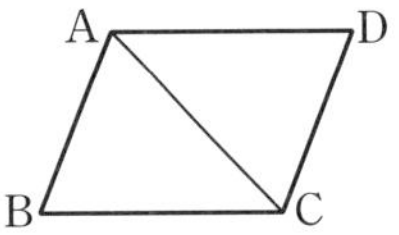

다른 풀이

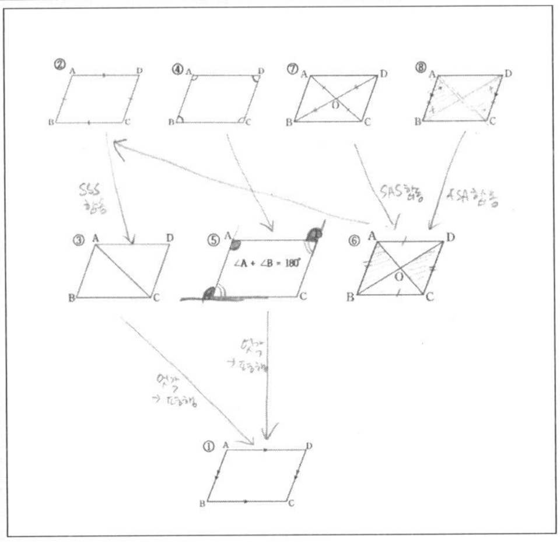

- ❼ ⇨ ❻ ⇨ ❷ ⇨ ❸ ⇨ ❶ : 두 삼각형이 합동일 때, 두 쌍의 대변의 길이가 같음을 이용하여 ❶을 설명함.
- ❽ ⇨ ❻ ⇨ ❷ ⇨ ❸ ⇨ ❶ : 아래 그림에서 두 삼각형이 합동임을 설명함.

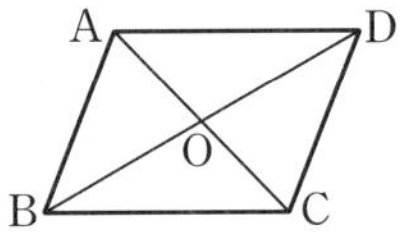

– ❽만 잘못 연결한 경우도 있다. 학생들의 연결성을 꼼꼼하게 살펴보며 모둠에서 논의하게 할 수 있다.

오류 답안

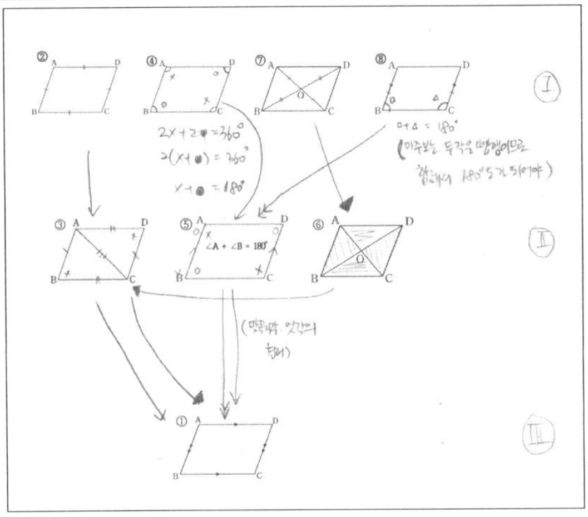

- ❼ ⇨ ❻ ⇨ ❸ ⇨ ❶

: 번호는 달라보이지만 앞서 제시한 다른 풀이와 같은 설명임을 알 수 있다.

- ❽ ⇨ ❺ ⇨ ❶

: $\angle B + \angle C = 180°$ 임은 추론할 수 있지만 $\angle A + \angle B = 180°$ 임은 알 수 없다. 학생들과 이 과정을 점검해 볼 수 있다.

– 학생들이 화살표로 연결한 후 왜 그렇게 생각하는지를 논의하여 모둠에서 정리하고 [2] (2)를 완성하게 할 수 있다.

– 번호는 잘 골랐지만, 설명이 부족한 경우도 있을 수 있다. 이때는 각 모둠별로 이 답안을 보완해 보게 할 수 있다.

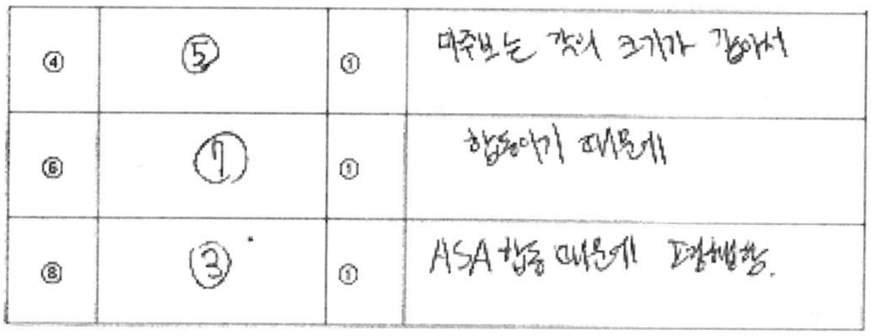

④	⑤	①	마주보는 각의 크기가 같아서
⑥	⑦	①	합동이기 때문에
⑧	③	①	ASA 합동 때문에 평행함.

— 설명은 잘 했지만 번호를 잘 고르지 못할 수도 있다. 설명 과정에서 중간에 이용한 내용이 어떤 번호인지 찾게 해 본다.

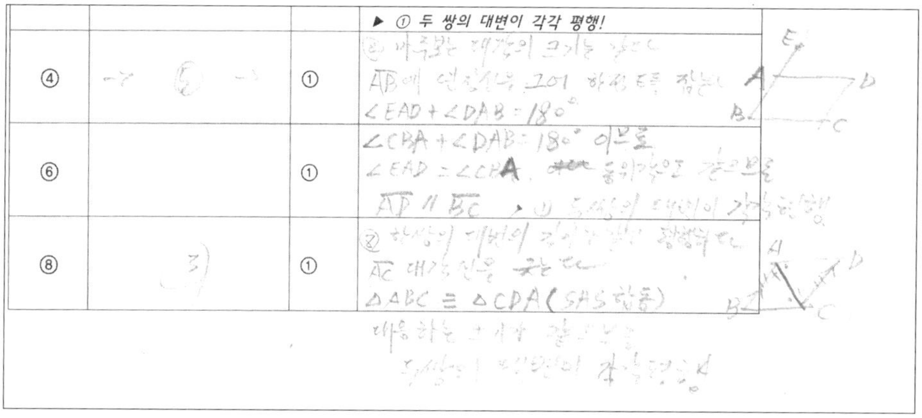

			▶ ① 두 쌍의 대변이 각각 평행!
④	→ ⑤ →	①	⑤ 마주보는 대각의 크기는 같다 / $\overline{AB}$에 연장선을 그어 한 점 E를 잡는다 / ∠EAD + ∠DAB = 180°
⑥		①	∠CBA + ∠DAB = 180° 이므로 / ∠EAD = ∠CBA 동위각으로 같으므로 / $\overline{AD}$ // $\overline{BC}$ ▶ ① 두 쌍의 대변이 각각 평행
⑧	③	①	③ 한 쌍의 대변이 길이가 같고 평행하다 / $\overline{AC}$ 대각선을 긋는다 / △ABC ≡ △CDA (SAS 합동)

대응하는 각의 크기 같으므로 / 두 쌍의 대변이 각각 평행함.

• 학생마다 증명의 구체적인 정도가 모두 달랐다. 어느 정도까지 구체적으로 설명할 것인지, 어떤 설명이 이해하기 쉬운지 비교하며 논의해 보도록 한다. ❹ ⇨ ❺ ⇨ ❶의 설명 과정이 아래와 같이 다를 수 있다.

— 매우 구체적인 학생

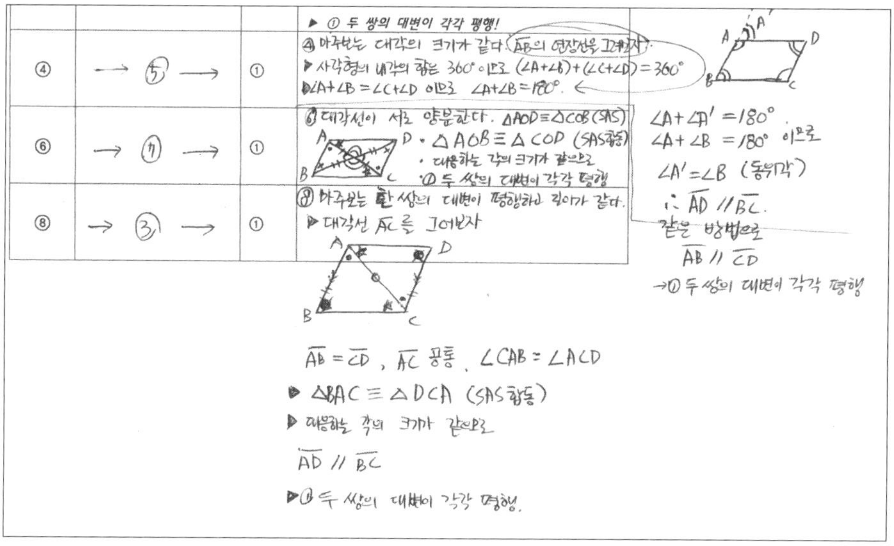

			▶ ① 두 쌍의 대변이 각각 평행!
④	→ ⑤ →	①	⑤ 마주보는 대각의 크기가 같다. ($\overline{AB}$의 연장선을 그려보자) / ▶ 사각형의 내각의 합은 360° 이므로 (∠A+∠B)+(∠C+∠D)=360° / ▶ ∠A+∠B = ∠C+∠D 이므로 ∠A+∠B=180°.
⑥	→ ⑦ →	①	⑦ 대각선이 서로 양분한다. △AOD≡△COB(SAS) / ▶ △AOB ≡ △COD (SAS합동) / • 대응하는 각의 크기가 같으므로 / • ① 두 쌍의 대변이 각각 평행
⑧	→ ③ →	①	③ 마주보는 한 쌍의 대변이 평행하고 길이가 같다. / ▶ 대각선 $\overline{AC}$를 그어보자

∠A + ∠A′ = 180°
∠A + ∠B = 180° 이므로
∠A′ = ∠B (동위각)
∴ $\overline{AD}$ // $\overline{BC}$
같은 방법으로
$\overline{AB}$ // $\overline{CD}$
→ ① 두 쌍의 대변이 각각 평행

$\overline{AB}$ = $\overline{CD}$, $\overline{AC}$ 공통, ∠CAB = ∠ACD
▶ △BAC ≡ △DCA (SAS합동)
▶ 대응하는 각의 크기가 같으므로
$\overline{AD}$ // $\overline{BC}$
▶ ① 두 쌍의 대변이 각각 평행.

— 간단한 학생

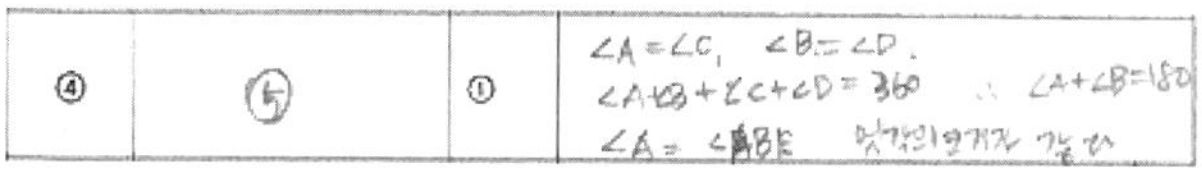

④	⑤	①	∠A=∠C, ∠B=∠D. / ∠A+∠B+∠C+∠D=360 ∴ ∠A+∠B=180 / ∠A= ∠ABE 엇각이 크기가 같다

• [1]과 [2]는 가정과 결론이 무엇인지 모르면, 내용이 중복되는 느낌을 갖게 된다. 이를 혼동하는 학생들에게 논리적인 연결의 특성을 정확히 이해하도록 지도한다.
• 각 화살표의 연결 과정에서 학생들은 결론을 이용하여 설명하기도 했다. 이런 시행착오를 발견하면 전체 공유 활동으로 되돌리기 해서 같이 고민하도록 한다.
• [3]은 [1]의 활동과 [2]의 활동을 크게 보고 정리할 수 있도록 한 것이다. 학생들은 '평행사변형의 성질'과 '평행사변형이 되는 조건'은 어떤 차이가 있는지 명확하게 설명하지 못했다. 그림으로 설명하는 경험을 토대 삼아 무엇이 가정이고, 무엇이 결론인지 구분해 볼 수 있도록 한다.

개념과 원리 탐구하기 4 _ 평행사변형의 활용

교과서(하) 58쪽

탐구 활동 의도

• 평행사변형이 되는 조건을 참고하여 우리 주변에서 평행사변형을 이용한 사물이 무엇이 있는지 그 구조에 평행사변형을 이용한 이유가 무엇인지를 이해하도록 하는 과제이다. 특히 평행사변형의 구조를 이용하면 기울어지지 않고 평행하게 움직이게 할 수 있다는 장점이 있기 때문에 평행하게 움직여야 하는 구조의 물건을 만들 때 다양하게 이용할 수 있다.

예상 답안

[1] (1) [그림 1]에서는 평행사변형이 보이지 않는다.
그렇지만 바닥에 붙어 있는 부분을 자세히 보아 두 겹으로 되어 있다고 생각하면 이 부분도 아주 작은 평행사변형으로 볼 수도 있다.
[그림 2]에서는 보여지는 사각형이 모두 평행사변형이다. 앞쪽과 똑같이 뒤쪽에도 있다.

(2) 리프트 위에 자동차를 올려놓고 들어 올리면 평행사변형은 두 쌍의 대변이 평행한 사각형이므로 공장 바닥과 자동차를 들어 올리는 바닥면 부분이 평행을 유지한다. 왜냐하면 공장 바닥과 자동차를 올려놓은 부분이 서로 평행사변형의 대변이기 때문이다.
리프트에 올려놓은 자동차는 리프트를 조금 올리거나 많이 올려도 항상 바닥과 수평을 이루기 때문에 자동차가 미끄러지지 않고 안정된 상태에서 수리를 할 수 있게 된다.

학생 답안

> 바닥과 평행하게 올릴 수 있고
> 각을 점점 크게 하면서 안정적으로
> 무거운 차량을 올릴 수 있다
> 직각으로 바로 들어 올리는 것보다 힘이
> 덜 들까?

수업 노하우

- 이런 문제는 학생들이 평행사변형의 정의나 성질 이외에도 다양한 추측을 할 수 있다. 수학적인 사실 이외에도 가급적 다양한 반응을 최대한 인정해주어 상상력을 풍부하게 끌어낼 수 있도록 한다.
- 학생들의 답변은 다양했다.

> 차를 들어올릴 때 수평을 유지하여 차가 기울어지거나 떨어지지 않게 하려고

> 올릴 때 높이를 일정하게 유지해야
> 차가 기울지 않고 수리에 용이하다.

> · 평행사변형의 성질 상 윗변, 밑변이 서로 평행하기
> 때문에 안정적으로 균형 잡을 수 있다
> · 더 적은 힘으로 안정적이게 물체를 들어올릴 수 있다
> (서서히 각도가 늘어남)

- 우리 주변을 돌아보면 양탄자 모양의 놀이기구 등 평행사변형이 되기 위한 조건을 알아볼 수 있는 물건들이 있다. 양탄자 모양의 판을 지탱하는 두 개의 축이 길이가 같고 서로 평행하게 만들어져 있으면 이 사각형은 평행사변형이 되어 놀이기구가 이리저리 움직여도 판이 한쪽으로 기울어지지 않고 언제나 바닥면과 평행하게 움직이게 된다는 원리이다. 학생들과 이런 원리를 찾아볼 수 있다.

참고

http://www.ebs.co.kr/tv/show?lectId=10106759(절대 기울어지지 않는 놀이기구)

- 핸드폰이나 아주 정교한 기계 등에 수학이 사용되는 것은 사실이지만 그 안에 사용되는 수학 자체가 중학생들에게 이해 가능한 것이 별로 없어서 수학의 유용성을 체감하는 것이 쉽지 않다. 카센터에서 흔하게 보는 기계에서 평행사변형의 개념을 사용하고 있는 것을 발견하는 것은 보다 설득력이 있다. 뒤에 제시되는 마름모의 성질과 더불어 흥미를 끌 수 있는 주제로 학생들에게 제공한다.

탐구 되돌아보기 예상 답안

교과서(하) 59~62쪽

1 개념과 원리 탐구하기 2, 3

(1) ○

모든 직사각형은 평행사변형이다. 왜냐하면 직사각형은 네 각의 크기가 같은 사각형이므로 두 쌍의 대각의 크기가 각각 같다. 따라서 평행사변형이다.

(2) ×

(1) 이 사실이므로 (2)는 사실이 아니다.

직사각형은 네 각의 크기가 같은 사각형이므로 두 쌍의 대각의 크기가 각각 같다. 따라서 직사각형 중 평행사변형이 아닌 것은 없다.

2 개념과 원리 탐구하기 2, 3

$\overline{BC}=5\,cm$, $\overline{AB}=4\,cm$이므로

$\overline{AD}=5\,cm$, $\overline{CD}=4\,cm$가 되도록 점 A로부터 다섯 번째, 점 C로부터 네 번째 구멍이 점 D가 오도록 위치를 정하면 □ABCD는 두 쌍의 대변의 길이가 각각 같은 사각형이므로 평행사변형이 된다.

3 개념과 원리 탐구하기 2, 3

(1)

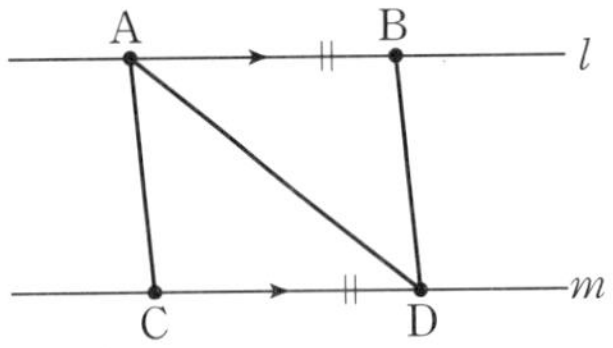

(2) 직선 m 위에 선분 AB와 길이가 같은 선분 CD의 양 끝점과 연결하여 사각형을 만들면 평행사변형이다.

이유

대각선 AD를 그으면

△ACD와 △DBA에서

$\angle BAD=\angle CDA$ ($\overline{AB}/\!/\overline{CD}$, 엇각) …… ①

$\overline{AB}=\overline{CD}$ (가정) …… ②

$\overline{AD}$는 공통 …… ③

①, ②, ③으로부터 △ACD≡△DBA

∴ $\angle CAD=\angle BDA$

엇각의 크기가 서로 같으므로 $\overline{AC}/\!/\overline{BD}$

따라서 □ABCD는 두 쌍의 대변이 각각 평행하므로 평행사변형이다.

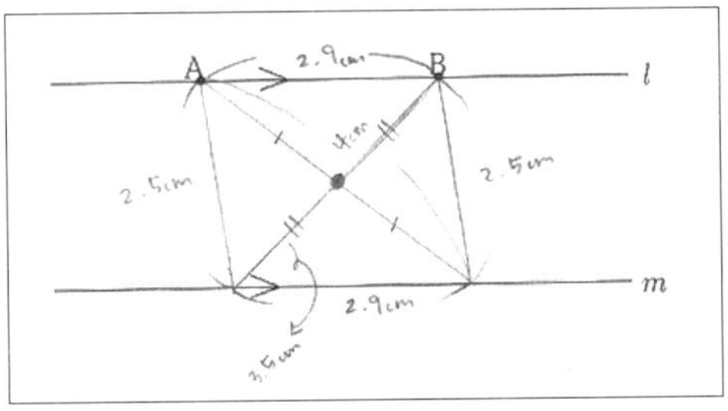

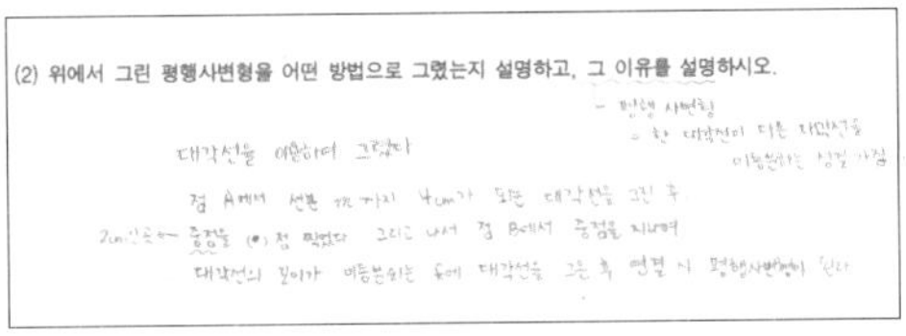

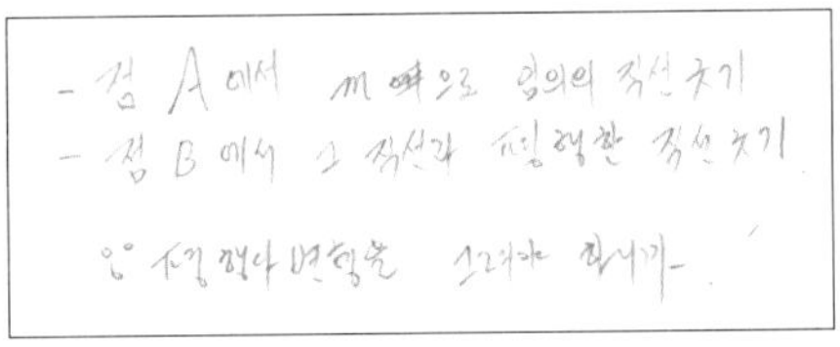

4 개념과 원리 탐구하기 2, 3

(1) 한 대각선이 BD인 평행사변형

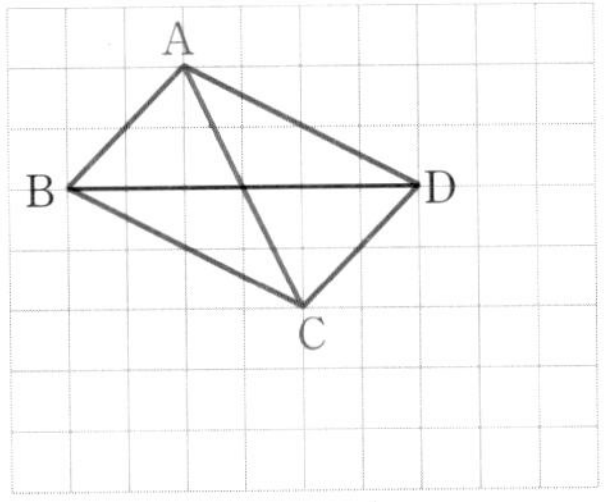

방법 평행사변형은 대각선이 서로 다른 것을 이등분하므로(❹) 새로운 대각선 AC가 다른 대각선 BD의 중점을 지나면서 자신도 이등분되도록 두 점 A, C를 잡아서 평행사변형 ABCD를 그렸다.

(2) 선분 AD를 한 변으로 하는 평행사변형

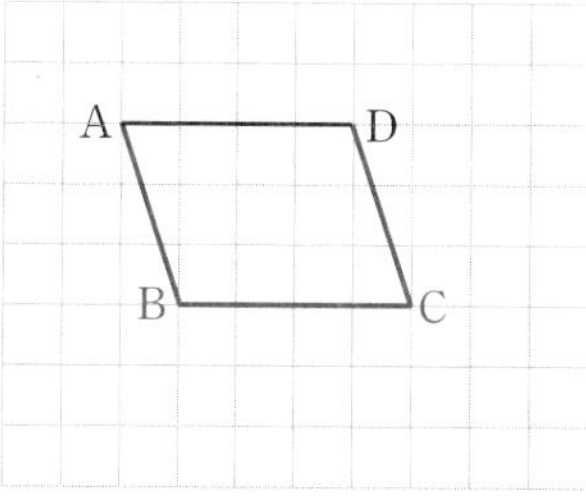

방법 평행사변형은 한 쌍의 대변의 길이가 같고 평행하므로(❺) 선분 AD와 길이가 같고 평행한 선분 BC를 잡아서 평행사변형 ABCD를 그렸다.

(3) 선분 BC를 한 변으로 하고 한 각이 45°인 평행사변형

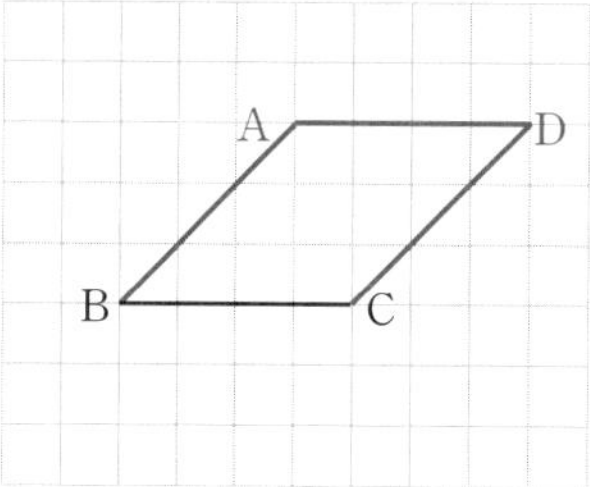

방법 평행사변형은 대각의 크기가 각각 같으므로(❸) $\angle B=45°$, $\angle C=135°$가 되도록 하는 두 점 A, D를 잡아서 평행사변형 ABCD를 그렸다.

5 개념과 원리 탐구하기 2, 3

한 쌍의 대변이 평행하고, 평행하지 않은 대변의 길이가 같은 사각형은 평행사변형 뿐만 아니라 $\overline{AD} /\!/ \overline{BE}$, $\overline{AB}=\overline{DE}$ 인 (등변)사다리꼴 ABED도 있다.
따라서 영희의 판단은 틀렸다.

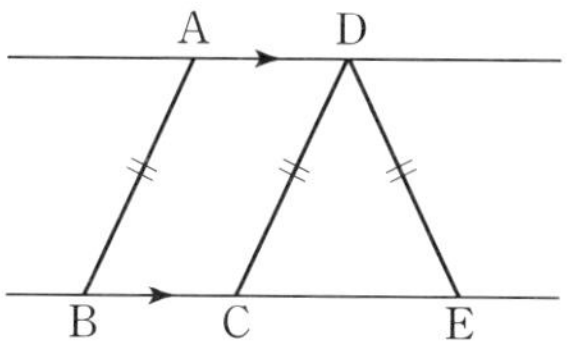

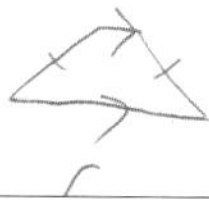
등과 같이 평행사변형이 아닌 사다리꼴이 될수도 있으므로

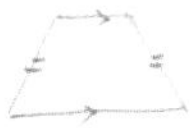
이처럼 등변 사다리꼴의 모양이 나올 수 있다

6 개념과 원리 탐구하기 2, 3

학교 출입문에는 평행사변형 구조가 여러 개 이어져 있다. 접힌 문을 펼치면 평행사변형의 꼭짓점을 이은 막대기가 학교를 함부로 출입하는 것을 막아준다. 그리고 밑에 달린 바퀴는 출입문을 접고 펼치는 것을 손쉽게 하도록 돕는다.
중요한 것은 접었을 때 이 출입문이 차지하는 공간이 최소화 되어야 출입하는 것이 편리할 것이다. 평행사변형은 두 쌍의 대변이 각각 평행하기 때문에 접었을 때 대변이 마주쳐서 있게 된다. 이때 이들이 차지하는 간격이 최소화되어 출입이 용이하다는 장점이 있다.

학생 답안 1

제목: 막대기와 실로 평행사변형 만들기

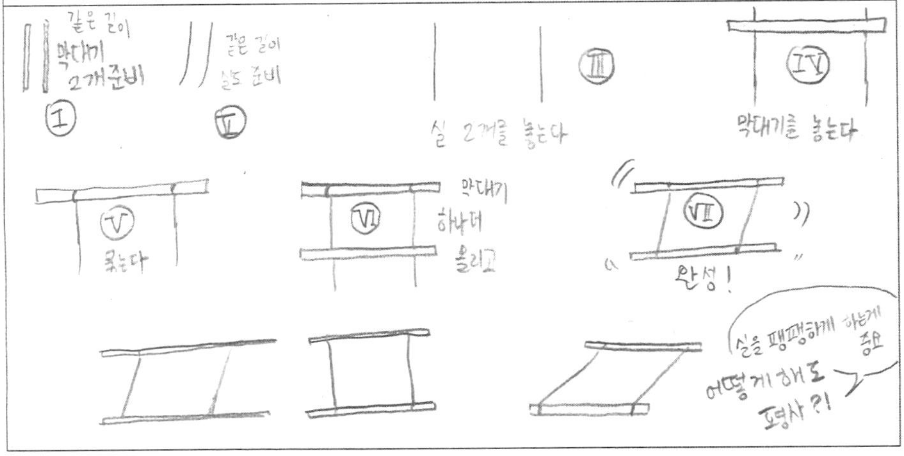

학생 답안 2

제목: 평행사변형을 만드는 방법

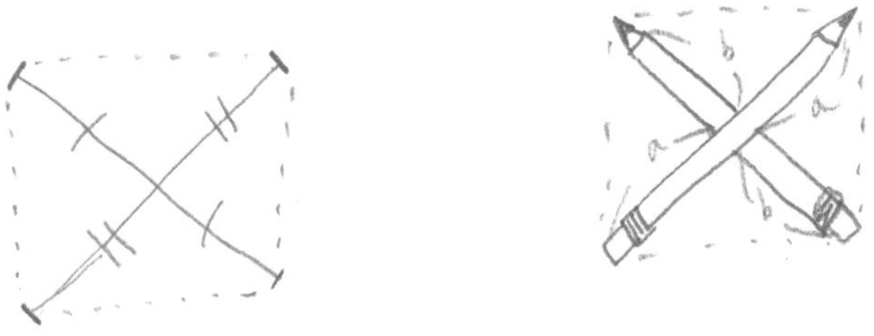

대각선들이 서로를 이등분하게 만든 다음 끝점을 서로 연결 한다.

학생 답안 3

제목: 막대기를 나눠 평행사변형 만들기

두 쌍의 변이 각각 길이가 같게끔 막대기를 나눈 후 평행사변형을 만든다.

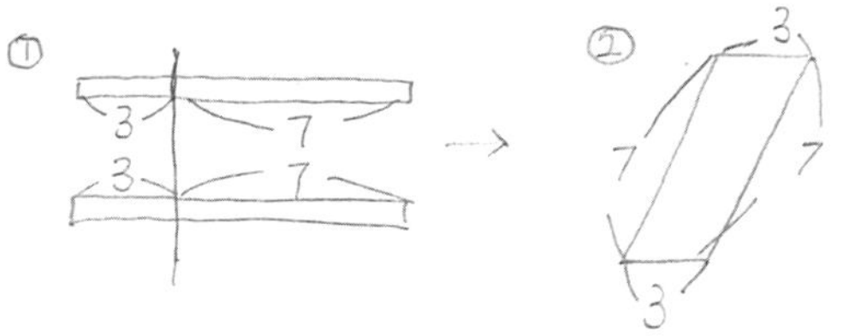

※ 이때 마음대로 배치하는 것이 아니라 마주보는 변의 길이가 같게끔 배치한다.

(평행사변형의 성질 중 '두 쌍의 대변의 길이가 같다'라는 성질이 있으므로 이 같은 방법으로 평.사를 만들수 있다.

학생 답안 4

제목:

막대기 2개에 길이가 같은 실을 묶고 실과 실 사이의 간격을 같게 만든다. 그리고 막대기를 양쪽에서 잡고 실이 팽팽하도록 당긴다. 그러면 평행사변형이 만들어 질것이다.

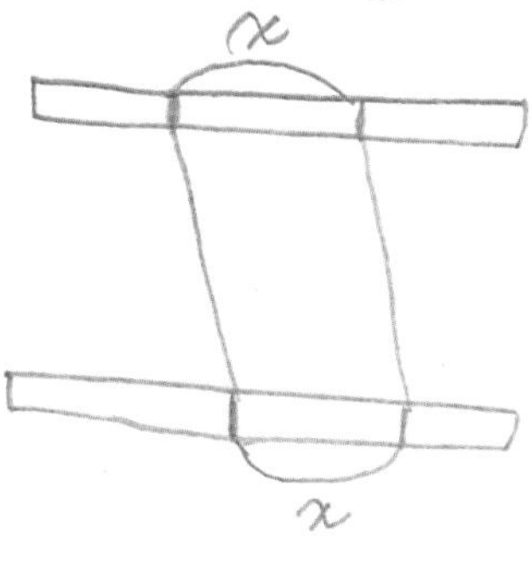

2 네 정체를 밝혀라 (여러 가지 사각형)

단원 지도 계획

/1/ 다른 것들과는 달라요

1차시	개념과 원리 탐구하기 1 사각형의 대각선의 성질 (1)
2차시	개념과 원리 탐구하기 2 등변사다리꼴의 뜻과 성질
3차시	개념과 원리 탐구하기 3 사각형의 대각선의 성질 (2)
4차시	개념과 원리 탐구하기 4 여러 가지 사각형 사이의 관계
5차시	탐구 되돌아보기
6차시	개념과 원리 연결하기
7차시	수학 학습원리 완성하기

- 교과서 각 소단원마다 제시된 탐구 되돌아보기는 개념과 원리 탐구하기와 연계하여 수업 시간 내 또는 수업 시간 이후 복습으로 활용할 수 있습니다.

/1/ 다른 것들과는 달라요 (여러 가지 사각형의 성질)

학습목표

1 관찰과 실험을 통하여 직사각형, 마름모, 정사각형, 등변사다리꼴의 성질을 발견하고 설명할 수 있다.
2 여러 가지 사각형의 성질을 통하여 여러 가지 사각형 사이의 관계를 추측하고 이를 논리적으로 설명할 수 있다.
3 사각형의 성질을 이용하여 여러 가지 문제를 해결할 수 있다.

2015 개정 교육과정 성취기준

사각형의 성질을 이해하고 설명할 수 있다.

교수 · 학습 방법 및 유의 사항

1 사각형의 성질은 대각선에 관한 성질을 위주로 다룬다.
2 공학적 도구나 다양한 교구를 이용하여 도형을 그리거나 만들어보는 활동을 통해 도형의 성질을 추론하고 토론할 수 있게 한다.
3 도형의 성질을 이해하고 설명하는 활동은 관찰이나 실험을 통해 확인하기, 사례나 근거를 제시하며 설명하기, 유사성에 근거하여 추론하기, 연역적으로 논증하기 등과 같은 다양한 정당화 방법을 학생 수준에 맞게 활용할 수 있다.

평가 방법 및 유의 사항

정확한 용어와 기호의 사용, 복잡한 형식 논리 규칙의 이용을 요구하는 연역적 정당화 문제는 다루지 않는다.

핵심발문

대각선의 성질로 사각형을 구별할 수 있을까?

개념과 원리 탐구하기 1 _ 사각형의 대각선의 성질 (1)

교과서(하) 64쪽

탐구 활동 의도

- 이 과제는 여러 사각형의 대각선의 성질을 추측하고 정당화하는 탐구 활동이다.
- [1]에서는 대각선에 대한 성질을 추측하는 것에서 그치고, [2]에서 구체적으로 설명하면서 정당화한다.
- 초등학교에서는 여러 가지 사각형의 정의를 배운다. 여기서는 대각선에 대한 성질을 학습하고, 대각선의 성질에 집중하여 각 사각형의 관계를 탐구할 것이다.

- [1] **탐구 되돌아보기 1**번에서 직사각형은 평행사변형의 성질을 모두 만족하므로 앞에서 증명한 평행사변형의 성질을 만족하는지에 대해서는 따로 증명할 필요가 없다. 직사각형이 갖는 고유한 성질에 대해서만 증명하면 된다. 마름모 역시 평행사변형의 성질을 모두 가지므로 (두 대각선이 서로 다른 것을 이등분하므로) 두 대각선이 서로 수직임을 설명하면 된다. 정사각형은 직사각형의 특징과 마름모의 특징을 모두 만족함을 이용하여 정사각형의 성질을 추측해 보도록 한 것이다.

예상 답안

[1] (1), (2)

종류	사각형 번호	대각선에 대한 성질
평행사변형	❶, ❷, ❸, ❹	• 대각선이 서로 다른 것을 이등분한다. • 대각선이 중점에서 만난다.
직사각형	❶, ❸	• 대각선이 서로 다른 것을 이등분한다. • 대각선의 길이가 같다.
마름모	❶, ❹	• 대각선이 서로 다른 것을 이등분한다. • 대각선이 수직으로 만난다.
정사각형	❶	• 대각선이 서로 다른 것을 이등분한다. • 대각선의 길이가 같다. • 대각선이 수직으로 만난다.

[2] (1) 직사각형의 두 대각선을 그으면 $\triangle ABC$와 $\triangle DCB$는

$\overline{AB}=\overline{DC}$ ······ ①

$\angle ABC=\angle DCB=90°$ ······ ②

$\overline{BC}$는 공통인 변 ······ ③

①, ②, ③에서 두 변의 길이가 각각 서로 같고, 그 끼인각의 크기가 서로 같으므로

$\triangle ABC \equiv \triangle DCB$(SAS 합동)

따라서 $\overline{AC}=\overline{DB}$ 임을 알 수 있다. 즉, 직사각형에서 두 대각선의 길이는 서로 같다.

학생 답안

삼각형이 합동.

△ABD와 △ACD에서 $\overline{AB}=\overline{DC}$

$\overline{AD}$는 공통, ∠A=∠D=90°이므로 △ABD≡△ACD (SAS 합동)

∴ $\overline{AC}=\overline{DB}$

(2) 마름모 ABCD에서 두 대각선 AC와 BD의 교점을 O라 하면, $\triangle OAB$와 $\triangle OAD$에서

$\overline{AB}=\overline{AD}$ ······ ①

$\overline{OB}=\overline{OD}$ ······ ②

$\overline{OA}$는 공통인 변 ······ ③

①, ②, ③에서 세 변의 길이가 각각 서로 같으므로

$\triangle OAB \equiv \triangle OAD$(SSS 합동)

따라서 ∠AOB=∠AOD=90°이므로 $\overline{AC}\perp\overline{BD}$ 임을 알 수 있다.
즉, 마름모에서 두 대각선은 서로 수직으로 만난다.

학생 답안

△ABO와 △CBO에서 $\overline{AB}=\overline{CB}$, $\overline{OB}$는 공통, $\overline{OA}=\overline{OC}$
이므로 △ABO ≡ △CBO (SSS 합동)
∴ ∠AOD=∠AOB=90°

수학적인 기호를 정확히 사용하지 않지만 도형을 그려서 설명하는 경우도 있다.

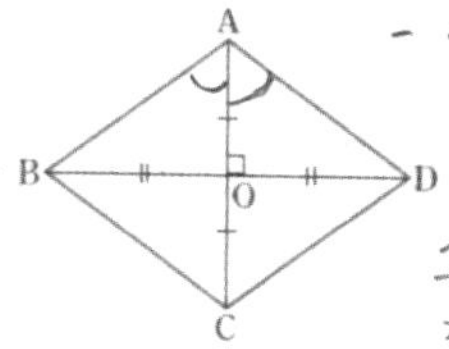

- △와 ▽은 세 길이가 같은 합동.
- ◁과 ▷도 〃.

그래서 ∠A, ∠B, ∠C, ∠D에서 이등분된 각은 서로 같다.
그래서 ◿와 ◺는 합동
◿과 ◁도 합동
◿과 ▽도 합동 이므로
$\overline{AO}=\overline{OC}$ 〃, $\overline{BO}=\overline{OD}$ 〃 수직이등분

(3) 정사각형은 네 내각의 크기가 모두 같으므로 (1)에 의해서 두 대각선의 길이가 같다.
정사각형은 네 변의 길이가 모두 같으므로 (2)에 의해서 두 대각선은 직교한다.
따라서 정사각형의 두 대각선은 길이가 같고, 서로 다른 것을 수직이등분한다.

학생 답안

정사각형은 모든 각이 같고 모든 변이 같기 때문에 마름모와 직사각형의 성질을 2개 다 가지고 있기 때문에 마름모처럼 대각선이 수직이등분하고 직사각형처럼 모든 대각선의 길이가 같다.

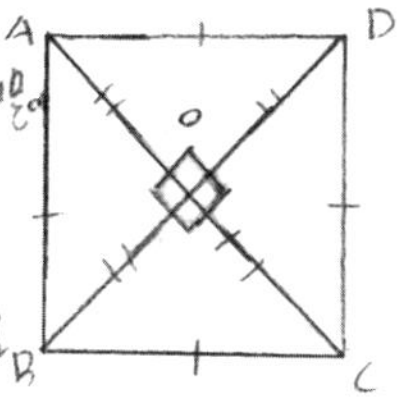

왜냐하면 정사각형은 네 내각의 크기도 모두 같으며 네 변의 길이도 모두 같기 때문이다
정사각형은 모든 사각형들의 성질을 다 가지고 있다.

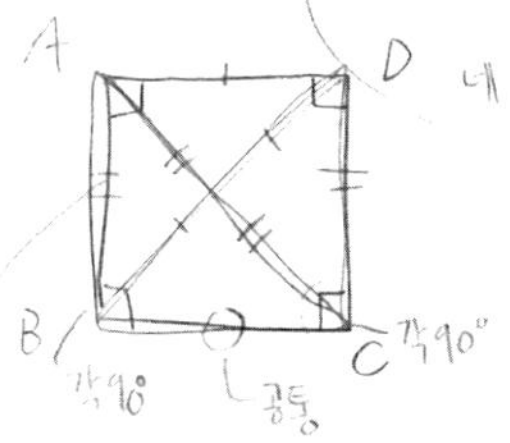

수업 노하우

- [1]번에서 정당화까지 논의하는 모둠이 있을 수 있지만 구체적인 설명은 [2]에서 하도록 지도한다.
- 처음에 학생들이 다음과 같이 해당되는 사각형을 한 개씩만 고를 수도 있다. 처음에는 자유롭게 생각해 보고, 모둠에서 논의하도록 할 수 있다.

종류	사각형 번호	대각선에 대한 성질
평행사변형	2	· 이등분 한다 · 대각선 길이 같다
직사각형	3.	· 대각선 이등분. ·
마름모	4	· 수직이등분 ·
정사각형	1	· 길이가 다 같음. ·수직이등분

- 두 대각선의 길이가 같지 않을 수 있다는 점도 특징으로 제시하였다.

종류	사각형 번호	대각선에 대한 성질
평행사변형	①②④③	·서로가 서로를 이등분함 . 두 대각선 길이가 같지 않을 수 있다.
직사각형	①③	. // . 대각선의 길이가 같다
마름모	①④	. ~~//~~ ↗ 서로 수직이등분 / 길이가 다를 수 있다. (적고) . 대각선들의 수선(2)이 90°로 [illegible]
정사각형	①	. // 서로를 이등분 . 대각선 길이 같음, ~~수선 90°~~ 서로 수직 이등분

- 학생들이 다음과 같이 해당되는 사각형을 모둠별로 다르게 고를 수 있다. 다르게 생각한 부분은 전체 학생들과 함께 논의해 볼 수 있다. 또 대각선의 성질을 이용하여 사각형 사이의 관계를 조금씩 추론해 볼 수 있도록 안내할 수도 있다.

구분	사각형 번호	사각형 번호	사각형 번호
평행사변형	2	1,2,3,4	①②,③④
직사각형	3.	1,3,	①,③
마름모	4	1,4	②,④
정사각형	1	1	①

• [2] (1)에서 보통 직사각형의 대각선의 성질을 '두 대각선의 길이가 같고, 서로 다른 것을 이등분한다.'고 정리하고 있는데 이등분하는 성질은 이미 평행사변형이 가지고 있는 성질이라서 학생들이 논리적으로 꼬인 것처럼 오해를 하는 경향이 있다. 그래서 설명을 요구한 것은 '두 대각선의 길이가 같다.'는 것으로만 한정했다.

• 마찬가지로 [2] (2)에서 보통 마름모의 대각선의 성질을 '서로 다른 것을 수직이등분한다.'고 정리하고 있는데 이등분하는 성질은 이미 평행사변형이 가지고 있는 성질이라서 학생들이 논리적으로 꼬인 것처럼 오해를 하는 경향이 있다. 그래서 설명을 요구한 것은 '두 대각선이 서로 수직으로 만난다.'는 것으로만 한정했다.

• [2] (3)에서도 정사각형을 별도로 정식 설명을 요구하면 논리가 꼬이는 현상이 발생할 수 있다. 그래서 단순하게 (1)과 (2)의 결과를 사용하도록 했다. 그러나 아래와 같이 설명하려고 하는 학생도 있었다. 이때 교사는 학생에게 이 설명에서 무엇이 주어진 조건(출발점, 가정)인지 발문하여, 주어진 조건에서 출발하여 어떤 결론을 얻게 되었는지 점검할 수 있도록 한다.

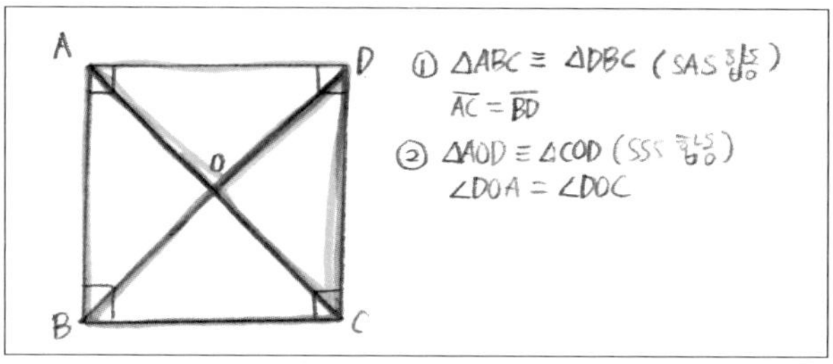

• [2]의 학생 예시 답안들이나 다음 그림에서 보듯이 'AAA 합동' 등 학생들은 수학적 기호나 표현이 익숙하지 않을 수 있다. 이런 상황이 발견되면 당사자가 보다 정확하게 수학적인 기호 등을 사용할 수 있도록 수정하는 과정을 전체적으로 공유하는 시간을 갖는다.

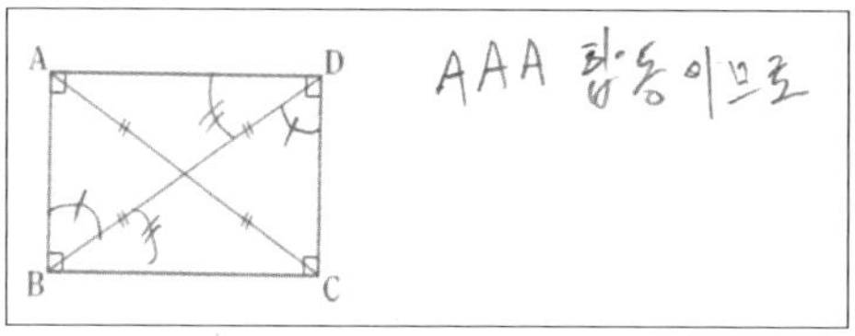

개념과 원리 탐구하기 2 _ 등변사다리꼴의 뜻과 성질

교과서(하) 66쪽

탐구 활동 의도

- 이 과제는 사다리꼴의 성질, 특히 등변사다리꼴의 성질을 추측하고 정당화하는 탐구활동이다.
- [1]에서 3개 이상 그린 등변사다리꼴의 성질을 추측하는 것이 [2]이고 [3]은 그것을 정당화하는 과정이다.
- [4]는 등적변형, 즉 밑변의 길이가 같고 다른 한 꼭짓점이 평행선 위에 있는 삼각형의 넓이가 같음을 이용하는 과제다.

예상 답안

[1] 다양한 모양의 사다리꼴을 그릴 수 있다.

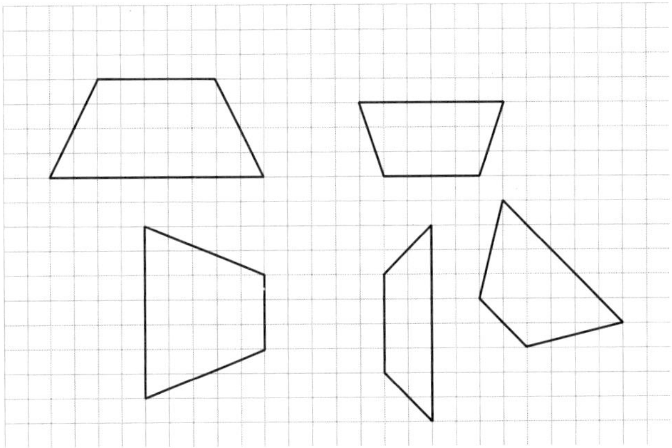

[2] 다양한 성질을 추측할 수 있다.

- 대각선의 길이가 같다.
- 등변이 아닌 대변의 길이가 같다.
- 대각선이 서로 중점에서 만나지 않는다.

[3] (1) 점 D를 지나고, $\overline{AB}$에 평행한 직선이 $\overline{BC}$와 만나는 점을 E라 하면 $\angle B = \angle DEC$(동위각)

한편, $\angle B = \angle C$이므로 $\angle DEC = \angle C$

따라서 $\triangle DEC$는 이등변삼각형이므로

$\overline{DE} = \overline{DC}$ …… ①

또, $\square ABED$는 평행사변형이므로

$\overline{AB} = \overline{DE}$ …… ②

①, ②에서 $\overline{AB} = \overline{DC}$

임을 알 수 있다. 즉, 등변사다리꼴에서 평행하지 않은 한 쌍의 대변의 길이는 서로 같다.

(2) 등변사다리꼴의 두 대각선 AC, DB를 그으면 $\triangle ABC$와 $\triangle DCB$에서

$\overline{AB} = \overline{DC}$((1))

$\angle ABC = \angle DCB$(정의)

$\overline{BC} = \overline{CB}$(중복)

이므로 △ABC≡△DCB(SAS 합동)이다.
따라서 $\overline{AC}=\overline{DB}$, 즉 두 대각선의 길이가 같다.

4 △ABC와 △DBC는 밑변의 길이와 높이가 같으므로 넓이도 같다.
두 삼각형에서 △OBC가 공통이므로 △OBC의 넓이를 빼면 △AOB=△DOC가 성립한다.

수업 노하우

• 1 에서는 최대한 다양한 모양의 등변사다리꼴이 그려지도록 장려한다.

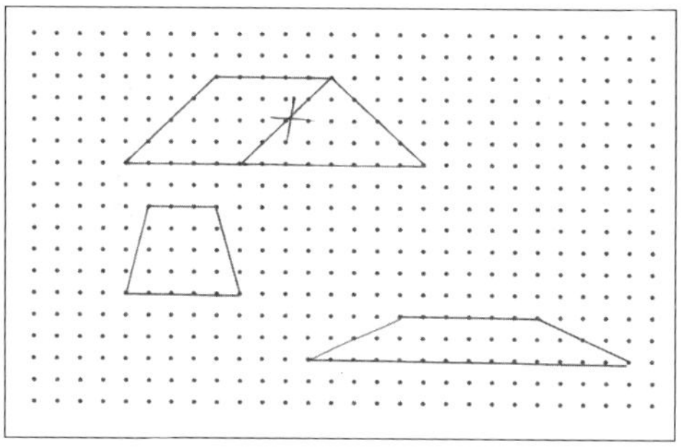
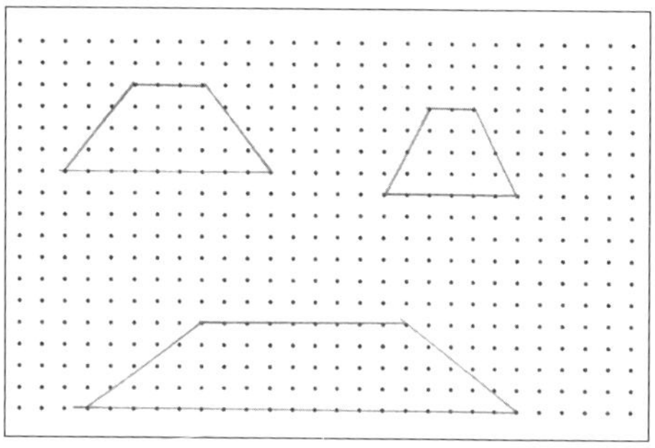

• 2 에서 학생들의 비형식적 표현을 이용하여 보다 수학적으로 표현하게 할 수도 있다.
– '두 밑각'이라는 용어를 사용하지 않고 '위에 있는 두 각'이라고 설명하기도 한다.

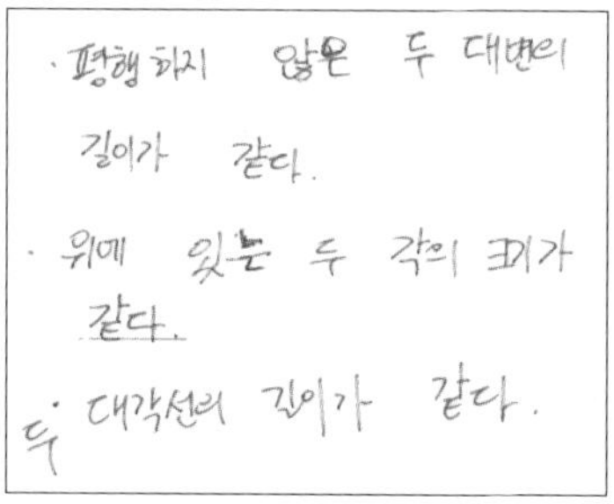

참고 사각형에서 밑변은 평행사변형이나 사다리꼴에서 평행한 두 변을 뜻한다. 그러므로 밑변은 꼭 아래쪽에 있는 변이 아님에 주의한다. 밑변 중 위와 아래를 구분하고자 할 때는 윗변과 아랫변으로 나눌 수 있고, 각각에 대하여 양 끝각을 생각할 수 있다. 그러므로 예시 답안에서와 같이 '위에 있는 두 각'과 같은 표현은 직관적으로 사용할 수는 있지만 가급적 정확한 수학적 용어를 사용하도록 지도한다.

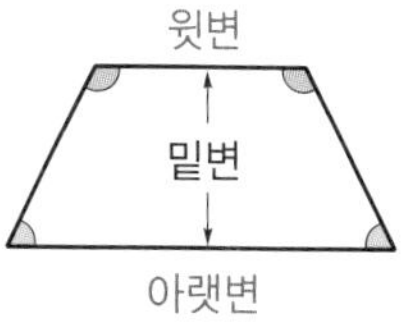

• 각이 같다고 정의해 놓고 등변사다리꼴이라고 이름을 붙인 것에 대해 의문을 갖도록 하고 이를 정당화 과정과 연결할 수도 있다.

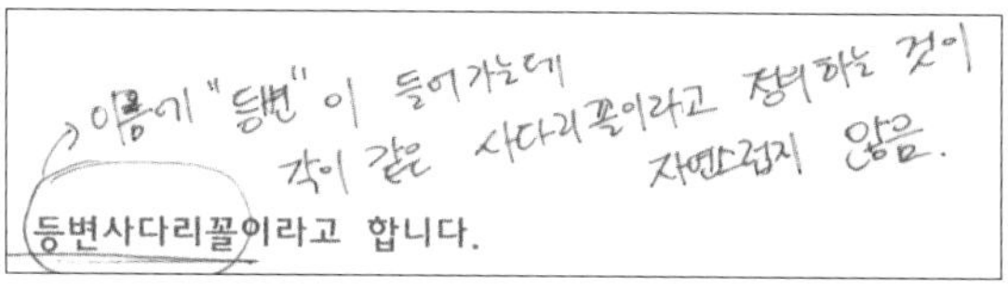

– 수학 용어와 뜻이 일치하지 않을 때 그 용어에 대한 논쟁은 가끔 나올 수 있다. 예를 들면 정삼각형은 '세 변의 길이가 같은 삼각형'으로 정의한다. '정삼변형'이 더 어울리지 않을까? 등등 학생들과 이야깃거리로 삼아 볼 수 있다.

• 다음과 같이 직관적으로 설명한 경우 수학적으로 설명하도록 유도한다. 또는 다양한 예와 아닌 예로 설명하게 할 수도 있다.

그렇게 생각한 이유
평행하지 않은 두 변의 길이가 다르면 밑각의 크기가 같을 수 없다

개념과 원리 탐구하기 3 _ 사각형의 대각선의 성질(2)

교과서(하) 68쪽

탐구 활동 의도

• [1]은 대각선의 성질을 파헤쳐서 논리의 연결을 역으로 생각하게 하는 탐구활동이다. 평행사변형에서는 정의에 따른 성질 유도와 반대로 평행사변형이 되는 조건을 탐구했다면, 여기서는 여러 가지 사각형에 대해서 반대로 생각하는 활동이다.

• [2]는 원의 성질을 활용하여 사각형을 작도하는 과제이다. 공학적 도구를 사용할 수도 있다. 공학적 도구를 사용하면 수선이나 수직이등분선을 보다 쉽게 작도할 수 있다는 장점이 있다.

예상 답안

[1] (1) ① $\overline{AB}$를 대각선으로 갖는 직사각형: 대각선의 길이가 같고, 서로 이등분한다는 성질을 이용

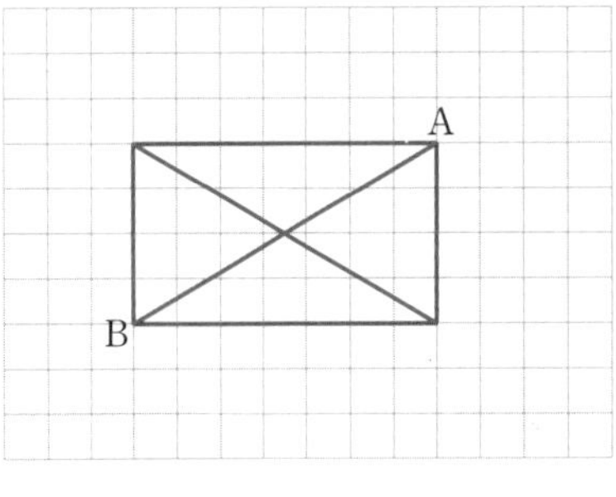

② $\overline{AB}$를 대각선으로 갖는 정사각형: 대각선의 길이가 같고, 서로 수직이등분한다는 성질을 이용(수직이등분선 작도)

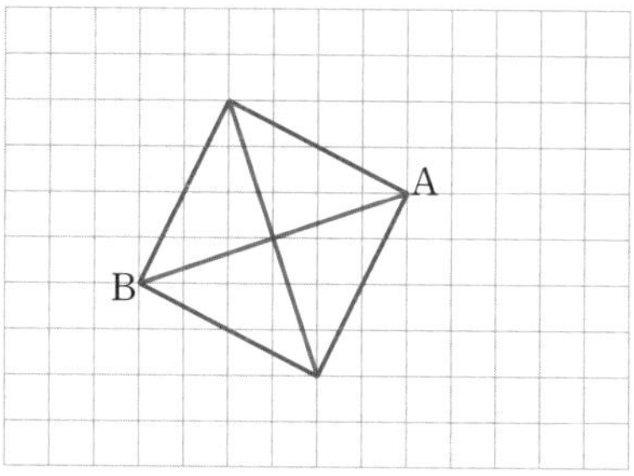

③ $\overline{AB}$를 대각선으로 갖는 등변사다리꼴 : 대각선의 길이가 같다는 성질을 이용

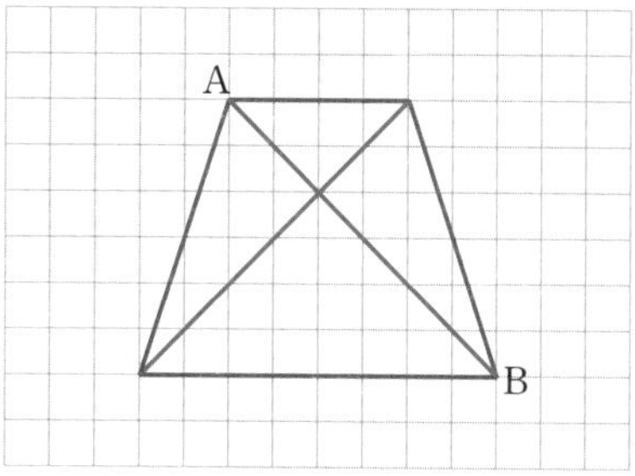

④ $\overline{AB}$를 대각선으로 갖는 마름모 : 대각선이 서로 다른 것을 수직이등분한다는 성질을 이용

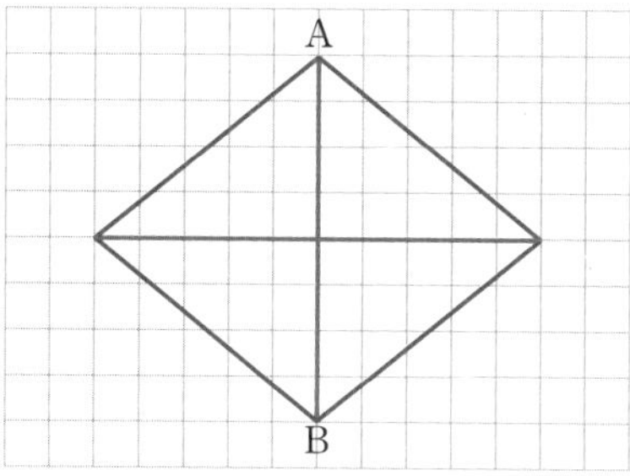

학생
답안

다음과 같이 해당 도형을 두 개 이상 그릴 수도 있다.

① $\overline{AB}$를 대각선으로 하는 직사각형

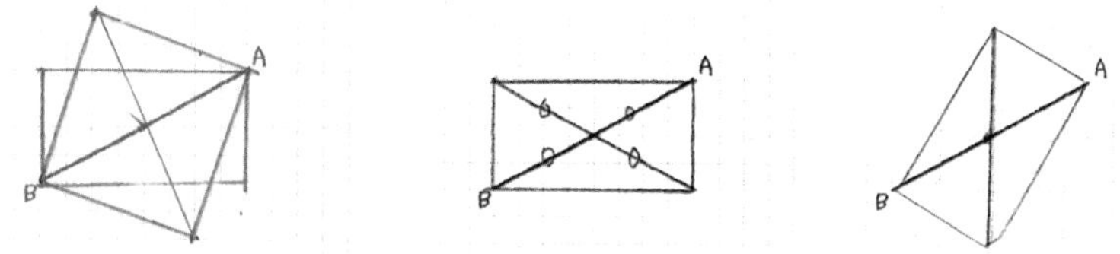

학 생
답 안

② $\overline{AB}$를 대각선으로 하는 정사각형

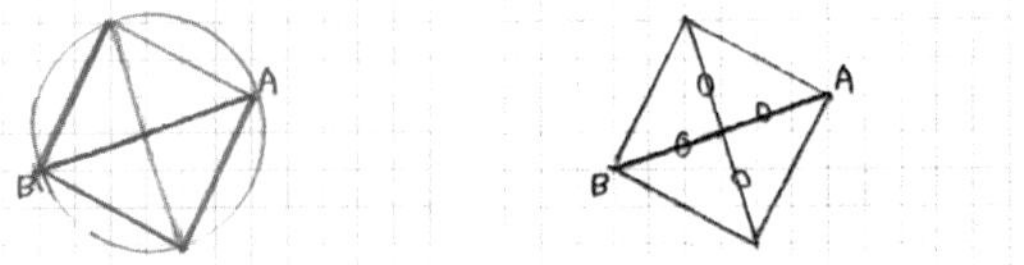

③ $\overline{AB}$를 대각선으로 하는 등변사다리꼴

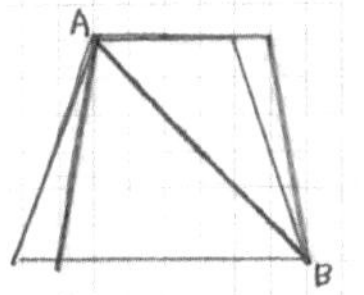

④ $\overline{AB}$를 대각선으로 하는 마름모

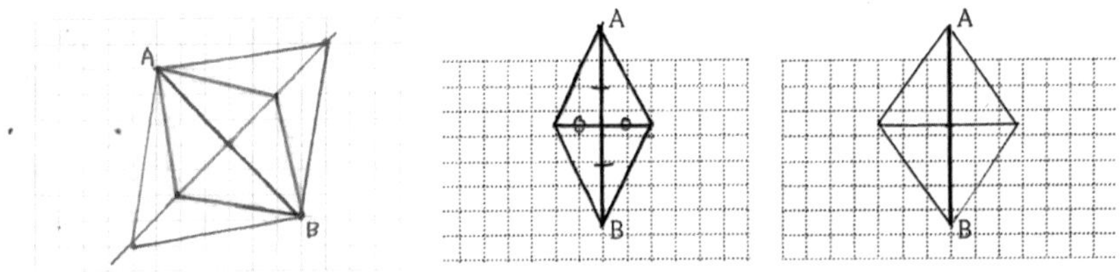

(2) ② 정사각형이다.

정사각형은 대각선의 길이가 같고, 서로 다른 것을 수직이등분하므로 유일하다.

① 직사각형은 대각선의 길이가 같고 서로 다른 것을 이등분하면 되므로 주어진 대각선 AB의 중점을 지나면서 길이가 같은 선분을 무한히 그려서 만들 수 있다.

③ 등변사다리꼴은 대각선의 길이가 같다는 조건을 만족하면 되므로 무한히 그릴 수 있다.

④ 마름모는 대각선이 서로 다른 것을 수직이등분한다는 조건을 만족하면 되므로 무한히 그릴 수 있다.

학 생
답 안

①번 직사각형에 대하여도 한 가지 모양만 만들어진다고 주장할 수 있다.

(2) 위에서 그린 사각형 중 한 가지 모양만 만들어지는 것은 무엇인지 말해 보자.

②.

①은 다른 대각선과 $\overline{AB}$의 교각의 각도를 변경 가능.

③은 다른 대각선의 길이, 다른 대각선과 $\overline{AB}$의 교각의 각도를 변경 가능.

④는 다른 대각선의 길이를 변경 가능.

15

그러나 ②는 두 대각선의 길이와 교각의 크기를 전부 각각 같게, 90°로 맞춰야 함으로, 그러한 지점의 다른 대각선은 하나밖에 없다.

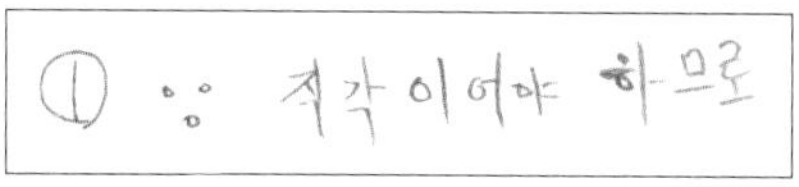

2 (1) 평행사변형, 대각선이 동심원의 중심에서 만나므로 대각선이 서로 다른 것을 이등분한다. 그러므로 그림의 사각형은 평행사변형이다.

(2) ① 원의 지름을 대각선으로 갖는 사각형은 모두 직사각형이다. 원의 지름의 길이는 모두 같고 이들은 항상 중심에서 만나기 때문에 대각선의 길이가 같으면서 서로 다른 것을 이등분하는 성질을 갖기 때문이다.

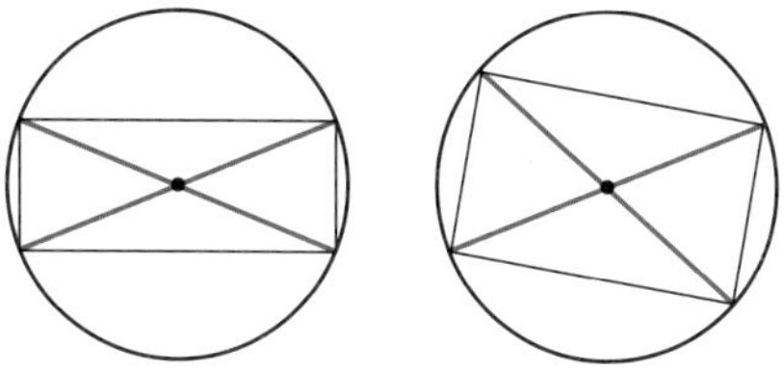

② 동심원의 두 지름이 직교하면 이들을 대각선으로 갖는 사각형은 마름모가 된다. 두 지름은 중심에서 만나며 직교하므로 대각선이 서로 다른 것을 수직이등분하기 때문이다.

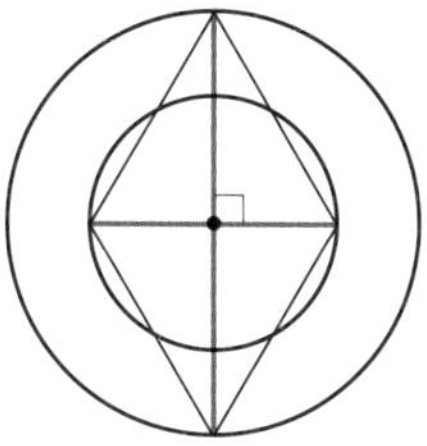

학생 답안

다음과 같이 동심원을 이용하지 않을 수도 있다.

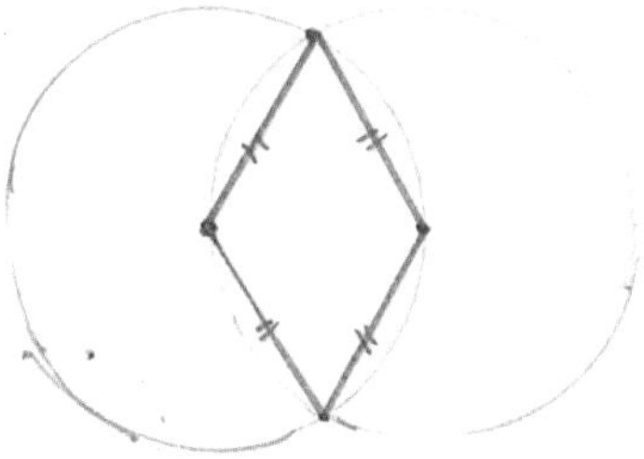

③ 원의 두 지름이 서로 직교하면 두 지름을 대각선으로 갖는 사각형은 정사각형이다. 두 지름은 중심에서 만나고 직교하므로 한 대각선이 다른 대각선을 수직이등분하기 때문이다.

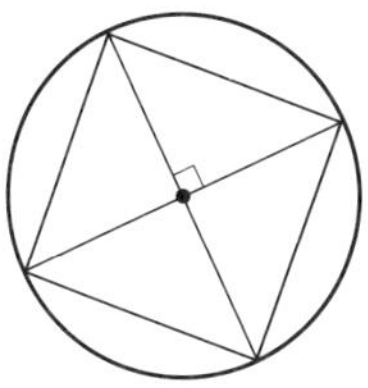

학 생
답 안

① **직사각형**
하나의 원을 그린 후, 두 개의 지름을 그어 지름들과 원의 교점들을 연결.
↳ 두 대각선이 서로 다른 것을 이등분 & 두 대각선의 길이 동일 이용.

② **마름모**
중심이 같은 두 원을 그린 후 하나의 원의 지름과 다른 원의 지름이 직교하도록 지름을 긋고, 지름들과 원들의 교점들을 연결
↳ 두 대각선이 서로 다른 것을 이등분 & 두 대각선이 직교 이용.

③ **정사각형**
하나의 원을 그린 후, 지름 두 개가 직교하도록 지름 두 개를 긋고, 지름들과 원의 교점들을 연결
↳ 두 대각선이 서로 다른 것을 이등분 & 두 대각선이 직교 & 두 대각선의 길이 동일 이용.

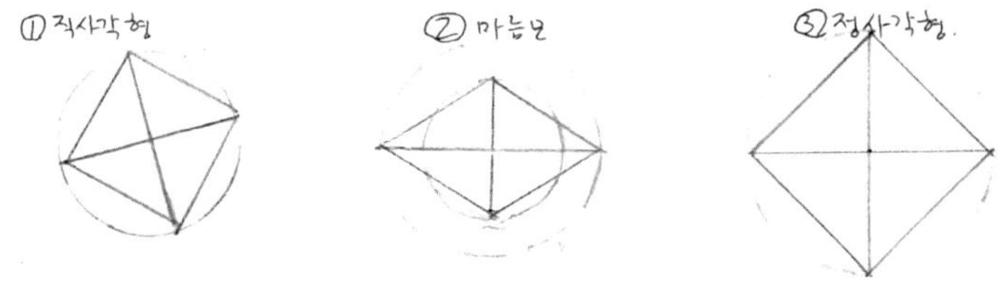

학 생
답 안

다음과 같이 원을 여러 개 이용할 수도 있다.

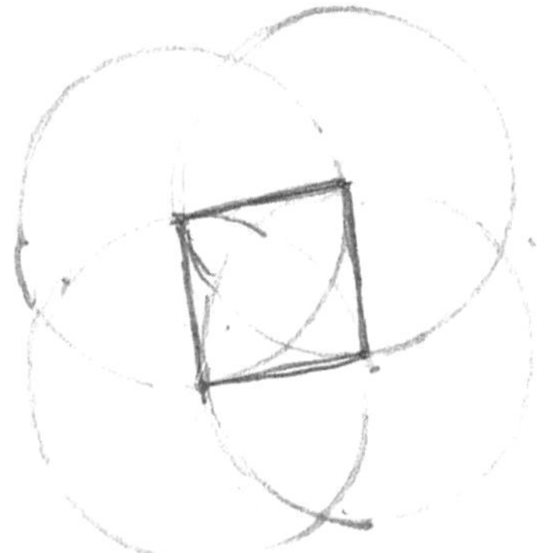

수업 노하우

- 작도할 때 반드시 컴퍼스와 눈금없는 자를 이용하기 보다는 작도의 아이디어로 그림을 대략적으로 그리고 설명하게 할 수도 있다. 대신 왜 그렇게 작도할 수 있는지 설명하는 것이 중요하다.
- [1](1)에서 정사각형의 경우 수직이등분선을 작도하지 않고 모눈종이의 격자로 찾은 경우 지금은 증명할 수는 없지만 직관적으로는 가능한 것이기 때문에 논란의 여지가 있을 수 있다. 이 부분은 고1에서 두 직선의 수직 조건으로 연결된다.
- [1](2)에서 오류 답안에서 보는 바대로 직사각형의 경우 대각선의 길이가 같고 서로 다른 것을 이등분하면 되는데 격자점을 이용하다보니 한 가지 밖에 없다고 착각할 수 있다. 그러나 [2](2)에서 원을 이용하면 길

이가 같은 대각선이 무수히 많음을 발견하면서 착각을 정리할 수 있다. 그러나 정사각형은 한 대각선이 주어지면 이것을 수직이등분하면서 또한 주어진 대각선에 의해 수직이등분되는 조건을 갖춰야 하므로 유일하게 존재한다.

- [2]에서 원을 하나만 이용할 수도 있지만 두 원을 이용하는 것도 가능하다. 다양한 생각을 최대한 끌어내 공유하는 것이 학생들의 정의적 영역 발달에 도움이 될 것이다.
- [1](2)를 보다 쉽게 해결하기 위해서는 [1](1)을 해결할 때 예시 답안과 같이 가능한 범위에서 해당 도형을 두 개 이상 그리도록 권장할 수 있다.

개념과 원리 탐구하기 4 _ 여러 가지 사각형 사이의 관계

교과서(하) 70쪽

탐구 활동 의도

- 이 과제는 눈으로 보고 대충 짐작하기보다는 수학적인 기호를 해석하여 사각형의 종류를 판별하는 탐구 활동이다. 실제 이와 같은 사각형은 존재하지 않지만 학생들이 조건에 집중하도록 하기 위하여 일괄적으로 일반적인 사각형 그림을 사용하였다.
- 이런 도형이 존재하지 않으므로 이 과제를 기호로 제시하지 않고 문장으로 제시해 보기도 했으나 기호로 제시하는 것이 가독성이 있다. 또 수학적 기호를 이해하는 감각을 기르기 위해 이러한 도형을 사용하였다.
- 지금까지 배운 사각형의 뜻과 성질을 이용하여 정사각형, 직사각형, 마름모, 평행사변형, 사다리꼴로 분류해 보는 것이다. [1]에서 분류를 하며 각 사각형 사이의 관계를 직관적으로 추론해 볼 수 있다. [2]는 이를 바탕으로 여러 가지 사각형 사이의 관계를 통합적으로 파악할 수 있도록 하기 위함이다.

예상 답안

[1]

도형	번호
정사각형	⑧, ⑬
직사각형	⑥, ⑦, ⑧, ⑬
마름모	①, ②, ⑧, ⑬
평행사변형	①, ②, ③, ⑥, ⑦, ⑧, ⑨, ⑬, ⑭, ⑮
사다리꼴	①, ②, ③, ④, ⑤, ⑥, ⑦, ⑧, ⑨, ⑫, ⑬, ⑭, ⑮

[2] 사각형 사이의 관계를 그림으로 나타내면 다음과 같다. 학생들의 답은 다양할 수 있다.

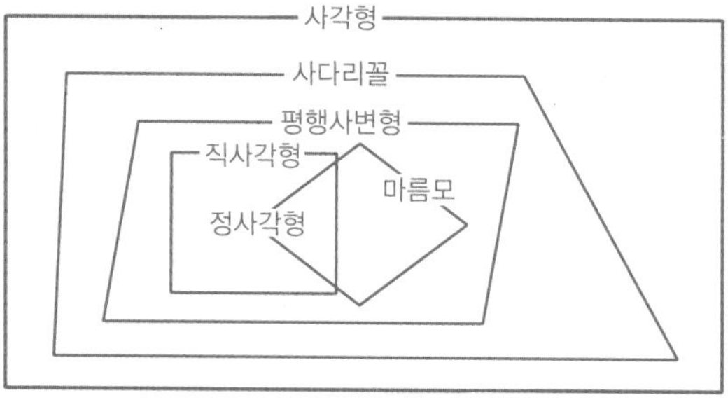

학생 답안

다음과 같이 맵으로 그릴 수 있다.

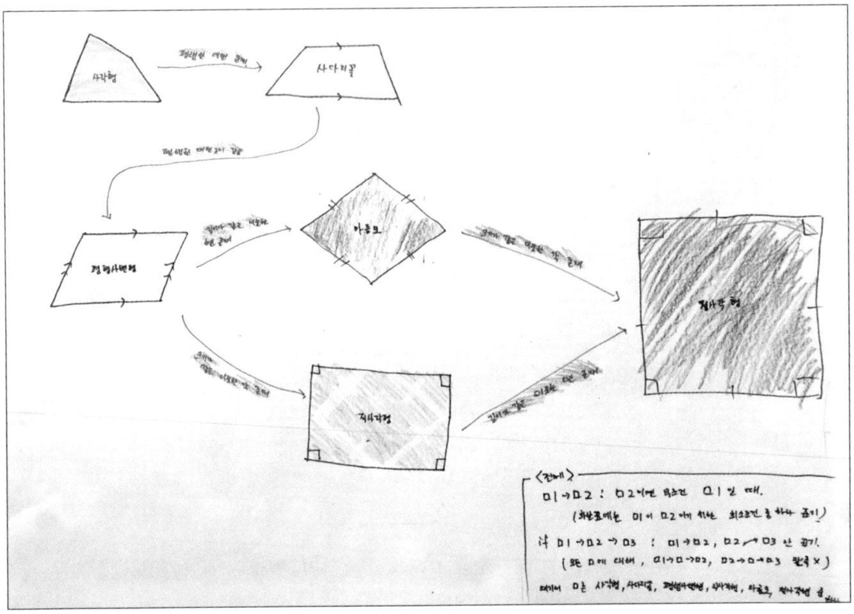

수업 노하우

- ④번 사각형에서 •와 ×두 쌍의 합이 360°이므로 •+×=180°, 즉 동측내각의 크기의 합이 180°이므로 평행임을 알 수 있다.
- 용어의 사용에서 포함적인 방법과 배타적인 방법이 있을 수 있다. 우리나라는 포함적인 방법을 사용한다. 배타적인 방법을 사용하는 나라는 각 사각형을 분리해서 정의한다. 예를 들면 사다리꼴을 한 쌍의 대변만 평행한 사각형으로 정의하면 평행사변형은 사다리꼴에 포함되지 않는다. 실제로 성인들도 정사각형을 사다리꼴이라고 하는 것에 대한 심리적인 거부감이 있다. 하지만 포함적인 방법으로 용어를 사용하는 나라가 대부분이다.
- [1]에서 학생들이 제일 먼저 묻는 질문은 "사각형이 중복될 수 있나요?" 였다. 이 질문에 교사가 답하지 않고 모둠 또는 전체 공유의 방법으로 학생들이 직접 그 질문에 답할 수 있는 기회를 주는 것이 좋다. 이 질문은 사각형 사이의 관계를 탐구할 수 있는 중요한 질문이다.
- [1]에서 평행사변형의 뜻과 성질로 찾기도 했지만, 어떤 학생들은 사각형 사이의 관계를 이용하여 해결하기도 했다. 예를 들어 "직사각형은 모두 평행사변형이야." 등 위의 결과를 이용할 수도 있다. 이런 논의 과정은 [2] 사각형 사이의 관계를 파악할 때 도움이 된다.
- 표를 채운 후 일차적으로는 모둠끼리 쓴 답을 서로 비교한다. 그런 후 학생들 사이에 다르게 분류한 사각형이 있으면 나와서 다른 부분에 대하여 이야기해 보도록 할 수 있다.

  다음에 제시한 것보다 더 다양한 의견이 나왔고, 이를 비교하면서 사각형 사이의 관계를 탐구할 수 있다.

[예 1]

도형	번호
① 정사각형	13, 8
② 직사각형	13, 6, 17, 8
③ 마름모	1, 2, 13, 14, 8
④ 평행사변형	1, 2, 3, 17, 13, 14, 15, 6, 8, 9
⑤ 사다리꼴	1, 2, 3, 4, 5, 17, 12, 13, 14, 15, 6, 8, 9

[예 2]

도형	번호	이유
정사각형	8, 13	
직사각형	6, 17, 13, 8, 14	
마름모	1, [illegible], 8, 13	
평행사변형	3, 12, 9, 13, 1, 8, 6, 17	

– 조건에 집중하여 사각형을 분류하는 것보다 학생들이 이후에는 관계를 이용하여 분류하는 것이 보다 편리함을 찾아낸다. 이런 논의가 사각형의 포함 관계를 정리할 수 있는 토대가 된다.

[예 1] 정사각형, 직사각형, 마름모는 모두 평행사변형임을 찾아내고, 평행사변형은 직접 찾기보다는 이들의 번호를 일단 쓰고, 해당되지 않는 사각형을 찾아내면 된다고 하였다.

[예 2] 정사각형부터 찾아나가는 것이 편리하고, 번호를 하나하나 구분하는 것은 불편하다고 하기도 하였다.

• 2 에서는 맵으로 그린 것과 그림으로 그린 것을 골고루 공유하는 과정이 필요하다. 독특하고 창의적인 표현을 고르는 것을 놓치지 않고 드러내도록 한다.

– 평행사변형, 직사각형, 마름모의 관계를 혼동할 수도 있다. 특히 직사각형과 마름모를 어떻게 연결할지 고민하였다.

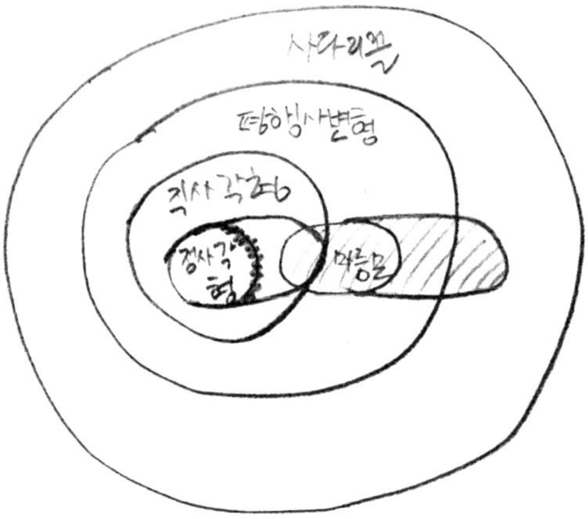

– 다음 아래 그림은 학생들이 각 사각형의 관계를 화살표로 정리한 것이다. 이때 직사각형, 마름모, 정사각형의 관계를 어떻게 연결할 것인지 의견이 분분했다. 다른 모둠의 결과와 비교하며 직사각형이면서 마름모가 되려면 또는 마름모가 직사각형이 된다는 것은 결국 정사각형이므로 직사각형과 마름모는 화살표로 연결할 필요가 없다는 것을 발견했다. (다음 빨간색 네모 부분 참고)

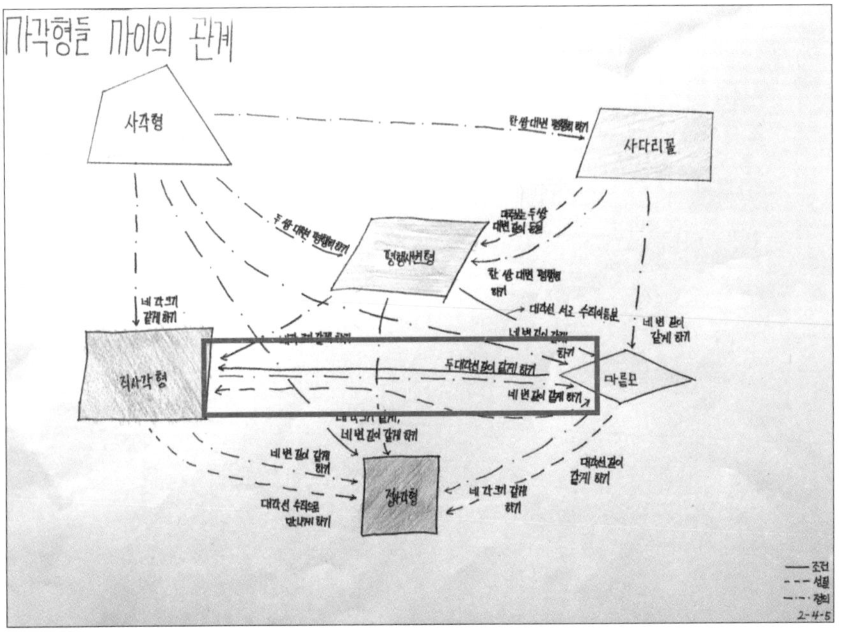

– 화살표가 양방향인가, 한 방향인가에 대한 논의도 있었다. 위의 학생 예시 답안은 양방향이 필요없고, 한 방향이면 충분하다고 주장한 것이며, 이런 주장은 흔치 않았다. 다음과 같이 주로 양방향으로 표현했다. (아래 답안은 직사각형과 마름모의 관계를 논의하다가 제출하기 전에 모둠에서 직사각형와 마름모를 연결하면 안된다고 결론 내려 연결 부분을 지운 것도 살펴볼 수 있다.)

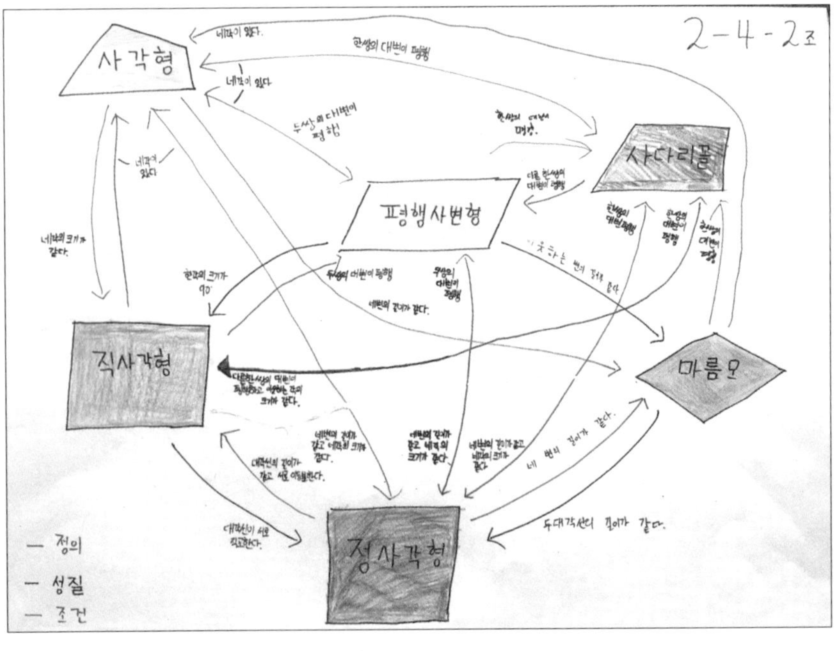

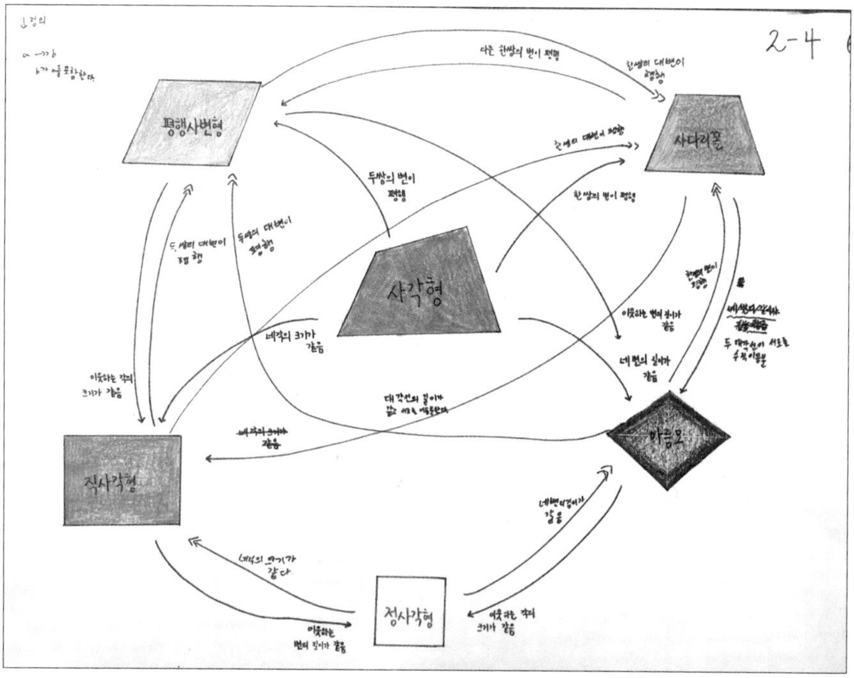

– 화살표로 연결하기는 애매해서 화살표로 연결은 안하고 '포함된다'라는 표현을 사용한 경우도 있었다.

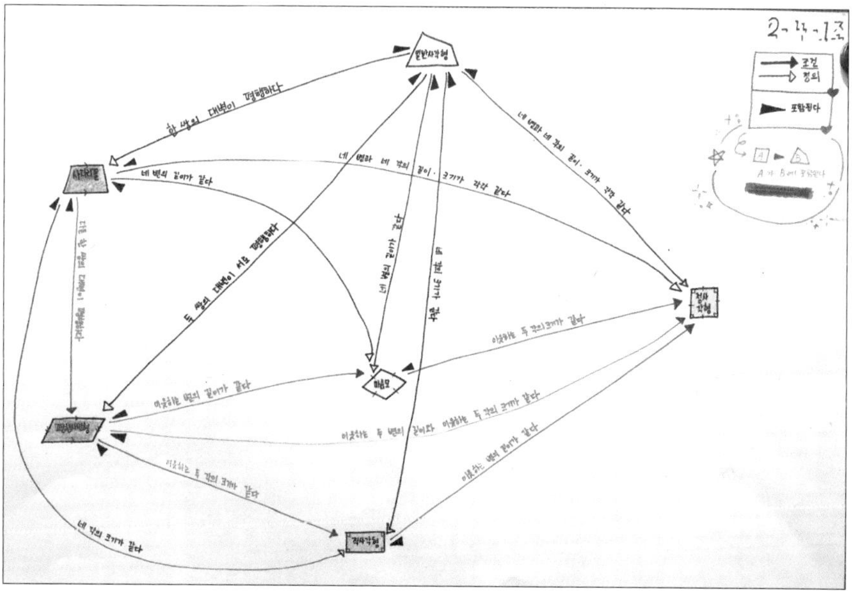

— 정사각형은 가장 많은 조건을 만족해야 하는 사각형으로 조건이 많다는 생각에 가장 상위에 둔 분류도 있었다.

학 생
답 안

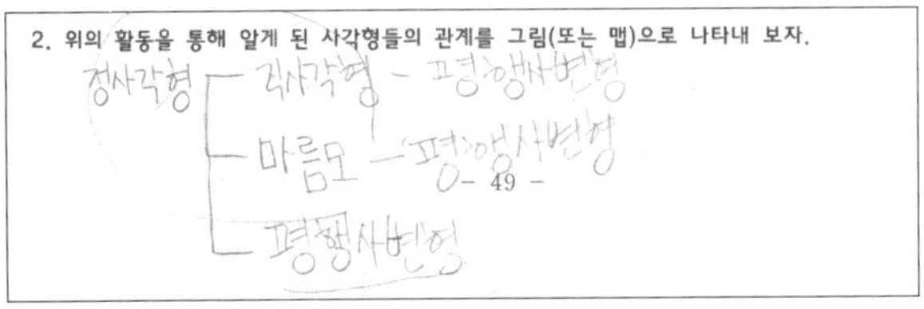
2. 위의 활동을 통해 알게 된 사각형들의 관계를 그림(또는 맵)으로 나타내 보자.

정사각형 ┬ 직사각형 – 평행사변형
├ 마름모 – 평행사변형
└ 평행사변형

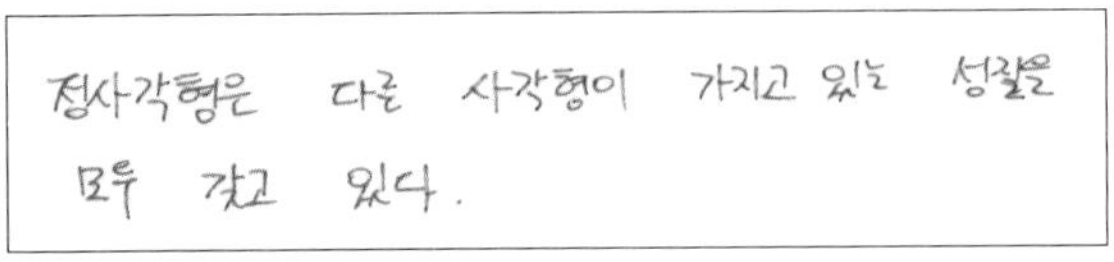
정사각형은 다른 사각형이 가지고 있는 성질을 모두 갖고 있다.

— 화살표로 표현한 경우

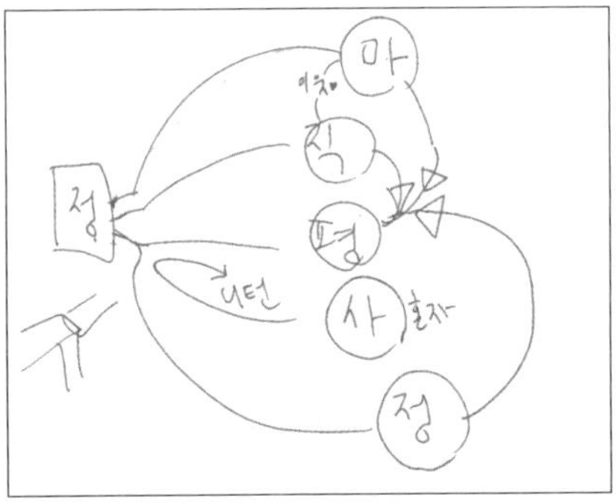

— 그림으로 표현한 경우: 사각형은 외롭고 다른 사각형들은 모여 있다고 설명하였다.

탐구 되돌아보기 예상 답안

교과서(하) 72~79쪽

1 개념과 원리 탐구하기 1, 3

마름모 : 난 마름모야.
두 대각선이 서로 수직으로 만나지.
이웃하는 두 변의 길이가 같은 평행사변형이 나야.

정사각형 : 난 정사각형이야.
두 대각선이 서로를 수직이등분하지.
이웃하는 두 변의 길이가 같고, 이웃하는 두 각의 크기가 같은 평행사변형이 나야.

2 개념과 원리 탐구하기 1, 3

(1) 평행사변형은 두 쌍의 대변이 각각 평행하다.

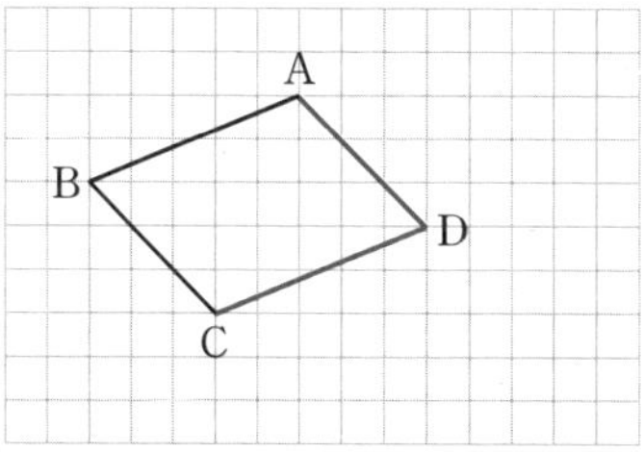

(2) 마름모는 네 변의 길이가 같다.

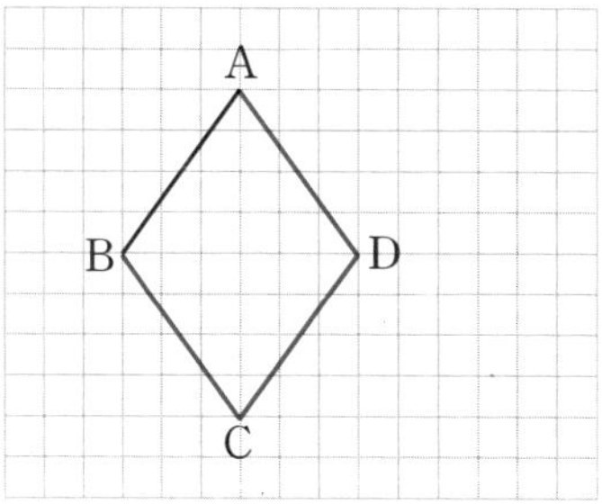

(3) 사다리꼴은 한 쌍의 대변이 평행하다.

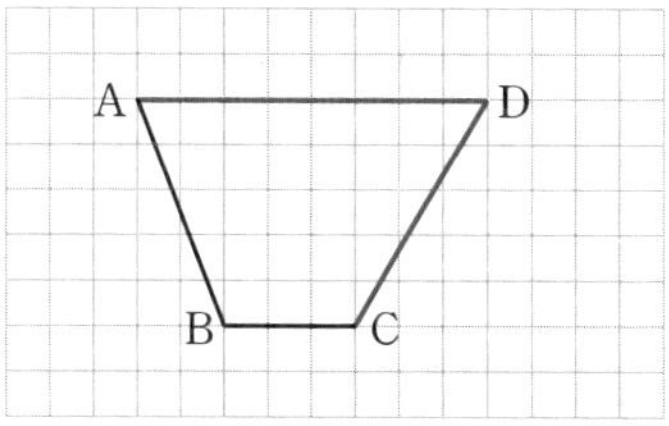

3 개념과 원리 탐구하기 4

(1) • 네 변의 길이가 같지 않은 사각형과 모두 같은 사각형
• 대각선이 직교하지 않는 사각형과 직교하는 사각형

(2) • 밑변의 양 끝각의 크기가 다른 사각형과 같은 사각형
• 대각선의 길이가 같지 않은 사각형과 같은 사각형

4 개념과 원리 탐구하기 3, 4

(1) 예, 이유는 다양할 수 있다.
• 정사각형은 마주보는 변의 길이가 같기 때문에
• 정사각형은 대각선이 서로 다른 것을 이등분하기 때문에

(2) 예, 이유는 다양할 수 있다.
• 정사각형은 네 각의 크기가 같기 때문에
• 정사각형은 대각선의 길이가 같기 때문에

(3) 예, 이유는 다양할 수 있다.
• 정사각형은 네 변의 길이가 같기 때문에
• 정사각형은 대각선이 직교하기 때문에

(4) 정사각형만의 특징은
• 네 변의 길이가 모두 같고, 네 각의 크기가 모두 같다.
• 대각선의 길이가 같고, 서로 다른 것을 수직이등분한다.

학생 답안

정사각형은 다른 사각형이 가지고 있는 성질을 모두 갖고 있다.

5 개념과 원리 탐구하기 3, 4

(1)

두 대각선의 관계	평행사변형	직사각형	마름모	정사각형
Ⓐ 서로를 이등분한다.	○	○	○	○
Ⓑ 길이가 같다.	×	○	×	○
Ⓒ 직교한다.	×	×	○	○

(2) 설명은 다양할 수 있다.

① 평행사변형 ⇨ 직사각형
평행사변형의 두 대각선의 길이가 같으면 직사각형이 된다.

② 평행사변형 ⇨ 마름모
평행사변형의 두 대각선이 직교하면 마름모가 된다.

③ 직사각형 ⇨ 정사각형
직사각형의 두 대각선이 직교하면 정사각형이 된다.

④ 마름모 ⇨ 정사각형
마름모의 두 대각선의 길이가 같으면 정사각형이 된다.

[다른 풀이]

① 평행사변형 ⇨ 직사각형
대각선의 성질 추가 조건 : 두 대각선의 길이가 같다.

② 평행사변형 ⇨ 마름모
대각선의 성질 추가 조건 : 두 대각선은 서로 수직이다.

③ 직사각형 ⇨ 정사각형
대각선의 성질 추가 조건 : 두 대각선은 서로 수직이다.

④ 마름모 ⇨ 정사각형
대각선의 성질 추가 조건 : 두 대각선의 길이가 같다.

6 개념과 원리 탐구하기 4

① 두 쌍의 대변이 각각 평행하다.
② 이웃하는 두 각의 크기가 같다.
③ 이웃하는 두 변의 길이가 같다.
④ 이웃하는 두 변의 길이가 같다.
⑤ 이웃하는 두 각의 크기가 같다.

7 개념과 원리 탐구하기 4

평행사변형 ABCD에서 각 B와 각 D의 크기가 같으므로 이등분된 $\angle$ABD와 $\angle$ADE의 크기가 같다.
그림에서 삼각형 ABD는 두 밑각의 크기가 같으므로 이등변삼각형이다.
그러므로 이웃하는 두 변 AB와 AD의 길이가 같다.
따라서 평행사변형 ABCD는 네 변의 길이가 같게 되어 마름모라고 할 수 있다.

8 개념과 원리 탐구하기 1, 3

주어진 기구가 자동차와 같은 무거운 물체를 지면과 수직으로 들어 올리는 것은 마름모 구조 때문이다. 마름모는 대각선이 서로 수직으로 만나기 때문에 한 대각선이 지면과 평행하면 다른 대각선은 지면과 수직을 이룬다. 그러므로 이 기구는 자동차와 같은 물체를 대각선 방향으로 수직으로 들어 올리게 되는 것이다.

학생 답안 1

제목: 새단장한 평창 2018 동계 올림픽·패럴림픽 로고, 드디어 나왔지만 올림픽은 이미 끝난뒤...

'평창'의 초성 ㅍ ㅊ을 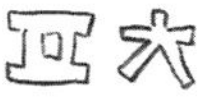 으로 보고 그 그림자 부분을 따온 로고로, 평행사변형, 사다리꼴 등의 사각형들로 그렸고, 삼각형과 사각형으로  은 겨울의 눈을,  은 선수들이 지금까지 해온 연습을 끝없이 상승하는 계단의 모습을,  은 올림픽에서 날개를 펴고 힘껏 꿈과 목표를 향해 날아오를 사람들의 모습을 표현한 것이고,  은 이 올림픽을 위해서 많은 사람들이 고생했는데, 이들의 땀과 눈물을 표현했고, 전부 얼음이 연상되도록 날카롭고 각지게 그렸습니다.

학생 답안 2

제목: 후원(도움)

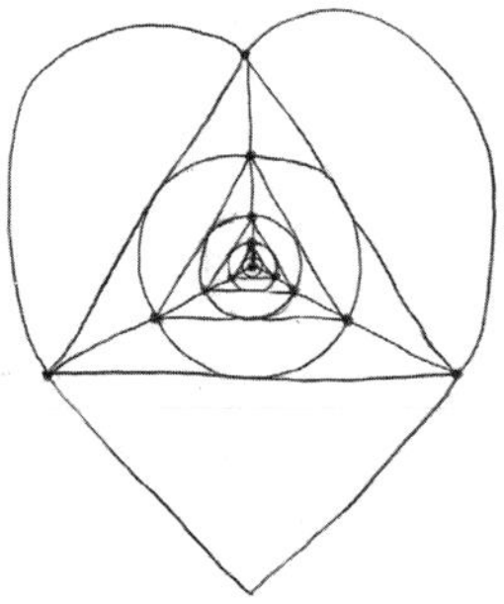

·변하지 않는 삼각형의 내심 : 모두(삼각형의 꼭짓점들)의 목적은 "후원(도움)" 하나라는 것을 의미한다.
·반복되는 모양 : 어느 세 사람(삼각형의 세 꼭짓점)이 한 사람(삼각형의 내심. 두 개의 뜻을 모두 지님.)을 도우면, 그 사람이 다른 두 사람과 같이 또다른 한 사람을 돕는 게 반복된다는 걸 의미한다.

학생 답안 3

제목: 인종 차별하지 말자

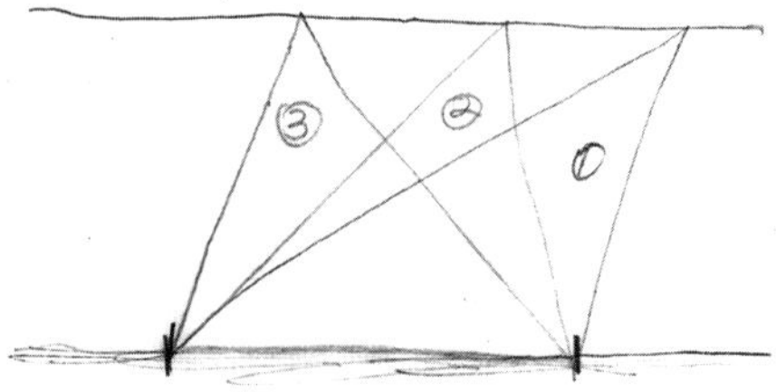

①, ②, ③은 다 같은 크기의 삼각형이다..
모양은 다 다르지만 결국 크기는 같다는걸 설명하고 싶었다.
그니까 다른 얼굴이라고 차별하지 말고
우리 모두 소중해야 하는 같은 사람인걸
명심하자

제목: 서울시 엠블럼

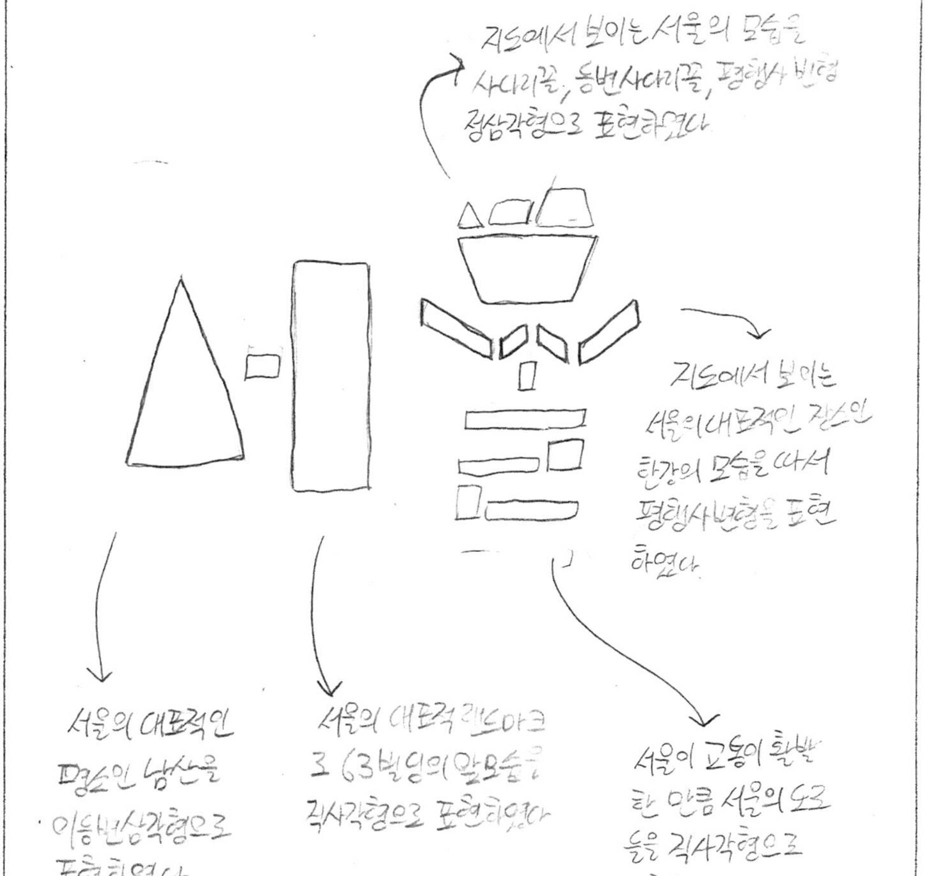
지도에서 보이는 서울의 모습을 사다리꼴, 등변사다리꼴, 평행사변형 정삼각형으로 표현하였다.
지도에서 보이는 서울의 대표적인 장소인 한강의 모습을 따서 평행사변형을 표현하였다.
서울의 대표적인 명소인 남산을 이등변삼각형으로 표현하였다.
서울의 대표적 랜드마크 63빌딩의 모습을 직사각형으로 표현하였다
서울이 교통이 활발한 만큼 서울의 도로들을 직사각형으로 표현하였다.

개념과 원리 연결하기 예상 답안

교과서(하) 80~81쪽

1

'두 대각선의 길이가 같은 사각형은 직사각형이다.'

나의 첫 생각

영수의 주장은 옳다.
왜냐하면 직사각형의 뜻은 네 각의 크기가 같은 사각형이고, 이것으로부터 직사각형의 두 대각선의 길이가 같다는 것을 설명했기 때문이다.
그러므로 두 대각선의 길이가 같은 사각형은 직사각형이다.
평행사변형은 두 대각선의 길이가 항상 같다고 볼 수는 없다.

다른 친구들의 생각

친구가 다음 그림과 같은 반례를 들었다.
그림의 사각형은 두 대각선의 길이가 모두 6으로 같지만 이 사각형의 네 각의 크기는 같지 않다.
그러므로 두 대각선의 길이가 같은 사각형은 직사각형이라고 할 수 없다.

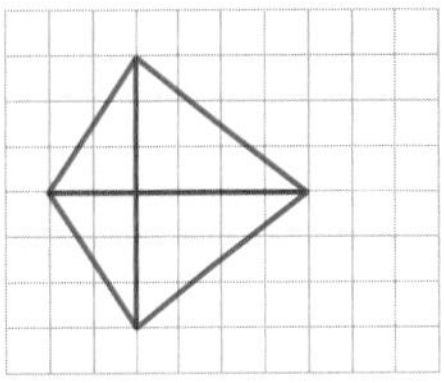

정리된 나의 생각

직사각형의 성질을 다시 되돌아보니 두 대각선의 길이가 같은 것은 사실이지만 이것만으로 직사각형이 된다고 보장할 수는 없다. 직사각형은 평행사변형이기 때문에 평행사변형이 갖추어야 할 대각선에 관한 조건, 즉 두 대각선이 서로 다른 것을 이등분한다는 성질도 만족해야 한다. 그러므로 두 대각선의 길이가 같고 '서로 다른 것을 이등분한다.'는 조건이 추가되어야 이 사각형이 직사각형이라고 말할 수 있다.

2 (1)

평행사변형의 뜻

두 쌍의 대변이 각각 평행한 사각형을 평행사변형이라 한다.

평행사변형의 성질

① 두 쌍의 대변의 길이가 각각 같다.
② 두 쌍의 대각의 크기가 각각 같다.
③ 대각선이 서로 다른 것을 이등분한다.

평행사변형이 되는 조건

① 두 쌍의 대변이 각각 평행하다.
② 두 쌍의 대변의 길이가 각각 같다.
③ 두 쌍의 대각의 크기가 각각 같다.
④ 대각선이 서로 다른 것을 이등분한다.
⑤ 한 쌍의 대변의 길이가 같고 서로 평행하다.

(2)

평행사변형과 관련 개념 사이의 연결성

- 여러 가지 사각형, 즉 정사각형, 직사각형, 마름모, 평행사변형, 사다리꼴 등이 있는데 각 사각형의 성질은 초등에서 직관적으로 거의 학습하였지만 중학교에서는 논리적으로 설명하는 과정에 집중한다.
- 특히 대각선의 성질은 중학교에서 추가로 다루고 있다.
- 삼각형의 합동 조건은 평행사변형의 성질을 설명하는 데 결정적인 역할을 한다.
- 평행선에서의 동위각과 엇각의 크기가 같다는 성질은 평행사변형의 성질을 설명하는데 많이 사용된다.
- 직전에 배운 이등변삼각형의 성질을 논리적으로 설명하는 과정은 사각형의 성질에서도 거듭 강조되고 있다.

학생 답안 1

나의 첫 생각

두 대각선의 길이가 같은 사각형은 직사각형 뿐만 아니라 등변사다리꼴과 정사각형도 있다.

다른 친구들의 생각

두 대각선의 길이가 같은 사각형은 직사각형 뿐만아니라 등변사다리꼴도 된다고 생각합니다. 두 대각선의 길이가 같은 사각형이 직사각형이 될수 있는 것 처럼 두 대각선의 길이가 같은 사각형은 등변 사다리꼴이 될 수 있습니다. (경태)

정리된 나의 생각

두 대각선의 길이가 같은 사각형은 직사각형 뿐만 아니라 등변사다리꼴과 정사각형도 있다. 그러나 정사각형과 직사각형 모두 등변사다리꼴에 포함된다.

→ 정리된 나의 생각으로 다시 부중의 주장을 고친다면 → 「두 대각선의 길이가 같은 사각형에는 등변사다리꼴이 있다」 라고 할 수 있다.

학생 답안 2

나의 첫 생각

항상 그렇다고 할 수 없다 왜냐하면  같은 등변사다리꼴도 가능하기 때문이다. 두 대각선의 길이가 같고 서로가 이등분한다고 하면 될 듯하다

다른 친구들의 생각

안 된다 등변사다리꼴도 있기 때문이다

정리된 나의 생각

반례가 존재한다. 바로 등변 사다리꼴이다. 위의 생각에 서로를 이등분한다를 추가해야한다

학생 답안 3

나의 첫 생각

두 대각선의 길이가 같은 사각형의 종류에는 등변사다리꼴, 직사각형, 정사각형이 있기에 아니라고 생각함.

다른 친구들의 생각

ㅇ두 대각선의 길이가 같은 사각형에는 등변사다리꼴, 직사각형, 정사각형이 있기 때문에 부경이의 주장은 틀렸다. (동하)

ㅇ 내가 생각하기에는 두대각선의 길이가 같은 사각형은 등변사다리꼴도 있기 때문에 부경이의 말이 틀린것 같다. (재호)

정리된 나의 생각

'두 대각선의 길이가 같은 사각형은 직사각형이다.'라는 문장은 모든 두 대각선의 길이가 같은 사각형이 직사각형이라는 것을 의미한다. 그러나 두 대각선의 길이가 같은 사각형에는 등변사다리꼴이 있으므로 위의 문장은 틀렸다. 따라서 바르게 고치면 '두 대각선의 길이가 같은 사각형에는 등변사다리꼴, 직사각형, 정사각형이 있다'로 고칠 수 있을 거 같다.

학생 답안 4

나의 첫 생각

두 대각선이 길이가 같은 사각형은 등변사다리꼴과 정사각형도

있기 때문에 직사각형이라 판정 짓기 어렵다.

다른 친구들의 생각

맞지 않다. 두 대각선의 길이가 같은 사각형은 정사각형도 될수있다.

두 대각선의 길이가 같다는 직사각형의 성질이다

직사각형: 네각의 크기가 모두 같은 사각형

정리된 나의 생각

맞지 않는것 같다. 직사각형은 두 대각선의 길이가 같은 사각형이다 라는 말이 설명하는데 더 맞는 말 같다.

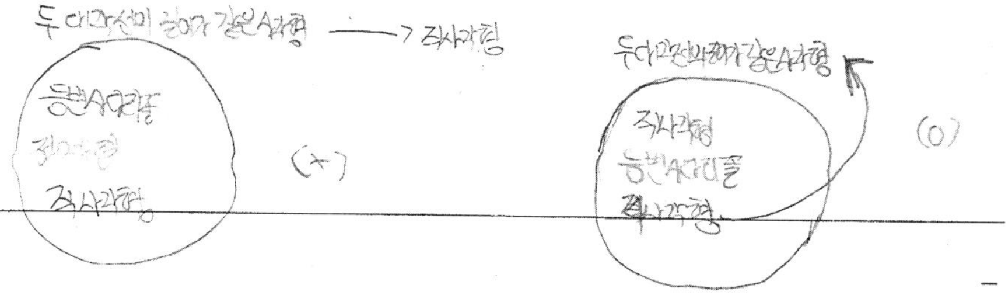

학생 답안 1

Ⅰ. 평행사변형은 두 쌍의 대변이 평행하다
Ⅱ. 평행사변형은 두 쌍의 대변의 길이가 같다
Ⅲ. 평행사변형은 두 쌍의 대각의 크기가 같다
Ⅳ. 평행사변형은 두 대각선이 서로를 이등분한다
Ⅴ. 평행사변형은 두 대각선으로 자신을 나누면 4개의 삼각형 중 마주보는 두 쌍의 삼각형이 합동이다
Ⅵ. 평행사변형은 대각선에 의해 합동인 두 삼각형으로 나뉜다
Ⅶ. 평행사변형은 이웃하는 각의 크기의 합이 180° 이다.

학생 답안 2

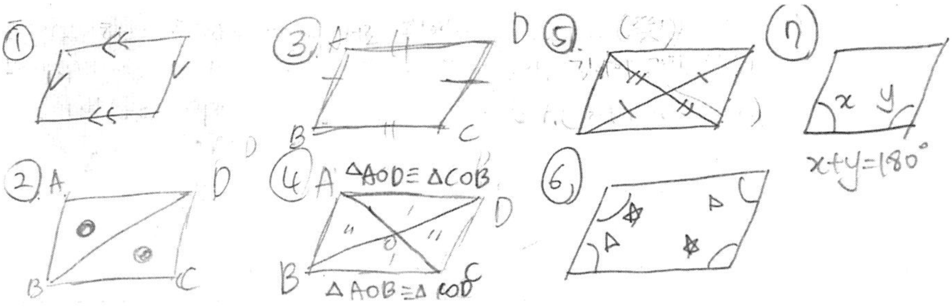

학생 답안 3

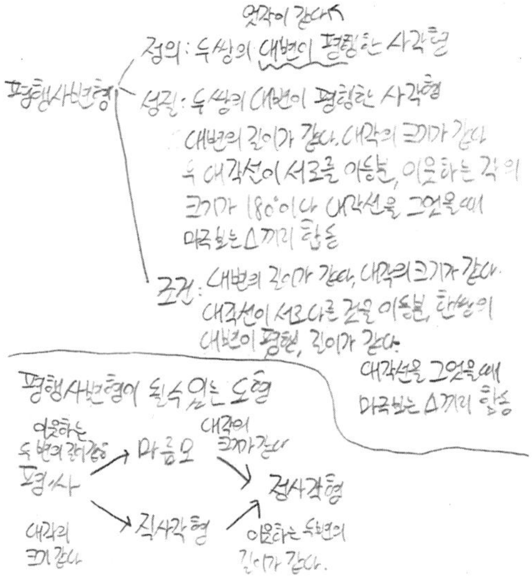

학생 답안 1

〈평행사변형과 연결된 개념〉	〈평행사변형과 관련 개념 사이의 연관성〉
· 삼각형의 합동 (Ⅰ) · 평행선의 성질 (Ⅱ) (동위각, 엇각)	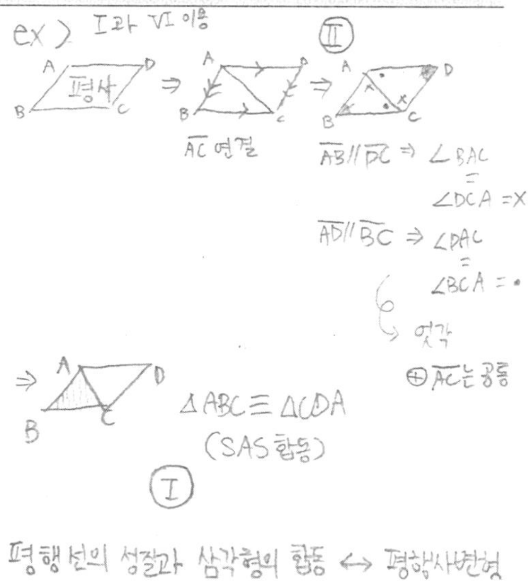

학생 답안 2

〈평행사변형과 연결된 개념〉	〈평행사변형과 관련 개념 사이의 연관성〉
· 삼각형의 합동 · 평행선의 성질 (동위각, 엇각) · 맞꼭지각 · 동측 내각	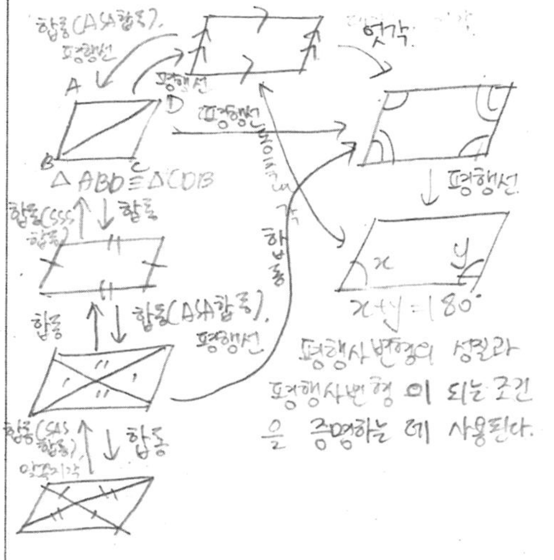

수학 학습원리 완성하기 예상 답안

교과서(하) 64~65쪽

학생 답안 1

내가 선택한 문제

아래 그림은 한 휴게소의 주차장 모습입니다. 고속도로를 가다가 쉬고 싶으면 휴게소에 들어가 차를 대고 밥을 먹거나 잠을 잡니다.

나의 깨달음

우리가 여태까지 배운 평행사변형의 성질들에는 두 쌍의 대변이 각각 평행한 것, 두 쌍의 길이가 같은 것, 이웃하는 각의 크기 등이 있었다.

일반적인 주차장의 모습은 직사각형이 다닥다닥 붙어 있는 모습이었지만 위의 사진의 주차장은 평행사변형이 기울어져 있는 듯한 모습이다. 사실 이런 모습은 문콕을 예방할수 있고 더욱 효율적으로 차들을 주차시킬수 있도록 한다. 앞으로는 평행사변형의 성질이 우리 생활에 또 어떻게 이용되었는지 찾아보고 싶다.

학습원리 2. 관찰하는 습관을 통해 규칙성 표현하기

학습원리 3. 수학적 추론을 통해 자신의 생각 정당화하기

학생 답안 3

내가 선택한 문제

Ⅲ 탐구하기 3번.

나의 깨달음

평행사변형의 뜻과 성질은 재미없고 하기싫었다. 그런데 화살표로 연결해보고 출발과 도착점을 찾는 것은 재미있었다.

친구들과 의견이 달랐는데 다른의견들이 다 맞다고 해서 이럴수도 있구나 했다.

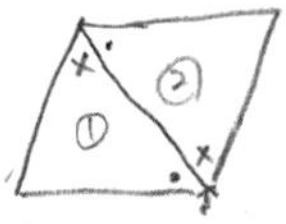

① ≡ ② 이면  도 되고  도 된다

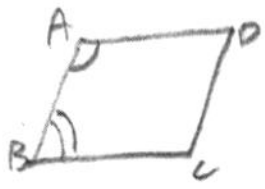

∠A + ∠B = 180° 인 내용은 이용안해도 된다. 나는 합동을 쓰는게 편하다. 평행선 찾기가 어렵다. 쉬운 방법을 찾아서 좋다.

수학 학습원리

1. 끈기있는 태도와 자신감 기르기
3. 수학적 추론

STAGE 8

모양을 축소하고 확대하자
– 도형의 닮음, 피타고라스 정리

이 단원의 핵심 지도 방향

이 단원에서는 일상에서 사용하는 '닮았다'라는 표현을 수학적으로 해석하고 이해할 수 있도록 합니다. 학생들에게 닮은 도형을 실제로 그리게 하면 닮음의 수학적 정의를 몰라도 직관을 사용하여 그릴 수 있습니다. 자신이 직접 그리는 과정에서 사용한 성질을 발견하게 할 수 있습니다. 확대나 축소를 하여 그렸을 때 변하지 않는 것, 즉 대응하는 선분의 길이의 비가 같다는 성질 등을 직관적으로 이용했음을 알게 되는 것입니다.

삼각형의 닮음 조건은 닮음의 성질에 따라 각의 크기가 변하지 않고, 길이의 비가 일정함을 이용하여 삼각형의 합동 조건과 연결하여 논리적으로 추론할 수 있게 합니다. 삼각형의 닮음 조건이 삼각형의 합동 조건과 비슷하다고 암기할 것은 아닙니다. 그리고 합동도 결국 1 : 1 닮음으로 설명할 수 있음을 이해하게 할 수 있습니다.

평행선과 선분의 길이 역시 닮음의 성질 중 하나로 다룹니다. '닮음'과 '평행'의 조건이 만나면 어떤 일이 벌어지는지 상상해 볼 수 있게 합니다. 평행선의 성질로 인해 크기가 같은 각이 생기고 이를 삼각형의 닮음과 연계하여 길이의 비를 추론할 수 있도록 안내합니다.

삼각형의 무게중심에서는 무게를 공평하게 나누는 선으로서의 '중선'을 발견할 수 있도록 하였습니다. 그리고 삼각형의 닮음을 이용하여 삼각형의 무게중심의 성질을 탐구하게 합니다.

피타고라스 정리는 중학교 3학년 과정에서 이동한 것으로 자연수의 범위 안에서 직각삼각형의 변의 길이의 관계를 탐구하도록 할 수 있습니다. 피타고라스 정리의 증명은 다양하지만 도형의 닮음 단원이므로 닮음을 이용하여 증명할 수도 있습니다.

1 모양은 같고, 크기는 다르고 (도형의 닮음)

단원 지도 계획

/ 1 / 줄여 보고 키워 보자

1차시	**개념과 원리 탐구하기 1** 닮음의 뜻 **개념과 원리 탐구하기 2** 닮음의 기호, 닮음의 성질
2차시	**개념과 원리 탐구하기 3** 닮은 도형의 넓이의 비 **개념과 원리 탐구하기 4** 닮은 도형의 부피의 비
3차시	**개념과 원리 탐구하기 5** 닮은 도형의 넓이의 비와 부피의 비

/ 2 / 팽이 돌리기

4차시	**개념과 원리 탐구하기 6** 닮음의 뜻 **개념과 원리 탐구하기 7** 삼각형의 닮음 조건
5차시	**개념과 원리 탐구하기 8** 평행선과 선분의 길이의 비 **개념과 원리 탐구하기 9** 닮음의 응용
6차시	**개념과 원리 탐구하기 10** 삼각형의 무게중심
7차시	**개념과 원리 탐구하기 11** 삼각형의 무게중심의 성질

8차시	탐구 되돌아보기

- 교과서 각 소단원마다 제시된 **탐구 되돌아보기**는 **개념과 원리 탐구하기**와 연계하여 수업 시간 내 또는 수업 시간 이후 복습으로 활용할 수 있습니다.

/1/ 줄여 보고 키워 보자 (닮음의 뜻과 성질)

학습목표

1 도형의 닮음의 의미를 알고 이를 통해 단순히 모양이 닮았다고 말하는 일상 용어와 구별하고 수학적으로 닮음을 정확하게 설명할 수 있다.

2 닮은 도형을 직접 그려 보는 활동을 통해 닮음비가 대응하는 선분의 '길이의 비'임을 이해하고, 닮은 도형의 성질을 발견할 수 있다.

3 일상 생활 속에서 일어나는 상황에서 닮은 도형의 넓이의 비와 부피의 비를 구하고 닮음비와의 관계를 설명할 수 있다. 이때, 닮은 도형을 계속 그려 보게 하여 길이의 비(닮음비), 넓이의 비, 부피의 비의 관계를 발견할 수 있도록 한다.

2015 개정 교육과정 성취기준

도형의 닮음의 의미와 닮은 도형의 성질을 이해한다.

교수 · 학습 방법 및 유의사항

'삼각형의 중점연결 정리' 용어는 교수 · 학습 상황에서 사용할 수 있다.

평가 방법 및 유의사항

정확한 용어와 기호의 사용, 복잡한 형식 논리 규칙의 이용을 요구하는 연역적 정당화 문제는 다루지 않는다.

핵심발문

1 닮은 도형은 길이와 각에 대해 어떤 특징을 갖고 있을까?

2 닮음비와 넓이의 비, 부피의 비는 어떤 관계가 있을까?

개념과 원리 탐구하기 1 _ 닮음의 뜻

교과서(하) 87쪽

탐구 활동 의도

- 일상 생활에서의 닮음의 의미와 수학에서의 닮음의 의미가 어떻게 다른지 알아보는 활동을 통하여 닮음을 수학적으로 표현하게 해 보는 활동이다.
- 실생활에서는 모양이 비슷한 것을 닮았다고 하지만, 수학에서는 확대 또는 축소하여 합동이 되는 경우임을 이해하고 말할 수 있다.
- 변형된 카드를 보면서 직관적으로 닮음이 무엇인지를 찾도록 한다. 이때 카드를 늘리거나 줄일 때, 가로의 길이와 세로의 길이의 변화를 줄 때, 같은 비율로 변화를 주는 것이 닮음의 의미임을 발견하는 활동이다. 처음에 직사각형을 준 것은 가로와 세로의 길이의 비를 구하는 것이 가장 수월하기 때문이다.

예상 답안

1 ㉠과 ㉢의 모양이 닮았다. ㉡은 가로의 길이가 세로의 길이보다 더 많이 길어진 모양이다.

> 이유: 가로와 세로에 비율이 같기 때문에 ㄱ, ㄷ은
> 닮은 관계가 있지만 ㄴ은 비율이 같지 않으므로
> 닮은 관계가 아니다

2 닮음은 일정한 비율로 확대, 축소하여 다른 도형과 합동이 되는 것이다. ㉠은 (가로의 길이) : (세로의 길이)가 4 : 6이고 ㉡의 경우 (가로의 길이) : (세로의 길이)가 5 : 7이다. 각각의 비율을 계산하면 $\frac{4}{6} \neq \frac{5}{7}$ 이다. 따라서 ㉠과 ㉡은 닮음이 아니다.

㉢은 가로의 길이가 6칸이므로 1.5배 확대되었는데 세로의 길이도 6칸에서 9칸이 되었으므로 1.5배 확대되어 같은 비율이다. 즉 ㉠을 1.5배 확대하면 ㉢과 같으므로 닮음이다.

> ㉠의 가로, 세로 길이를 일정하게 확대하여 ㉢을 만들었다

3 일상에서 사용하는 '닮았네'라는 표현은 길이와는 상관없이 비슷하거나 일부만 닮은 경우에 사용할 수 있다. 하지만 수학에서 닮은 도형은 일정한 비율로 확대하거나 축소한 도형이므로 아빠와 수학적으로 닮았다는 표현을 사용할 수가 없다.

수업 노하우

- 닮음 단원은 '비와 비례'의 개념이 필요하다. **탐구하기 1**을 통해 이를 복습할 수 있다. 이번 단원을 탐구해 가면서 '비례' 개념을 천천히 이해할 수 있는 기회를 줄 필요가 있다.
- 우리 주변에서 축소 또는 확대한 모양들이 어떤 것들이 있는지 먼저 발문해 볼 수도 있다. 건축 모형처럼 실제로 너무 커서 실제 크기로 만들기 어려워 일정한 비율로 축소하여 실험하거나 전시하는 경우가 있고, 분자 모형처럼 너무 작아서 실제보다 크게 확대하여 잘 볼 수 있도록 하는 것도 있다. 이런 것들을 학생들이 도형의 크기와는 관계없이 모양이 같은 것임을 이해할 수 있다. 이때 수학에서는 확대 또는 축소하여 합동이 되는 경우를 의미함을 확실하게 표현할 수 있도록 할 필요가 있다. 이것이 **탐구하기 6**에서 삼각형의 합동 조건으로부터 닮음 조건을 만들 수 있는 원리다.
- 1 에서 ㉠은 가로와 세로의 길이의 비가 4 : 6, ㉢은 6 : 9다. ㉠과 ㉢은 가로와 세로의 길이의 비가 2 : 3으로 같나. 학생들 중 이렇게 수치로 정확하게 표현한 학생은 별로 없었다. 다만 가로와 세로의 길이의 비가 일정하다고 쓰는 경우가 많았고, 대응하는 변의 길이의 비가 같다고 말하는 학생들의 수는 적었다. 어떤 의견이 옳고 그름이 아니라 다양한 관점에서 해석할 수 있음을 공유할 수 있도록 한다.

> ㉠과 ㉢. 가로와 세로의 각 비율이 같게 유지되었다.
> 가로, 세로의 길이의 비가 (각각) 일정하게 같으므로
> 3
> 이유 : (a)와 (c)는 대응하는 변의 비가 같다.

• [1]에서 다음과 같이 ㉠, ㉡이 닮음이라고 하는 경우가 있었다. 하나씩 더해지는 것은 같은 비율로 늘어나는 것이 아님을 알아내도록 한다. 이런 예를 이용하여 학생들과 비례 개념을 복습할 수 있다.

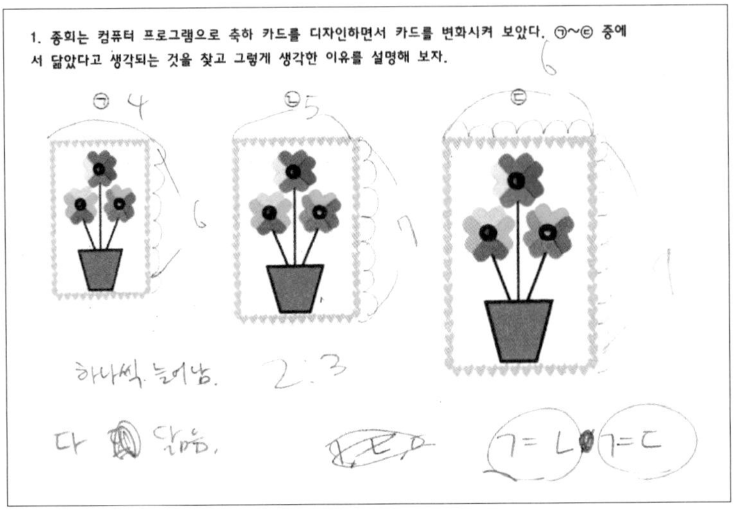

• [3]에서 일상 생활에서는 '어떤 한 부분'이 닮았을 때에도 닮았다고 하지만, 수학에서는 '모든 것'이 다 일정하게 확대 또는 축소되었다고 하는 점이 닮았다고 하였다. 여기서 모둠활동을 통해 친구의 의견에서 제시된 '모든 것'이 무엇일지 더 구체적으로 논의할 수 있다.

– 다르다고 설명한 예

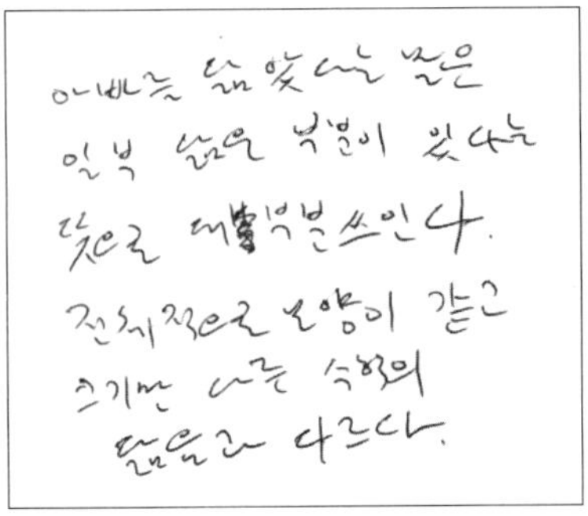

– 비슷하다고 설명한 예

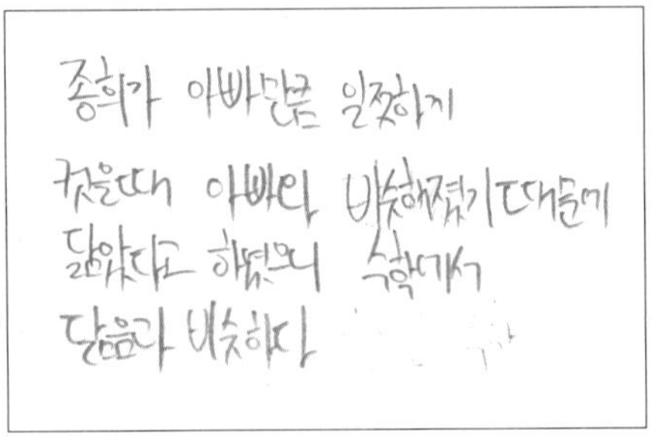

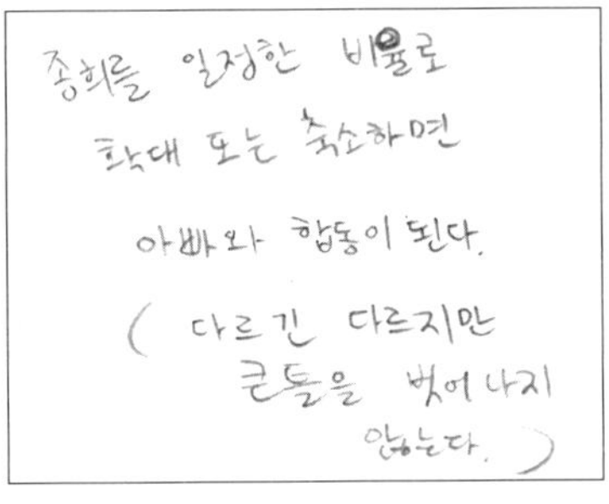

• 닮음의 의미를 충분히 이해했다면 학생들에게 항상 닮은 도형이 있을까를 발문할 수 있다. 자연스럽게 원, 정삼각형, 정사각형 등의 답을 유도하되 그 도형들은 왜 항상 닮음인지를 닮음의 의미를 이용해 설명할 수 있도록 할 수 있다.

개념과 원리 탐구하기 2 _ 닮음 기호, 닮음의 성질

교과서(하) 88쪽

탐구 활동 의도

- 닮음인 도형을 그려 보고 닮음인 도형의 성질을 발견하는 활동이다.
- 아직 닮음비를 학습하지 않은 상태지만, 닮음의 뜻을 고려하여 모눈의 눈금을 이용하여 닮은 도형을 직접 그려 보게 한다.
- 닮은 두 도형을 비교하여 대응하는 변의 길이와 각의 크기를 관찰함으로써 변하는 것과 변하지 않는 것을 발견하도록 한다. 학생들이 직접 그리는 활동은 닮은 두 도형에서 대응하는 각의 크기는 변하지 않고, 대응하는 길이의 비가 일정함을 관찰할 수 있도록 한다.
- 평면도형과 마찬가지로 입체도형에서도 닮음비를 찾을 수 있음을 발견하게 할 수 있다. 평면도형과 입체도형에서 닮음의 성질이 각각 다른 것이 아니라 평면도형에서 관찰한 성질이 그대로 적용됨을 이해할 수 있다.
- 예시에 나타난 표현을 통해 닮은 도형을 기호로 표현해 볼 수 있다.

예상 답안

1 아래 예시와 같이 확대 또는 축소로 다양한 닮은 삼각형을 그릴 수 있다.
$\triangle ABC \backsim \triangle DEF$

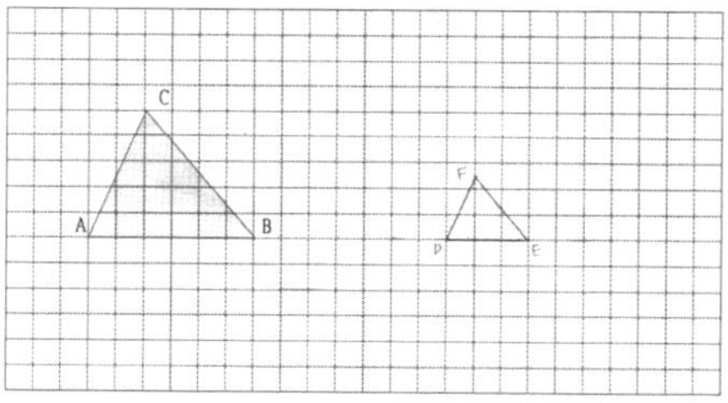

닮음비 2 : 1로 축소한 경우

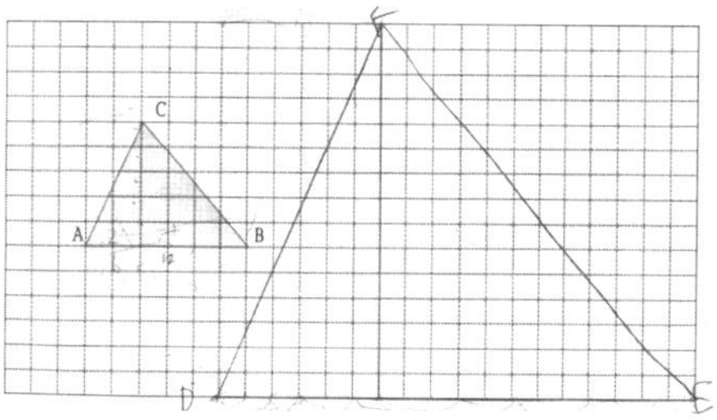

닮음비 1 : 3으로 확대한 경우

학생 답안

학생들의 답은 다양할 수 있다.
– 대응하는 변의 길이의 비를 이용함.

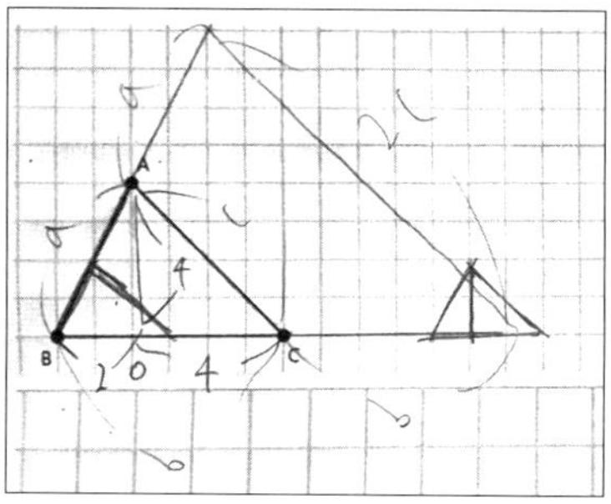

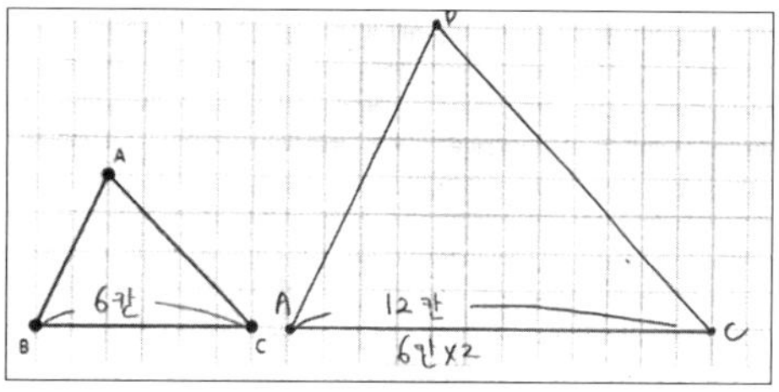

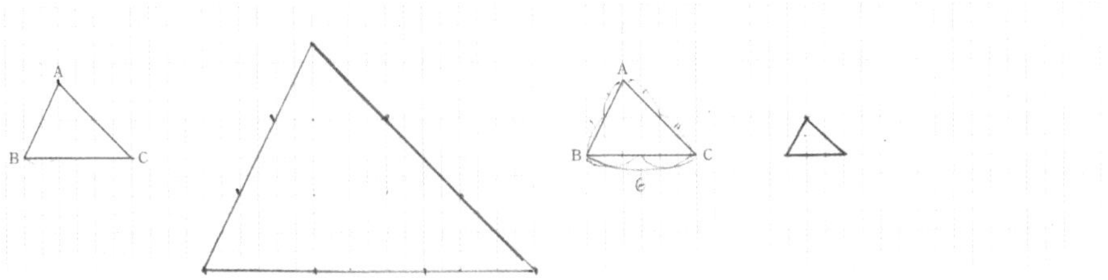

학생 답안

– 직사각형을 이용함.

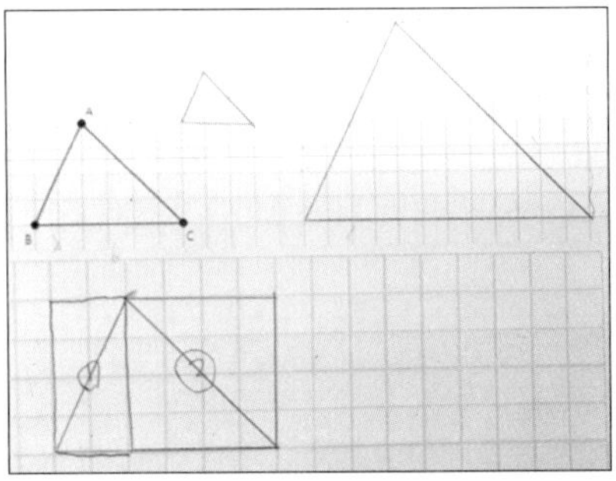

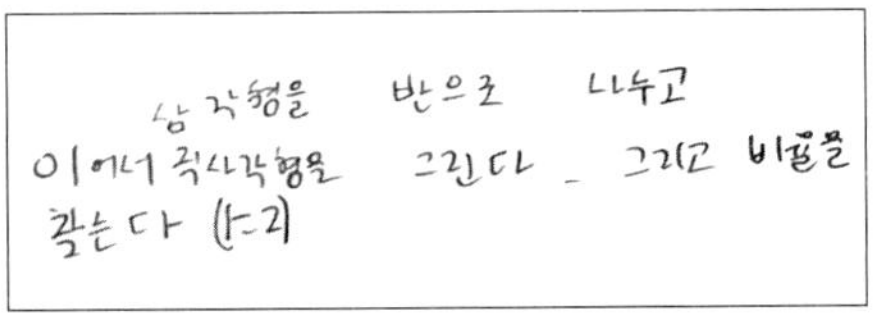

2

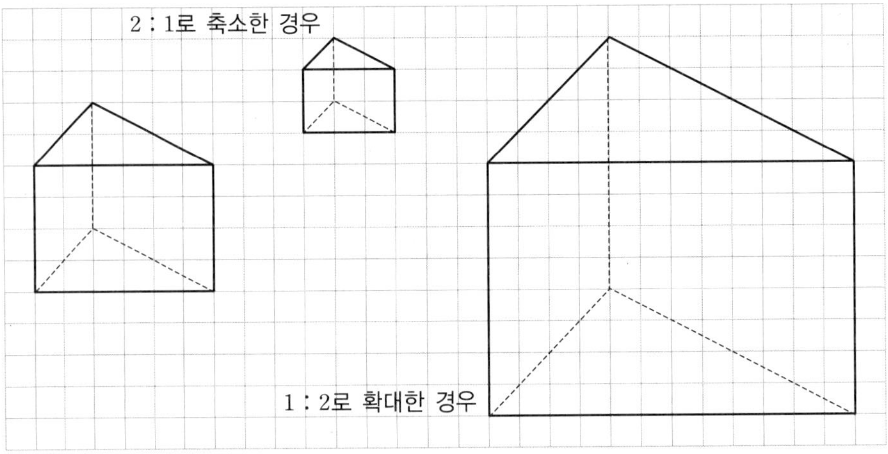

학생 답안

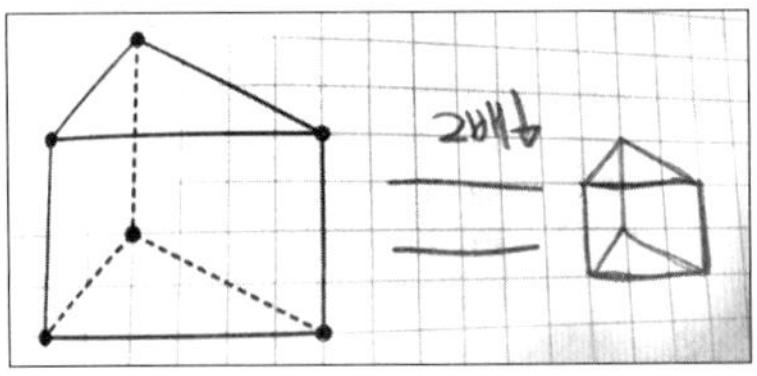

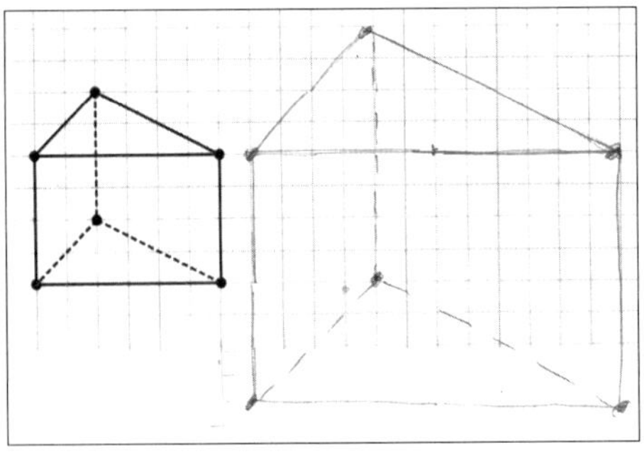

3 (1) 대응하는 변의 길이(선분의 길이)의 비가 일정하다.
대응하는 각의 크기는 변하지 않는다.

(2) 대응하는 변의 길이(선분의 길이)의 비가 일정하다.
대응하는 각의 크기는 변하지 않는다.
입체도형의 경우 대응하는 면이 닮음이다.

길이의 특징 : 닮은 두 도형에서 대응하는 선분의 비율은 모두 동일하다
각의 특징 : 닮은 두 도형에서 대응점이 이루는 각은 각각 같다
길이는 일정 비율로 확대 또는 축소가 되지만 각의 크기는 변하지 않는다.

- 일정한 비율로 확대하거나 축소했을때 각은 변하지 않는다.
- 일정한 비율로 확대하거나 축소했을때 길이도 일정하게 확대하거나 축소된다

수업 노하우

• 1 에서 실제로 그리게 하면 생각보다 밑변의 길이와 높이를 같은 비율로 그리지 못하는 경우가 많았다. 이 학생과 같이 그리는 방법을 옳게 설명했다면 스스로 오류를 찾아 수정해 보도록 할 수 있다.

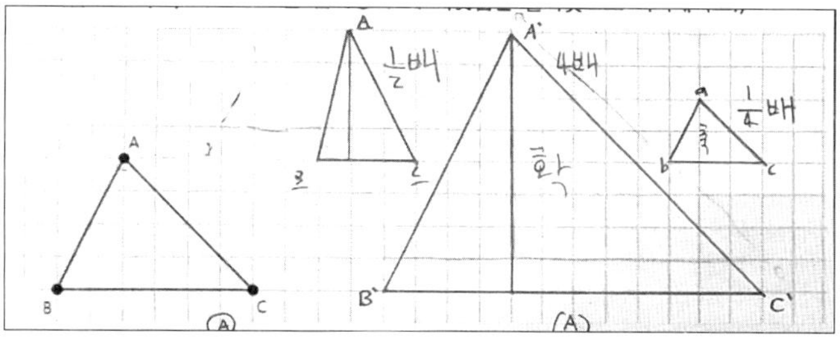

2. 삼각형을 축소하거나 확대한 방법을 구체적으로 설명해봅시다.
△ABC에 밑변을 BC라고하고 BC에서 대각을 A라고할때 B와C의 거리는 6칸 BC와 A의 거리가 4칸 일때 △A'B'C'의 각 길이를 2배를하고 각은그대로 두고 △ABC는 각은그대로 두고 BC와 A의 길이를 축소했다

— 비례식 개념을 몰랐더라도 여기서부터 지속적으로 만들어갈 수 있다. 다음은 입체도형을 축소해서 그린 후 닮음비를 $1:\frac{1}{2}$이라고 적은 학생의 예다. 이 학생은 왜 $1:\frac{1}{2}$이 $2:1$과 같은지 처음에는 몰랐지만 여러 가지 예를 그리면서 이해할 수 있었다. 탐구마다 비례식을 복습해 갈 수 있도록 하고, 학생들이 비례식에 대해 질문할 수 있는 수업 분위기를 조성하는 것이 필요하다.

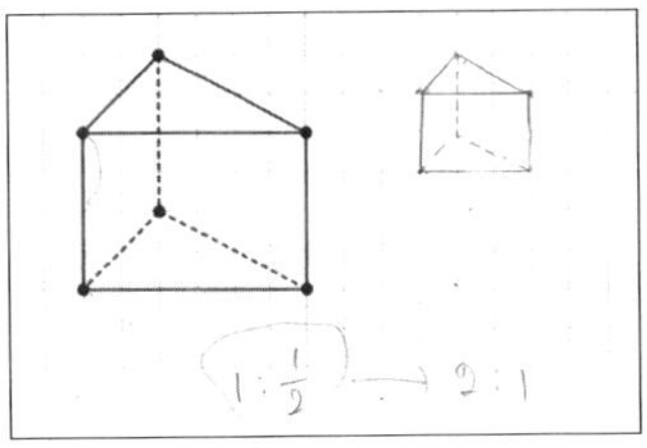

• 확대와 축소를 했을 때, 변하는 것과 변하지 않는 것이 무엇인지를 구분해서 물어볼 수도 있다.
– 학생들은 변하는 것으로 넓이, 변(모서리)의 길이, 부피, 겉넓이 등이라고 말했다.

변의 길이, 도형의 넓이, 입체도형의 부피
크기, 입체도형의 겉넓이
입체도형의 모서리의 길이 등

– 변하지 않는 것은 모양, 각의 크기와 길이 사이의 '비율'임을 알아냈다. 여기서 일정한 것은 형태와 비율임을 발견하도록 하는 것이다. 이와 같이 닮음일 때 변하지 않는 것, 즉 일정한 것은 실제 크기와 관련된 양이 아니라 비율임을 이해할 수 있도록 해야 한다.

각의 크기, 대응하는 변의 길이의 비, 모양, 대응하는 모서리의 길이의 비
대응하는 면이 각각 닮음 이다.

각의 크기, 비율, 형태, 닮음 비.
도형의 각 변의 길이의 비.

• 닮은 두 도형의 성질은 삼각형의 닮음 조건을 추론할 수 있는 바탕이 되므로 닮음의 뜻과 연결하여 학생들이 여러 가지를 발견할 수 있도록 수업을 진행할 수 있다.

닮음인 두 도형에서 변의 길이의 비 외에 일정한 것을 더 찾아볼까요?

• 학생들은 대각선의 길이의 비, 한 쌍의 대응하는 꼭짓점과 한 쌍의 대응하는 변의 중점을 연결한 선분의 길이의 비, 대응하는 각의 크기뿐만 아니라 대각선을 그렸을 때 두 쌍의 대응하는 대각선끼리 이루는 각의 크기도 같음을 발견했다.

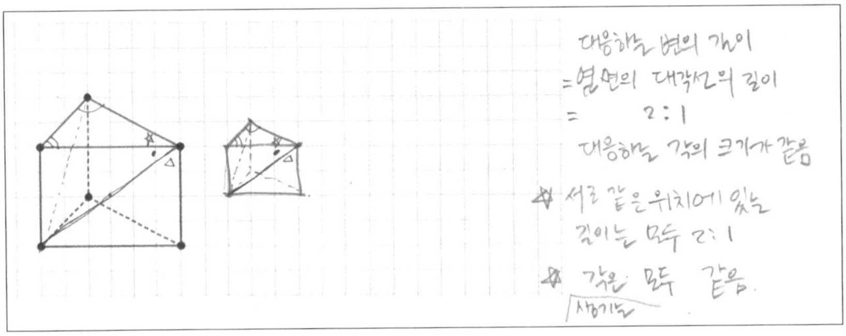

• 입체도형에서는 대응하는 면이 서로 닮음이므로 대응하는 면에서 대응하는 변의 길이가 일정하다. 즉 모서리의 길이의 비가 일정하다. 평면도형과 입체도형을 구분하여 각각의 성질을 이해하기 보다는 하나의

원리로 설명할 수 있도록 할 수 있다. 닮은 두 입체도형을 평면에 그려놓고 성질을 찾다 보면 대응하는 면과 대응하는 각에 대한 관찰은 어려울 수도 있다. 먼저 닮은 두 입체도형의 전개도를 그려서 입체도형을 만들어 보는 활동을 통해 닮은 두 입체도형 사이에 성립하는 성질을 찾아내는 활동을 해볼 수도 있다.

• 또한 **탐구하기 1**에 이어서 두 원과 같이 닮음비를 대응하는 변의 길이의 비로 구할 수 없는 경우에도 직관적으로 닮음비를 어떻게 구할 수 있을지 사고를 확장해 볼 수 있다.

개념과 원리 탐구하기 3 _ 닮은 도형의 넓이의 비

교과서(하) 90쪽

탐구 활동 의도

- 앞의 탐구에서 닮음비는 대응하는 변의 길이의 비임을 이해한 것을 반복적으로 탐구할 수 있도록 하였다.
- 도형을 일정한 비율로 줄여서 그린 그림을 축도라 하고, 이때 줄인 비율을 축척이라고 한다. 여기서는 평면도를 그려 축소된 방의 길이와 넓이를 구해 보는 과정을 통해 닮은 도형의 넓이의 비가 닮음비와 어떤 관계가 있는지 분석하는 활동이다.
- 1은 대응하는 변을 모두 같은 비율로 축소하여 그리는 경험을 통해 닮음비의 원리를 이해하도록 한다. 같은 비율로 축소하는 의미를 내면화하기 위해 일부러 소수로 주었고, 대신 계산이 쉽도록 80 cm로 주어 약분될 수 있도록 고안하였다.
- 2는 실제 넓이와 축소한 넓이를 계산기를 이용하여 구하여 넓이의 비가 대응하는 길이의 비인 닮음비와 어떤 관계가 있는지 추론하게 하는 활동이다. 넓이를 구하는 과정에서 실제 넓이보다 얼마를 더 곱하는지, 왜 더 곱하게 되는지 경험하게 된다. 단순히 추측이 아니라 직접 실행하게 하려고 스스로 계산하도록 하였다.

예상 답안

1

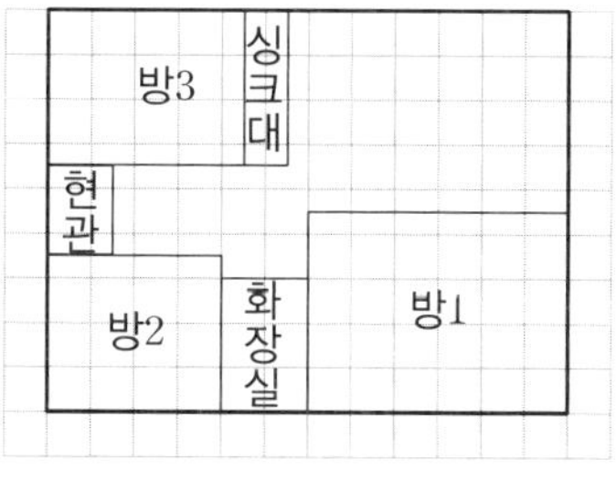

2 (1) 방을 1 : 80으로 축소하였으므로 실제의 아파트와 모눈종이에 그린 평면도의 방 1, 방 2, 방 3의 닮음비는 모두 1 : 80이다.

(2)

	실제 넓이	축소된 넓이
방1	172,800 cm^2	27 cm^2
방2	89,600 cm^2	14 cm^2
방3	100,800 cm^2	15.75 cm^2

(3) 실제 넓이와 축소된 넓이를 구하여 나누어 보면 방 1, 방 2, 방 3은 모두 $\frac{1}{6400}$배 축소되어 있음을 알 수 있다. 이는 각 방의 변의 길이를 $\frac{1}{80}$로 축소하였고 넓이를 구하는 과정에 $\frac{1}{80}$로 축소한 가로의 길이와 세로의 길이라는 두 요인을 곱하므로 $\left(\frac{1}{80}\right)^2$인 $\frac{1}{6400}$로 축소된 것이다.
따라서 닮은 도형의 넓이의 비는 닮음비를 제곱한 것과 같다.

학생 답안

단위에 따라 두 가지 답이 모두 가능하다.

	(1) 실제 넓이	(2) 축소된 넓이
방1	172800 cm²	27 cm²
방2	89600 cm²	14 cm²
방3	100800 cm²	15.75 cm²

	(1) 실제 넓이	(2) 축소된 넓이
방1	4.8m×3.6m = 17.28m²	6cm×4.5cm = 27 cm²
방2	3.2m×2.8m = 8.96m²	4cm×3.5cm = 14 cm²
방3	3.6m×2.8m = 10.08m²	4.5cm×3.5cm = 15.75 cm²

수업 노하우

- 초기에는 학생들이 스스로 비율을 정하도록 하였는데 대부분이 1 : 100으로 축소해서 그렸다. 그런데 축소의 개념보다는 단위만 바꾸어서 그렸다. 미터를 센티미터로 생각하는 과정은 단순히 단위를 바꾼 것이지 같은 비율로 축소한 것이라는 것을 발견하는 데 시간이 오래 걸렸다. 즉 작업은 쉬운데 원리를 파악하기 어려운 상황이라 비율을 1 : 80으로 정해주게 된 것이다. 계산이 복잡하다고 판단될 경우 계산기를 사용하도록 한다.
- 1 에서 아래 그림과 같이 왼쪽 그림에 실제 길이를 옮겨 적은 후, 그리게 할 수도 있다. 축소했을 때의 길이를 계산하는 방법은 크게 두 가지였다. (싱크대 치수는 처음에는 0.8 m × 2.4 m였음.)

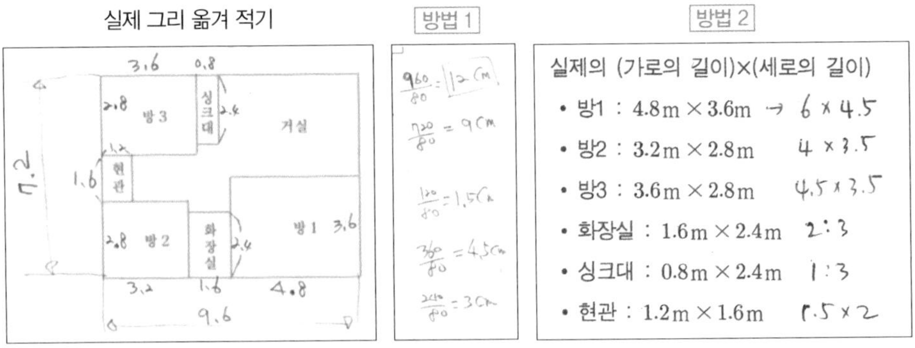

— 방법 1 은 각각의 길이를 80으로 나누어 cm로 환산한 것이고, 방법 2 는 0.8 m를 1 cm로 바꿀 때 1.6 m는 2 cm, 2.4 m는 3 cm 등과 같이 계산한 것이다.

- 2 (1)에서 닮음비가 대응하는 변의 길이의 비임을 확실하게 이해하여야 넓이의 비를 생각할 수 있음을 주의한다. 닮음비가 길이의 비가 아니라 넓이의 비, 부피의 비를 모두 총칭하는 것으로 이해하는 학생들이 있었다. 닮음비의 하위 개념으로 길이의 비, 넓이의 비, 부피의 비가 있다고 생각하는 경우다. 이때 닮음비가 길이의 비를 의미한다는 것을 이해하도록 하고, 이를 이용하여 넓이의 비와 부피의 비가 어떻게 될지를 확

장해 갈 수 있도록 한다.

• 닮음비를 이용하여 넓이를 직접 구하지 않고 방의 넓이를 구할 수 있는 방법을 논의해 보도록 할 수도 있다. 또한 넓이의 비를 이용하면 어떤 점이 편리할지 발문해 볼 수 있다.

> 넓이의 비를 알면 어떤 점이 편리할까?

• 이런 활동 외에도 지도에서 축척을 이용하여 실제 거리를 계산해 볼 수도 있다. 또는 지도 검색 사이트에서 축척을 달리하면 지도상에서 거리가 어떻게 달라지는지 비교하고, 실제 거리를 측정해서 추측한 값이 맞는지 확인해 볼 수도 있을 것이다.

개념과 원리 탐구하기 4 _ 닮은 도형의 부피의 비

교과서(하) 92쪽

탐구 활동 의도

- 신화에 제시된 조건대로 도형을 그려 보는 활동을 통해 가로, 세로, 높이가 같은 비율로 늘어나는 것이 부피의 비에 어떤 영향을 주는지를 생각해 보도록 하는 활동이다.
- 가로, 세로, 높이가 모두 같은 비율로 변하지 않을 경우에는 두 입체도형이 닮지 않았음을 실제로 그려 보며 발견할 수 있다.
- 이 과제는 자연수를 세제곱 했을 때 2나 3이 나올 수 없음을 발견하는 것이 목적이 아니다. 변의 길이가 2배가 되는 것과 부피가 2배가 되는 것을 비교를 통해 분명하게 이해할 수 있도록 하는 것이 목적이다. 그리고 실제 그려 봄으로써 모서리의 길이가 모두 2배가 되었을 때, 결과적으로 부피는 몇 배가 되는지 그림을 이용하여 추론할 수 있도록 하는 과제다.

예상 답안

1 (1)

	처음 신전의 제단	델로스 섬사람이 만든 제단
제단 모양	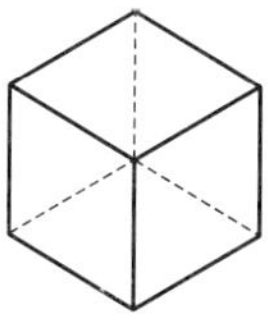	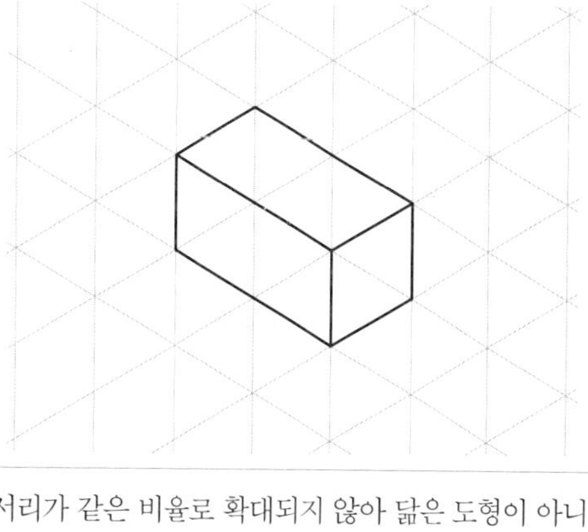

(2) 닮음비는 구할 수가 없다. 왜냐하면 모든 모서리가 같은 비율로 확대되지 않아 닮은 도형이 아니기 때문이다. 처음 신전의 제단에 똑같은 제단을 붙였으므로 부피의 비는 1 : 2다.
부피는 2배가 되었지만 닮은 도형이 아니므로 같은 모양인 제단이 아니어서 전염병이 멎지 않았다.

학생 답안	똑같은 정육면체를 어떻게 붙여도 닮은 도형을 만들 수 없음을 설명함.

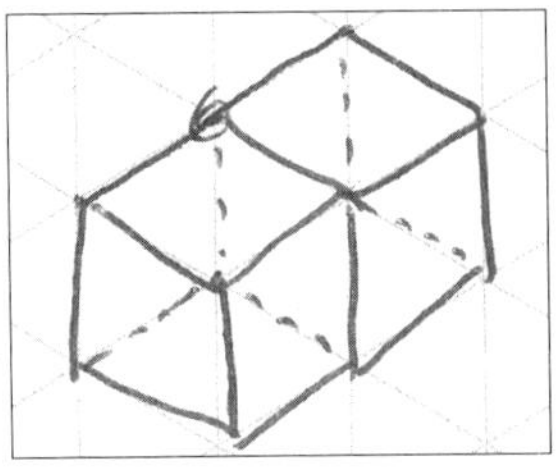

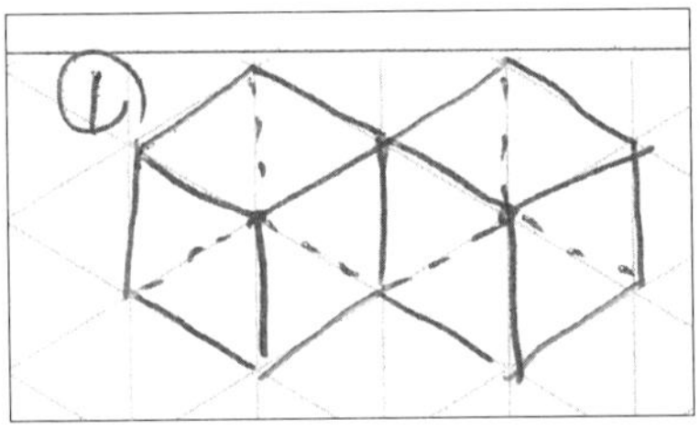

2 (1)

	처음 신전의 제단	석공이 만든 제단
제단 모양	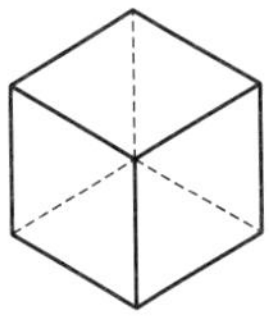	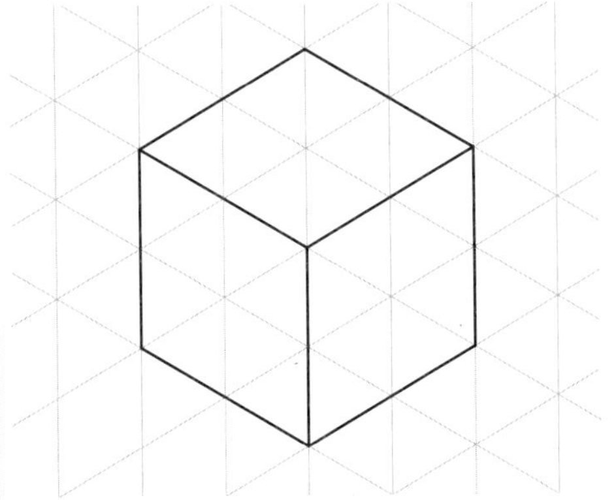

(2) 모든 모서리가 2배씩 확대되었으므로 닮은 도형이다. 따라서 닮음비는 1 : 2다. 그림에서 알 수 있듯 부피의 비는 가로, 세로, 높이를 모두 2배 하여 1 : 8이다.

(3) 아폴로 신이 화를 낸 이유는 2배의 부피를 가진 똑같은 모양의 제단을 말하였으나 석공이 만든 제단은 가로, 세로, 높이를 모두 2배 하여 부피가 8배가 되었기 때문이다.

3 ─ 닮음비가 1 : 2인 입체도형의 부피의 비는 닮음비의 세제곱인 1 : 8이다.
─ 두 닮은 도형의 부피의 비는 닮음비의 세제곱과 같다.

수업 노하우

- 1 에서는 같은 입체도형을 2개 붙이면 부피는 2배가 되지만 닮은 도형이 아님을 설명할 수 있도록 한다. 닮은 도형이 아닌 이유는 여러 가지가 될 수 있다.
  ─ 모양이 닮지 않았다(정육면체를 만들 수 없다).

모양이 다름.

왜냐하면 조건은 모양이 같고 부피가 2배가 되는것이였는데 모양은 같지않고 부피만 같았기 때문이다.
제단두개를 붙였을때 완벽하게 축소가거나 확대하였을때 원래모양과 합동이 되지 않았기 때문에

— 대응하는 모서리의 길이의 비가 일정하지 않다.

> 닮음비는 길이 마읍이 일정하지 않아 구할 수 없다.
> 부피는 한변을 1로 가정 할 때 처음 : 1 부피는 2배가
> 델로스 : 2 되었지만 정육면체 아니다

• [2]에서는 모든 모서리의 길이가 2배가 되는 경우의 부피가 왜 8배가 되는지를 여러 가지 방법으로 설명할 수 있도록 논의를 진행한다.

— 가로, 세로, 높이가 각각 2배가 되었으므로 부피는 2를 3번 곱하여 8배가 된다.

> 석공이 만든 제단은 각 모서리의 크기가 2배이지만
> 부피는 2×2×2 = 8 배로 늘었다!

— 처음 신전의 제단의 부피를 1로 보고 모서리의 길이를 2배로 하면 석공이 만든 제단은 부피가 8이 된다.

> 닮음비 1 : 2 모양은 정육면체
> 부피비 한변을 1로 가정 할 때 이지만 부피가
> 처음 : 1 2배보다 크게되어
> 석공 : 8 전염병 유지

— 이와 같은 학생들의 서로 다른 관점을 종합하여 논의의 방향을 모든 모서리의 길이를 2배로 하면 가로, 세로, 높이가 모두 2배가 되고 부피를 구하는 과정에서 2가 3번 곱해지게 됨을 이해할 수 있도록 한다. $2^3=8$이므로 부피의 비가 1 : 8임을 정리할 수 있도록 안내한다.

• 닮음비가 1 : x일 때 부피의 비는 $1^3 : x^3$이 됨을 발견했다면 부피가 2배가 되려면 $x^3=2$가 되는 x의 값을 찾아야 한다는 이야기를 추가로 할 수 있다. x의 값을 학생들이 궁금해 할 경우 아래의 표를 제공하여 실제로 구해 볼 수도 있다.

x	1.24	1.25	1.26	1.27	1.28
x^3	1.906624	1.953125	2.000376	2.048383	2.097152

$1.26^3 \fallingdotseq 2.000376 \fallingdotseq 2$이므로 제단의 각 모서리의 길이를 약 1.26배 해야 부피가 2배가 된다.

개념과 원리 탐구하기 5 _ 닮은 도형의 넓이의 비와 부피의 비

교과서(하) 94쪽

탐구 활동 의도

- 닮음비는 길이의 비로 분명하게 이해하도록 하고, 이를 바탕으로 넓이의 비와 부피의 비를 직사각형과 직육면체의 예로 일반화할 수 있도록 하는 활동이다.
- 닮은 도형에서는 가로와 세로의 길이가 같은 비율로 커지거나 작아지게 되므로 넓이의 비는 닮음비의 제곱의 비가 됨을 논리적으로 연결짓도록 한다.
- 닮은 입체도형에서는 가로, 세로, 높이가 같은 비율로 커지거나 작아지게 되므로 부피의 비는 닮음비의 세제곱의 비가 됨을 논리적으로 연결짓도록 한다.
- 직사각형과 직육면체를 직접 그려서 유추하도록 하고, 이 성질이 일반적인 도형에서도 성립한다고 자연스럽게 유추할 수 있도록 한다.

예상 답안

1 학생들의 답은 다양할 수 있다.

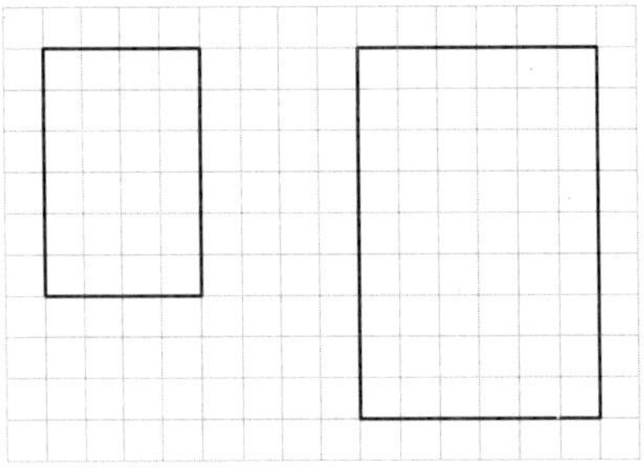

닮음비가 2 : 3인 직사각형의 넓이의 비는 24 : 54다. 이를 가장 간단한 정수의 비로 나타내면 4 : 9로 나타낼 수 있다.
2 : 3과 4 : 9의 관계를 살펴보면 $2^2=4$, $3^2=9$이므로 넓이의 비는 닮음비를 제곱한 것이다.

학생 답안

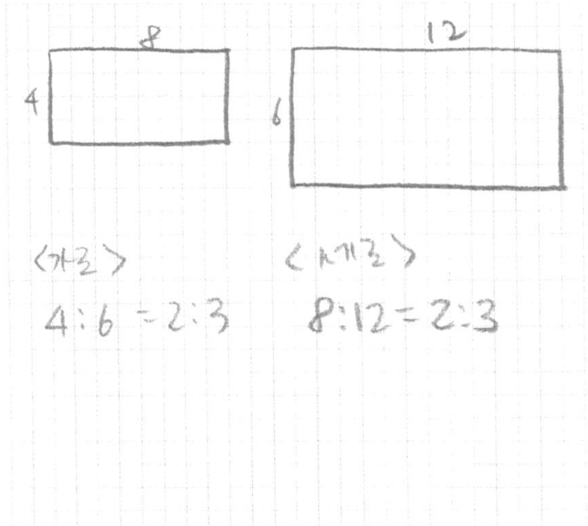

2 학생들 답은 다양할 수 있다.

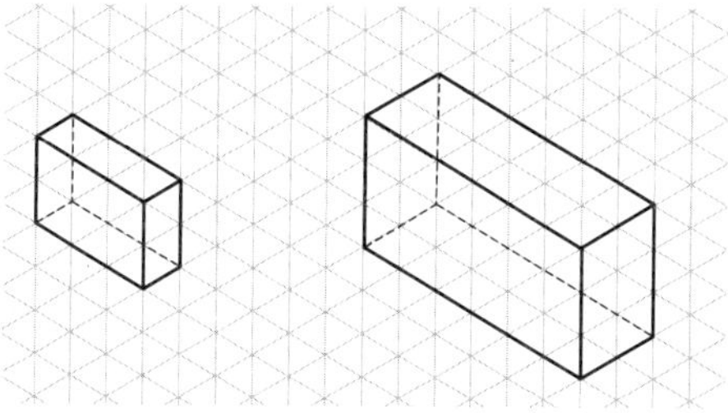

닮음비가 1 : 2인 직육면체의 부피의 비는 $3\times1\times2=6$, $6\times2\times4=48$로 6 : 48이고 가장 간단한 정수의 비로 나타내면 1 : 8이다. $1^3=1$, $2^3=8$이므로 부피의 비는 닮음비를 세제곱한 것이다.

학생 답안

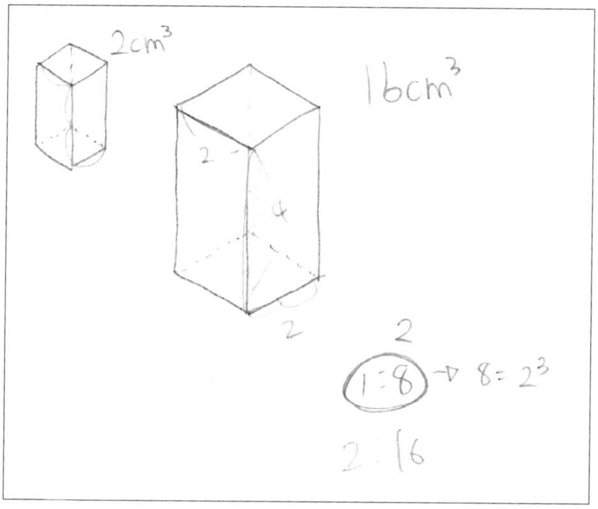

3 (1) 만약 닮음비가 2 : 3인 정사각형을 그리면 변을 2 cm, 3 cm인 정사각형으로 그릴 수 있다. 이 정사각형의 넓이는 각각 4 cm^2, 9 cm^2이므로 넓이의 비는 4 : 9가 된다. $4:9=2^2:3^2$이므로 닮음비가 $a:b$의 경우 넓이의 비는 $a^2:b^2$이라고 할 수 있다.

(2) 입체도형의 경우 한 변이 2 cm, 3 cm인 정육면체를 보면 두 정육면체의 부피는 각각 8 cm^3, 27 cm^3이므로 부피의 비는 8 : 27이다. $8:27=2^3:3^3$이므로 닮음비가 $a:b$의 경우 부피의 비는 $a^3:b^3$이라고 할 수 있다.

수업 노하우

- 닮음비가 1 : 2, 1 : 3인 두 도형은 쉽게 그릴 수 있어서 닮음비를 고민해 볼 필요가 없다. 따라서 1 에서는 두 도형의 닮음비가 2 : 3인 경우를 제시하였다. 또한 넓이의 비와 부피의 비에서 전항이 1일 경우에는 1^2, 1^3과 잘 구분되지 않는다. 2 : 3은 $2^2:3^2$, $2^3:3^3$이 되어 이를 추론하기 수월하다고 보았다.
- 1 에서 닮음비가 2 : 3인 두 직사각형을 그리려면 닮음비의 뜻을 명확히 알아야 한다. 학생들은 닮음비가 2 : 3인 두 직사각형을 그리는데 어려움을 많이 겪었다. 이때 교사가 정답을 바로 제시하기보다는 시간을 충분히 주어 탐구할 수 있도록 하는 것이 필요하다.
- 학생들의 답안 예시는 다음과 같이 다양했다.
  - 가로와 세로의 길이의 비가 2 : 3인 직사각형을 그렸다. 결과적으로는 옳게 그렸지만, 이런 방법으로 그리면 어떻게 두 도형의 닮음비가 2 : 3인지는 설명하지 못했다.

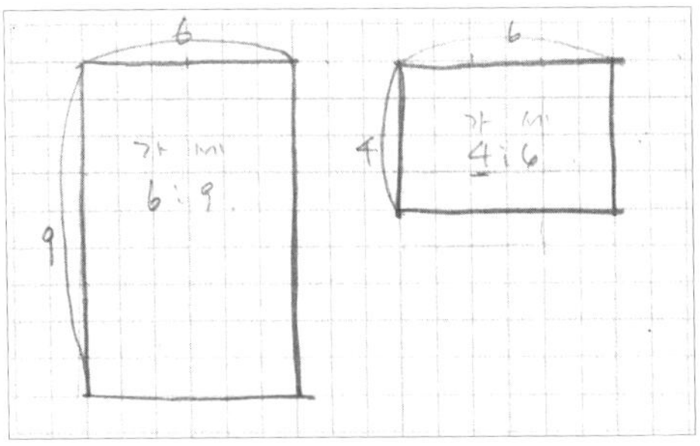

— 다음과 같이 세로의 길이는 2배, 가로의 길이는 3배 하기도 했다.

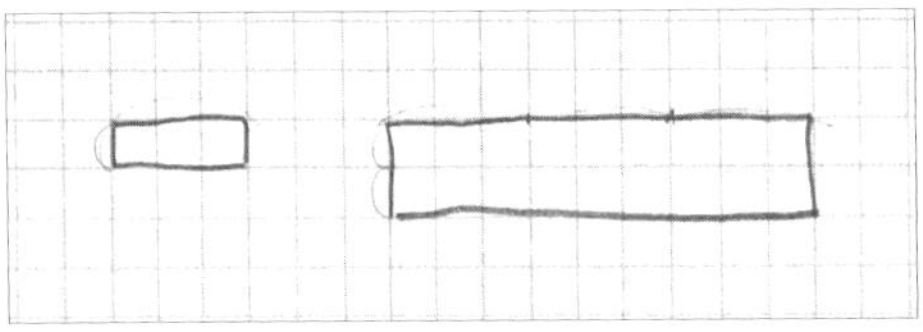

— 2 : 3이라는 비를 이해하지 못하는 경우도 있었다. 두 직사각형에서 가로의 길이의 비가 2 : 3일 때, 세로의 길이의 비가 2 : 3이 되도록 하는 과정에서 계산을 못했다. 이후 비례식을 복습하여 2 : 3 = 4 : x에서 x가 6이 됨을 적용하여 옳게 그렸다.

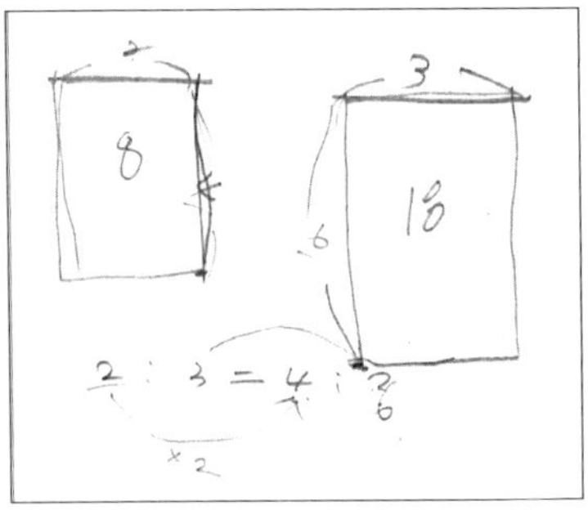

— 한 학생은 다음과 같이 정사각형으로 그리기도 하였다.

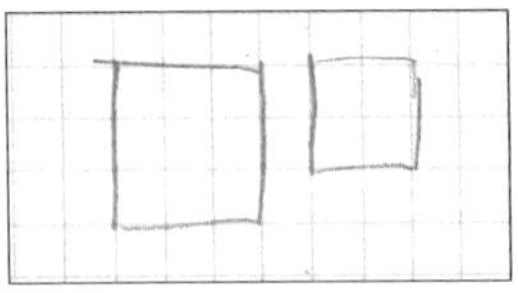

• 학생들은 닮음비, 넓이의 비, 부피의 비의 관계를 발견하고, 아래와 같이 닮음비가 1 : 3인 두 입체도형의 부피의 비를 그려서 확인하기도 했다.

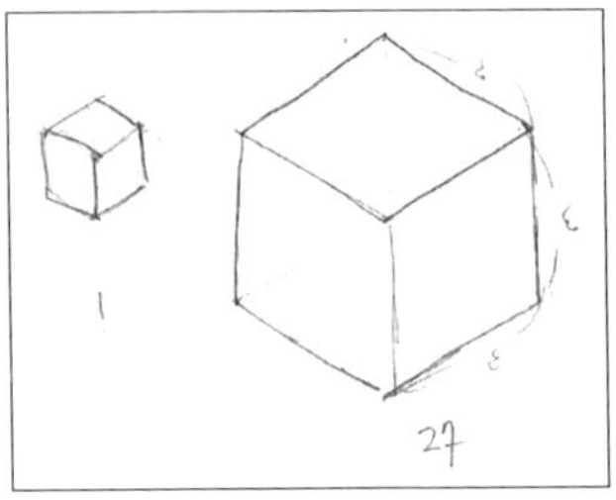

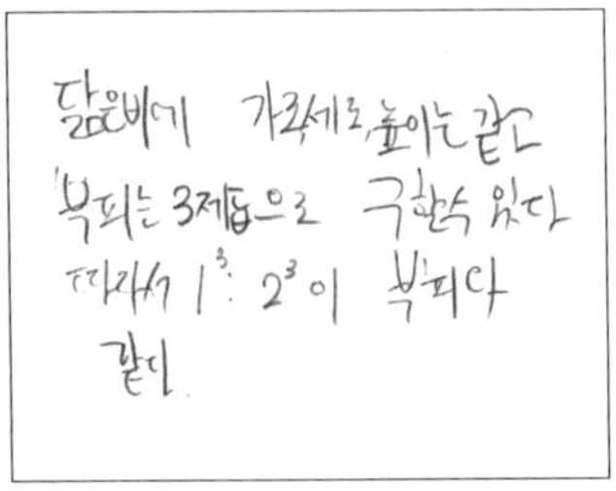

• 보통은 닮은 도형에서 닮음비와 넓이의 비 사이의 관계는 직사각형에 대해서만 증명하고 이 성질이 일반

적인 평면도형에서도 성립함을 유추하도록 지도한다. 닮은 입체도형에서의 닮음비와 부피의 비 사이의 관계 역시 직육면체에 대해서만 증명하고 일반화한다.

• 다만 닮음비와 넓이의 비와 부피의 비 사이의 관계가 왜 이런가에 대해 탐구할 필요는 있겠다. 다음 한 학생은 닮은 두 직사각형의 넓이의 비, 그리고 직육면체의 부피의 비를 구할 때 수가 커지니 직접 곱하지 않고, 약분을 했다. 약분을 하면 제곱이 되는 과정이 보다 손쉽게 보인다. 닮음비(길이의 비)가 넓이와 부피에 주는 영향이 보인다. 이런 과정을 전체 학생들이 함께 일반화할 수 있도록 진행할 수 있다.

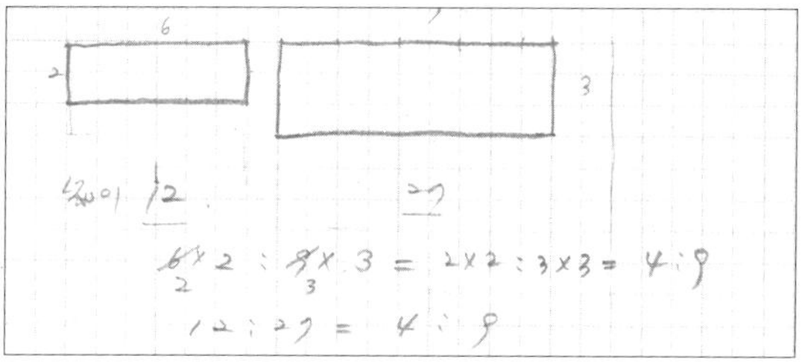

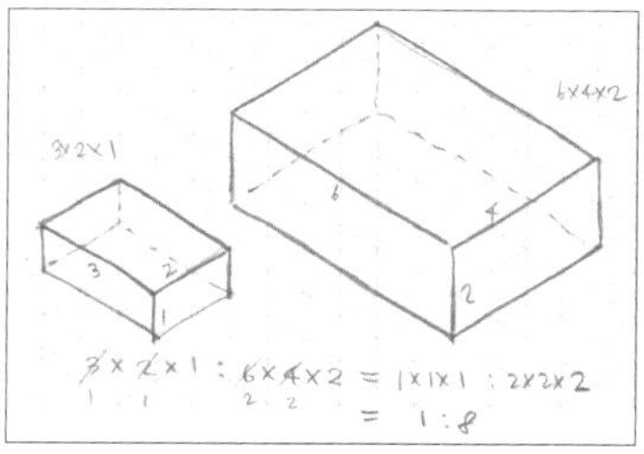

• [3]에서 다음과 같이 설명할 수도 있다. 그러나 앞서 논의한 정도만 다루고 일반화할 수도 있다.

– 닮음비가 $m:n$인 두 직사각형의 넓이의 비

닮음비가 $m:n$인 두 직사각형의 가로, 세로의 길이를 각각 ma, mb와 na, nb($a>0$, $b>0$)라고 하면 두 직사각형의 넓이는 다음과 같다.

$\square ABCD = ma \times mb = m^2 ab$

$\square A'B'C'D' = na \times nb = n^2 ab$

$\square ABCD : \square A'B'C'D' = m^2 ab : n^2 ab$

$= m^2 : n^2$

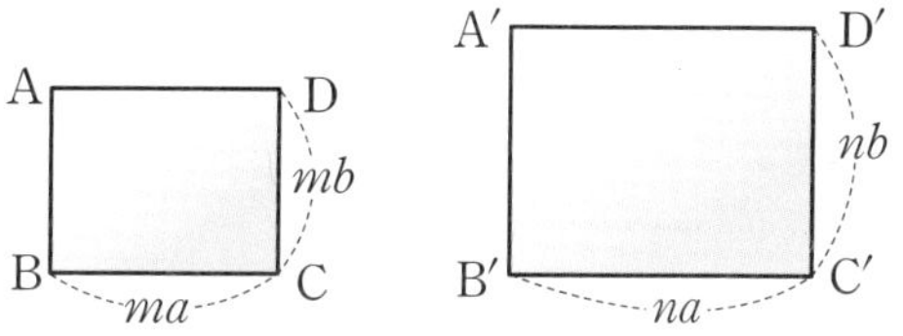

– 닮음비가 $m:n$인 두 직육면체의 부피의 비

닮음비가 $m:n$이므로 두 직육면체의 가로, 세로, 높이를 각각 ma, mb, mc와 na, nb, nc($a>0$, $b>0$, $c>0$)라고 하면 두 직육면체의 부피는 다음과 같다.

(㉠의 부피) $= ma \times mb \times mc = m^3 abc$

(㉡의 부피) $= na \times nb \times nc = n^3 abc$

(㉠의 부피) : (㉡의 부피) $= m^3 abc : n^3 abc = m^3 : n^3$

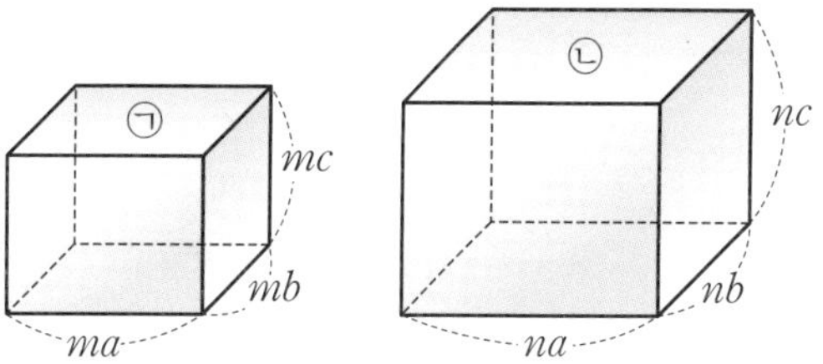

• 우리 주변에서 넓이의 비, 부피의 비와 관련된 에피소드를 찾아보고 이야기를 만들어 보게 할 수 있다.

예 눈에 보이는 크기로 판단하지 말자.
피자의 가격이 오른쪽 표와 같을 때 6명이 피자를 먹는다면 어떤 크기를 먹는 것이 경제적일까?

피자 크기	사이즈	가격
Medium	10.5 inch	22,900원
Large	12 inch	28,900원
Family	14 inch	30,900원

예 한 쪽에는 어른 주먹 2개를 붙여 놓은 듯한 크기의 배를 3개에 10,000원에 팔고, 그 옆에는 그 반만 한 크기의 배를 7개에 10,000원에 판다고 하자. 어떤 배를 사야 좋을까?

• 위의 예시 자료는 다음 사이트의 내용에 구체적으로 설명되어 있다.
http://news.khan.co.kr/kh_news/khan_art_view.html?artid=200807281502282&code=900314&s_code=at060 (경향일보. 생활 속 수학 이야기(26).2008.7.28.)

/2/ 팽이 돌리기 (삼각형의 닮음 조건과 무게중심)

학습목표

1 삼각형의 합동 조건을 바탕으로 삼각형의 닮음 조건을 이해하여 두 삼각형이 닮음인 관계에 있는지 판별할 수 있다.

2 종이를 잘라 붙이고 접어 보는 활동을 통해 닮음을 이용하여 평행선 사이의 선분의 길이의 비에 대한 성질을 이해하고 그 길이를 구할 수 있다.

3 여러 형태의 팽이를 돌려 보면서 무게중심의 뜻을 직관적으로 이해하고 삼각형에서의 무게중심의 위치와 특징을 학생 스스로 발견할 수 있다.

2015 개정 교육과정 성취기준

1 삼각형의 닮음 조건을 이해하고 이를 이용하여 두 삼각형이 닮음인지 판별할 수 있다.

2 평행선 사이의 선분의 길이의 비를 구할 수 있다.

교수 · 학습 방법 및 유의 사항

'삼각형의 중점연결 정리' 용어는 교수 · 학습 상황에서 사용할 수 있다.

평가 방법 및 유의 사항

정확한 용어와 기호의 사용, 복잡한 형식 논리 규칙의 이용을 요구하는 연역적 정당화 문제는 다루지 않는다.

핵심발문

1 삼각형의 닮음 조건은 무엇일까?

2 삼각형 모양 팽이를 돌리기 위해 이쑤시개를 어디에 꽂아야 할까?

개념과 원리 탐구하기 6 _ 닮음의 뜻

교과서(하) 96쪽

탐구 활동 의도

- 삼각형의 합동 조건으로부터 삼각형의 닮음 조건을 유추하는 활동이다.
- 이 과제는 삼각형의 닮음 조건을 배운 후, 그 조건을 적용하여 닮은 삼각형을 찾는 것이 아니다. 닮은 삼각형인지 탐구하는 과정에서 오히려 닮음 조건을 구성해 가는 것이 목적이다.

1

- 삼각형의 합동 조건을 이용하여 직관적으로 닮은 삼각형을 찾도록 하였다. 닮음비를 구하게 한 것은 닮은 삼각형을 찾는 과정에서 일정한 비율로 확대 또는 축소할 수 있는지를 확인해 볼 수 있도록 의도한 것이다.

- 특히 삼각형의 닮음 조건에서는 삼각형의 합동 조건과는 달리 변의 길이가 주어지지 않아도 대응하는 두 각의 크기가 각각 같으면 삼각형의 모양이 같게 됨을 탐구하도록 하였다. ③과 ⑦은 ASA 합동과 비교할 수 있도록, ⑨는 닮음 조건에서 변의 길이를 비교하지 않아도 닮음이 되는지를 고민할 수 있도록 한 것이다.
- ①과 ⑧은 닮음비가 1 : 1일 때 합동임을 이해할 수 있도록 한 것이다.

2

- 1 에서 닮은 삼각형을 찾는 활동을 통하여 합동 조건으로부터 닮음 조건을 구성하도록 한 것이다. 두 삼각형이 닮음이 되기 위하여 최소한 어떤 조건을 만족해야 하는지 정리해 볼 수 있도록 하는 것이 목적이다. 앞으로 두 삼각형이 닮음임을 이야기할 때에는 이 조건 중 하나를 적용하여 말할 수 있음을 이해하게 한다.

예상 답안

1 　－①, ④, ⑧ : ①의 삼각형을 뒤집어 세 변의 길이를 똑같이 4배로 확대한 삼각형과 ④의 삼각형은 SSS 합동이므로 ①과 ④는 닮은 삼각형이고 닮음비는 1 : 4다. ①과 ⑧은 세 변의 길이가 같으므로 합동이다. ①의 삼각형을 1배 확대하면 ⑧과 합동이므로 이 두 삼각형은 닮음이라고 할 수 있고 닮음비는 1 : 1이다.

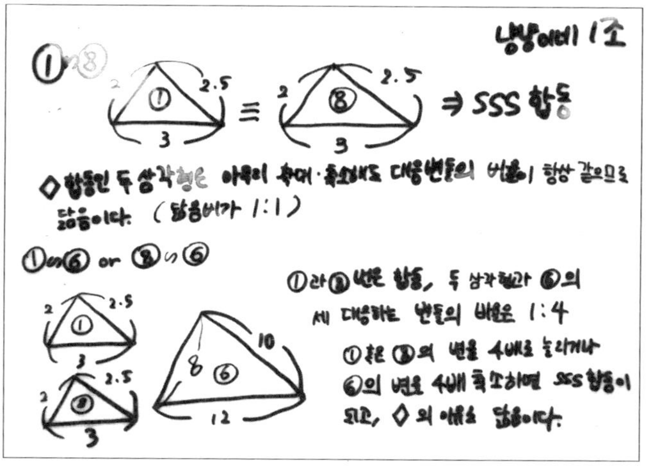

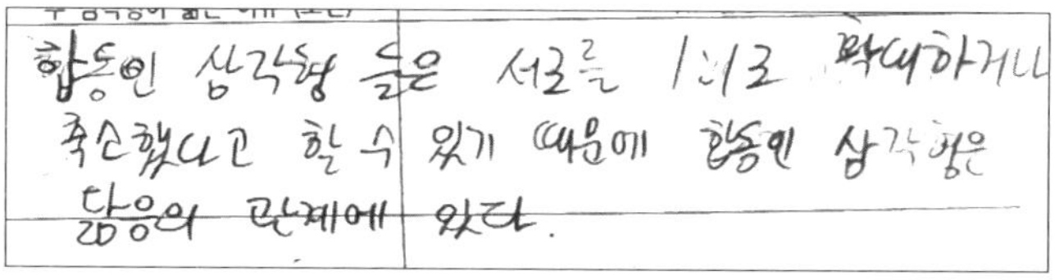

－⑤와 ⑥ : 삼각형의 50°인 각을 낀 두 변의 길이의 비가 2 : 1로 같다. 따라서 ⑥의 삼각형을 $\frac{1}{2}$배로 축소하면 SAS 합동이므로 ⑤와 ⑥은 닮은 삼각형이다.

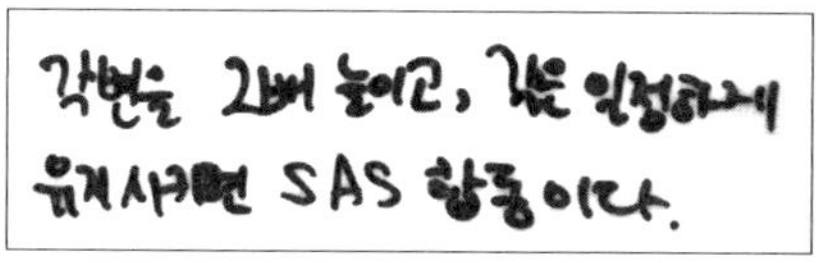

ㅡ③, ⑦, ⑨ : ③의 삼각형의 나머지 한 각은 80°이고 ⑦의 삼각형의 나머지 한 각은 40°, ⑨의 삼각형의 나머지 한 각은 60°이다. 그러므로 ③, ⑦, ⑨의 삼각형은 세 각의 크기가 모두 같다. 각의 크기를 유지하고 변의 길이를 확대하거나 축소하면 이 세 삼각형은 ASA합동이 될 수 있다.

각 두개의 크기가 같으면 나머지 한개는 자연스럽게 같아지므로, 그것을 확대, 축소 하면 합동이 된다

2 삼각형의 닮음 조건은 삼각형의 합동과 밀접한 관계가 있다. 삼각형의 합동 조건에서 변의 길이가 같다는 조건을 확대나 축소해서 같아진다고 바꾸면 된다.
그런데 삼각형의 변이 같은 비율로 확대되거나 축소되어야 하므로 삼각형의 닮음 조건은 1의 ①, ④, ⑧과 같이 세 변의 길이의 비가 같은 경우, ⑤와 ⑥과 같이 두 변의 길이의 비가 같고 그 끼인각의 크기가 같은 경우, ③, ⑦, ⑨과 같이 두 각의 크기가 같은 경우로 나눠 볼 수 있다.

참고 (1)은 SSS 닮음, (2)는 SAS 닮음, (3)은 AA닮음이라고 한다.
다음의 세 조건 중 어느 하나를 만족하면 $\triangle ABC \backsim \triangle A'B'C'$이다.

(1) 세 쌍의 대응하는 변의 길이의 비가 각각 같을 때, 즉
$a : a' = b : b' = c : c'$

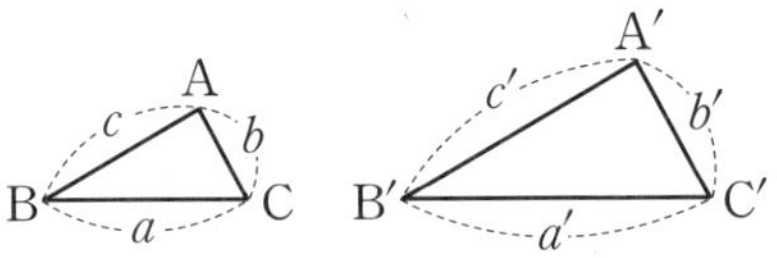

(2) 두 쌍의 대응하는 변의 길이의 비가 같고 그 끼인 각의 크기가 같을 때, 즉
$a : a' = c : c'$, $\angle B = \angle B'$

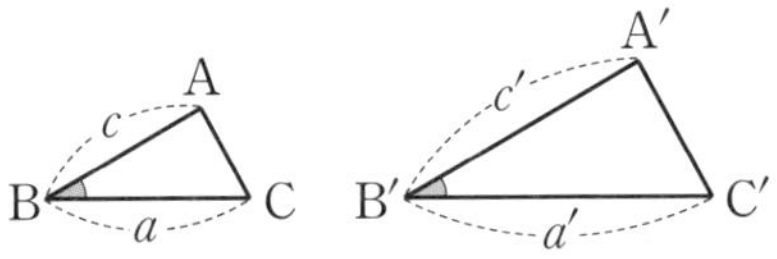

(3) 두 쌍의 대응하는 각의 크기가 각각 같을 때, 즉
$\angle B = \angle B'$, $\angle C = \angle C'$

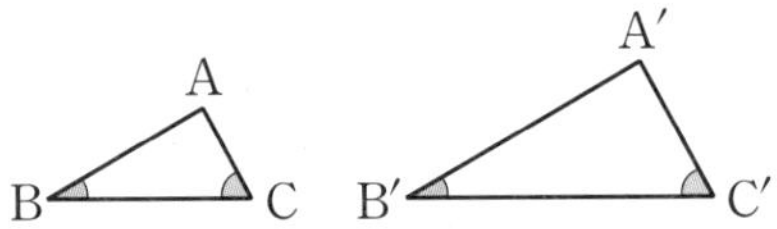

수업 노하우

• 한 도형을 일정한 비율로 확대 또는 축소하여 다른 도형과 '합동'이 되게 할 수 있으면 두 도형을 닮음이라고 한다. 이 정의대로 두 도형이 닮음인지 판단하려면 삼각형의 합동 조건을 이용할 수밖에 없다. 보다 구체적으로 다음과 같이 발문할 수 있다.

한 삼각형을 일정한 비율로 확대 또는 축소했을 때 두 삼각형이 합동이 되는가?

• 학생들은 SSS 닮음과 SAS 닮음은 비교적 쉽게 발견했다. 보통 두 가지 경우다.
ㅡ단순히 조건이 비슷하다는 것으로 찾아낸 경우(논의가 더 필요하다.)

①, ④, ⑥ SSS 합동 ~~[illegible]~~ 과 비슷하므로 닮음.
③, ⑤ SAS 합동과 비슷하므로 닮음

－일정한 비율로 확대 또는 축소하면 삼각형의 합동 조건에 의해 합동이 된다는 것으로 찾아낸 경우 (정답)

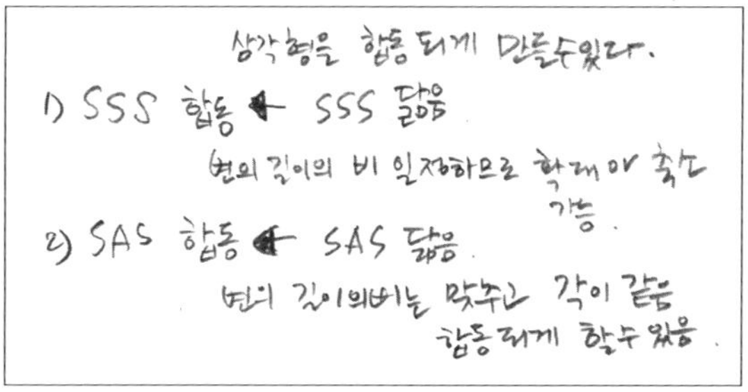
삼각형을 합동되게 만들수있다.
1) SSS 합동 ← SSS 닮음
변의 길이의 비 일정하므로 확대아 축소 가능.
2) SAS 합동 ← SAS 닮음.
변의 길이의비를 맞추고 각이 같음
합동되게 할수 있음.

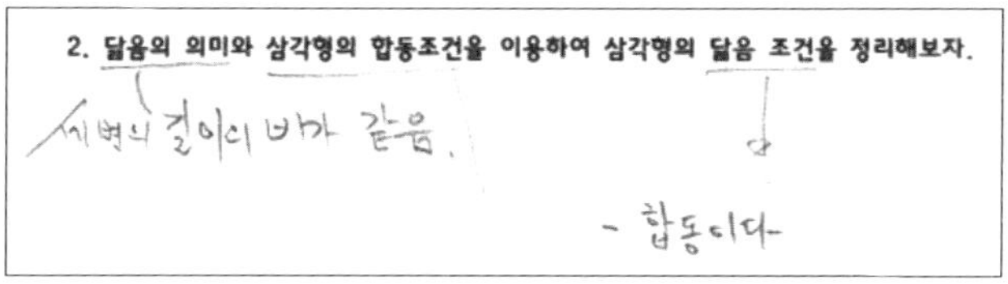
2. 닮음의 의미와 삼각형의 합동조건을 이용하여 삼각형의 닮음 조건을 정리해보자.
세변의 길이의 비가 같음.
- 합동이다

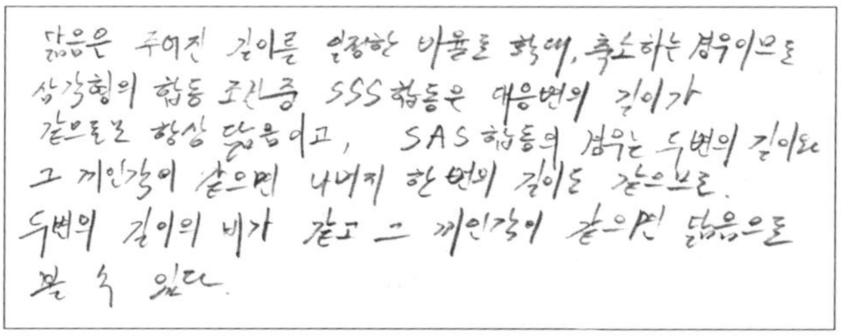
닮음은 주어진 길이를 일정한 비율로 확대, 축소하는 경우이므로 삼각형의 합동 조건중 SSS 합동은 대응변의 길이가 같으므로 항상 닮음이고, SAS 합동의 경우는 두변의 길이와 그 끼인각이 같으면 나머지 한 변의 길이도 같으므로. 두변의 길이의 비가 같고 그 끼인각이 같으면 닮음으로 볼 수 있다.

• 닮음비를 구하는 과정에서 대응하는 길이의 비를 분석해 보면서 이런 원리를 터득할 수 있다. 비율이 일정하다는 표현보다는 비율이 몇 대 몇이라고 수로 표현하는 것이 학생들에게 더 쉽다.

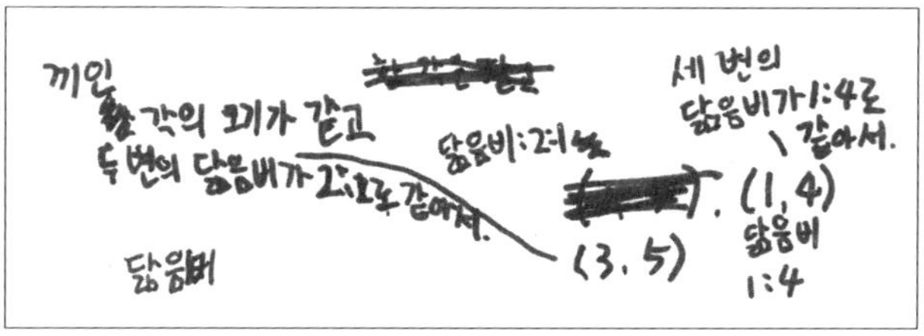

• AA 닮음을 발견하는 것이 쉽지 않았나. 왜 ASA 합동과 달리 닮음에서는 변의 길이의 비가 주어지지 않아도 닮음임을 판단할 수 있는지 학생들 사이에 논의할 수 있도록 진행한다.

－ASA 닮음이라고 한 경우: ③과 ⑦에서 한 변의 길이의 비가 1 : 2이고, 그 양 끝 각의 크기가 같으므로 ③을 2배로 확대했을 때 두 삼각형은 합동이 된다.

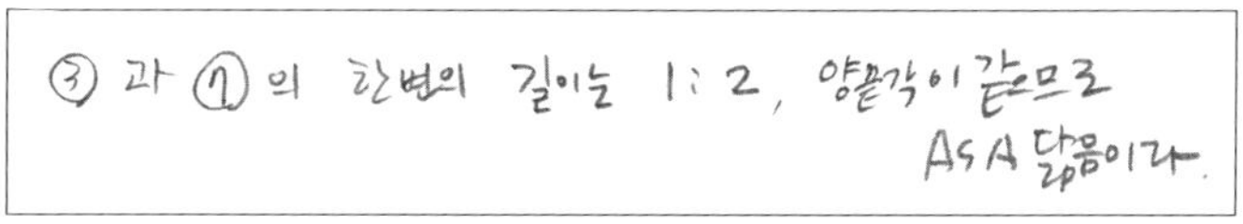
③ 과 ⑦의 한변의 길이는 1 : 2, 양끝각이 같으므로 ASA 닮음이다.

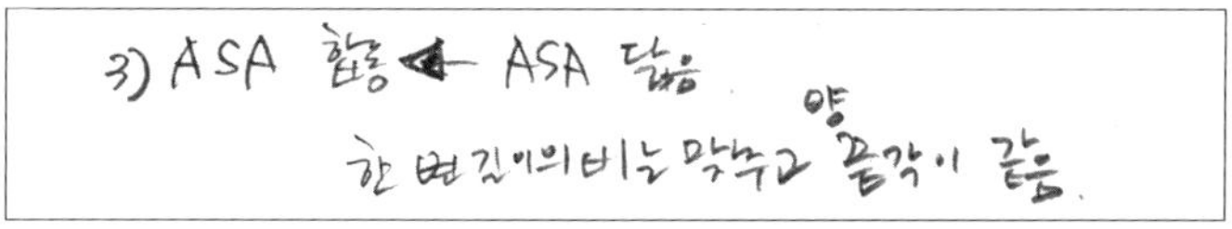
3) ASA 합동 ← ASA 닮음
한 변 길이의비는 맞추고 양 끝각이 같음.

– AAA 닮음이라고 한 경우: [그림 1]과 같이 세 각의 크기가 같으면 닮음이므로 세 각의 크기가 같은 ③, ⑦, ⑨를 닮은 삼각형이라고 하였다. [그림 2]와 같이 어떤 학생은 ③과 ⑦은 ASA 닮음, ③과 ⑨는 AAA 닮음이라고 답하였다.

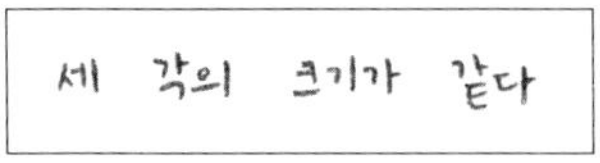

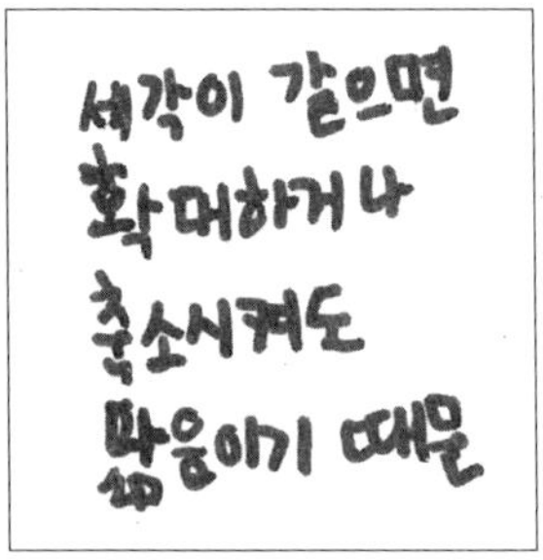

[그림 1]

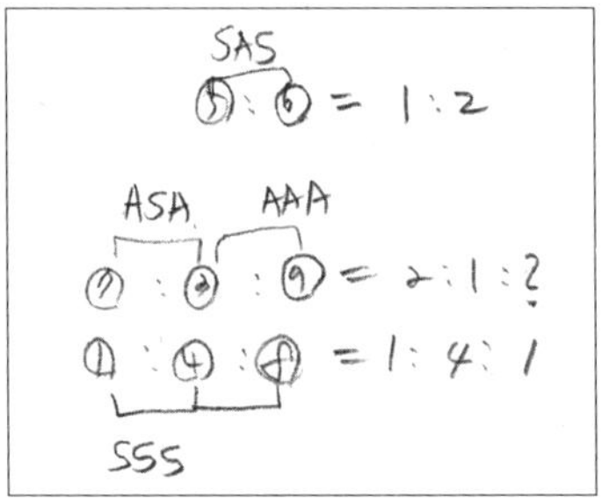

[그림 2]

- [1]에서 ③, ⑦, ⑨에서 ⑨는 길이 조건이 없으므로 길이의 비를 모르기 때문에 닮음비를 구할 수 없으며 닮음인지 판단할 수 없다고 하는 경우도 있었다. 이 경우 학생들과 더 논의해 볼 수 있다.
- ASA 닮음, AAA 닮음에 대한 논의를 AA 닮음으로 수렴할 수 있도록 **탐구하기 7**의 [1]을 제시하였다. 따라서 여기서 장황한 논의를 하지 않고, 학생들이 왜 그렇게 생각하는지 자유롭게 의견을 제시할 수 있도록 한다.
  – 이를 수렴하기 위해서 다음을 제시할 수 있다.

> 닮은 두 삼각형에서 세 쌍의 대응하는 변의 길이의 비가 각각 같고, 세 쌍의 대응하는 각의 크기가 각각 같다. 이것은 닮음의 성질에서 유추할 수 있다. 이때 두 삼각형이 닮음이 되기 위하여 이 여섯 가지 조건 중 '최소한' 몇 가지 조건을 만족해야 하는지가 삼각형의 닮음 조건이다.

- 합동의 경우 확대나 축소했다고 생각하지 않을 수도 있다. 집합이나 포함 관계에 대한 심도 있는 이야기를 다루기보다 합동과 닮음의 관계가 1배 확대, 축소하여 합동인 정도로 가볍게 언급해도 된다.
- [2]에서 다음과 같이 정리한 경우, 어떻게 수정과 보완을 할 수 있을지 모둠활동을 통해 마무리 할 수 있다. 특히 세 각의 크기가 같다는 것이 최소한의 조건인가를 논의해 보면 좋겠다. 삼각형의 내각의 크기의 합이 180°인 것을 이용하여 삼각형의 두 쌍의 대응하는 각의 크기만 같으면 나머지 한 각의 크기가 같다는 것을 알게 한다.

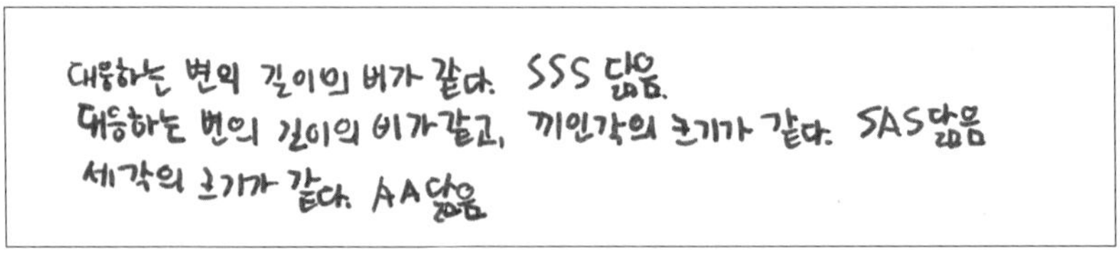

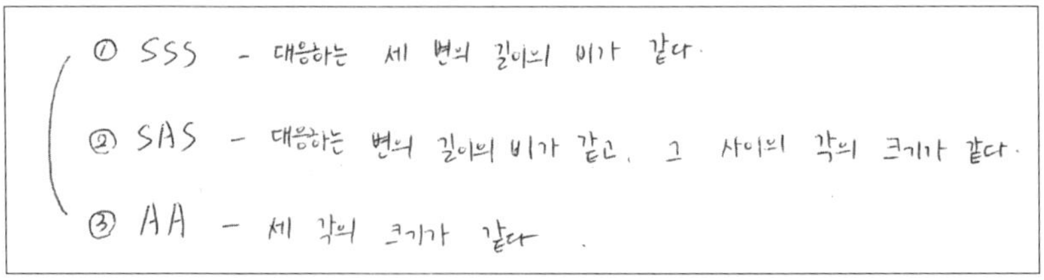

개념과 원리 탐구하기 7 _ 삼각형의 닮음 조건

교과서(하) 98쪽

탐구 활동 의도

- 1 은 **탐구하기 6**의 결론으로 AA 닮음의 의미를 보다 명확하게 정리하기 위한 활동이다.
- 직각삼각형은 그 삼각형 자체만으로도 여러 가지 성질이 있다. 2 에서는 직각삼각형에서 직각인 꼭짓점에서 빗변에 내린 수선에 의하여 여러 가지 닮은 삼각형이 만들어짐을 알게 하는 과제다. 이와 관련된 변의 길이 사이의 공식보다 닮은 삼각형에서 닮음비를 이용하여 접근할 수 있도록 하기 위함이다. 이후 2 **피타고라스 정리**를 정당화하는 과정에서도 이용할 것이다.
- 구체적인 수치(길이나 각도)를 구하기보다 수학적 기호를 붙여 보고 그 때 생기는 삼각형들이 왜 닮음인지를 논리적으로 사고할 수 있도록 하는 것에 의미를 두었다.

예상 답안

1 학생들의 답은 다양할 수 있다.
두 각의 크기가 같다는 조건은 동일하다. 하지만 합동에서는 변의 길이가 같아야 했지만 닮음에서는 변의 길이의 비가 같아야 한다. 그런데 변이 2개 이상일 경우에는 닮음비가 같다라는 표현을 사용할 수 있지만 변이 1개일 경우는 닮음비가 같다는 표현이 의미가 없게 된다. 두 삼각형의 특정한 한 변의 길이를 비교하는 것은 한 삼각형의 변의 길이를 확대하거나 축소하여 다른 한 변의 길이에 맞게 맞출 수 있으므로 조건을 따지지 않아도 상관없다고 생각된다.

학생 답안

삼각형에서 두 각만 같으면 어차피 나머지
각도 같아진다 그래서 각은 다 똑같고
길이는 없어도 각만 정해지면 늘리거나
줄여서 두 삼각형이 포개질 수 있다
그래서 ASA에서 길이인 S가 없어도
닮음이기 때문에 AA닮음이다.

2 주어진 삼각형에서 △ABC, △ABH, △ACH는 모두 직각삼각형이다. 또한 삼각형의 세 내각의 크기의 합이 180°이므로

$\angle B+\angle C=90^\circ$

$\angle B+\angle BAH=90^\circ$이므로 $\angle C=\angle BAH$ ·········①

마찬가지로 방법으로 $\angle B=\angle CAH$ ·········②

①, ②를 주어진 삼각형에 표시하면 오른쪽 그림과 같다.

따라서 닮은 직각삼각형을 찾아보면 △ABC ∽ △HBA, △ABC ∽ △HAC, △HBA∽△HAC이다.

세 각의 크기가 모두 같으므로 두 각의 크기가 같기 때문이다.

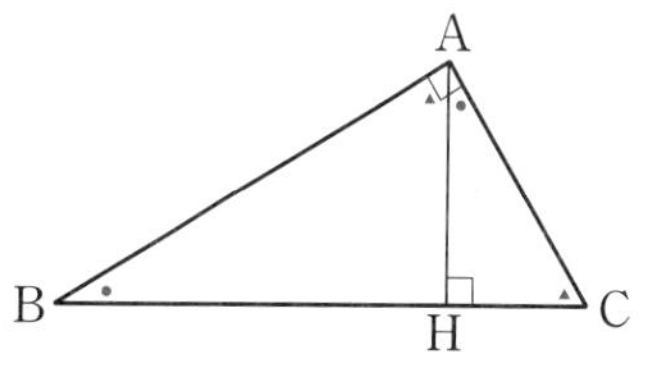

학생 답안

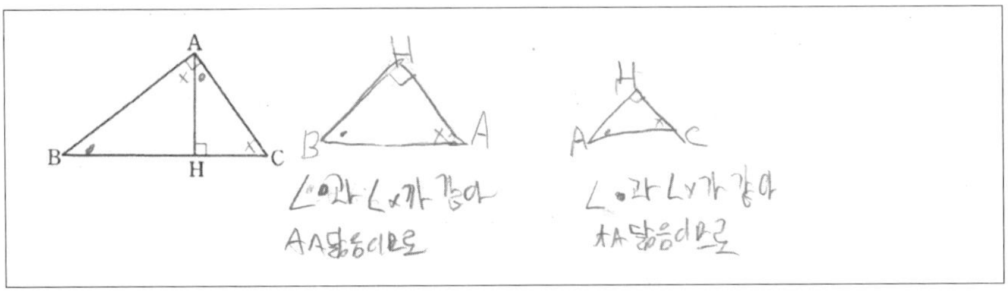

수업 노하우

• [1]에서 학생들은 다음과 같이 답하기도 하였다. 닮은 두 도형에서 대응하는 각의 크기가 같으므로 한 변의 길이에 어떤 수를 곱하여 다른 한 변의 길이를 만들 수 있으므로 변의 길이 조건은 중요하지 않다는 의견이었다.

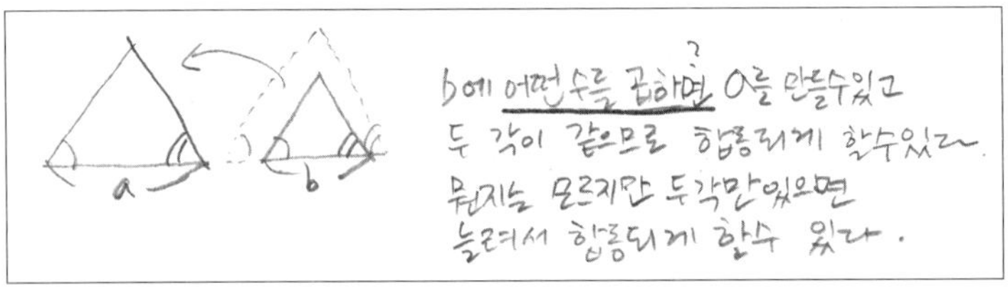

• 기존 교과서들도 AA닮음에 대해서 일반적으로 다음과 같이 다루고 있다.

△ABC와 △DEF에서 △ABC를 2배로 확대한 삼각형을 △A′B′C′이라고 하면 두 삼각형이 ASA 합동이 되므로

△ABC ∽ △DEF

다. 이와 같이 두 쌍의 대응하는 각의 크기가 각각 같은 두 삼각형은 서로 닮음이다.

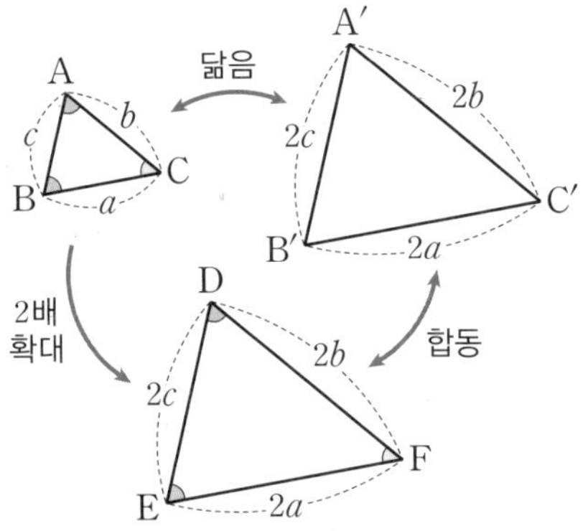

• [2]에서 두 삼각형이 닮음이라고 할 때는 삼각형의 닮음 조건 중 어떤 조건을 적용한 것인지 밝힐 수 있도록 안내한다. 특히 삼각형이 위치한 모양대로 꼭짓점이 대응된다고 생각하지 않도록 지도한다. 즉, 대응하는 꼭짓점을 정확하게 연결할 수 있도록 수업 중에 발문할 수도 있다.

닮음인 두 삼각형에서 대응하는 꼭짓점을 어떻게 찾았나요?

— 대응하는 꼭짓점을 찾기 위해 같은 각을 찾아, 같은 각을 같은 방향으로 두고 닮음인 삼각형을 그렸다. 이 외에도 다른 방법이 있는지 찾아 볼 수 있는 시간을 가질 수도 있다.

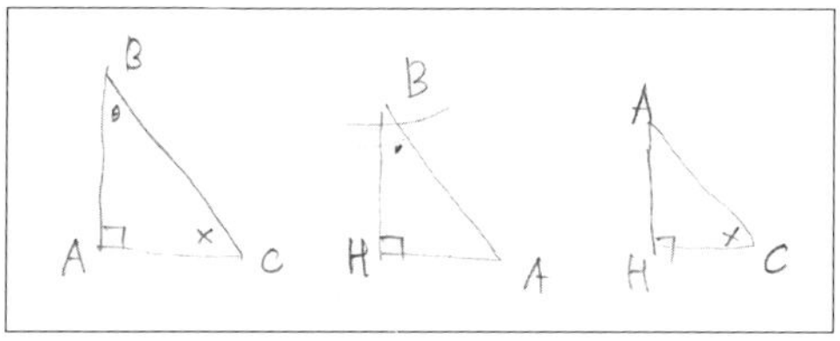

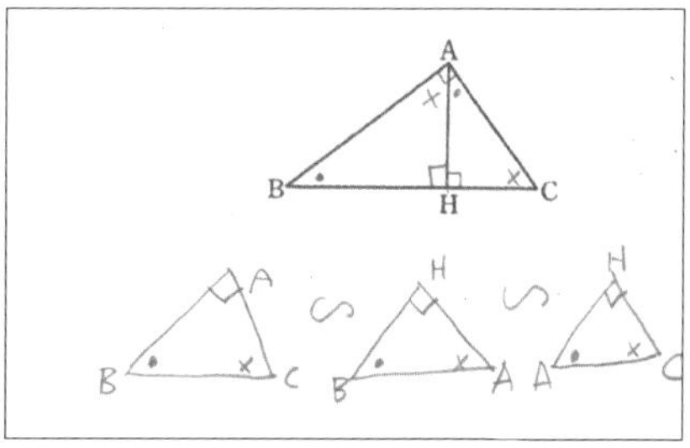

• 다음과 같이 △ABC와 △HBA, △ABC와 △HAC 이렇게만 닮음이라고 구하였다. 공통인 각만 찾은 경우다. 이때 ∠HBA와 ∠HAC가 각각 어떤 각과 크기가 같은지 추론해 볼 수 있도록 할 수 있다.

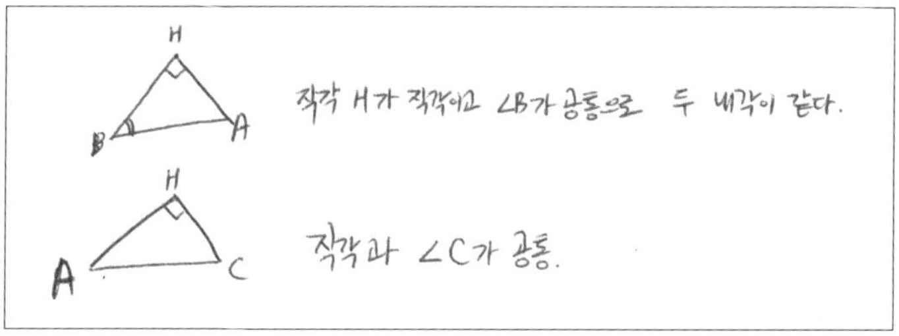

• 다음 그림은 ∠HBA와 ∠HAC의 크기를 구한 과정이다. 말로, 그림으로 표현할 수 있도록 할 수 있다.

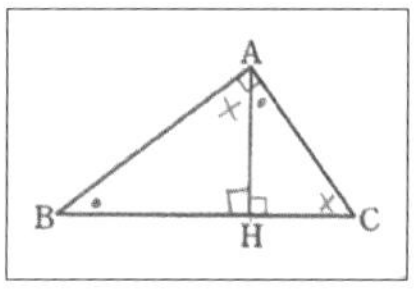

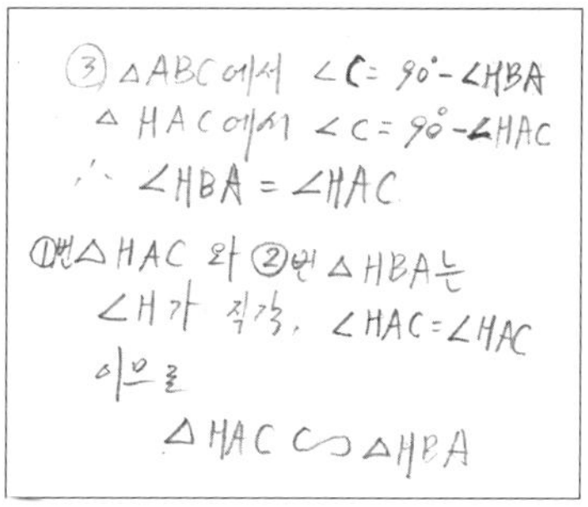

개념과 원리 탐구하기 8 _ 평행선과 선분의 길이의 비

교과서(하) 99쪽

탐구 활동 의도

- 기존 교과서에서 삼각형에서 평행선과 선분의 길이의 비, 평행선 사이의 선분의 길이의 비로 다루는 내용이다. 여기서는 각각을 유형별로 분절하여 다루는 것이 아니라 그 원리를 통합적으로 탐구하게 하였다.
- 삼각형에 평행선이 주어질 경우 삼각형의 닮음을 이용하여 그 길이를 구할 수 있음을 발견하게 하는 과제다. 이를 이해하면 평행선 사이의 선분의 길이의 비도 삼각형의 닮음으로 해결할 수 있다.
- 1 은 직관적으로 판단할 수 없음을 체험해 보게 하는 의도를 가진 과제다.
- 2 는 눈으로 확인할 수 없을 때, 어떻게 확인할 수 있을지 삼각형의 닮음을 이용하여 탐구하게 하는 과제다. 주어진 삼각형과 사다리꼴을 연결시켜 더 큰 삼각형을 만들 수 있다면 큰 삼각형과 작은 삼각형은 닮음이라는 사실을 발견하는 것이 필요하다.
- 무엇이 닮음인지를 분명하게 이해하는 것은 어느 선분의 길이의 비가 일정한 것인지 추론할 수 있게 한다. 여기서는 닮음인 두 삼각형을 스스로 발견하고 설명해 내는 것이 목적이다.
- 3 은 2 까지 발견한 사실과 삼각형과 평행선 사이에 성립하는 선분의 길이의 비를 이용하여 사다리꼴의 아랫변의 길이를 구하는 과제다.

예상 답안

1 학생들의 답은 다양할 수 있다. 그러나 눈으로는 쉽게 알아내기 어렵다.

2 ①

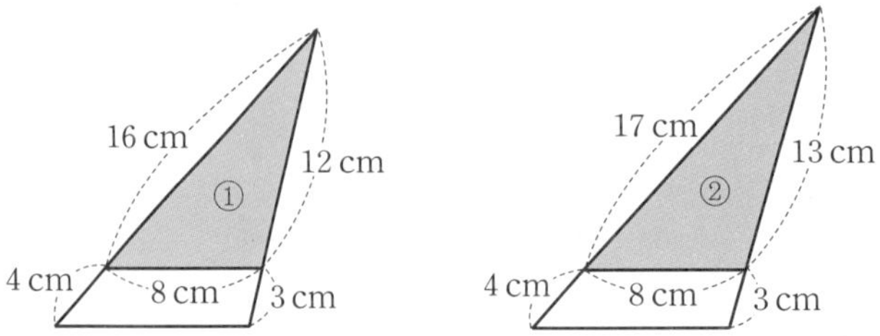

삼각형 ①, ②를 사다리꼴의 윗변에 올려서 새로 만들어지는 삼각형은 ① 또는 ②와 반드시 닮음인 삼각형이다. 이때 두 삼각형의 대응하는 변의 길이의 비가 같다.

삼각형 ①을 사다리꼴의 윗부분에 올렸을 때 왼쪽 대응변의 길이의 비는 16 : 20이며 오른쪽 대응변의 길이의 비는 12 : 15이므로 두 대응변의 길이의 비가 4 : 5로 같다. 따라서 삼각형 ①을 이용해 더 큰 삼각형을 만들 수 있다.
하지만 삼각형 ②의 경우 삼각형이 되었다면 닮은 삼각형이고, 대응변의 길이의 비가 같아야 한다. 그러나 17 : 21과 13 : 16으로 같지 않으므로 닮음인 삼각형이라고 할 수 없다.
따라서 ②의 경우 삼각형이 될 수 없다.

학생 답안

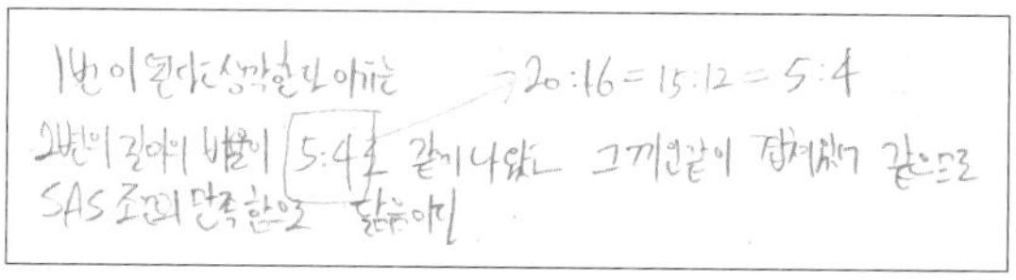
1번이 된다 삼각형의 이유는 →20:16=15:12=5:4
2변의 길이의 비율이 5:4로 같이 나왔고 그 끼인각이 접혀서 같으므로
SAS 조건을 만족하므로 닮음이다

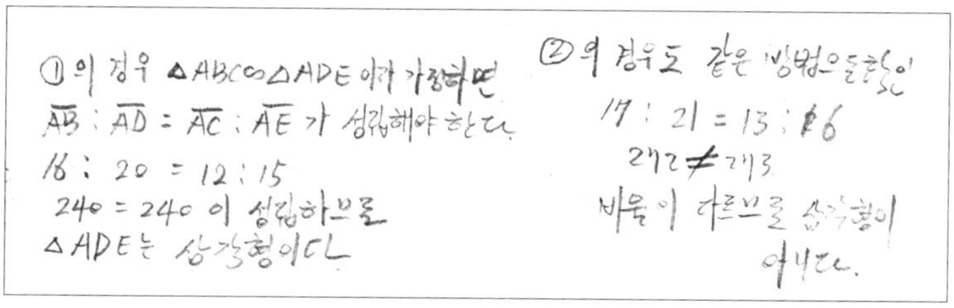
①의 경우 △ABC∽△ADE 이라 가정하면
$\overline{AB}:\overline{AD}=\overline{AC}:\overline{AE}$ 가 성립해야 한다.
16 : 20 = 12 : 15
240 = 240 이 성립하므로
△ADE는 삼각형이다
②의 경우도 같은 방법으로 하면
17 : 21 = 13 : 16
272 ≠ 273
비율이 다르므로 삼각형이 아니다.

3 닮음비를 이용해 사다리꼴의 아랫변의 길이를 x라 하고 식을 세워 계산하면
(사다리꼴 윗변) : (사다리꼴 아랫변(x))$=4:5$
즉 $4:5=8:x$이므로 $x=10$(cm)다.

수업 노하우

- 학생들이 활동지를 자르기 전에 그림을 통해 생각해 볼 수 있는 시간을 준다. 그후 자신들이 생각한 내용이 맞는지 주어진 활동지를 직접 잘라 보는 활동을 통해 직관적으로 닮음인지 아닌지를 확인해 볼 수 있다.
- 1, 2를 해결하지 못하는 학생들에게는 3을 먼저 해 보도록 할 수도 있다. 간혹 1의 경우 삼각형 ①, ② 모두 삼각형이 되지 않는다고 생각할 수도 있다.

〈오류 답안〉

— 둘 다 안 된다. 사다리꼴의 아랫변의 길이를 알 수 없기 때문에 ①을 올렸을 때 ①과 새로 만들어지는 삼각형의 밑변의 길이의 비를 알 수 없다.
— ①과 새로 만들어지는 삼각형의 변을 연결하면 곧은 선이 안 될 수도 있다. 완성되는 변의 길이가 꺾여서 연결될 수도 있기 때문이다.

- 사다리꼴의 아랫변이 주어지지 않았기 때문에 세 변의 닮음비를 확인해 볼 수 없고, 각도기로 각을 확인해 볼 수 없는 상황이므로 닮음 조건을 적용할 수가 없다. 그래서 2에 사다리꼴 위에 삼각형을 올렸을 때 만들어지는 도형 중에서 삼각형이 되는 것이 있다는 조건을 추가한 것이다. 이런 점을 확인하며 학생들이 도전해 볼 수 있도록 할 수 있다.
- 다음과 같이 삼각형에서 16 : 12와 사다리꼴에서 4 : 3이 일치한다고 설명한 경우도 있다. 학생의 설명을 듣고 삼각형의 닮음과 연결지어 설명할 수 있도록 안내한다.

①은 삼각형이 만들어지지만 ②는 만들어지지 않는다.
이유는 ①의 옆쪽 변의 길이의 비가 4:3 이고 오른쪽 사다리꼴의 옆변도 4:3이어서 올길 경우 닮은꼴의 삼각형이 만들어지기 때문.

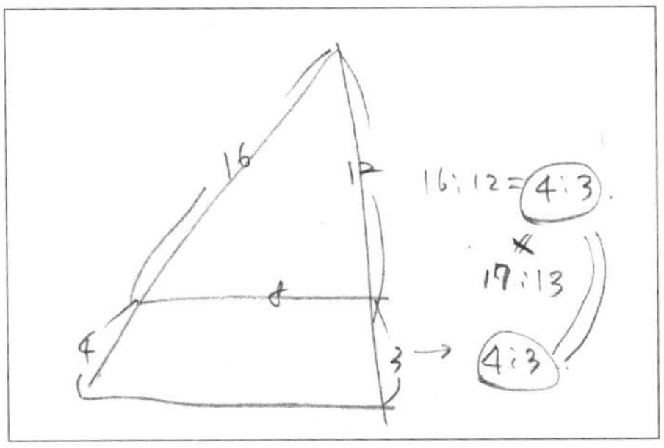

참고

삼각형에서 평행선과 선분의 길이의 비 (1)

$\triangle ABC$에서 $\overline{AB}$, $\overline{AC}$ 또는 그 연장선 위의 점을 각각 D, E라고 할 때

① $\overline{BC} \mathbin{/\mkern-5mu/} \overline{DE}$이면 $\overline{AB} : \overline{AD} = \overline{AC} : \overline{AE} = \overline{BC} : \overline{DE}$

② $\overline{AB} : \overline{AD} = \overline{AC} : \overline{AE} = \overline{BC} : \overline{DE}$이면 $\overline{BC} \mathbin{/\mkern-5mu/} \overline{DE}$

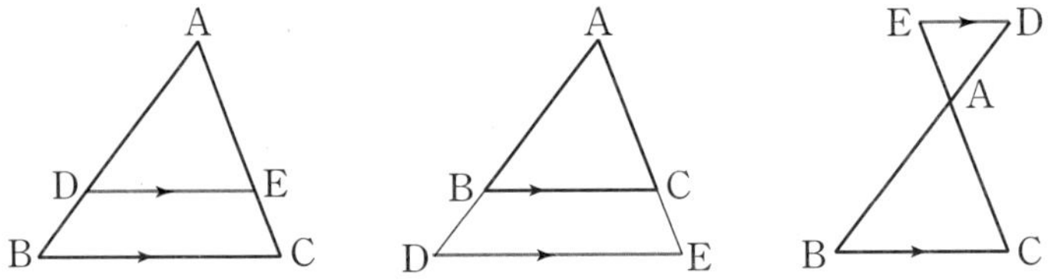

삼각형에서 평행선과 선분의 길이의 비 (2)

— 이 증명은 간단하지 않으므로 직관적으로 이해하게 할 수 있다.

$\triangle ABC$에서 $\overline{AB}$, $\overline{AC}$ 또는 그 연장선 위의 점을 각각 D, E라고 할 때

① $\overline{BC} \mathbin{/\mkern-5mu/} \overline{DE}$이면 $\overline{AD} : \overline{DB} = \overline{AE} : \overline{EC}$

② $\overline{AD} : \overline{DB} = \overline{AE} : \overline{EC}$이면 $\overline{BC} \mathbin{/\mkern-5mu/} \overline{DE}$

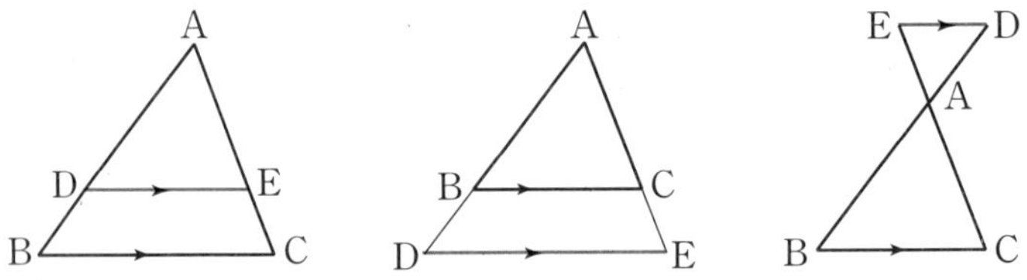

(1)과 (2)는 모두 삼각형의 닮음을 이용하는 것으로 이 자체가 중요하다기 보다는 삼각형의 닮음을 이용하여 선분의 길이의 비를 구할 수 있음을 경험하게 하는 것에 초점을 둔다.

개념과 원리 탐구하기 9 _ 닮음의 응용

교과서(하) 100쪽

탐구 활동 의도

- 일상 생활에서 종이를 반으로 접거나, 삼등분하여 접어 본 경험이 있을 것이다. 그런데 삼등분을 정확하게 접기는 쉽지 않았을 것이다. 이 과제는 그런 경험을 토대로 A4용지를 삼등분하는 방법을 닮음을 이용하여 설명할 수 있도록 하였다.
- 일반적으로 삼각형과 평행선 사이의 선분의 길이의 비라는 공식을 사용하여 설명하지만, 여기서는 그 공식을 이용하지 않고 삼각형의 닮음으로 설명할 수 있도록 하였다.

예상 답안

1 노란선은 $\overline{AB}$의 수직이등분선이므로 △AMO와 △ABC에서 다음이 성립한다.

∠A는 공통이고 ∠AMO=∠ABC(직각)

이와 같이 두 쌍의 대응하는 각의 크기가 각각 같으므로 △AMO와 △ABC는 닮음이다.

$\overline{AM}:\overline{MB}=1:1$이므로 $\overline{AM}:\overline{AB}=1:2$이다.

따라서 두 삼각형 △AMO와 △ABC의 닮음비는 1 : 2이다.

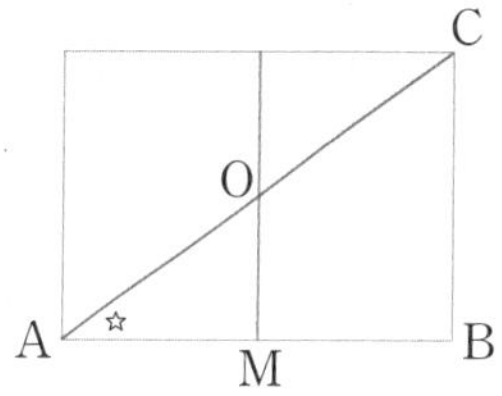

2 노란선과 $\overline{AD}$는 평행이므로 △NOM과 △NAD에서 다음이 성립한다.

∠ONM=∠AND(맞꼭지각), ∠NOM=∠NAD(엇각)

이와 같이 두 쌍의 대응하는 각의 크기가 각각 같으므로 △NOM와 △NAD는 닮음이다.

(1)에서 △AMO와 △ABC의 닮음비는 1 : 2이다.

따라서 $\overline{OM}:\overline{CB}=1:2$이고, $\overline{CB}=\overline{DA}$이므로 $\overline{OM}:\overline{DA}=1:2$이고 △NOM와 △NAD의 닮음비도 1 : 2이다.

따라서 대응변인 $\overline{AN}:\overline{ON}$의 비는 2 : 1이기 때문에 ㉢에서 대각선의 반 $\overline{AO}$가 2 : 1로 나뉘어진다.

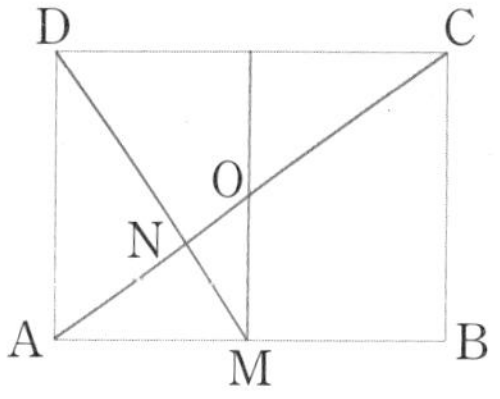

3 [2]에서 △NOM와 △NAD의 닮음비는 1 : 2이기 때문에 대응변인 $\overline{AN}:\overline{ON}$의 비는 2 : 1이다. 이로 인해 ㉢에서 대각선의 반 $\overline{AO}$가 2 : 1로 나뉘어진다. 같은 원리로 △POE와 △PCB의 닮음비는 1 : 2이고 대응변인 $\overline{CP}:\overline{OP}$의 비는 2 : 1이 된다. 이로 인해 ㉣에서 대각선의 반 $\overline{CO}$도 2 : 1로 나뉘어진다. 따라서 $\overline{AN}:\overline{NP}:\overline{PC}=1:1:1$이다.

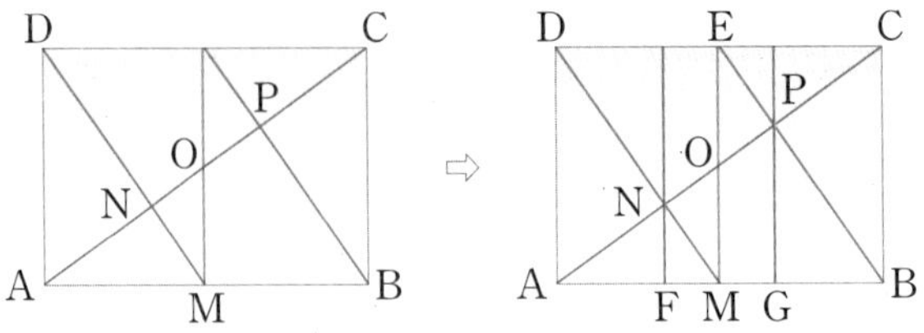

학생 답안

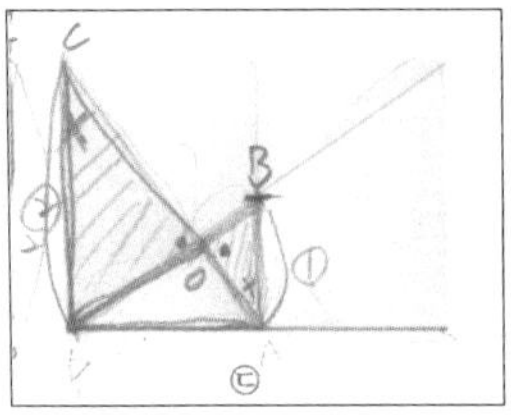

점 N과 점 P를 지나고 변AB에 수직인 선을 각각 그리면 △ANF와 △APG와 △ACB는 닮음비가 1 : 2 : 3이다. $\overline{AF}:\overline{AG}:\overline{AB}=1:2:3$이므로 $\overline{AF}:\overline{FG}:\overline{GB}=1:1:1$이다.
따라서 이 방법으로 A4용지를 접으면 긴 변을 삼등분하게 된다.

수업 노하우

- 1 에서 닮음 삼각형은 여러 가지 답이 가능하다. 학생들은 1 : 1 닮음 삼각형을 찾을 수도 있고 위쪽 삼각형을 찾을 수도 있다.

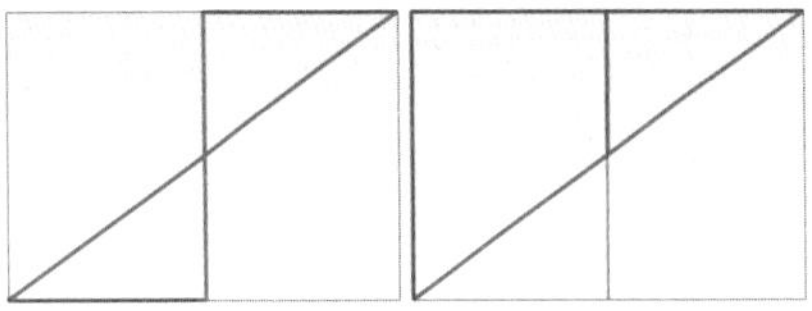

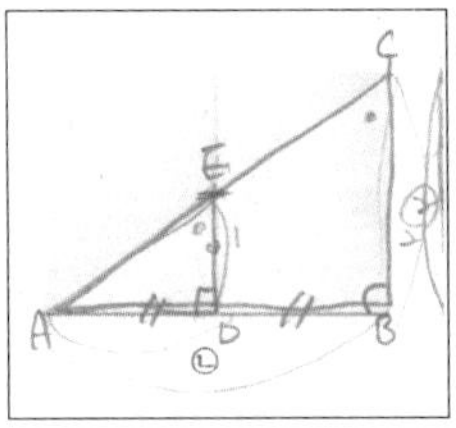

- 3 에서 다음과 같이 풀이한 경우도 있다.

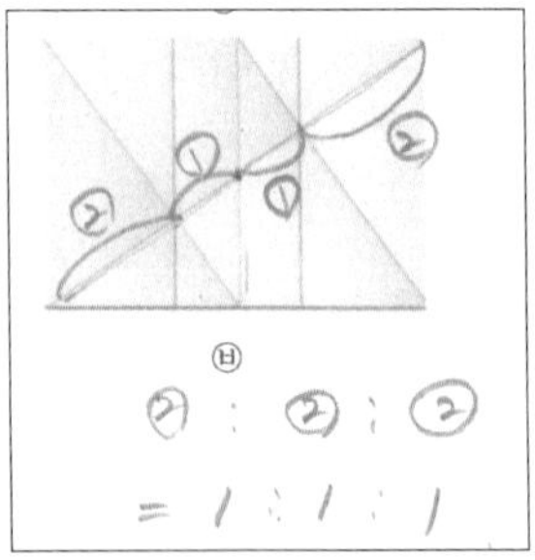

개념과 원리 탐구하기 10 _ 삼각형의 무게중심

교과서(하) 101쪽

탐구 활동 의도

- 무게중심에 대한 수업을 진행하기 전에 팽이 돌리기 실험을 통해 평형을 이루는 점에 대한 감각을 익히기 위한 활동이다. 이를 통해 무게중심과 넓이의 관계를 생각해 보도록 한다.
- 팽이의 회전축을 찾기 쉬운 사각형으로부터 시작해서 여러 사각형과 삼각형을 돌려 보며 그 이유를 찾고 자연스럽게 삼각형에서 중선을 발견하도록 하기 위함이다.

예상 답안

1 (1) 학생들의 답은 다양할 수 있다. (수업노하우 참고)

(2) 학생들의 답은 다양할 수 있다.

예 • 사각형의 두 대각선을 그어 보고 만나는 점을 회전축으로 한다.
• 꼭짓점으로부터 거리가 같은 곳에 위치한 점을 찾는다.
• 수직으로 종이를 접어 본다.
• 외심을 찾는다.
→ 위의 답의 경우 직사각형과 마름모의 무게중심을 지나는 점이므로 가능하다. 하지만 사다리꼴의 경우 불가능함을 학생들이 깨닫고 대각선에 의해 생기는 삼각형의 넓이에 관심을 가질 수 있도록 지도한다.
• 손가락 위에 세워 보고 평형을 이루는 점을 찾아 표시한다.

학생 답안

(3) 한 꼭짓점에서 대변의 중점에 선을 긋는다. 그 이유는 팽이가 잘 돌아가기 위해서는 넓이가 똑같이 나누어져야 하기 때문이다. 높이는 같고 밑변은 반이 되도록 선을 그으면 된다.

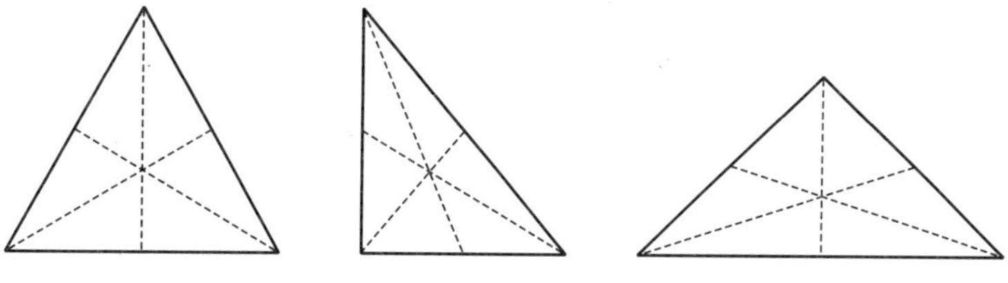

(4) 팽이를 잘 돌게 하기 위해서는 삼각형의 넓이가 똑같도록 나누어지는 점에 이쑤시개를 꽂아야 한다. 삼각형의 넓이의 반을 나누도록 선을 접어 보고 만나는 점을 찾는다.

• 1 (1)에서 학생들의 답은 다양했다. 다음과 같이 직사각형과 마름모는 두 대각선의 교점으로 찾은 학생들이 많았는데 사다리꼴의 경우는 다양했다.

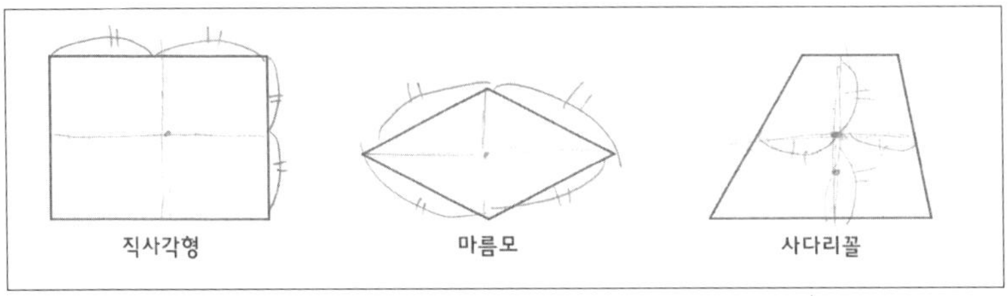

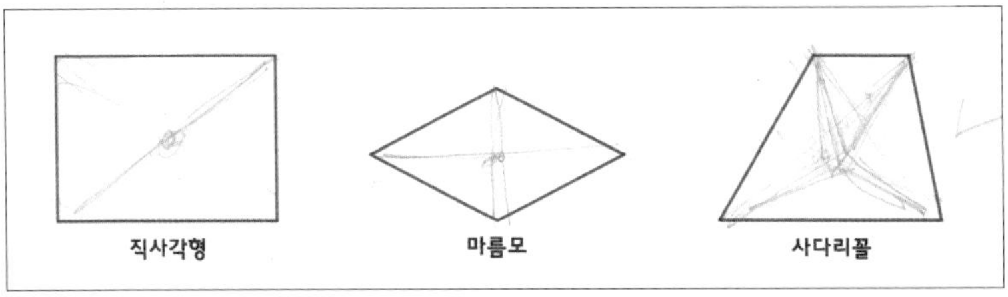

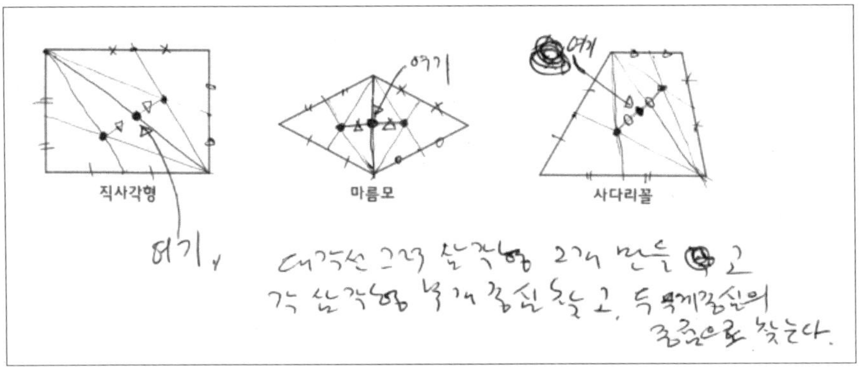

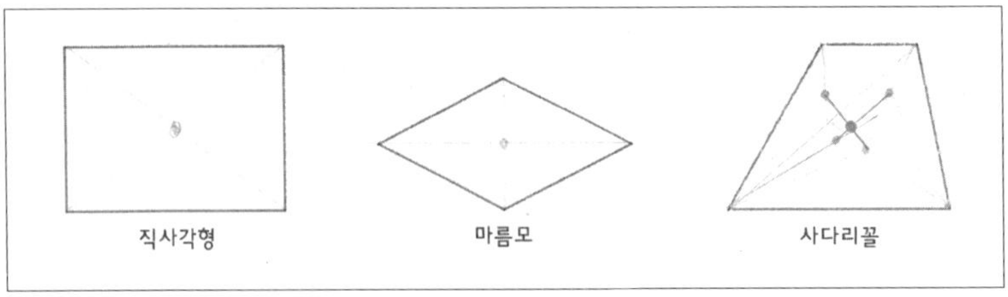

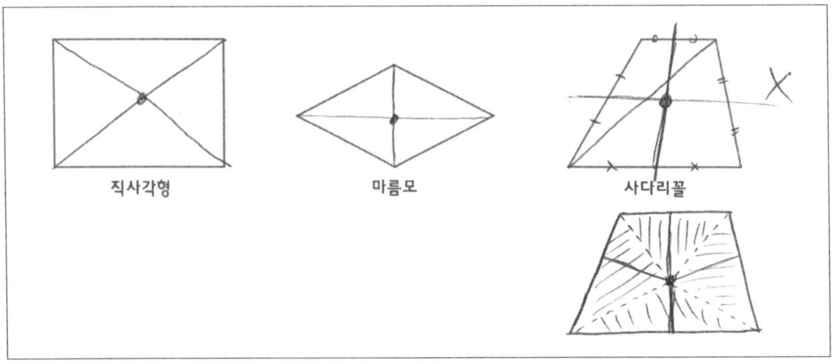

— 각각 자신이 찾은 점에서 팽이를 만들어 보고 무게중심일지 판단하고 다양하게 이야기를 나누어 볼 수 있도록 할 수 있다.

• (3)에서도 학생들은 다음과 같이 위치를 정했다.

— 두 개의 중선으로 찾은 경우

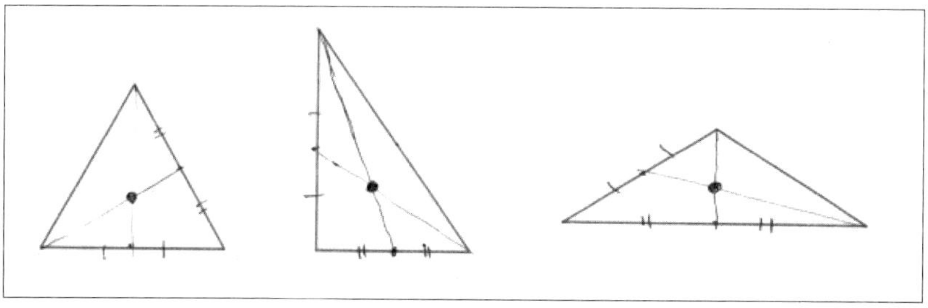

— 세 중선의 교점으로 찾은 경우

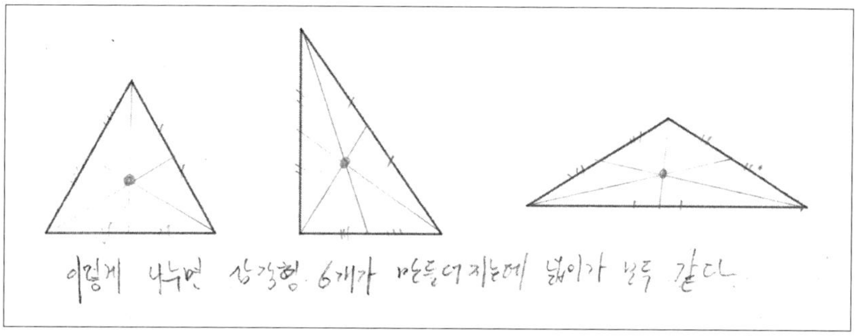

각 꼭지점과 이루는 삼각형의 넓이가 같은 점.

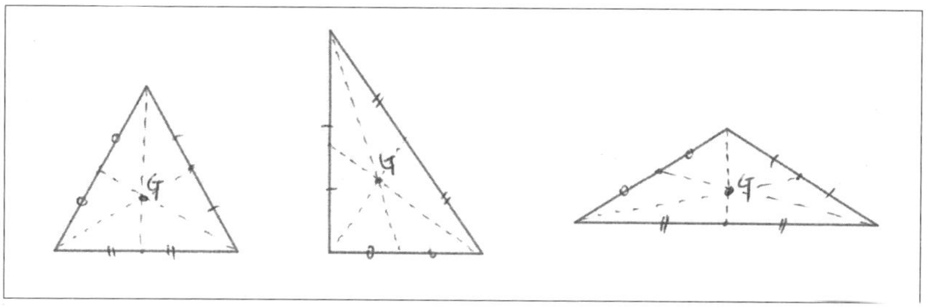

— 삼각형의 세 중선이 한 점에서 만남을 증명하는 것은 쉽지 않다. 무게중심에서는 정리의 증명보다도 정리의 내용을 이해할 수 있도록 하는 것에 초점을 둔다.

• 중선은 삼각형의 넓이를 이등분하지만 삼각형의 넓이를 이등분하는 선이 중선이 아닐 수도 있다. 오개념을 가질 수 있으므로 이런 부분을 토론 거리로 활용해 볼 수 있다.

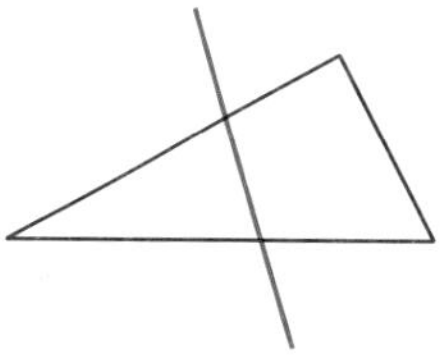

참고 [사각형의 무게중심]

(1) $\triangle$ABD의 무게 중심을 G_1,
$\triangle$DBC의 무게중심을 G_2라고 하면
□ABCD의 무게중심 G는 $\overline{G_1G_2}$를
($\triangle$DBC의 넓이) : ($\triangle$ABD의 넓이)로 내분하는 점이다.

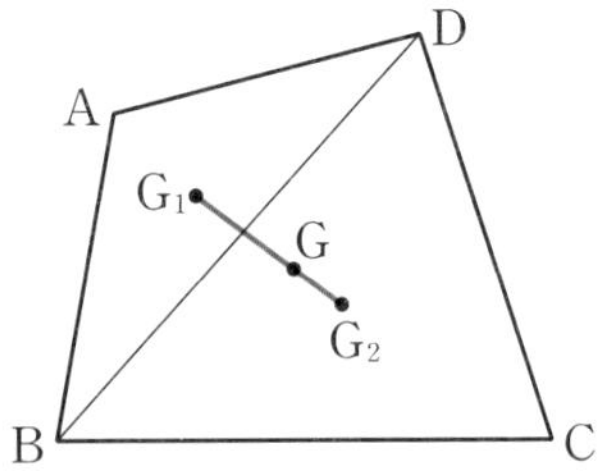

(2) $\triangle$ABD의 무게 중심을 G_1,
$\triangle$DBC의 무게중심을 G_2,
$\triangle$ADC의 무게중심을 G_3,
$\triangle$ABC의 무게중심을 G_4라고 하면
□ABCD의 무게중심 G는 $\overline{G_1G_2}$, $\overline{G_3G_4}$의 교점이다.

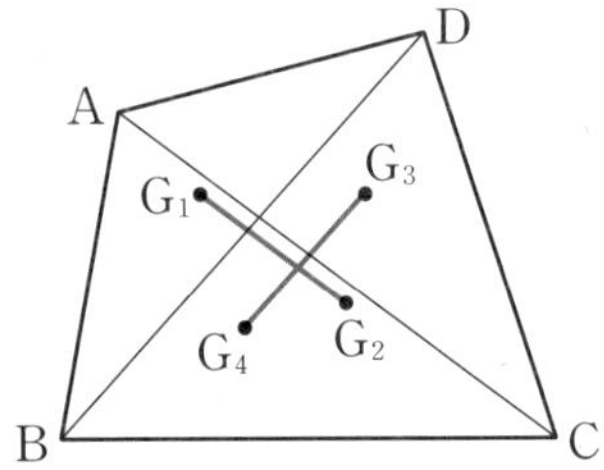

개념과 원리 탐구하기 11 _ 삼각형의 무게중심의 성질

교과서(하) 102쪽

탐구 활동 의도

- 중선과 무게중심을 연결하는 활동으로 중선은 넓이를 이등분한다는 성질을 바탕으로 균형을 이루는 점과의 연관성을 찾고 더 확장하여 중선에 의해 나눠지는 6개의 삼각형의 넓이가 같음을 논리적으로 설명할 수 있도록 한다.

예상 답안

1 $\triangle$BDG와 $\triangle$CDG에서 밑변 BD, CD의 길이가 서로 같고 높이도 같으므로
$\triangle$BDG$=\triangle$CDG이다.
같은 방법으로 $\triangle$BGF$=\triangle$AGF, $\triangle$CGE$=\triangle$AGE이다.
$\overline{AD}$, $\overline{BE}$는 $\triangle$ABC의 중선이므로 $\triangle$BCF$=\triangle$BCE이고,
$\triangle$BCF$=\triangle$BGF$+\triangle$BCG이다.
$\triangle$BCE$=\triangle$CGE$+\triangle$BCG이므로 $\triangle$BGF$=\triangle$CGE이다.
같은 방법으로 $\triangle$AFG$=\triangle$CDG이다.
따라서 $\triangle$AFG$=\triangle$BFG$=\triangle$DBG$=\triangle$CDG
$=\triangle$ECG$=\triangle$AEG이므로 $\triangle$ABC의 중선에 의해 생긴 작은 6개 삼각형의 넓이는 모두 같다.

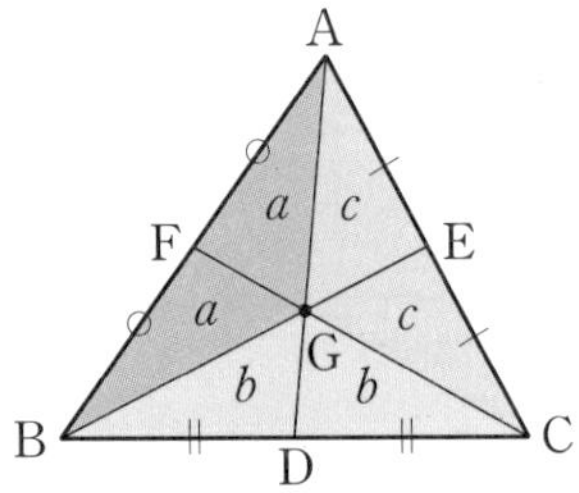

2 종희가 옳다.
$\triangle$ADC$=\triangle$AGE$+\triangle$CGE$+\triangle$GDC, $\triangle$AGE$=\triangle$CGE$=\triangle$GDC
즉, $\triangle$AGC : $\triangle$GDC$=2:1$이고, 점 C에서 $\overline{AD}$에 내린 수선의 발까지의 길이가 $\triangle$AGC, $\triangle$GDC의 높이라고 하면 $\overline{AG}:\overline{GD}=2:1$이다.
따라서 $2\times$($\overline{GD}$의 길이)$=$($\overline{AG}$의 길이)다.

〈다른 풀이〉

오른쪽 그림의 △ABC에서 무게중심 G는 두 중선 AD, BE의 교점이고 두 점 D, E는 각각 두 변 BC, AC의 중점이므로

$\overline{AB}$ ∥ $\overline{DE}$이고 $\overline{AB}$: $\overline{DE}$ = 2 : 1이다.

따라서 △ABG와 △DEG에서 삼각형의 평행선과 선분의 길이의 비에 대한 성질에 의하여

$\overline{AG}$: $\overline{GD}$ = $\overline{BG}$: $\overline{GE}$ = 2 : 1이다.

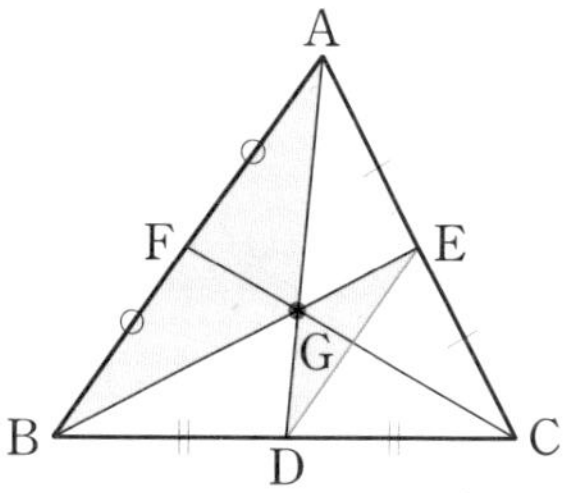

수업 노하우

- 본문에서는 예각삼각형만 다루고 있으므로 직각삼각형이나 둔각삼각형에 대해서도 학생들이 고민해 볼 시간을 주는 것도 좋다.
- [2]의 경우 2×($\overline{GD}$의 길이) = ($\overline{AG}$의 길이)의 표현과 $\overline{AG}$: $\overline{GD}$ = 2 : 1이 같은 표현임을 알도록 하고, 넓이를 이용하여 보이는 방법 이외에도 다른 방법도 탐색해 보도록 한다.

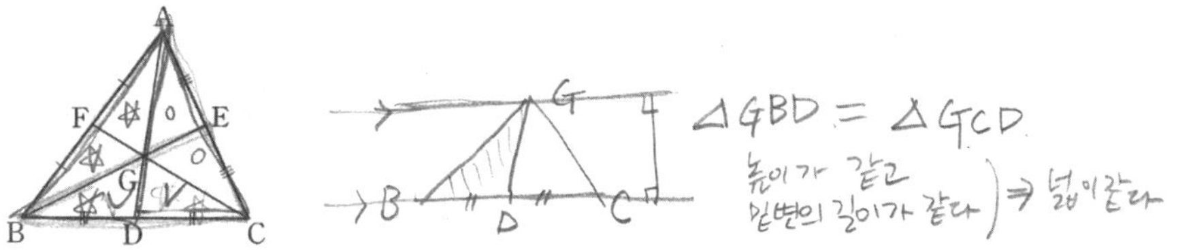

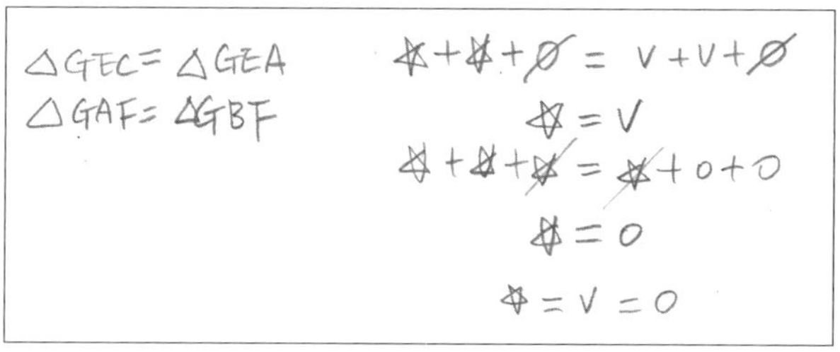

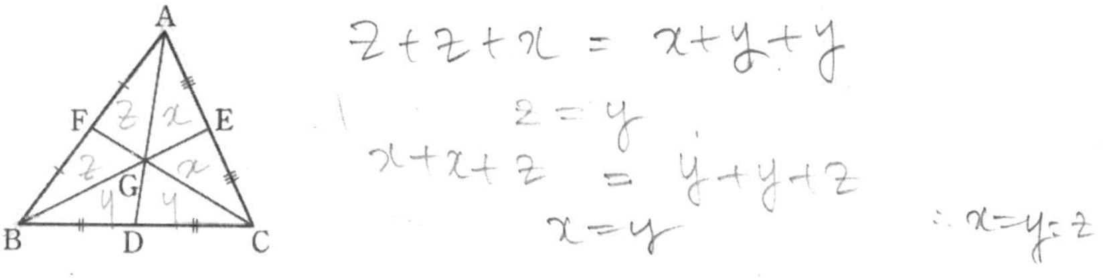

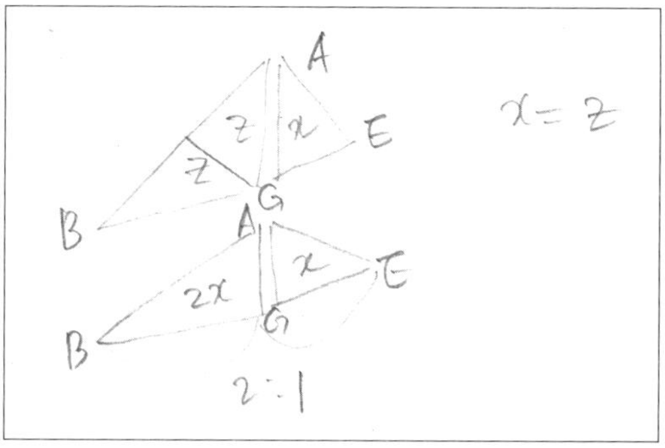

탐구 되돌아보기 예상 답안

교과서(하) 103~107쪽

1 개념과 원리 탐구하기 1

두 볼링 공은 구 형태로 왼쪽 볼링공의 반지름의 길이를 일정 비율로 축소하면 오른쪽의 작은 볼링 공과 합동이 되므로 닮음인 관계다. 그러나 우유 팩의 경우 위의 삼각형 부분을 축소한 비율과 우유 팩의 높이를 축소한 비율이 같지 않으므로 일정한 비율로 축소했을 때, 작은 우유 팩과 합동이 되지 않는다. 따라서 우유 팩은 닮음이 아니다.

2 개념과 원리 탐구하기 1

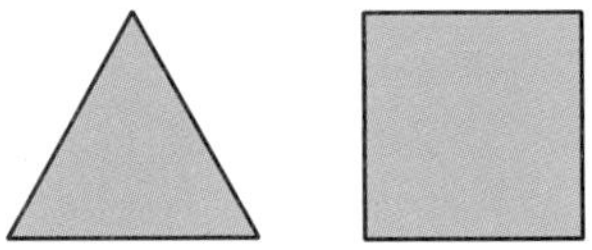

정삼각형, 정사각형 등 정다각형은 모든 변의 길이가 같고 모든 각의 크기가 같으므로 일정한 비율로 확대, 축소할 경우 합동이 된다. 따라서 항상 닮음이다

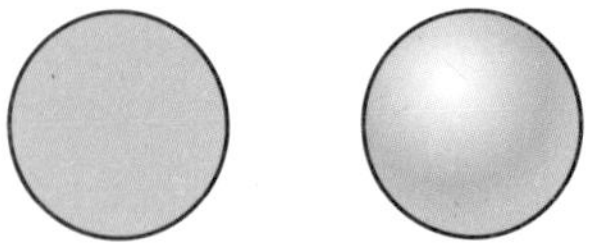

원과 구는 반지름의 길이의 비에 따라 확대하고 축소하면 합동이 되므로 항상 닮음이다.

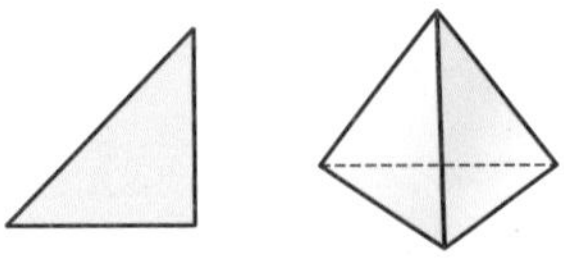

그 외는 직각이등변삼각형, 정사면체 등이 있다.

3 개념과 원리 탐구하기 4

정사각뿔 높이의 $\frac{1}{2}$이 되는 지점의 밑면은 한 변의 길이가 2.5 cm인 정사각형이다. 채워진 물의 부피는

$\frac{1}{3}\times2.5\times2.5\times4.5=9.375$

이고 전체 용기의 부피는

$\frac{1}{3}\times5\times5\times9=75$

$75\div9.375=8$이므로 용기를 가득 채울때 까지 5분의 8배인 40분의 시간이 걸린다.

〈다른 풀이〉 두 정사각뿔의 닮음비는 1 : 2이므로 부피의 비는 1 : 8이다.

4 개념과 원리 탐구하기 3

(1) 중앙공원에서 행복중학교까지 자로 잰 길이는 5 cm이다. 이때 축척이 $\frac{1}{5000}$이므로

$5\times5000=25{,}000$ cm

25,000 cm = 250 m = 0.25 km이다.

(2) 행복중학교는 직사각형 모양이므로 가로의 길이를 자로 재면 3 cm이고, 세로의 길이는 2 cm이다. 따라서 지도상의 넓이는 6 cm^2가 된다. 닮음비를 활용하여 실제 넓이를 측정하면 길이의 비가 1 : 5000이므로 넓이의 비는 1 : 5000^2, 즉 1 : 25,000,000이다. 따라서 실제 넓이는

$6\,cm^2\times25{,}000{,}000=150{,}000{,}000\,cm^2$
$=15{,}000\,m^2=0.015\,km^2$

가 된다.

5 개념과 원리 탐구하기 6, 7

(1) 두 삼각형은 다음과 같은 경우에 서로 닮음이다.
① 대응하는 세 변의 길이의 비가 각각 같다. (SSS 닮음)
② 대응하는 두 변의 길이가 비가 각각 같고, 그 끼인 각의 크기가 같다.(SAS 닮음)
③ 대응하는 두 각의 크기가 각각 같다. (AA 닮음)

(2) – 삼각형의 합동 조건은 대응하는 변의 길이가 같아야 하고, 삼각형의 닮음 조건은 대응하는 변의 길이의 비가 같아야 한다.
– 삼각형의 합동 조건에서 ASA합동은 한 변의 길이와 양 끝각의 크기가 같아야 한다. 즉, 세 가지 조건을 모두 만족해야 합동인 반면 삼각형의 닮음 조건에서 AA닮음은 두 쌍의 대응각의 크기만 같으면 되기 때문에 변의 조건이 없어도 된다는 차이점이 있다.

6 개념과 원리 탐구하기 8

삼각형 ABC에서 변 BC의 수직이등분선이 변 BC와 만나는 점을 M이라 하고 변 AC의 수직이등분선이 변 AC와 만나는 점을 N이라고 하자.

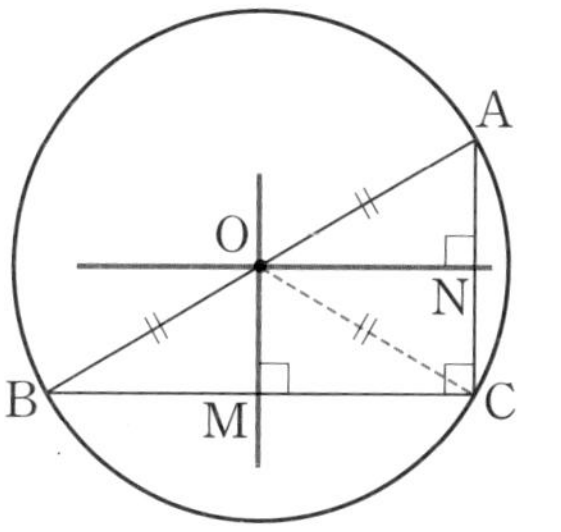

이때 △OBM과 △ABC에서

∠B는 공통, ∠OMB=∠ACB

이므로 두 쌍의 대응하는 각의 크기가 각각 같다.

따라서 △OBM ∽ △ABC이다.(AA닮음)

선분의 수직이등분선의 성질에 의해 $\overline{BM}=\overline{MC}$이기 때문에 $\overline{BM}:\overline{BC}=1:2$이므로 두 삼각형의 닮음비는 1 : 2 이다.

또한 변 BC의 수직이등분선이 변 AB와 만나는 점은 변 AB의 중점이다.

같은 방법으로 △AON과 △ABC에서 ∠A는 공통, ∠ONA=∠BCA(직각)이고 두 쌍의 대응하는 각의 크기가 각각 같으므로

△AON ∽ △ABC이다.(AA닮음)

그리고 두 삼각형의 닮음비도 1 : 2이다.

따라서 변 AC의 수직이등분선이 변 AB와 만나는 점은 변 AB의 중점이고 삼각형 ABC에서 두 변의 수직이등분선의 교점은 변 AB의 중점에서 만나므로 이 점은 삼각형 ABC의 외심이다.

7 개념과 원리 탐구하기 8

직선 위의 임의의 두 점을 잡아서 기울기를 구할 때는 한 점에서 x축에 평행한 직선과 다른 한 점에서 y축에 평행한 직선을 그려서 기울기를 구한다. 그림에서는 선분 AB와 선분 DE가 평행하고, 선분 CB와 선분 FE가 평행함을 알 수 있다.

따라서 평행선에서의 동위각의 크기가 같은 성질을 이용하면 △ABC와 △DEF는

∠CAB=∠FDE(동위각),

∠ACB=∠DFE(동위각)

이므로 서로 닮음이다.(AA닮음)

닮음인 두 삼각형은 대응하는 변의 길이의 비가 같기 때문에 $\overline{BC}:\overline{AB}=\overline{EF}:\overline{DE}$이고 직선의 기울기를 나타내는 $\dfrac{\overline{BC}}{\overline{AB}}$와 $\dfrac{\overline{EF}}{\overline{DE}}$의 값은 같다.

8 내가 만드는 수학 이야기

학생 답안 1

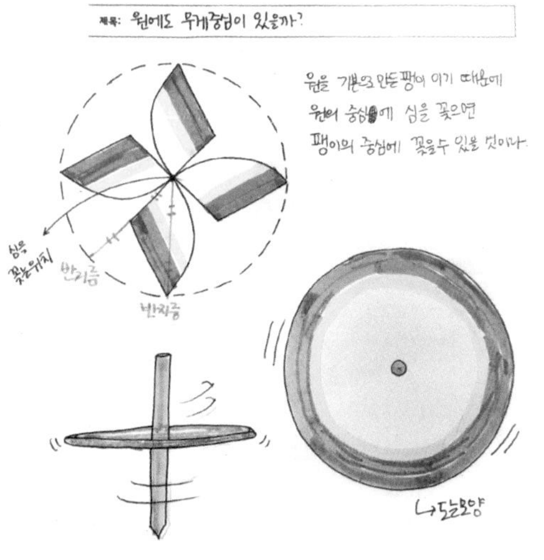

학생 답안 2

제목: 별 모양 팽이 만들기

나 만의 팽이를 만들라는 말에 별 모양을 디자인 해서 만들면 예쁜 팽이가 될 것 같아서 컴퓨터로 정오각형을 그리고 꼭짓점들을 연결하여 별 모양을 만들었다. 그런데 문제는 무게중심을 찾는 일 이었다. 분명 수업시간에 팽이돌리기를 했던 기억을 떠올려 보면 무게중심은 무게를 고르게 나누는 점인데 그 점을 어떻게 찾아야 할지 막막하였다. 그래서 눈에 보이는 삼각형들의 중선을 마구 그려보기 시작했다. 그런데 신기한 일이 일어나기 시작했다. 삼각형의 중선이 겹쳐지기도 하고 모두 한 점에서 만나는 것이 었다. 내가 배운 내용을 적용해서 찾아보니 직접 해냈다는 뿌듯함도 느껴지고 응용문제를 잘 못풀던 내가 원리를 이용해서 이렇게 푸는 모습을 보니 기특했다.

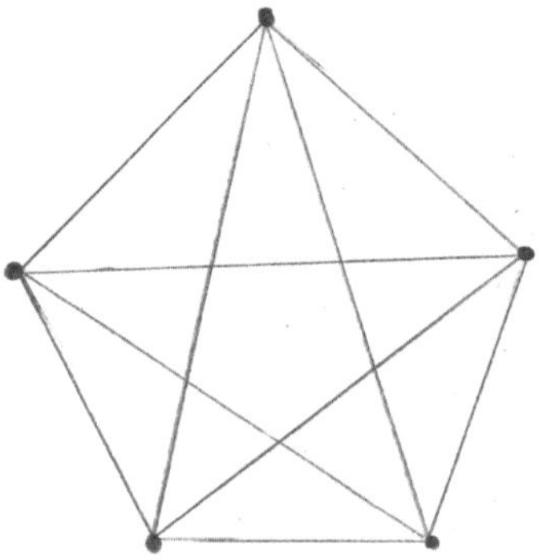

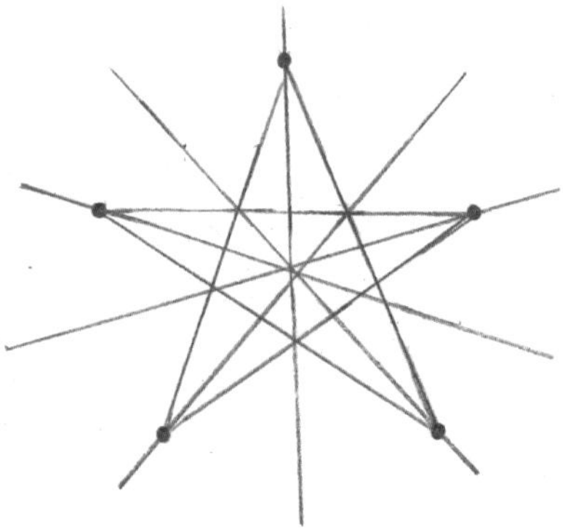

학생 답안 3

제목:

나는 숫자 8을 좋아한다. 그래서 숫자 8과 알파벳 B처럼 생긴 팽이를 만들어보기로 했다. 이 모양은 사각형으로 되어 있어서 무게를 고르게 나누는 점을 대각선을 이용해서 찾았다. 그리다가 보니 가로 길이의 이등분선도 대각선의 교점과 만났다. 사각형의 성질을 다시 공부하는 느낌이 들었다.

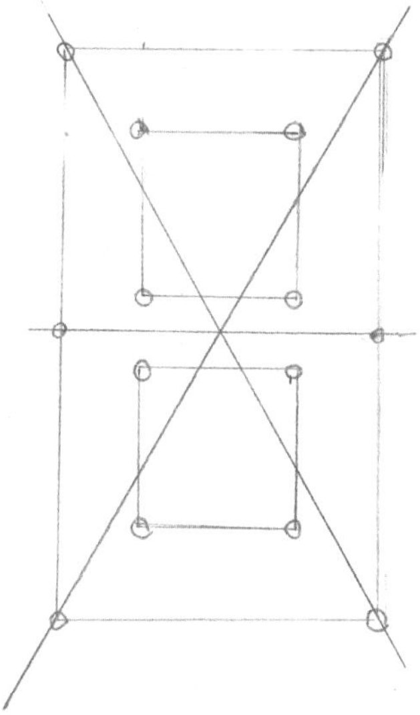

학생 답안 4

제목: 별팽이중심

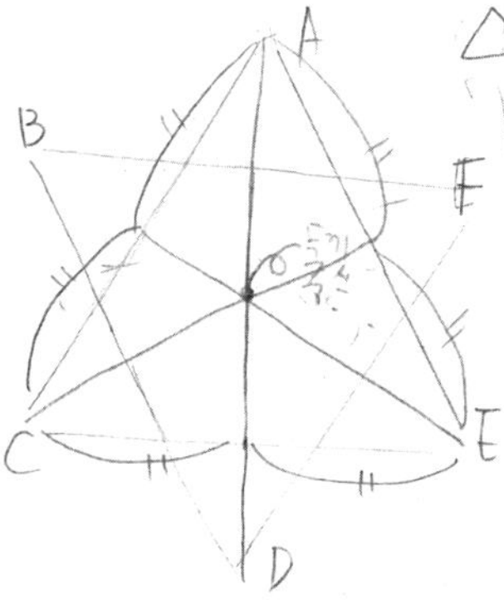

△형을 만들다 보니 2개 겹쳐서 각을 더 많이 만들었다. 무게중심을 더 잘 잡을 것 같아서 골랐다.

무게중심은 △ACE 와 △DFB가 각각 각을 접어서 만들어낸 선에 가장 가운데 부분이 무게중심이다. 이것말고도 변을 반으로 나눈 후 꼭짓점과 연결한 선들에 가운데가 무게중심이 될 수도 있다.

2 피타고라스와 숨바꼭질 (피타고라스 정리)

단원 지도 계획

/ 1 / 나는 어떤 삼각형일까

1차시	**개념과 원리 탐구하기 1** 피타고라스 정리의 뜻
2차시	**개념과 원리 탐구하기 2** 피타고라스의 수
3차시	**개념과 원리 탐구하기 3** 피타고라스 정리의 증명 **개념과 원리 탐구하기 4** 피타고라스 정리의 역
4차시	탐구 되돌아보기
5차시	개념과 원리 연결하기
6차시	수학 학습원리 완성하기

- 교과서 각 소단원마다 제시된 **탐구 되돌아보기**는 개념과 원리 **탐구하기**와 연계하여 수업 시간 내 또는 수업 시간 이후 복습으로 활용할 수 있습니다.

/1/ 나는 어떤 삼각형일까 (피타고라스 정리)

학습목표

1 직각삼각형의 각 변을 각각 한 변으로 하는 정사각형의 넓이를 비교하는 활동을 통하여 피타고라스 정리를 발견할 수 있다.

2 피타고라스 정리를 경험에 의한 방법, 닮음을 이용한 방법 등 여러 가지 방법으로 정당화하고 설명할 수 있다.

3 피타고라스 정리에 대한 역사적 사실 등을 조사하고 추론해 보게 함으로써 이를 폭넓게 이해할 수 있다.

4 구체적인 예를 통해 두 변의 길이가 일정할 때 끼인 각의 크기에 따라 나머지 변의 길이가 어떻게 변하는지 추론할 수 있다. 즉, 세 변의 길이가 a, b, c인 삼각형에서 $a^2+b^2=c^2$이면 이 삼각형은 길이가 c인 변을 빗변으로 하는 직각삼각형임을 발견할 수 있다.

2015 개정 교육과정 성취기준

피타고라스 정리를 이해하고 설명할 수 있다.

교수 · 학습 방법 및 유의 사항

'삼각형의 중점연결 정리' 용어는 교수 · 학습 상황에서 사용할 수 있다.

평가 방법 및 유의 사항

정확한 용어와 기호의 사용, 복잡한 형식 논리 규칙의 이용을 요구하는 연역적 정당화 문제는 다루지 않는다.

핵심발문

피타고라스 정리가 왜 성립하는지 어떻게 설명할 수 있을까요?

개념과 원리 탐구하기 1 _ 피타고라스 정리의 뜻

교과서(하) 109쪽

탐구 활동 의도

- 이 탐구는 귀납적인 방법으로 피타고라스 정리가 성립함을 발견하도록 하는 과제로 직각삼각형에서만 성립하는 성질임을 강조하기 위하여 다양한 모양의 삼각형을 주었다.
- 직각삼각형의 각 변을 각각 한 변으로 하는 정사각형의 넓이를 비교하는 활동을 통해 직각을 끼고 있는 두 변을 각각 한 변으로 하는 두 정사각형의 넓이의 합이 빗변을 한 변으로 하는 정사각형의 넓이와 같음을 발견할 수 있다.

- 정사각형의 넓이 사이의 관계를 찾아 이를 문자로 표현해 보면서 피타고라스 정리를 이해할 수 있게 하였다. 넓이 사이의 관계를 변 사이의 관계로 추상화할 수 있도록 하였다.
- 다소 쉽지만 퍼즐 맞추기 활동을 통하여 앞에서 학생들이 스스로 발견한 피타고라스 정리를 직관적으로 정당화할 수 있게 하였다.

예상 답안

1 (1) ①~⑥의 각 정사각형의 넓이는 다음과 같다.

	P의 넓이	Q의 넓이	R의 넓이
①	9	16	25
②	5	5	16
③	13	26	53
④	5	8	9
⑤	9	1	10
⑥	2	2	4

이를 통해 다음을 추측할 수 있다.

직각삼각형인 경우 (①, ⑤, ⑥) : (P의 넓이)+(Q의 넓이)=(R의 넓이)

예각삼각형인 경우 (④) : (P의 넓이)+(Q의 넓이)>(R의 넓이)

둔각삼각형인 경우 (②, ③) : (P의 넓이)+(Q의 넓이)<(R의 넓이)

(2) (P의 넓이)$=a^2$, (Q의 넓이)$=b^2$, (R의 넓이)$=c^2$으로 나타낼 수 있다.

- 직각삼각형인 경우 : $a^2+b^2=c^2$
- 예각삼각형인 경우 : $a^2+b^2>c^2$
- 둔각삼각형인 경우 : $a^2+b^2<c^2$

학생 답안

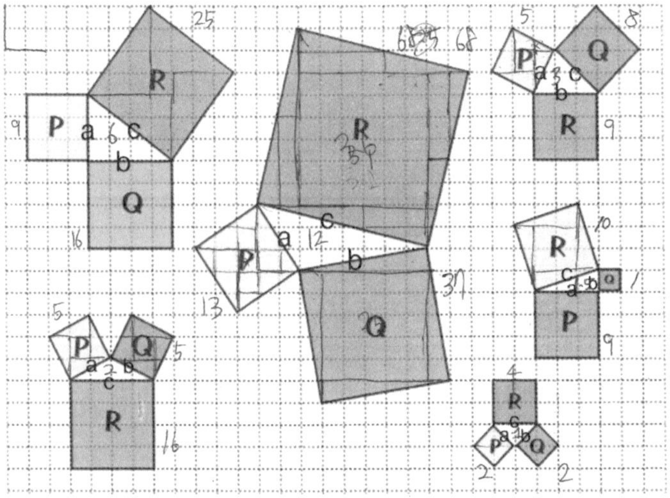

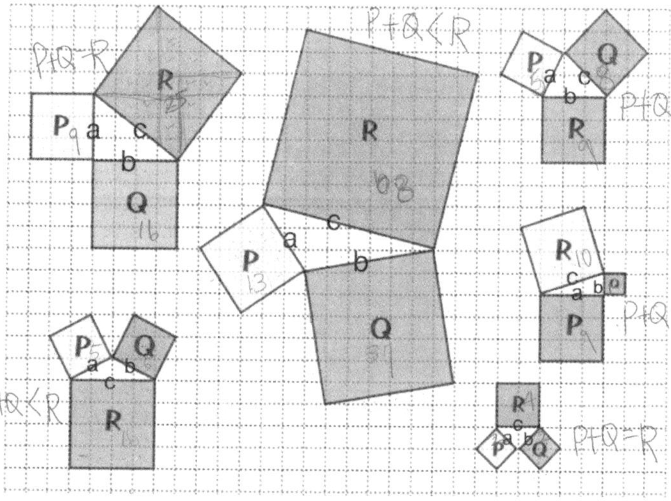

$a^2+b^2=c^2$ 이면 직각삼각형
$a^2+b^2<c^2$ 이면 둔각삼각형
$a^2+b^2>c^2$ 이면 예각삼각형

직각삼각형 $a^2+b^2=c^2$ 만족.
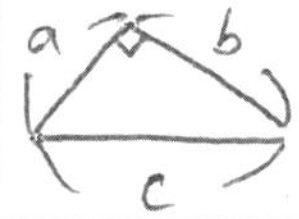
둔각 $a^2+b^2<c^2$
예각 $a^2+b^2>c^2$

2 (1) ①
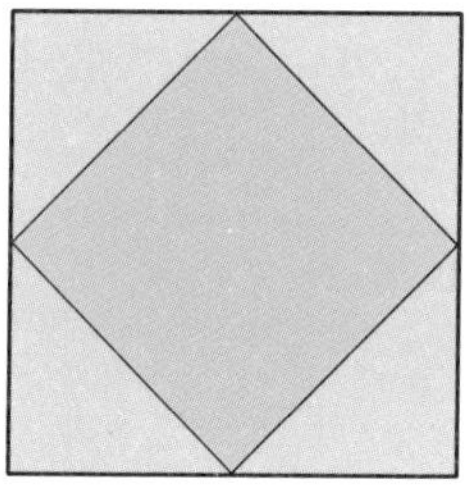

②
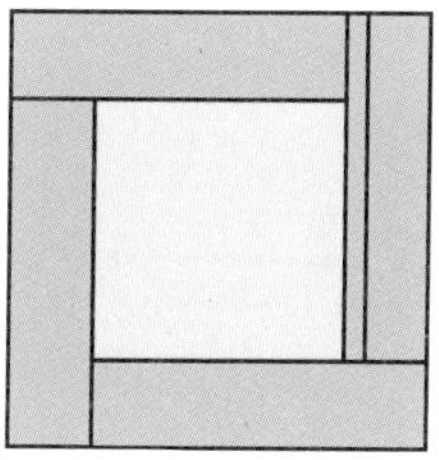

③
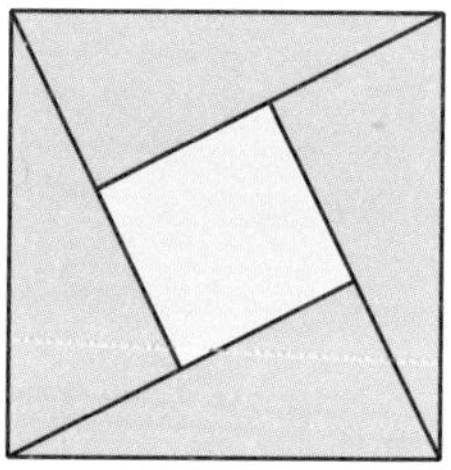

④
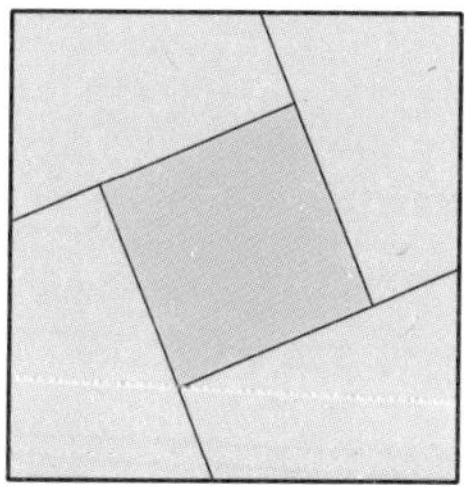

①, ②, ③, ④의 직각삼각형 ㉠, ㉡의 넓이의 합이 직각삼각형의 ㉢의 넓이와 같다.
따라서 빗변의 길이가 c이고 직각을 낀 두 변의 길이가 a, b인 직각삼각형에서 $a^2+b^2=c^2$이 성립한다.

학 생
답 안

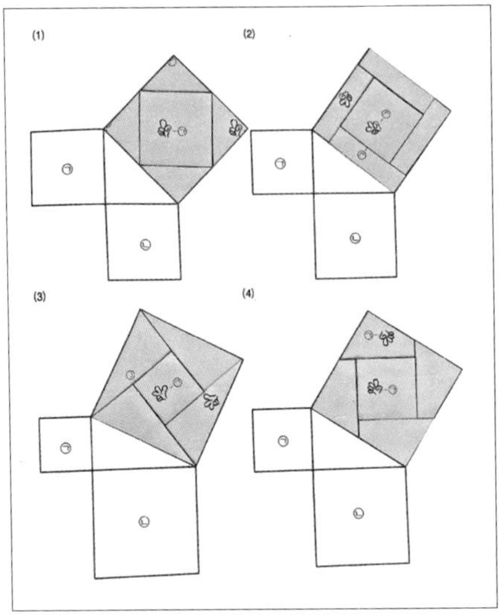

(2) ─ 세 변의 길이가 a, b, c인 삼각형에서 c가 가장 긴 변의 길이일때, 직각삼각형에서는 $a^2+b^2=c^2$이 성립하고, 예각삼각형에서는 $a^2+b^2>c^2$, 둔각삼각형에서는 $a^2+b^2<c^2$이 성립한다.

─ $a^2+b^2=c^2$은 직각삼각형에서는 성립하지만 둔각삼각형과 예각삼각형에서는 성립하지 않는다.

학 생
답 안

아니다. 직각이 아닐때는 X/둔각, 예각△일때는 같지않다,

수업 노하우

- 모눈을 주어 각 정사각형의 넓이를 실제로 구해 볼 수 있도록 한 것이다. 직각삼각형에서만 특별하게 성립하는 정리임을 강조하기 위해 예각삼각형, 직각삼각형, 둔각삼각형의 세 종류의 삼각형을 제시하였다. 이는 **탐구하기 4**와 이후에 연결되고 학생들이 이를 발견할 수 있다.

정사각형 안에 있는 삼각형이 직각삼각형일 경우
3개중에서 작은 2개의 넓이를 더한 값이 제일큰 정사각형의 넓이다.
반면 잡각형은 직각삼각형처럼 되지 않는다.

- 다음은 학생들이 실제 각 삼각형의 넓이를 계산한 예다. 학생들이 넓이 관계로 삼각형의 특징을 분류함을 관찰할 수 있었다.

─ 사례 하나로 설명한 경우

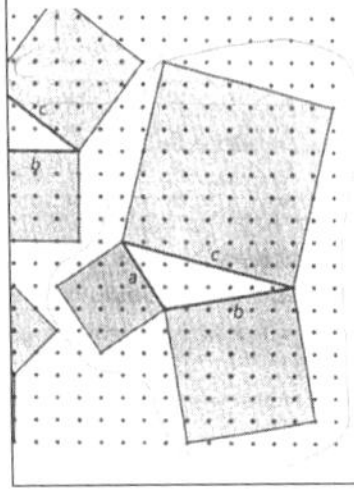

이 그림을 예로 하고
a=5, b=9, c=10으로 하면
100 < 81+25로 성립한다.(둔각)

– 삼각형의 특징으로 설명한 경우

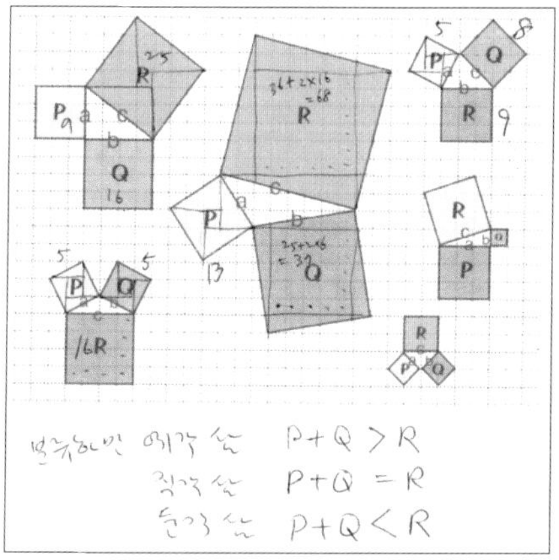

A	B	C	D	E	F
P: 9	P: 13	P: 5	P: 5	P: 9	P: 2
Q: 16	Q: 37	Q: 8	Q: 5	Q: 1	Q: 2
R: 25	R: 68	R: 9	R: 16	R: 10	R: 4

– 넓이로 분류한 경우

1번 : 가장 큰 정사각형의 넓이 = 나머지 두 정사각형의 넓이의 합
2번 : 〃 < 〃
3번 : 〃 > 〃

• 세 종류의 삼각형을 동시에 다루면 정사각형들 사이의 넓이 관계를 비교하고 분류하기 위해 자연스럽게 문자를 사용하는 것이 편리함을 발견할 수 있다.

A	B	C	D	E	F
$A^2+B^2=C^2$	둔각 삼각형 $A^2+B^2<C^2$	예각 삼각형 $A^2+B^2>C^2$	둔각 삼각형 $A^2+B^2<C^2$	$A^2+B^2=C^2$	$A^2+B^2=C^2$

• 정사각형의 넓이 사이의 관계를 '직각삼각형의 세 변의 길이 사이의 관계'로 사고를 확장시키는 방법에 대한 고민을 많이 하였는데, 여러 가지 삼각형을 비교하도록 하는 것이 하나의 대안이 될 수 있었다. 1과 같이 각 변의 길이를 문자로 나타내도록 한 것이고, 우리가 발견한 사실이 꼭 정사각형을 그려서 넓이를 구하는 문제로 그치는 것이 아니라 변의 길이 사이의 관계임을 정리할 필요가 있다.
아래 학생처럼 피타고라스 정리가 넓이 사이의 관계라고 생각할 수도 있다.

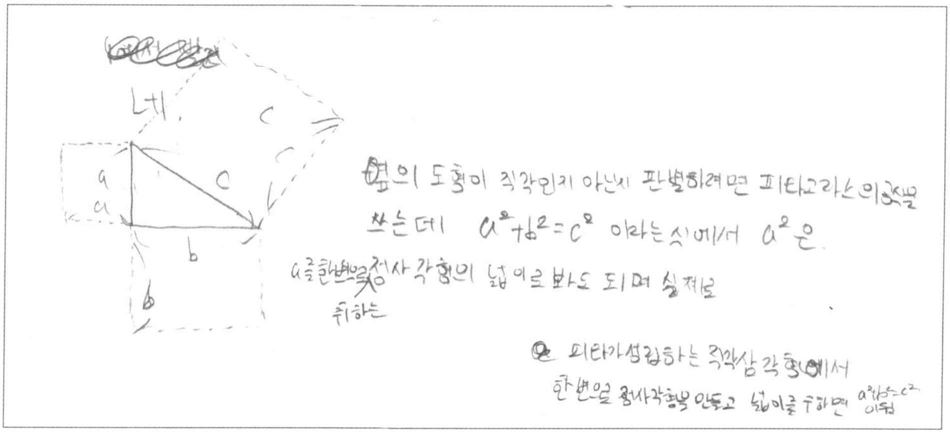

• 다음과 같이 피타고라스 정리의 역까지 발견한 경우도 있다. 피타고라스 정리의 역은 증명하지 않고 직관적으로만 다루는데, 이런 아이디어를 이후 **탐구하기 4**에서 연결하여 다룰 수도 있으며 **탐구하기 4**를 이 아이디어와 연결하여 지금 다룰 수도 있다.

네, 삼각형은 예각, 직각, 둔각 삼각형이 있는데 직각 삼각형은 피타고라스의 정리에 의해 성립 예각 삼각형은 각의 크기가 90° 미만이기 때문에 성립, 둔각삼각형은 90° 초과이니 빗변이 더 크니 성립.

개념과 원리 탐구하기 2 _ 피타고라스의 수

교과서(하) 112쪽

탐구 활동 의도

• 피타고라스 정리를 활용했던 역사적인 소재로 흥미를 유발하고 그 속에서 피타고라스 정리의 역을 직관적으로 이해할 수 있도록 한 것이다. 역에 대한 증명은 중학교 교육과정에서 다루지 않는다.

• 직각삼각형의 세 변의 길이가 될 수 있는 수를 피타고라스의 수라고 한다. 이것은 고대부터 알려진 세 변의 길이 사이에 일정한 관계가 성립하는 특별한 직각삼각형의 변의 길이였음을 이해하게 할 수 있다.

• 이러한 활동을 통해 **탐구하기 1**에서 발견한 피타고라스 정리의 의미를 파악하는데 중점을 두었다.

예상 답안

1 (1) **탐구하기 1**에서 직각삼각형인 경우의 삼각형의 변을 한 변으로 하는 정사각형들의 넓이를 이용할 수 있다.
밑변의 길이를 4, 높이를 3, 빗변의 길이를 5라고 하면 $3+4+5=12$이고,
$4^2+3^2=16+9=25=5^2$이므로 직각삼각형이다.
밑변과 높이를 바꾸어도 된다.

학생 답안

직각삼각형의 빗변을 c, 나머지 두 변을 a, b라 했을 때 $c^2=a^2+b^2$이다.
$c=5$, $a=3$, $b=4$ 이므로 $25=9+16$이다.

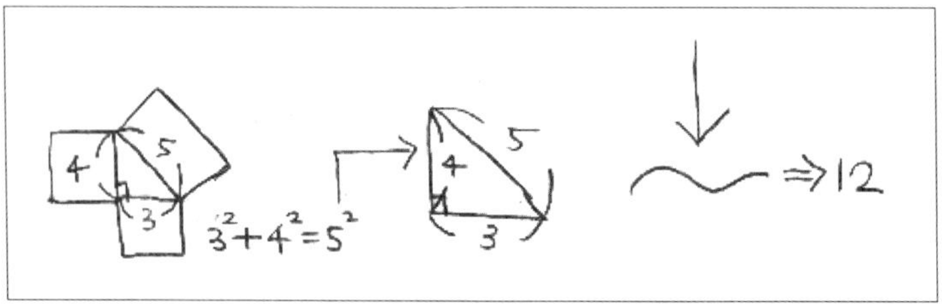

(2) 직각을 재어주는 각도기 같은 도구가 없었기 때문에 밧줄로 직각을 측정했을 것이다.

학생 답안

직각삼각형을 만들기 위해 밧줄을 가지고 다녔다.
(직각삼각형을 만들면 측정하기 쉽기 때문)

정사각형 또는 직사각형 모양으로 땅을 공평하게 나누어주려면 한 각 이상을 직각으로 만들었어야 했는데, 그 직각을 정확하게 측정하기 위해서이다.

2

$3^2+4^2=5^2$	$5^2+12^2=13^2$	$6^2+8^2=10^2$
$8^2+15^2=17^2$	$9^2+12^2=15^2$	$7^2+24^2=25^2$

학생 답안

(3,4,5)
(6,8,10)
(8,15,17)
(9,12,15)
(5,12,13)
(12,16,20)
→ 6쌍

수업 노하우

- 교육과정에서 피타고라스 정리가 중학교 3학년에서 2학년으로 이동되어 무리수를 배우기 전이므로 자연수 범위에서의 피타고라스 수만을 다루기도 하였다. 여기서는 정리에 익숙해지는 것이 목적이다.
- 1 에서 학생들은 말로 설명하지 못하더라도 아래와 같이 그림으로 설명하기도 하였다.

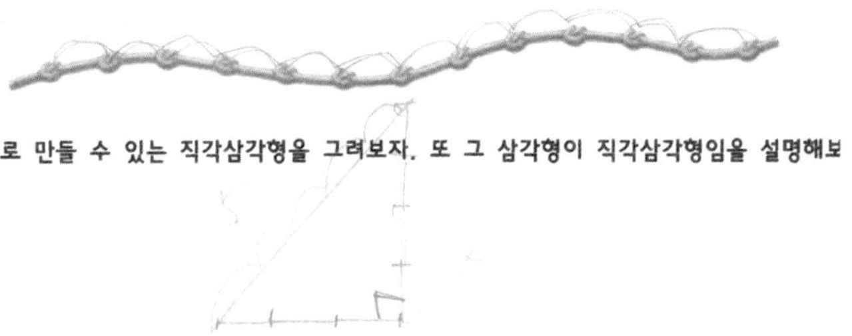

- 2 는 피타고라스의 수를 개인이 모두 찾지 못해도 된다. 모둠에서 학생들이 가능한 만큼 이를 찾아 볼 수 있도록 할 수 있다. 더하는 것이 어렵다면 계산기를 활용할 수 있도록 할 수 있으며, 더 큰 수에 대해서도 찾아 볼 수 있도록 할 수 있다.

9+16=25　　$3^2+4^2=5^2$
36+64=100　　$6^2+8^2=10^2$
144+25=169　　$12^2+5^2=13^2$
144+256=400　　$12^2+16^2=20^2$

$3^2+4^2=5^2$ $6^2+8^2=10^2$ $9^2+12^2=15^2$

$5^2+12^2=13^2$ $12^2+16^2=20^2$

• 수를 찾기 위해 계산에 그치기 보다는 아래와 같이 순서쌍으로 표현해 보도록 할 수도 있겠다. 아래는 학생이 순서쌍으로 정리한 것이다.

(3,4,5), (6,8,10), (9,12,15), (12,16,20), (5,12,13), (8,15,17)

• 학생들이 삼각형의 닮음을 이용하여 (3, 4, 5), (6, 8, 10), (9, 12, 15), … 등으로 찾기도 하였다. 계산을 하지 않고 찾은 학생들이다.
또한 추가적으로 이러한 수의 쌍이 무한하냐고 질문하기도 했다. 이런 경우 그렇다면 (3, 4, 5) 삼각형과 닮음이 아닌 직각삼각형도 있는지 전체 학생에게 발문해 볼 수 있다. 이와 같이 **탐구하기 1**의 활동을 직각삼각형의 세 변의 길이의 논의로 확장하고 이 정리에 익숙해질 수 있도록 진행한다.

개념과 원리 탐구하기 3 _ 피타고라스 정리의 증명

교과서(하) 113쪽

탐구 활동 의도

• [1] 도형의 닮음에서 학습한 내용을 바탕으로 피타고라스 정리를 정당화하고 설명할 수 있도록 하는 것이 목적이다. 2학년 2학기 도형 단원의 주요 흐름이 도형의 성질을 추측하고 설명하도록 하고 있다. 이 과제도 그 맥락에 따라 발견한 성질이 왜 성립하는지를 자신의 논리로 설명해 보도록 한 것이다.
• 피타고라스 정리의 증명의 방법은 400여 가지에 달한다. 그러나 중학교 3학년 과정의 무리수, 곱셈 공식, 이차방정식을 학습하기 이전이므로 다양한 증명을 다룰 수는 없다. 여기서 많이 해볼 수는 없지만 이 정리의 증명 방법이 한 가지가 아니고 여러 가지가 있다는 것 정도만 이야깃거리로 제공할 수 있다.

예상 답안

[1] (1) 두 각의 크기가 같은 삼각형의 닮음 조건에 의해 $\triangle ABC \backsim \triangle DBA$, $\triangle ABC \backsim \triangle DAC$, $\triangle DBA \backsim \triangle DAC$다.

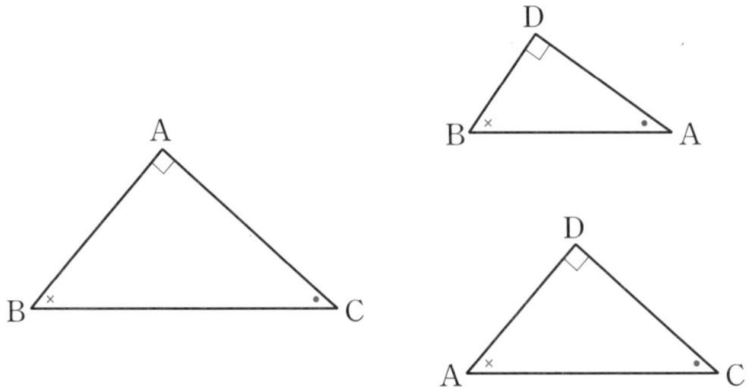

학생 답안

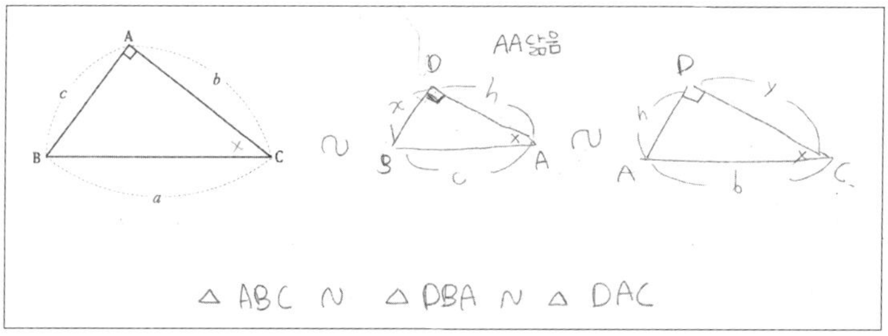

(2)

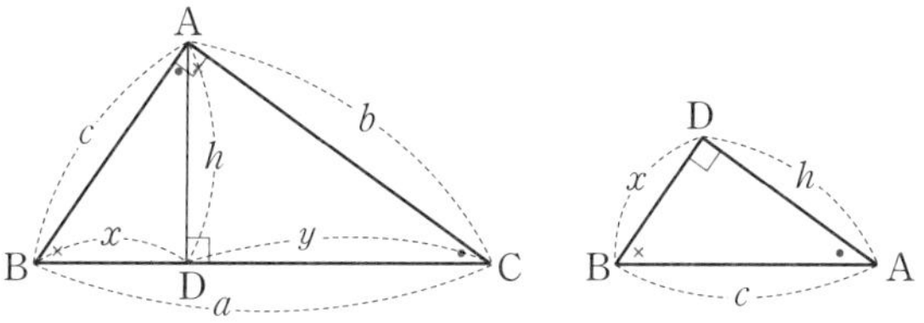

$\triangle ABC \backsim \triangle DBA$이므로 $c : x = a : c$, $ax = c^2$

$\triangle ABC \backsim \triangle DAC$이므로 $a : b = b : y$, $ay = b^2$

$b^2 + c^2 = ax + ay = a(x+y) = a^2$, 즉 $a^2 = b^2 + c^2$이다.

학생 답안

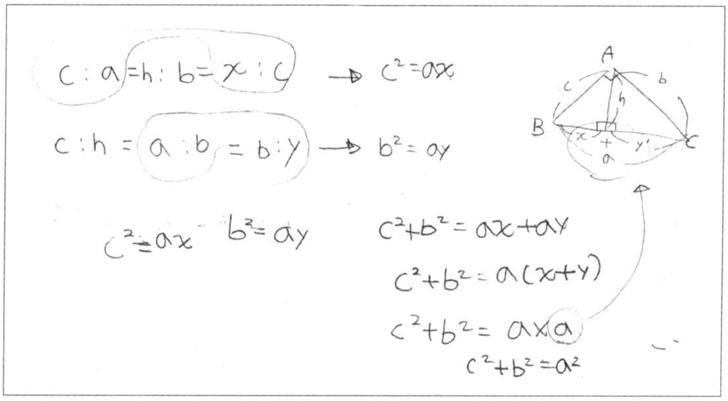

수업 노하우

- 고대부터 세 변의 길이 사이에 일정한 관계가 성립하는 특별한 직사각형들이 알려져 있었다. 피타고라스 학파는 '모든' 직각삼각형에서 이 관계가 성립함을 증명하였다고 한다. 어떻게 증명했을지를 탐구하는 것이다.
- 1 (2)의 경우 도형의 닮음 단원의 문제와 유사하므로 도형의 닮음에서의 내용을 복습해 볼 수 있다.
- 이 탐구의 한계는 변의 길이를 문자로 표현하지 않으면 피타고라스 정리를 설명하기 어렵다는 것이다. 도형의 닮음 단원에서는 닮음인 삼각형만 표시하고, 대응하는 점의 순서대로 이를 기호로 나타내도록 했다면 여기서는 대응하는 변의 길이의 비를 문자로 나타낼 수 있도록 하는 진행이 필요하다.
- 문자는 다양한 것을 사용할 수 있다. 학생들이 자유롭게 정하여 표현할 수 있도록 한다. 1학년 도형 단원에서 변의 길이를 나타내는 경우 일반적으로 소문자로 표기한다고 했음을 알려줄 수도 있다.
- 피타고라스 정리의 증명법은 400여 가지에 달한다. 실제로 증명하지 않더라도 이와 관련된 사진과 자료들을 보여줄 수도 있다. 유클리드(Euclid-?B.C.325~?B.C.265)의 '원론(Element)'의 증명, 학생들이 미술가로 알고 있는 레오나르도 다빈치의 증명, 미국 대통령 가필드의 증명 등 다양한 사람들이 증명했음을 이야깃거리고 제공할 수 있다.

개념과 원리 탐구하기 4 _ 피타고라스 정리의 역

교과서(하) 114쪽

탐구 활동 의도

- 삼각형의 세 변의 길이를 이용하여 직각삼각형인지 여부를 판단하는 활동이다. 즉, 직각삼각형이 되는 조건을 이해한다.
- 여러 가지 예를 통해서 이해할 수도 있지만 여기서는 그림에서 직각삼각형이 아니면 $a^2+b^2=c^2$이 성립하지 않음을 직관적으로 추론해 내는 것이 목적이다.

예상 답안

1 $\overline{AC}=3\,\text{cm}$, $\overline{BC}=4\,\text{cm}$로 고정되어 있을 때, $\overline{AB}$의 길이의 변화를 살펴보면 $\angle C<90°$이면 $\overline{AB}<5\,\text{cm}$, $\angle C=90°$이면 $\overline{AB}=5\,\text{cm}$, $\angle C>90°$이면 $\overline{AB}>5\,\text{cm}$이다.

학생 답안

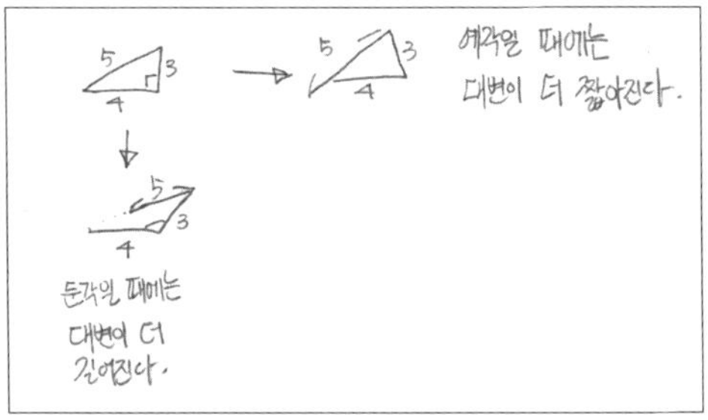

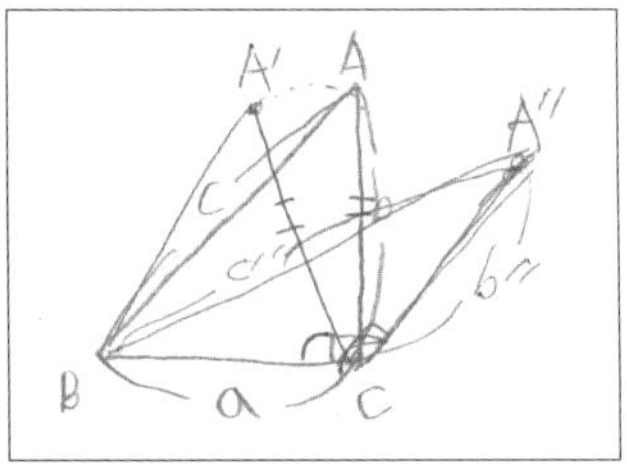

2

(1) 예각삼각형	$\overline{AB}^2<\overline{BC}^2+\overline{AC}^2$
(2) 직각삼각형	$\overline{AB}^2=\overline{BC}^2+\overline{AC}^2$
(3) 둔각삼각형	$\overline{AB}^2>\overline{BC}^2+\overline{AC}^2$

학생 답안

예각삼각형.	$a^2+b^2>c^2$
직각삼각형	$a^2+b^2=c^2$
둔각삼각형	$a^2+b^2<c^2$

수업 노하우

- 세 변의 길이가 주어진 경우 직각삼각형이 될 조건을 만족하는지를 먼저 확인할 필요가 있음을 알게 한다.
- 세 변의 길이가 a, b, c인 삼각형에서 가장 긴 변의 길이가 c일 때, 직각삼각형의 경우에도 $a^2+c^2\neq b^2$이므로 직각삼각형이 아니라고 생각할 수도 있다. a^2+c^2과 b^2, b^2+c^2과 a^2을 비교하지 않아야 함을 학생들이 발견할 수 있도록 수업을 진행한다.
- 왜 길이가 가장 긴 변의 길이의 제곱과 나머지 두 변의 길이의 제곱의 합을 비교해야 하는지 발문을 해 볼 수도 있다.

탐구 되돌아보기 예상 답안

교과서(하) 115~119쪽

1 개념과 원리 탐구하기 1

□ABCD에서 내부의 작은 사각형을 □XYZW라고 하자.

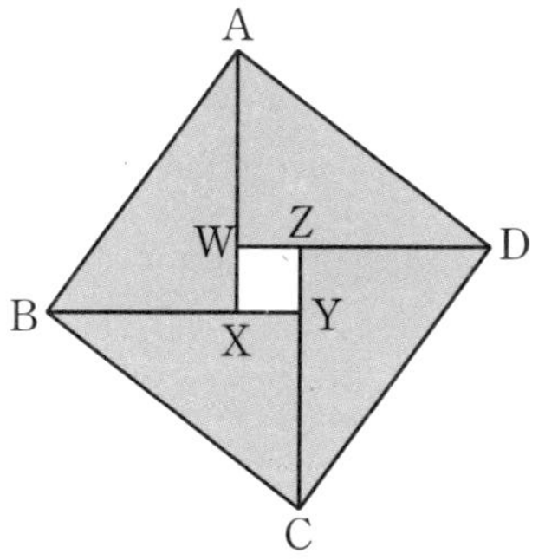

△ABX, △BCY, △CDZ, △DAW에서 각 직각삼각형의 높이와 밑변의 길이는 같고 두 변 사이에 끼인 각의 크기가 같기 때문에 네 개의 삼각형은 합동이다.

$\overline{AB}=\overline{BC}=\overline{CD}=\overline{DA}$

삼각형의 내각의 크기의 합은 180°이며 한 각의 크기가 90°이므로 나머지 두 각의 크기의 합은 90°이다.

□ABCD의 모든 내각의 크기는 90°로 같다.

따라서 □ABCD는 정사각형이다.

□XYZW에서 한 변의 길이는 직각삼각형의 두 변의 길이의 차이므로 모두 1 cm로 같다.

네 각은 모두 직각이므로 □XYZW는 정사각형이며 넓이는

$1\times1=1(\text{cm}^2)$ ……㉠

직각삼각형 4개의 넓이는

$(3\times4\div2)\times4=24(\text{cm}^2)$ ……㉡

㉠, ㉡에서 정사각형 ABCD의 넓이는 25 cm^2이다.

따라서 정사각형 ABCD의 한 변의 길이는 5(cm)이다.

참고

피타고라스 정리를 이용하면

(빗변의 길이)$^2=3^2+4^2=5^2$

따라서 (빗변의 길이)$=5(\text{cm})$이다.

2 개념과 원리 탐구하기 1

왼쪽 큰 정사각형은 각 변의 길이가 a, b, c인 직각삼각형 4개, 한 변의 길이가 a인 정사각형, 한 변의 길이가 b인 정사각형으로 구성되어 있고, 오른쪽 큰 정사각형은 각 변의 길이가 a, b, c인 직각삼각형 4개, 한 변의 길이가 c인 정사각형으로 구성되어 있다.

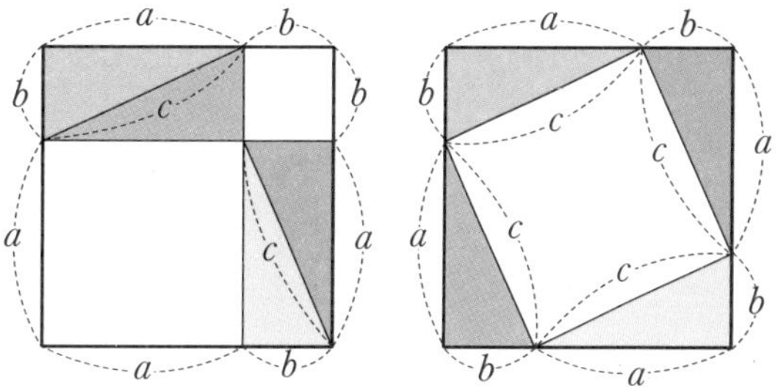

왼쪽의 큰 사각형과 오른쪽의 큰 사각형은 한 변의 길이가 $a+b$인 정사각형이다.

따라서 두 정사각형의 넓이는 같다.

이것을 식으로 나타내면

$4\times\frac{1}{2}ab+a^2+b^2=4\times\frac{1}{2}ab+c^2$

이고 이 식을 간단히 하면 $a^2+b^2=c^2$이다.

3 개념과 원리 탐구하기 1

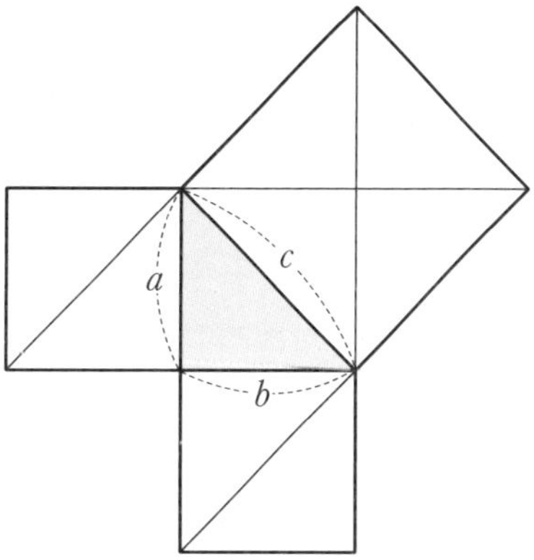

직각이등변삼각형의 빗변의 길이를 c라 하고 나머지 두 변의 길이를 각각 a, b라고 하자. 이때 a와 b의 길이는 같다. 직각이등변삼각형 9개로 만든 그림은 각 변의 길이를 한 변으로 하는 정사각형이 3개 만들어진다. 한 변의 길이가 a인 정사각형은 직각이등변삼각형 2개, 한 변의 길이가 b인 정사각형도 직각이등변삼각형 2개, 한 변

의 길이가 c인 정사각형은 직각이등변삼각형 4개로 구성되어 있기 때문에 작은 정사각형 두 개의 넓이의 합은 큰 정사각형의 넓이와 같다.
따라서 $a^2+b^2=c^2$이 성립한다.

4 개념과 원리 탐구하기 2

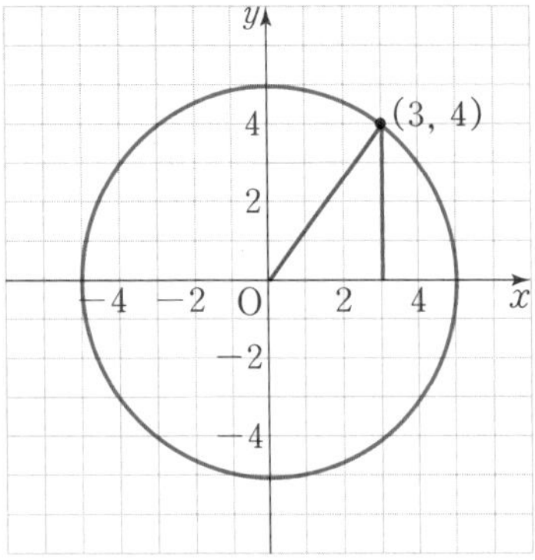

원의 중심이 원점이라면 원점과 점 (3, 4)사이의 거리가 원의 반지름의 길이가 된다. 점 (3, 4)에서 x축에 수선의 발을 내리면 직각삼각형이 만들어지고, x좌표 3과 y좌표 4가 직각삼각형의 직각을 낀 두 변의 길이가 된다.
이 직각삼각형에 피타고라스 정리를 적용하면
$3^2+4^2=9+16=25=5^2$
따라서 반지름의 길이는 5다.

5 개념과 원리 탐구하기 4

(1) $5^2=25, 12^2=144, 13^2=169$이므로
$5^2+12^2=13^2$
따라서 직각삼각형이다.

(2) $5^2=25, 6^2=36, 10^2=100$이므로
$5^2+6^2<10^2$
따라서 둔각삼각형이다.

(3) $4^2=16$이므로
$4^2+4^2>4^2$
따라서 정삼각형이고 예각삼각형이다.

(4) $1^2=1, 2^2=4, 2^2=4$이므로
$1^2+2^2>2^2$
따라서 이등변삼각형이고 예각삼각형이다.

6 개념과 원리 탐구하기 2

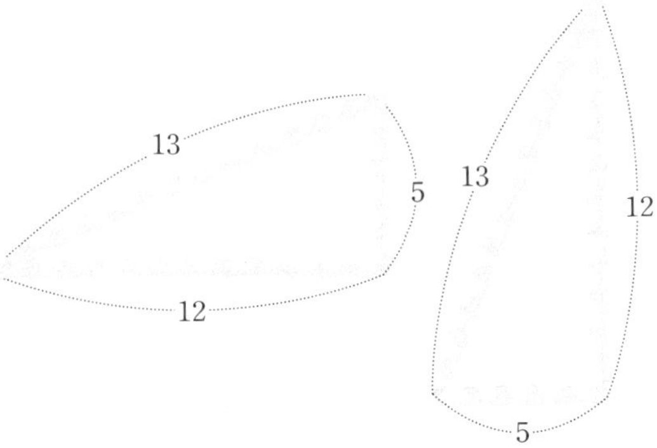

이은 밧줄의 개수를 30개로 바꾸어 빗변을 13개, 높이를 5개, 밑변을 12개 또는 빗변을 13개, 높이를 12개, 밑변을 5개로 잡으면 직각삼각형이 만들어진다.

7 개념과 원리 탐구하기 2

피타고라스 정리를 이용하여 맨 아래쪽의 직각삼각형의 빗변의 길이부터 구하고 점점 위쪽의 직각삼각형의 모르는 변의 길이를 구하여 x의 값을 찾는다.

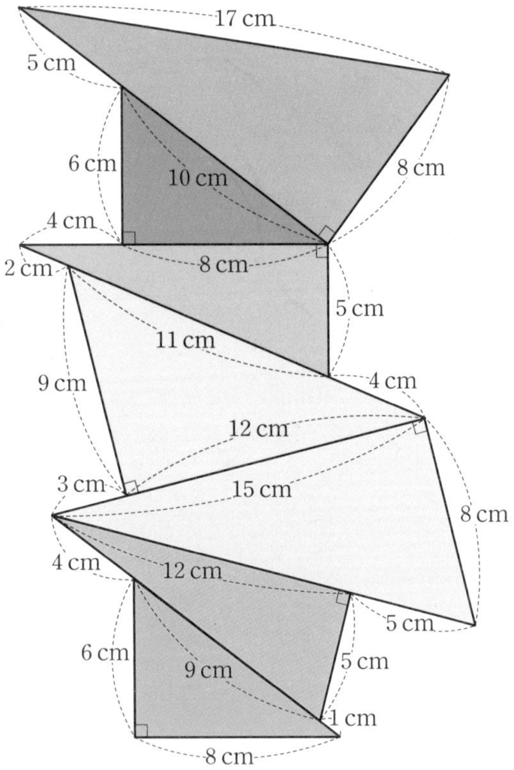

따라서 $x=17$이다.